CHEFS-D'ŒUVRE

LITTÉRAIRES

DU XVIIe SIÈCLE

COLLATIONNÉS SUR LES ÉDITIONS ORIGINALES
ET PUBLIÉS PAR M. LEFÈVRE

PARIS. — TYPOGRAPHIE DE FIRMIN DIDOT FRÈRES,
RUE JACOB, N° 56

CHEFS-D'ŒUVRE

ORATOIRES

DE BOSSUET

SES ORAISONS FUNÈBRES AVEC DES NOTES

SIX PANÉGYRIQUES, QUINZE SERMONS

QUARANTE-QUATRE EXTRAITS DE SERMONS

TOME PREMIER

PARIS

LIBRAIRIE DE FIRMIN DIDOT FRÈRES

IMPRIMEURS DE L'INSTITUT

RUE JACOB, 56

M DCCC LV

AVIS DE L'ÉDITEUR.

Le recueil que nous publions sous le titre de *Chefs-d'œuvre oratoires de Bossuet* reproduit les textes extraits de l'édition des Œuvres complètes de Bossuet (*Versailles*, 1816); cependant nous avons fait aux *Oraisons funèbres* quelques corrections importantes qui nous ont été indiquées par M. l'abbé Caron. Ce savant bibliothécaire du séminaire de Saint-Sulpice, après avoir terminé sa collation des éditions originales, nous communiqua le résultat de son travail; et, grâce à ses laborieuses et utiles recherches, ainsi qu'à l'intérêt bienveillant qu'il mettait à quelques-unes de nos réimpressions, nous croyons pouvoir assurer que nous donnons le texte exact des *Oraisons funèbres* de Bossuet. Nous y avons ajouté les variantes de l'auteur, les observations de l'abbé de Vauxcelle, des cardinaux Maury et de Bausset, de La Harpe, etc., les renseignements historiques nécessaires pour la prompte intelligence du texte, et les jugements du P. de Neuville, de MM. de Bausset, de Chateaubriand, Dussault et Villemain : quant aux citations, elles ont été vérifiées, sur les originaux, et quelquefois rectifiées par M. l'abbé Caron. Les panégyriques de saint Paul, de saint Pierre Nolasque, de saint Victor, de saint André, de sainte Catherine, et de saint Thomas de Cantorbéry, complètent le premier volume.

Le second volume contient seize *Sermons*, quarante-trois *fragments de Sermons*, et le *Discours sur l'Unité de l'Église*, que le cardinal Maury, dans son *Essai sur l'Éloquence de la chaire*, et ailleurs, appelle le *grand chef-d'œuvre de Bossuet*. Pour faciliter l'entente de ce discours, nous avons fait un *Précis historique* des événements qui donnèrent lieu, en 1681, à la convocation de l'assemblée générale du clergé de France, assemblée devenue si célèbre par sa *Déclaration sur la puissance ecclésiastique*. Ce *Précis* est extrait de l'*Histoire de Bossuet*, par M. le cardinal de Bausset, à laquelle pourront recourir ceux qui voudront plus de détails.

Nous n'essayerons pas de justifier la préférence que nous avons donnée aux panégyriques, aux sermons et aux fragments de sermons qui sont à la suite des *Oraisons funèbres ;* le public jugera si nous avons été trompé par le sentiment qui a dicté notre choix.

Pour éviter la répétition des noms, les auteurs des notes sont désignés ainsi qu'il suit :

L'ABBÉ DE VAUXCELLE. . .   V.

LE CARDINAL MAURY. . .   M.

LE CARDINAL DE BAUSSET.   B.

LA HARPE. . . . .   L. H.

M. DE CALONNE. . . . .   C.

M. FÉLIX DESCURET. . . .   F.

LEF....

NOTICE SUR BOSSUET.

BOSSUET (Jacques-Bénigne) naquit à Dijon le 27 septembre
1627 , d'une famille distinguée dans le parlement de Bourgogne. Il
se livra dès son enfance à l'étude avec l'avidité d'un génie naissant.

Comme il se destinait à l'état ecclésiastique, il embrassa toutes les
études qu'il crut nécessaires ou simplement utiles à cet important
ministère, depuis la lecture de la *Bible* jusqu'à celle des auteurs profanes, et depuis les Pères de l'Église jusqu'aux théologiens de l'école
et aux écrivains mystiques. Le goût vif et l'espèce de passion qu'il
prit pour les livres sacrés annonçaient à la religion le prélat qui devait la prêcher avec le zèle des apôtres, et la célébrer avec l'éloquence
des prophètes. Parmi les docteurs de l'Église, saint Augustin était
celui qu'il admirait le plus. Il le savait par cœur, le citait sans cesse,
trouvait, disait-il, dans saint Augustin *la réponse à tout,* et le portait toujours avec lui dans ses voyages.

Quant aux auteurs de l'antiquité profane, où son éloquence cherchait déjà des maîtres et des modèles, il donnait la préférence à Homère, dont le génie élevé, mais sans contrainte, avait le plus de rapport avec le sien. Il se plaisait aussi beaucoup à la lecture de Cicéron
et de Virgile; il faisait moins de cas d'Horace, qu'il jugeait plus en
chrétien sévère qu'en homme de goût; la morale de l'épicurien ef-
façait à ses yeux le mérite du poëte, et le rendait insensible à des
grâces qui ne lui paraissaient faites que pour séduire ou alarmer sa
vertu. Il portait encore plus loin l'austérité de ses principes. On sait
que des casuistes rigides ont regardé comme une sorte d'apostasie la
liberté que se sont donnée la plupart des poëtes chrétiens, d'employer dans leurs vers le nom des divinités païennes. Bossuet faisait
à ces docteurs inexorables l'honneur d'être de leur avis. Despréaux
leur a fait, dans son *Art poétique,* la meilleure réponse qu'un grand
poëte puisse opposer à de pareils scrupules; il les a réfutés en vers
harmonieux : on a retenu les vers de Despréaux, et oublié la sentence
des rigoristes. Les fictions si agréables et si philosophiques de la
mythologie ancienne, qui donnait à tout l'âme et la vie, continue-
ront, malgré l'arrêt de Bossuet, de fournir aux grands poëtes, sans

danger comme sans scandale, des images toujours piquantes et toujours nouvelles par le charme et l'intérêt qu'ils sauront y répandre. Quant à cette foule de versificateurs à qui on ne pourrait ôter Flore et Zéphire, l'Amour et ses ailes, sans réduire à la plus étroite indigence leur muse déjà si pauvre, l'insipide usage qu'ils font de la Fable dans leurs minces productions devait paraître à Bossuet lui-même plus fastidieux que criminel.

De toutes les études profanes, celle des mathématiques fut la seule que le jeune ecclésiastique se crut en droit de négliger, non par mépris, mais parce que les connaissances géométriques ne lui parurent d'aucune utilité pour la religion.

En se montrant peu favorable aux mathématiques, Bossuet ne témoigna pas la même indifférence à la philosophie, qui, par malheur pour elle, ignorait encore combien les mathématiques lui étaient nécessaires. Il goûta beaucoup le cartésianisme, alors très-nouveau et naissant à peine; un esprit de cette trempe, hardi, étendu, vigoureux, et ne demandant qu'à prendre l'essor, mais enchaîné par les entraves respectées où la religion le retenait captif, sentait tout le prix de la liberté que la philosophie de Descartes autorise dans les matières où il est permis de douter et de penser. Les attaques violentes que cette philosophie essuyait alors, de la part des théologiens mêmes, bien loin d'effrayer Bossuet, contribuaient peut-être, sans qu'il le sût, à échauffer son zèle pour la raison persécutée. Déjà des magistrats, ennemis des lumières et de leur siècle, avaient défendu, sous les peines les plus sévères, qu'on enseignât le cartésianisme, qui, malgré cette défense, trouva moyen de s'établir à petit bruit, et finit par détrôner la scolastique sa rivale. Depuis ce temps, la philosophie de Descartes, qui n'avait guère fait que substituer à des erreurs anciennes et absurdes des erreurs nouvelles et séduisantes, a disparu ainsi que celle d'Aristote, mais sans résistance et sans effort : cette philosophie, si inutilement tourmentée dans son berceau par l'imbécillité puissante, réclamerait aussi inutilement aujourd'hui la protection dont Bossuet l'a honorée; elle a péri sous nos yeux de sa mort naturelle, et la raison a fait toute seule ce que l'autorité n'avait pu faire; importante, mais presque inutile leçon pour ceux qui ont le pouvoir en main, de ne pas user vainement de leurs forces pour prescrire à la raison ce qu'elle doit penser, et de la laisser démêler d'elle-même ce qu'il lui convient de rejeter ou de saisir. Plus l'autorité agitera le vase où les vérités nagent pêle-mêle avec les erreurs, plus elle retardera la séparation des unes et des autres; plus elle verra s'éloigner ce moment, qui arrive pourtant tôt ou tard, où les erreurs se précipitent enfin d'elles-mêmes au fond du vase, et abandonnent la place aux vérités.

Tandis que Bossuet nourrissait l'activité de son esprit de toutes les connaissances convenables à un ministre de l'Église, son âme non moins active, et qui avait besoin d'un objet digne de la remplir, se formait à la piété par de fréquents voyages qu'il faisait à l'abbaye de la Trappe, séjour qui en effet paraît destiné à faire sentir aux cœurs même les plus tièdes jusqu'à quel point une foi vive et ardente peut nous rendre chères les privations les plus rigoureuses; séjour même qui peut offrir au simple philosophe une matière intéressante de réflexions profondes sur le néant de l'ambition et de la gloire, les consolations de la retraite et le bonheur de l'obscurité.

Le talent de Bossuet pour la chaire s'était manifesté presque dès son enfance. Il fut annoncé comme un orateur précoce à l'hôtel de Rambouillet, où le mérite en tout genre était sommé de comparaître, et jugé bien ou mal. Il y fit devant une assemblée nombreuse et choisie, presque sans préparation, et avec les plus grands applaudissements, un sermon sur un sujet qu'on lui donna : le prédicateur n'avait que seize ans, et il était onze heures du soir, ce qui fit dire à Voiture, si fécond en jeux de mots, qu'il n'avait jamais entendu prêcher *si tôt ni si tard*.

Avec de si rares talents pour l'éloquence, la nature avait doué Bossuet d'une mémoire prodigieuse : il suffirait, sans compter beaucoup d'autres grands hommes, pour démentir les lieux communs si souvent rebattus sur l'antipathie de la mémoire et du jugement, lieux communs débités avec complaisance par des hommes qui se flattent que la nature leur a donné en jugement ce qu'elle leur a refusé en mémoire.

Destiné, par son goût et par son caractère, à l'éloquence et à la controverse, Bossuet mena, pour ainsi dire, de front les talents de l'orateur et du théologien. Le ton de la chaire changea dès qu'il y parut; il substitua aux indécences qui l'avilissaient, au mauvais goût qui la dégradait, la force et la dignité qui conviennent à la morale chrétienne. Il n'écrivait point ses sermons, ou plutôt il ne les écrivait qu'en raccourci, et comme en idée; il se contentait de méditer profondément son sujet, il en jetait les principaux points sur le papier; il écrivait quelquefois les unes auprès des autres différentes expressions de la même pensée, et dans la chaleur de l'action il se saisissait en courant de celle qui s'offrait la première à l'impétuosité de son génie. Les sermons qu'on a imprimés de lui, restes d'une multitude immense, car jamais il ne prêcha deux fois le même, sont plutôt les esquisses d'un grand maître que des tableaux terminés; ils n'en sont que plus précieux pour ceux qui aiment à voir dans ces dessins heurtés et rapides les traits hardis d'une touche libre et fière, et la première séve de l'enthousiasme créateur. Cette fécondité pleine de chaleur et de verve, qui dans la chaire ressemblait à l'inspiration, subjuguait et entraînait ceux qui l'écoutaient. Un de ces hommes qui font parade de ne rien croire voulut l'entendre, ou plutôt le bra-ver; trop orgueilleux pour s'avouer vaincu, mais trop juste pour ne pas rendre hommage à un grand homme : « Voilà, dit-il en sortant, « le premier des prédicateurs pour moi; car c'est celui par lequel « je sens que je serais converti, si j'avais à l'être. »

Au milieu de ces triomphes oratoires, Bossuet fit avec distinction ses premières armes comme théologien, par la réfutation du caté-chisme de Paul Ferry, ministre protestant : cette réfutation, qui an-nonçait aux réformés un adversaire redoutable, reçut dans l'Église catholique tout l'accueil que son défenseur pouvait espérer. Mais ce qui ne doit pas être oublié dans l'histoire d'une querelle théologique, c'est que Bossuet et Ferry, qui étaient amis avant leur dispute, continuèrent de l'être après avoir écrit l'un contre l'autre : rare et digne exemple à offrir aux controversistes de toutes les religions, mais qui sera plus loué qu'imité, et qui serait même appelé scandale par les fanatiques, si le nom de celui qui a donné ce *scandale* ne les forçait au silence.

Les succès éclatants de Bossuet portèrent bientôt sa réputation à la cour, où ses sermons furent applaudis avec transport. Louis XIV, meilleur juge encore que ses courtisans, ne tarda pas à lui donner des marques d'estime plus distinguées que de simples éloges. Quoi-que le nouvel orateur de Versailles y offrît un spectacle aussi nouveau par sa conduite que par son éloquence, qu'il ne s'y montrât que dans la chaire ou au pied des autels, qu'il ne demandât aucune grâce, qu'il fût enfin, comme le sont presque toujours les grands talents, *sans manége* et *sans souplesse*, la récompense qu'il méri-tait sans la chercher vint le trouver dans la solitude où il vivait au milieu de la cour. Le roi le nomma à l'évêché de Condom [1]. Bos-suet, qui voyait s'élever dans Bourdaloue un successeur digne de lui et formé sur son modèle, remit le sceptre de l'éloquence chrétienne aux mains de l'illustre rival à qui il avait offert et tracé cette glo-rieuse carrière, et ne fut ni surpris ni jaloux de voir le disciple s'y élancer plus loin que le maître. Il se livra bientôt à un autre genre,

---

[1] En 1669.

où il n'eut ni supérieur ni égal, celui des oraisons funèbres. Toutes celles qu'il a prononcées portent l'empreinte de l'âme forte et élevée qui les a produites, toutes retentissent de ces vérités terribles que les puissants de ce monde ne sauraient trop entendre, et qu'ils sont si malheureux et si coupables d'oublier. C'est là, pour employer ses propres expressions, qu'on voit « tous les dieux de la terre dégradés « par les mains de la mort, et abîmés dans l'éternité, comme les « fleuves demeurent sans nom et sans gloire, mêlés dans l'Océan « avec les rivières les plus inconnues. » Si dans ces admirables discours l'éloquence de l'orateur n'est pas toujours égale, s'il paraît même s'égarer quelquefois, il se fait pardonner ses écarts par la hauteur immense à laquelle il s'élève; on sent que son génie a besoin de la plus grande liberté pour se déployer dans toute sa vigueur, et que les entraves d'un goût sévère, les détails d'une correction minutieuse, et la sécheresse d'une composition léchée, ne feraient qu'énerver cette éloquence brûlante et rapide; son audacieuse indépendance, qui semble repousser toutes les chaînes, lui fait négliger quelquefois la noblesse même des expressions : heureuse négligence, puisqu'elle anime et précipite cette marche vigoureuse, où il s'abandonne à toute la véhémence et l'énergie de son âme; on croirait que la langue dont il se sert n'a été créée que pour lui, qu'en parlant même celle des sauvages il eût forcé l'admiration, et qu'il n'avait besoin que d'un moyen, quel qu'il fût, pour faire passer dans l'âme de ses auditeurs toute la grandeur de ses idées. Les censeurs scrupuleux et glacés, que tant de beautés laisseraient assez de sang-froid pour apercevoir quelques taches qui ne peuvent les déparer, méritent la réponse que milord Bolingbroke faisait, dans un autre sens, aux détracteurs de milord Marlborough : « C'était un si grand homme, que j'ai oublié ses vices. » Cet orateur si sublime est encore pathétique, mais sans en être moins grand; car l'élévation, peu compatible avec la finesse, peut au contraire s'allier de la manière la plus touchante à la sensibilité, dont elle augmente l'intérêt en la rendant plus noble. Bossuet, dit un célèbre écrivain, obtint le plus grand et le plus rare des succès, celui de faire verser des larmes à la cour dans l'Oraison funèbre de la duchesse d'Orléans, Henriette d'Angleterre; il se troubla lui-même, et fut interrompu par ses sanglots, lorsqu'il prononça ces paroles si foudroyantes à la fois et si lamentables que tout le monde sait par cœur, et qu'on ne craint jamais de trop répéter : « O nuit désastreuse! nuit effroyable, où retentit « tout à coup, comme un éclat de tonnerre, cette effroyable nouvelle : « Madame se meurt, Madame est morte! » On trouve une sensibilité plus douce, mais non moins sublime, dans les dernières paroles de l'Oraison funèbre du grand Condé. Ce fut par ce discours que Bossuet termina sa carrière oratoire; il finit par son chef-d'œuvre, comme auraient dû faire beaucoup de grands hommes, moins sages ou moins heureux que lui. « Prince, dit-il en s'adressant au héros que la France « venait de perdre, vous mettrez fin à tous ces discours; au lieu de « déplorer la mort des autres, je veux désormais apprendre de vous « à rendre la mienne sainte : heureux si, averti par ces cheveux « blancs du compte que je dois rendre de mon administration, je « réserve, au troupeau que je dois nourrir de la parole de vie, les « restes d'une voix qui tombe et d'une ardeur qui s'éteint ! » La réunion touchante que présente ce tableau d'un grand homme qui n'est plus, et d'un autre grand homme qui va bientôt disparaître, pénètre l'âme d'une mélancolie douce et profonde, en lui faisant envisager avec douleur l'éclat si vain et si fugitif des talents et de la renommée. Le malheur de la condition humaine est celui de s'attacher à une vie si triste et si courte.

La réputation brillante que Bossuet s'était acquise fit désirer à l'Académie française de posséder un homme déjà si célèbre, et de qui elle compte aujourd'hui le nom parmi ceux dont elle s'honore le plus. Louis XIV lui confia dans le même temps une place bien plus importante : il jugea que celui qui annonçait avec tant de force dans la chaire évangélique la grandeur divine et la misère humaine était plus propre que personne à pénétrer de ses vérités, par une instruction solitaire et suivie, l'héritier de la couronne. Bossuet fut nommé précepteur du Dauphin. Qu'on nous permette de nous livrer un moment à la réflexion naturelle que présente un choix si digne d'éloge. Le moyen le plus sûr peut-être d'apprécier les rois, c'est de les juger par les hommes à qui ils accordent leur confiance. Louis XIV donna pour gouverneurs à son fils et à son petit-fils les deux hommes les plus vertueux de la cour, et surtout les plus déclarés contre l'adulation et la bassesse, Montausier et Beauvilliers; pour précepteurs, les deux plus illustres prélats de l'Église de France, Bossuet et Fénelon; et pour sous-précepteurs, Huet et Fleury, dont l'un était le plus savant, l'autre le plus sage et le plus éclairé des ecclésiastiques du second ordre. Qu'on joigne à tant d'excellents choix pour un seul objet, ceux de Turenne, de Condé, de Luxembourg, de Colbert et de Louvois; qu'on y joigne le goût exquis avec lequel le monarque sut apprécier par lui-même les talents si différents de Despréaux et de Racine, de Quinault et de Molière; qu'on y joigne enfin l'honneur qu'il eut d'avertir sa cour,

et presque sa nation, du mérite de ces écrivains ; et on en conclura,
pour peu qu'on soit juste, que, si Louis XIV a été trop encensé par
la flatterie, il a été digne aussi de recevoir des éloges par la bouche
de la justice et de la vérité. Bossuet et les autres hommes de génie
dont ce prince sut mettre les talents en œuvre dans les jours brillants
de sa gloire, doivent lui faire pardonner quelques choix moins
heureux auxquels il eut la faiblesse de se prêter sur la fin de sa vie ;
triste fruit du malheur de régner, et surtout de vieillir sur le trône.

L'instituteur du Dauphin, persuadé que ceux qui sont chargés de
la redoutable fonction d'élever un roi sont responsables du bonheur
des peuples, et convaincu en même temps qu'il suffit à un prince d'être
éclairé pour être vertueux, ne négligea rien pour orner l'esprit de
son auguste élève de toutes les connaissances qu'il jugea propres à en
faire un monarque instruit et juste. Résolu de se livrer tout entier
à un objet si sacré pour lui, il remit l'évêché de Condom, et reçut
en échange une abbaye très-modique, mais suffisante à la modération de ses désirs. Il se prépara à l'éducation du Dauphin, en recom-
mençant, pour ainsi dire, la sienne. Il reprit ses premières études,
que depuis longtemps il avait abandonnées. Il s'exerça même à écrire
en langue latine, non qu'il se flattât de pouvoir bien parler une
langue morte, mais parce qu'il voulait se la rendre plus familière ;
à peu près comme ces amateurs qui, pour apprendre à se connaître
en peinture, n'hésitent pas à faire eux-mêmes des tableaux, qu'ils
n'estiment que ce qu'ils valent. Enfin, il n'oublia rien pour se mettre
à l'abri de tout reproche, si une éducation préparée par tant de soins
n'avait pas tout le succès qu'il s'en promettait, et si le génie du
précepteur n'était pas secondé par le disciple comme il méritait
de l'être.

Quelques prélats courtisans, qui regardaient leur assiduité à Versailles comme un droit aux grâces du souverain, étaient secrètement,
mais profondément blessés de la préférence qu'on avait donnée à
Bossuet pour remplir une place à laquelle leur orgueilleuse médiocrité ne rougissait pas de prétendre. Pour se venger de cette préférence si juste, ils publiaient que le précepteur poussait le zèle pour
l'instruction du prince jusqu'à l'excéder d'ennui et de fatigue : « M. le
Dauphin, disaient-ils avec une complaisance qui jouait l'intérêt, se
plaignait qu'on voulût l'obliger à savoir *comment Vaugirard s'appelait du temps des druides.* » Pour apprécier cette imputation ridicule, il suffit de lire l'ouvrage célèbre que Bossuet composa pour
son disciple, le *Discours sur l'Histoire universelle.* On admire dans
cette grande esquisse un génie aussi vaste que profond, qui, dédai-

gnant de s'appesantir sur les détails frivoles, si chers au peuple des historiens, voit et juge d'un coup d'œil les législateurs et les conquérants, les rois et les nations, les crimes et les vertus des hommes, et trace, d'un pinceau énergique et rapide, le temps qui dévore et engloutit tout, la main de Dieu sur les grandeurs humaines, et les royaumes *qui meurent comme leurs maîtres.* Comment l'aigle qui a vu de si haut et de si loin, comment le peintre qui a traité d'une si grande manière l'histoire du monde, aurait-il pu descendre, dans le détail de l'éducation du prince, à des minuties également indignes du prince et de lui? Et quand l'élève même l'aurait pu désirer, comment le maître en aurait-il eu le courage?

Nous n'affaiblirons point par une répétition fastidieuse les éloges donnés à cet ouvrage; nous croyons plutôt devoir à l'auteur, sur un point essentiel et délicat, une apologie qui sera peut-être un nouvel éloge [1]. On a accusé Bossuet d'avoir été dans ce chef-d'œuvre d'éloquence plus orateur qu'historien, et plus théologien que philosophe; d'y avoir trop parlé des Juifs, trop peu des peuples qui rendent si intéressante l'histoire ancienne, et d'avoir en quelque sorte sacrifié l'univers à une nation que toutes les autres affectoient de mépriser. Il répondait à ce reproche, que, s'il avait paru, dans un si grand tableau, négliger le reste de la terre pour le seul peuple à qui le vrai Dieu fût connu, c'est qu'il avait cru devoir non-seulement à ce Dieu, dont il était le ministre, mais encore à la France, dont le sort était confié à ses leçons, de montrer partout au jeune prince, dans cette vaste peinture, l'objet le plus propre à forcer les rois d'être justes, l'Être éternel et tout-puissant dont l'œil sévère les observe, et dont l'arrêt terrible doit les juger. Bossuet se représentait avec frayeur à quel point l'humanité serait à plaindre, si ce petit nombre d'hommes auquel la Providence a soumis leurs semblables, et qui n'ont à redouter sur la terre que le moment où ils la quittent, ne voyaient au-dessus de leur trône un arbitre suprême, qui promet vengeance aux infortunés dont ils auront souffert ou causé les larmes. Ce prélat citoyen était persuadé que ceux même qui auraient le malheur de regarder la croyance d'un Dieu comme inutile aux autres hommes, commettraient un crime de *lèse-humanité* en voulant ôter cette croyance aux monarques. Il faut que les sujets *espèrent* en Dieu, et que les souverains *le craignent.*

L'éducation du Dauphin étant finie, Bossuet, à qui le roi avait donné pour récompense l'évêché de Meaux, se consacra de nouveau et sans

---

[1] Voltaire.

relâche à la défense et au service de la religion. Jusqu'ici nous ne l'avons presque pas envisagé comme théologien profond et zélé : il paraît néanmoins avoir encore été plus jaloux de ses succès dans la controverse que de ses talents pour l'éloquence, comme Descartes se croyait plus grand par ses méditations métaphysiques que par ses découvertes en géométrie. Mais les triomphes théologiques de Bossuet, quelque prix qu'on y doive attacher, sont la partie de son éloge à laquelle nous devons toucher avec le plus de réserve ; ses victoires en ce genre appartiennent à l'histoire de l'Église, et non à celle de l'Académie, et méritent d'être appréciées par de meilleurs juges que nous. Le recueil immense de ses ouvrages déploie à cet égard toute l'étendue de ses richesses et toute la vigueur de ses forces. Là, on le voit sans cesse aux prises, soit avec l'incrédulité, soit avec l'hérésie, bravant et repoussant l'une et l'autre, et couvrant l'Église de son égide contre ce double ennemi qui cherche à l'anéantir. Son goût pour la guerre semble le poursuivre jusque dans les pièces qu'il a consacrées à l'éloquence ; il oublie quelquefois qu'il est orateur, pour se livrer à cette controverse qu'il chérit tant ; et, du trône où il tonne, daignant descendre dans l'arène, il quitte, si on peut parler ainsi, la foudre pour le ceste : mais il reprend bientôt cette foudre, et le dieu fait oublier l'athlète.

Défenseur intrépide de la foi de l'Église, Bossuet n'était pas moins ardent pour en soutenir les droits ; il fut l'âme de la fameuse assemblée du clergé, en 1682, où ces droits furent développés avec tant de force, et si vigoureusement maintenus. L'Église de France et celle de Rome étaient alors violemment divisées sur l'affaire des *franchises*, et principalement sur celle de la *régale* [1], pour laquelle le pape Innocent XI montrait un intérêt qu'il osait porter jusqu'aux menaces. Déjà ce pontife entreprenant, plus opiniâtre que politique, avait déclaré que, pour prévenir le mal funeste qui menaçait la religion, il aurait recours, s'il était nécessaire, aux remèdes violents dont la Providence divine lui avait confié l'emploi redoutable. Ce langage, qui aurait fait trembler le roi Robert dans le onzième siècle, n'était pas fait au dix-septième pour intimider Louis XIV, et encore moins l'évêque de Meaux. Mais la cour de Rome, malgré la fierté du monarque et la fermeté de Bossuet, montrait avec d'autant plus de confiance tout son mécontentement ou son zèle, que ses prétentions trouvaient de l'appui dans quelques-uns des plus dignes prélats de l'Église de France. On sait quelle résistance les respectables évêques

---

[1] Voyez, au tome II, le Précis des événements qui firent convoquer l'assemblée du clergé en 1681.

d'Aleth et de Pamiers opposèrent à Louis XIV sur ce droit de *régale*, qu'ils croyaient injurieux à l'épiscopat. Le monarque irrité
voulait appeler à sa cour les deux prélats, pour leur faire sentir
tout le poids de son indignation : « Que Dieu vous en préserve, Sire,
« lui dit l'évêque de Meaux, qui s'intéressait vraiment à sa gloire !
« Craignez que toute la route des deux évêques, du fond du Langue-
« doc jusqu'à Versailles, ne soit bordée d'un peuple immense qui
« demandera à genoux leur bénédiction. » Louis XIV se rendit à un
si sage conseil ; il craignit de voir échouer l'autorité contre des armes si puissantes par l'apparence même de leur faiblesse, et d'opposer à l'éloquence foudroyante de Bossuet cette éloquence populaire,
mais pénétrante, de la vertu courageuse et persécutée.

Quoi qu'il en soit de cette querelle, aujourd'hui heureusement as-
soupie, nous lui sommes redevables d'un des plus célèbres ouvrages de Bossuet, la fameuse *Défense de l'Église gallicane*, regardée
aujourd'hui par cette Église comme son rempart contre les attaques ultramontaines, et comme le *palladium* de ce qu'elle appelle
ses *libertés;* dénomination précieuse, quoique assez impropre,
puisque ces libertés ne sont réellement que le droit ancien et commun de toutes les Églises, conservé par celle de France, et oublié
de presque toutes les autres. Cet ouvrage, en mettant le comble à
la gloire épiscopale et théologique de l'évêque de Meaux, le priva
d'un chapeau de cardinal que lui avait offert le pape, s'il eût voulu,
non pas défendre ouvertement les prétentions de la tiare, mais seulement ne pas s'y montrer trop contraire. Bossuet, aussi fidèle sujet
que digne évêque, renonça sans peine à un honneur qui ne pouvait
rien ajouter à la considération publique dont il jouissait dans l'Église :
il eût plus illustré la pourpre que la pourpre ne l'eût décoré ; et son
nom manque bien plus au sacré collége que le titre d'*éminence* à
son nom. On peut seulement être étonné que Louis XIV, qui avait
droit de nommer un cardinal parmi les évêques de son royaume,
ait frustré de cette récompense le prélat qui avait si bien défendu
l'indépendance et les droits du diadème : nous ignorons quelles raisons empêchèrent un prince si sensible à tous les genres de gloire de
s'illustrer par cet acte de grandeur et de justice ; mais nous rejette-
rons avec autant de mépris que d'indignation ce que les ennemis de
ce grand roi ont osé dire, qu'il ne trouvait pas l'évêque de Meaux
d'*assez bonne maison* pour le revêtir de cette dignité : comme s'il
eût pu croire quelque dignité au-dessus de l'honneur qu'il avait fait à
Bossuet en lui confiant ses intérêts les plus sacrés et les plus chers ;
et comme s'il fallait être de meilleure maison pour s'appeler prêtre

ou diacre de l'Église de Rome, que pour être l'oracle de celle de France, et l'instituteur de l'héritier d'un grand empire.

Avec une âme noble, active, pleine de force et de chaleur, avec un caractère ferme et impétueux, et surtout avec des talents éminents, on peut juger si Bossuet eut des ennemis. Peut-être avait-il le défaut de faire trop sentir aux talents médiocres cette supériorité qui les écrasait : trop sûr de terrasser pour se croire obligé de plaire, il négligeait de tempérer l'éclat de sa gloire par une modestie qui la lui aurait fait pardonner. Mais Bossuet, dont l'âme était assez grande pour être simple, réservait sans doute la simplicité pour le fond de son cœur, et croyait trop au-dessous de lui de se parer, aux yeux de ses ennemis, d'une vertu qu'ils auraient accusée de n'être que le masque de l'orgueil. Sa noble fierté reçut plus d'une fois à la cour, non des coups violents que la calomnie n'eût osé lui porter, mais des attaques indirectes, moins hasardeuses pour la main lâche de l'envie. Il présentait un jour à Louis XIV le père Mabillon comme *le religieux le plus savant de son royaume.... Ajoutez, et le plus humble,* dit l'archevêque de Reims, Le Tellier, qui prétendait faire une épigramme bien adroite contre la modestie du prélat. Cependant le même archevêque, quelque humilié qu'il se sentît par la force et la grandeur du génie de Bossuet, était assez juste pour ne pas souffrir qu'on le méconnût. Un jour que de jeunes aumôniers du roi, dont l'un a depuis occupé de très-grandes places, parlaient en sa présence, avec la légèreté française, des talents et des ouvrages de l'évêque de Meaux, qu'ils osaient vouloir rendre ridicule : *Taisez-vous,* leur dit Le Tellier; *respectez votre maître et le nôtre.*

La circonstance de la vie de Bossuet qui dut être la plus affligeante pour lui est l'obligation qu'il crut devoir s'imposer de combattre dans la personne de Fénelon la vertu même, et la vertu qui s'égarait. Mais les opinions de l'archevêque de Cambray sur le quiétisme lui parurent d'autant plus dangereuses, que celui qui les répandait était bien propre à séduire par la douceur de ses mœurs et par le charme de son éloquence : on disait de lui, en le comparant à l'évêque de Meaux, que ce dernier *prouvait la religion,* et que Fénelon *la faisait aimer.* Bossuet, inexorablement attaché à la saine doctrine, y sacrifia sans balancer l'amitié qu'il avait témoignée jusqu'alors à l'archevêque de Cambray. Il écrivit contre lui avec toute la force que l'intérêt de la foi devait inspirer à son défenseur; peut-être même l'ardeur religieuse l'emporta-t-elle quelquefois à des expressions peu ménagées contre son vertueux adversaire : celui-ci du moins se crut offensé, et s'en plaignit avec cette douceur qui ne l'abandonnait jamais. Moins modérés et moins équitables que Fénelon, les ennemis de Bossuet osaient ajouter qu'il n'avait montré tant de chaleur dans cette querelle que par un motif de jalousie, et pour éloigner de la cour un concurrent aussi propre par ses talents à faire des enthousiastes que digne par son caractère d'avoir des amis. En même temps les partisans de l'évêque de Meaux accusaient Fénelon de mauvaise foi, de manége, et de fausseté. Ces imputations odieuses étaient bien plus l'ouvrage des deux partis que des deux chefs, trop grands l'un et l'autre pour s'attaquer avec tant de fiel et de scandale. Il faut mettre sur la même ligne toutes ces productions mutuelles de la passion et de la haine, et déplorer la méchanceté des hommes.

Les protestants, et surtout le fanatique Jurieu, dont les câlomnies auraient déshonoré la meilleure cause, ont aussi taxé Bossuet de barbarie à leur égard, et d'avoir autorisé par ses conseils la persécution violente, si contraire au christianisme, à l'humanité, à la politique même, que Louis XIV eut le malheur d'ordonner ou de permettre contre les réformés. Personne n'ignore que des hommes alors très-accrédités, et plus ennemis encore de Bossuet vivant que de Calvin, qui n'était plus, furent les détestables auteurs de cette persécution, dont ils voulaient faire retomber la haine sur l'évêque de Meaux; mais il se défendit hautement d'être leur complice. Il ne craignit point de prendre les nouveaux convertis à témoin de ses réclamations contre ces expéditions militaires et cruelles, si connues sous le nom de *mission dragonne*. Accoutumé à ne soumettre que par les armes de la persuasion ses frères égarés, « il ne pouvait, di-« sait-il, se résoudre à regarder les baïonnettes comme des instru-« ments de conversion. »

Plein du désir sincère de réunir par la conciliation les protestants à l'Église, il eut un commerce de lettres avec le célèbre Leibnitz sur cet objet, si digne d'occuper ces deux grands hommes. Mais Leibnitz, plus tolérant que controversiste, et plus philosophe que protestant, traitait cette grande affaire de religion comme il eût traité une négociation entre des souverains. Peu instruit ou peu touché de la rigueur inflexible des principes catholiques en matière de foi, il croyait que chacune des parties belligérantes devait faire à la paix quelques sacrifices, et céder un point pour en obtenir un autre: Bossuet, inébranlable dans sa croyance, voulait, pour préliminaire, que les protestants commençassent par se soumettre à tout ce que le concile de Trente exigeait d'eux. On croira sans peine que le négociateur théologien ne put s'accorder avec le négociateur accommodant. En vain, dans un écrit public, un ministre réformé exhorta

Bossuet à la condescendance : « C'est en bon français, disait Bayle,
« l'exhorter à se faire protestant : il n'en fera rien : on peut l'assurer
« sans être prophète. »

On ne s'est pas borné à taxer de cruauté son zèle : on a voulu le
rendre suspect de fausseté. On a dit qu'il avait des sentiments philosophiques différents de sa théologie, semblable à ces avocats qui, dans
leurs déclamations au barreau, s'appuient sur une loi dont ils connaissent le faible : ainsi la haine a voulu le rendre tout à-la fois criminel et ridicule, en l'accusant (ce sont les termes de ses détracteurs) d'avoir consumé sa vie et ses talents à des disputes dont il sentait la futilité. La meilleure réponse à cette accusation est celle que
Bossuet lui-même y a faite, par le ton dont il osa parler à Louis XIV
dans le temps de ses démêlés avec l'archevêque de Cambray. « Qu'au-
riez-vous fait, lui dit le monarque étonné de son ardeur, si j'avais
été pour Fénelon contre vous ? Sire, répondit Bossuet, j'aurais crié
vingt fois plus haut. » Il connaissait trop l'empire de la foi sur l'esprit du monarque pour craindre que cette réponse l'offensât ; mais
on a beau, dans ces occasions, être sûr de la piété du prince, il faut
encore du courage pour oser la mettre à pareille épreuve. Bossuet
était convaincu que la vraie pierre de touche d'un amour sincère pour
la religion n'est pas toujours de déclamer avec violence contre ses
ennemis lorsqu'ils sont sans appui et sans pouvoir, mais de réclamer
ses droits avec courage, lorsqu'il est dangereux de les rappeler à un roi
qui les oublie. Il ne craignait point de dire que tout ministre de l'Être
suprême qui, placé près du trône, recule ou hésite dans ces circonstances redoutables, est indigne du Dieu qu'il représente par son caractère, et qu'il outrage par son silence. Il donna, dans une autre
occasion, une preuve plus éclatante encore de sa grandeur d'âme
épiscopale, par la force avec laquelle il s'éleva contre des moines aussi
vils que coupables, qui, dans la dédicace d'une thèse, avaient eu la
basse impiété de mettre leur roi à côté de leur Dieu ; « de manière,
dit madame de Sévigné, qu'on voyait clairement que Dieu n'était
que la copie. » Bossuet en porta ses plaintes au monarque même,
si indignement célébré : la pieuse modestie du roi rougit du parallèle, et il ordonna la suppression de la thèse.

L'évêque de Meaux était néanmoins trop éclairé pour comprometttre la religion en outrant son zèle. Il savait que, si la vérité ne doit
pas redouter l'approche du trône, elle ne doit aussi s'en approcher
qu'avec cette fermeté prudente qui prépare et assure son triomphe.
Comme il avait écrit avec beaucoup de force contre les spectacles, il
fut un jour consulté sur ce cas de conscience par Louis XIV, qui

n'avait pas encore renoncé à voir les chefs-d'œuvre du théâtre, et à qui peut-être ce délassement si noble était nécessaire pour apprendre quelques-unes de ces vérités qu'on n'ose pas toujours dire aux rois. « Sire, répondit Bossuet au monarque, il y a de grands exemples pour, et de fortes raisons contre. » Si la réponse n'était pas décisive, elle était du moins aussi adroite que noble. Ce prélat avait lui-même été au théâtre dans sa jeunesse, mais uniquement pour se former à la déclamation; c'était une leçon qu'il se permettait de prendre, pour s'enrichir, disait-il, comme les Israélites, des dépouilles des Égyptiens; mais il n'avait usé que rarement de ce dangereux moyen de s'instruire, et depuis qu'il fut dans les ordres il y renonça pour toujours. Il refusa même d'aller voir la tragédie d'*Esther*, à laquelle toutes les personnes pieuses de la cour briguaient l'honneur et le plaisir d'assister; il fut plus rigide encore que ces spectateurs timorés et délicats qui, fort avides de ces dévots amusements, se trouvaient heureux de pouvoir en jouir sans scrupule.

Quoique l'évêque de Meaux, fidèle à ses principes, osât, dans les occasions importantes, parler à Louis XIV avec une liberté qui faisait trembler pour lui les courtisans, l'inflexible docteur Arnauld, faute de connaître les hommes, et surtout les rois, accusait le prélat de ne pas avoir le courage de dire au monarque les vérités qu'il avait le plus besoin d'entendre. On croira sans doute qu'Arnauld voulait parler des faiblesses de ce prince, de son goût pour le faste, et de son amour pour la guerre : mais le docteur se plaignait seulement du peu de zèle que Bossuet montrait au roi pour les intérêts des disciples de S. Augustin : c'est ainsi qu'Arnauld appelait les partisans de sa doctrine sur la signature du formulaire. Emporté et comme subjugué par ses opinions théologiques, il ne voyait rien dans l'univers au delà des malheureuses disputes trop nuisibles à son repos, et trop peu dignes de son génie.

Si les disciples de S. Augustin n'étaient pas contents de la tiédeur de Bossuet pour les défendre, leurs ennemis l'étaient encore moins de sa froideur à les persécuter; et ce double mécontentement fait son éloge. Il n'ignorait pas même qu'à l'occasion de sa prétendue indulgence pour les sectateurs de Jansénius, l'adroit P. de La Chaise lui rendait sourdement auprès du roi tous les services charitables que le patelinage insidieux peut rendre à la bonne foi sans intrigue, et qui néglige de se tenir sur ses gardes; mais, pour cette fois au moins, la malignité hypocrite et jalouse tendit à la cour ses filets en pure perte, et l'ascendant du prélat déconcerta le manége du confesseur.

Le jésuite Maimbourg, écrivain sans conséquence, mais vil instrument des ennemis de Bossuet, qui, pour lui porter leurs coups, se cachaient derrière cet enfant perdu, avait coutume de peindre sous des noms empruntés, dans ses lourdes et ennuyeuses histoires, ceux qui étaient l'objet de ses satires. Il fit, dans son *Histoire du Luthéranisme*, le portrait imaginaire de Bossuet, sous le nom du cardinal Contarini, dont il exposait la théologie et la conduite accommodante en termes qui indiquaient l'évêque de Meaux avec plus de clarté que de finesse. Un portrait si ressemblant eut le succès dont il était digne, personne n'y reconnut Bossuet; et Maimbourg, déjà misérable historien, fut de plus un calomniateur ridicule.

Nous ne perdrons point de temps à repousser le mensonge déjà réfuté plus d'une fois sur le prétendu mariage d'un prélat si austère dans ses mœurs. Nous n'opposerons à cette calomnie qu'une courte réponse, qui suffira au lecteur impartial et philosophe. Bossuet était trop occupé de controverses, trop absorbé par ses spéculations théologiques, trop absolument livré à son cabinet, à l'Église et à la guerre, pour être forcé d'avoir recours aux consolations que peuvent chercher dans une union mutuelle les âmes tendres et paisibles. Il avait plus besoin de combat que de société domestique, et de gloire que d'attachements.

Loin d'avoir recours à cet adoucissement des maux de la vie, il négligeait jusqu'aux amusements les plus simples; il se promenait peu, et ne faisait jamais de visites. « Monseigneur, lui dit un jour « son jardinier, à qui il demandait par distraction des nouvelles de « ses arbres, si je plantais des saints Augustins et des saints Jérômes, « vous viendriez les voir; mais pour vos arbres, vous ne vous en « mettez guère en peine. »

Accablé de travaux et de triomphes, l'évêque de Meaux exécuta après la mort du grand Condé ce qu'il avait annoncé en terminant l'oraison funèbre de ce prince. Il se livra sans réserve au soin et à l'instruction du diocèse que la Providence avait confié à ses soins, et dans le sein duquel il avait résolu de finir ses jours. Dégoûté du monde et de la gloire, il n'aspirait plus, disait-il, qu'à être enterré *aux pieds de ses saints prédécesseurs*. Il ne monta plus en chaire que pour prêcher à son peuple cette même religion qui, après avoir si longtemps effrayé par sa bouche les souverains et les grands de la terre, venait consoler par cette même bouche la faiblesse et l'indigence. Il descendait même jusqu'à faire le catéchisme aux enfants, et surtout aux pauvres, et ne se croyait pas dégradé par cette fonction si digne d'un évêque. C'était un spectacle rare et touchant,

de voir le grand Bossuet, transporté de la chapelle de Versailles dans
une église de village, apprenant aux paysans à supporter leurs maux
avec patience, rassemblant avec tendresse leurs jeunes familles autour de lui, aimant l'innocence des enfants et la simplicité des
pères, et trouvant dans leur naïveté, dans leurs mouvements, dans
leurs affections, cette vérité précieuse qu'il avait cherchée vainement à la cour, et si rarement rencontrée chez les hommes. Retiré
dans son cabinet dès qu'il pouvait disposer de quelques instants, il
continuait à y remplir les devoirs de pasteur et de père; et sa porte
était toujours ouverte aux malheureux qui cherchaient ou des instructions, ou des consolations, ou des secours; jamais ils ne furent
repoussés par cette réponse qu'un autre prélat très-savant leur faisait
faire : « Monseigneur étudie. » L'étude de l'Évangile, que ce prélat si
studieux aurait dû préférer à toute autre, avait appris à Bossuet que
l'obligation de toutes les heures, pour celui qui doit annoncer aux
hommes le Dieu de bonté et de justice, est d'ouvrir ses bras à ceux
qui souffrent, et d'essuyer leurs larmes.

Ce fut dans ces travaux de charité pastorale que Bossuet termina
sa vie le 12 avril 1704, honoré des regrets de toute l'Église, qui
conservera une mémoire éternelle et chère de sa doctrine, de son
éloquence, et de son attachement pour elle. Aussi a-t-elle fait de lui
une espèce d'apothéose, par le respect qu'elle témoigne pour ses
ouvrages, par le poids qu'elle donne à son autorité dans les matières
de la foi, par l'hommage que tous les partis qui la divisent et la dé-
chirent ont constamment rendu au nom de l'évêque de Meaux : la
religion, dont il a été le plus courageux défenseur, semble avoir confirmé par son suffrage l'éloge que La Bruyère osa donner à ce grand
homme en pleine académie, lorsqu'en nommant Bossuet dans son
discours de réception, il s'écria, avec un transport que partagèrent
ses auditeurs : « Parlons d'avance le langage de la postérité, *un
Père de l'Église.* »

(D'ALEMBERT, *Extrait de son Éloge de Bossuet.*)

JUGEMENTS.

I.

Vous ne pouvez, monsieur, me faire un présent qui fût reçu avec plus de plaisir et de reconnaissance [1]. Plût au ciel que la Providence m'eût enrichi de ce trésor avant cet âge d'affaiblissement et de langueur qui me met hors d'état d'en profiter! A l'école de ce maître unique du sublime, de l'énergique, du pathétique, j'aurais appris à réfléchir, à creuser, à penser, à exprimer; et j'aurais désiré de tomber dans ces négligences de style, inséparables de l'activité, de l'impétuosité du génie. Heureux le siècle qui a produit ce prodige d'éloquence mâle, ferme, vigoureuse, que Rome et Athènes, dans leurs plus beaux jours, auraient envié à la France! Malheur au siècle qui ne saurait pas le goûter et l'admirer!

Mais y pensez-vous, monsieur? vous souhaitez que mes sermons paraissent, et vous m'envoyez Bossuet! La complaisance m'en enivrait; je travaillais à les retoucher; j'aurais été charmé de vous les confier. J'ai lu deux ou trois sermons de Bossuet. Que mes paperasses me semblent froides et inanimées! Que je me trouve petit et rampant! Combien je sens que je ne suis rien! Cette lecture m'a passionné; elle m'a transporté jusqu'à me persuader que j'écoutais; et, revenu à moi-même, j'ai entendu la voix de ma raison me condamner au silence. Mon amour-propre a souscrit, sans murmurer, sans se plaindre. Je crois qu'avec de l'esprit, de l'étude, des efforts, on peut se permettre de marcher sur les pas de l'immortel Bourdaloue, et aspirer à lui ressembler, sans cependant se flatter d'atteindre à la perfection de son modèle. Mais un Bossuet, passez-moi ces expressions, il naît tout entier, il ne se forme point par des développements, par des accroissements successifs; et il y aurait presque autant de folie à entreprendre de l'imiter, que de délire à se promettre de l'égaler. Souffrez, monsieur, que je le déclare sérieusement, et très-sérieusement.

J'ai l'honneur d'être, etc.

DE NEUVILLE.

[1] Lettre du P. de Neuville au sieur Boudet, imprimeur, qui lui avait envoyé un exemplaire de la première édition des sermons de Bossuet.

II.

Que dirons-nous de Bossuet comme orateur ? à qui le comparerons-nous ? et quels discours de Cicéron et de Démosthène ne s'éclipsent point devant ses oraisons funèbres ? C'est pour l'orateur chrétien que ces paroles d'un roi semblent avoir été écrites : « L'or et les « perles sont assez communs ; mais les lèvres savantes sont un vase « rare et sans prix. » Sans cesse occupé du tombeau, et comme penché sur les gouffres d'une autre vie, Bossuet aime à laisser tomber de sa bouche les grands mots de *temps* et de *mort*, qui retentissent dans les abîmes silencieux de l'éternité. Il se plonge, il se noie dans des tristesses incroyables, dans d'inconcevables douleurs. Les cœurs, après plus d'un siècle, retentissent encore du fameux cri : *Madame se meurt ! Madame est morte !* Jamais les rois ont-ils reçu de pareilles leçons ? jamais la philosophie s'exprima-t-elle avec autant d'indépendance ? Le diadème n'est rien aux yeux de l'orateur ; par lui le pauvre est égalé au monarque, et le potentat le plus absolu du globe est obligé de s'entendre dire devant des milliers de témoins que ses grandeurs ne sont que vanité, que sa puissance n'est qu'un songe, et qu'il n'est lui-même que poussière.

Trois choses se succèdent continuellement dans les discours de Bossuet : le trait de génie ou d'éloquence ; la citation, si bien fondue avec le texte, qu'elle ne fait plus qu'un avec lui ; enfin, la réflexion ou le coup d'œil d'aigle sur les causes de l'événement rapporté. Souvent aussi cette lumière de l'Église porte la clarté dans les discussions de la plus haute métaphysique, ou de la théologie la plus sublime ; rien ne lui est ténèbres. L'évêque de Meaux a créé une langue que lui seul a parlée, où souvent le terme le plus simple et l'idée la plus relevée, l'expression la plus commune et l'image la plus terrible, servent, comme dans l'Écriture, à se donner des dimensions énormes et frappantes.

Les oraisons funèbres de Bossuet ne sont pas d'un égal mérite ; mais toutes sont sublimes par quelque côté. Celle de la reine d'Angleterre est un chef-d'œuvre de style, et un modèle d'écrit philosophique et politique. Celle de la duchesse d'Orléans est la plus étonnante, parce qu'elle est entièrement créée de génie. Il n'y avait là ni ces tableaux des troubles des nations, ni ces développements des affaires publiques, qui soutiennent la voix de l'orateur. L'intérêt que peut inspirer une princesse expirant à la fleur de son âge semble se devoir épuiser vite ; tout consiste en quelques oppositions vulgaires de la beauté, de la jeunesse, de la grandeur, et de la mort : et c'est pourtant sur ce fonds stérile que Bossuet a bâti un des plus beaux monuments de l'éloquence ; c'est de là qu'il est parti pour montrer la misère de l'homme par son côté périssable , et sa grandeur par son côté immortel. Il commence par le ravaler au-dessous des vers qui le rongent au sépulcre , pour le peindre ensuite glorieux avec la vertu dans des royaumes incorruptibles.

On sait avec quel génie , dans l'*Oraison funèbre de la princesse Palatine* , il est descendu, sans blesser la majesté de l'art oratoire, jusqu'à l'interprétation d'un songe, en même temps qu'il a déployé dans ce discours sa haute capacité pour les abstractions philosophiques.

Si pour Marie-Thérèse et pour le chancelier de France ce ne sont plus les mouvements des premiers éloges, les idées du panégyriste sont-elles prises dans un cercle moins large, dans une nature moins profonde ? « Et maintenant , dit-il , ces deux âmes pieuses (Michel Le
« Tellier et Lamoignon), touchées sur la terre du désir de faire ré-
« gner les lois , contemplent ensemble à découvert les lois éternelles ,
« d'où les nôtres sont dérivées ; et, si quelque légère trace de nos fai-
« bles distinctions paraît encore dans une si simple et si claire vision,
« elles adorent Dieu en qualité de justice et de règle. »

Au milieu de cette théologie , combien d'autres genres de beautés ou sublimes , ou gracieuses, ou tristes, ou charmantes! Voyez le tableau de la Fronde : « La monarchie ébranlée jusqu'aux fondements,
« la guerre civile, la guerre étrangère, le feu au dedans et au dehors...
« Était-ce là de ces tempêtes par où le ciel a besoin de se décharger
« quelquefois?... Ou bien était-ce comme un travail de la France ,
« prête à enfanter le règne miraculeux de Louis ? »

Viennent des réflexions sur l'illusion des amitiés de la terre, qui s'en vont avec les années et les intérêts, et sur l'obscurité du cœur de l'homme , « qui ne sait jamais ce qu'il voudra , qui souvent ne sait
« pas bien ce qu'il veut , et qui n'est pas moins caché ni moins trom-
« peur à lui-même qu'aux autres. »

Mais la trompette sonne, et Gustave paraît : « Il paraît à la Polo-
« gne surprise et trahie, comme un lion qui tient sa proie dans
« ses ongles , tout prêt à la mettre en pièces. Qu'est devenue cette
« redoutable cavalerie qu'on voit fondre sur l'ennemi avec la vitesse
« d'un aigle? Où sont ces âmes guerrières, ces marteaux d'armes tant
« vantés, et ces arcs qu'on ne vit jamais tendus en vain? Ni les che-
« vaux ne sont vites, ni les hommes ne sont adroits que pour fuir
« devant le vainqueur. »

Je passe, et mon oreille retentit de la voix d'un prophète. Est-ce

Isaïe, est-ce Jérémie qui apostrophe l'île de la Conférence et les pompes nuptiales de Louis ? « Fêtes sacrées, mariage fortuné, voile nup« tial, bénédiction, sacrifice, puis-je mêler aujourd'hui vos céré« monies et vos pompes avec ces pompes funèbres, et le comble des « grandeurs avec leurs ruines ? »

Le poëte (on nous pardonnera de donner à Bossuet un titre qui fait la gloire de David), le poëte continue de se faire entendre ; il ne touche plus la corde inspirée, mais baissant, sa lyre d'un ton, jusqu'à ce mode dont Salomon se servit pour chanter les troupeaux du mont Galard, il soupire ces paroles paisibles : « Dans la solitude de Ste-Fare, « autant éloignée des voies du siècle que sa bienheureuse situa« tion la sépare de tout commerce du monde ; dans cette sainte mon« tagne que Dieu avait choisie depuis mille ans ; où les épouses de « Jésus-Christ faisaient revivre la beauté des anciens jours ; où les « joies de la terre étaient inconnues ; où les vestiges des hommes du « monde, des curieux et des vagabonds, ne paraissaient pas ; sous « la conduite de la sainte abbesse, qui savait donner le lait aux en« fants aussi bien que le pain aux forts, les commencements de la « princesse Anne étaient heureux. »

Cette page, qu'on dirait extraite du livre de Ruth, n'a point épuisé le pinceau de Bossuet : il lui reste encore assez de cette antique et douce couleur pour peindre une mort heureuse. « Michel Le Tellier, « dit-il, commença l'hymne des divines miséricordes : *Misericor-* « *dias Domini æternum cantabo : Je chanterai éternellement les* « *miséricordes du Seigneur.* Il expire en disant ces mots, et il con« tinue avec les anges le sacré cantique. »

Nous avions cru pendant quelque temps que l'oraison funèbre du prince de Condé, à l'exception du mouvement qui la termine, était généralement trop louée ; nous pensions qu'il était plus aisé, comme il l'est en effet, d'arriver aux formes d'éloquence du commencement de cet éloge qu'à celles de l'*Oraison de madame Henriette :* mais, quand nous avons lu ce discours avec attention ; quand nous avons vu l'orateur emboucher la trompette épique pendant une moitié de son récit, et donner comme en se jouant un chant d'Homère ; quand, se retirant à Chantilly avec Achille en repos, il rentre dans le ton évangélique, et retrouve les grandes pensées, les vues chrétiennes qui remplissent les premières oraisons funèbres ; lorsque, après avoir mis Condé au cercueil, il appelle les peuples, les princes, les prélats, les guerriers, au catafalque du héros ; lorsque enfin, s'avançant lui-même avec ses cheveux blancs, il fait entendre les accents du cygne, montre Bossuet un pied dans la tombe, et le siècle de

Louis, dont il a l'air de faire les funérailles, prêt à s'abîmer dans l'éternité : à ce dernier effort de l'éloquence humaine, les larmes de l'admiration ont coulé de nos yeux, et le livre est tombé de nos mains.

(M. DE CHATEAUBRIAND, *Génie du Christianisme.*)

III.

Le *Discours sur l'Histoire universelle*, composé pour l'éducation du Dauphin, avait paru à la fin de cette éducation, en 1681 ; et l'auteur de *la Politique de l'Écriture sainte*, du *Traité de la Connaissance de Dieu et de soi-même*, de l'*Exposition de la Doctrine catholique*, de l'*Histoire des Variations*, et de tant d'autres ouvrages marqués du cachet de sa supériorité, semblait s'être surpassé lui-même dans ce grand chef-d'œuvre, où il se montre à la fois annaliste savant et exact, théologien du premier ordre, politique profond, écrivain d'une éloquence au-dessus de tout éloge. Quelle vive et pittoresque rapidité dans la première partie de ce livre ! quel prodigieux enchaînement de tout le système religieux dans la seconde ! quelle haute intelligence des choses humaines dans la troisième ! et comme partout l'énergie et l'originalité de l'expression répondent à la force des pensées ! comme les créations du style sont d'accord avec la vigueur des conceptions ! On sent que l'auteur possédait et dominait tout l'ensemble de son sujet avant de prendre la plume pour en fixer et en exposer les détails : c'est la marque et le procédé du vrai génie ; aussi ce livre semble-t-il être sorti tout entier, pour ainsi dire, de la tête de l'écrivain, par l'activité continue d'une seule et même inspiration, comme les poëtes, dans une allégorie moins noble peut-être qu'ingénieuse et sensée, nous peignent la sagesse s'élançant toute complète du cerveau de Jupiter.

Telles paraissent également les *Oraisons funèbres*, depuis la première ligne de l'exorde jusqu'à la dernière de la péroraison : l'orateur, dans chacune de ces compositions, est comme emporté par un enthousiasme non interrompu, qui exclut au premier coup d'œil toute l'idée d'art, d'arrangement, de préméditation ; son sujet le tourmente, et l'échauffe, et l'entraîne ; il ne lui permet pas de prendre haleine. C'est beaucoup pour les autres orateurs d'obtenir, dans la durée d'un discours, quelques moments d'une heureuse inspiration ; ce n'est rien pour Bossuet : les élans de sa verve oratoire semblent naître les uns des autres ; tout est mouvement, tout est chaleur,

tout est vie; et dans les instants où redouble son ardeur, où cet
aigle déploie ses ailes avec plus d'audace, les limites de l'éloquence
proprement dites deviennent pour lui trop étroites : il les franchit;
il entre dans la sphère de la poésie ; il monte jusqu'aux régions les
plus élevées de cette sphère; il s'y soutient au niveau des poëtes
les plus audacieux ; ce n'est plus le rival de Démosthène, c'est celui de Pindare. Quelques endroits de ses Oraisons funèbres sont
vraiment des morceaux lyriques. Le don de l'inspiration, on peut
l'affirmer, ne fut accordé à aucun orateur aussi pleinement qu'à
Bossuet ; et quand on songe que son enthousiasme dans les ouvrages
d'une assez grande étendue ne connaît ni langueur ni repos, on est
frappé de ce privilége extraordinaire comme d'un de ces phénomènes qui étonnent la nature, et qui déconcertent ses lois.

On chercherait vainement à saisir et à développer toutes les causes
de ce prodige : elles resteront pour la plupart éternellement cachées
dans les profondeurs du génie; mais on peut en apercevoir quelques-unes : c'est l'abondance de ses idées qui produit dans Bossuet
l'abondance de ses mouvements et la riche variété de ses expressions.
Ses Oraisons funèbres ne sont pas seulement des discours théologiques et religieux : les plus grandes vues de la politique s'y mêlent
aux instructions du christianisme; on y reconnaît toujours l'auteur du *Discours sur l'Histoire universelle.* Bossuet n'était pas
seulement un Père de l'Église : ce titre, qui lui fut décerné par un
de ses plus illustres contemporains, dans la solennité d'une séance
publique de l'Académie française, ne le représente pas tout entier.
Cet esprit vaste et perçant, qui embrassait toute la théorie de la
religion chrétienne, et qui en sondait tous les abîmes, avait aussi
pénétré dans tous les mystères du gouvernement des États. Voyez
de quels traits, de quelles couleurs il peint les personnages qui se
sont montrés avec éclat dans l'administration des empires, ou
dans les factions, les cabales, et les troubles civils. La religion et
la politique sont les deux grands pivots sur lesquels roulent principalement toutes les choses humaines. Ce sont les deux intérêts qui
touchent le plus puissamment les hommes ; et ces deux intérêts,
étroitement rapprochés entre eux, et se fortifiant en quelque façon
l'un par l'autre, sont les ressorts toujours agissants de l'éloquence
de Bossuet. Ils animent sans cesse ses discours, sans cesse ils lui
fournissent des considérations contrastées qui répondent à toutes les
oppositions du cœur, et qui sont bien supérieures à ces antithèses de
l'art, propres uniquement à flatter l'esprit, ou à séduire l'oreille. Marchant à grands pas, comme l'exprime saint Chrysostome, sur les hau-

teurs de la religion, tantôt il lève ses regards vers le ciel, tantôt il les reporte et les rabaisse vers la terre; il semble tantôt converser avec les puissances célestes, tantôt interroger les destinées du monde visible ; tout à la fois prophète, Père de l'Église, grand politique, historien sublime, Bossuet est un des hommes qui ont le mieux compris tout ensemble et les affaires humaines et les choses divines , et le christianisme et la politique ; cette double science est sans contredit une des sources de cette éloquence singulière qui le caractérise et qui se place hors de toute comparaison , comme elle s'élève au-dessus de toute rivalité.

L'inspiration perpétuelle qui l'agite et qui semble le troubler, cet enthousiasme qui se communique au lecteur et qui l'enivre lui-même, a pu faire croire que la marche oratoire de Bossuet était beaucoup plus impétueuse que régulière, et qu'il a mis dans ses discours moins de méthode que de génie. Sa méthode en effet est peu sensible, mais elle n'en est pas moins réelle.

Les plans de Bossuet , dans ses *Oraisons funèbres,* sont simples aussi bien que ses textes ; mais si l'on veut y faire attention, on reconnaîtra qu'il les suit avec scrupule , qu'il en remplit toutes les divisions, qu'il en creuse également toutes les parties , et que jamais , dans les mouvements les plus inattendus de son essor, il ne perd de vue la route qu'il s'est tracée. Cette espèce de découverte est même une satisfaction tranquille que la lecture réfléchie de ses chefs-d'œuvre ajoute aux ravissements qu'ils causent d'abord , et au charme tumultueux des premières impressions. On aime à voir que, dans cette tourmente du génie , il est toujours sûr de sa marche, il reste toujours maître de lui-même. L'idée de sa puissance s'en accroît, et il semble que l'ascendant qu'il exerce en soit plus légitime et plus doux.

Quelques amateurs du *fini ,* qui le confondent avec la perfection , parce que ces deux mots au premier coup d'œil présentent à peu près la même idée , voudraient faire à Bossuet un reproche sérieux de plusieurs défauts qu'ils remarquent dans son élocution : mais le concevrait-on avec une élégance plus soutenue, avec une correction plus sévère, avec une harmonie plus scrupuleuse? Tout ce qui paraîtrait appartenir plus particulièrement à l'art ne semblerait-il pas en quelque sorte pris sur son génie? Où serait cet air d'improvisation , d'inspiration soudaine, qui lui est propre, et qu'on retrouve toujours avec tant de plaisir dans ses ouvrages même les plus travaillés ?

La médiocrité soigneuse peut atteindre au fini, mais elle est toujours loin de la perfection : le génie, même avec des fautes, peut en

être voisin, parce qu'il réunit un plus grand nombre des conditions
qui la constituent; à peine s'aperçoit-on de ce qui manque à Bossuet;
on n'est frappé que des beautés extraordinaires qui de toutes parts
éclatent dans ses compositions; et ce que son style peut quelquefois
offrir de défectueux semble même concourir à l'effet et à l'illusion
oratoires; ce sont les choses qui occupent cet esprit grave, sublime
et dominateur; le soin minutieux des mots paraîtrait le dégrader;
plus il travaillerait à contenter l'oreille, moins il serait sûr de
l'empire qu'il veut et qu'il doit exercer sur l'âme : quelle richesse
d'ailleurs, quelle énergie dans ce style, qui n'emprunte qu'à la
pensée, dont il est l'image la plus vive et la plus naturelle, ses
teintes et ses parures! quelle variété de mouvements! quelle abondance et quelle magnificence de tableaux! quel trésor d'expressions
fortes, pittoresques, animées, et pour ainsi dire vivantes! quelle
franche et mâle harmonie! Sans les chefs-d'œuvre de Bossuet, con-
naîtrions-nous toute la puissance de notre langue? Ce grand orateur
n'en a-t-il pas révélé les ressources, découvert tous les moyens, montré toute l'étendue? Qu'elle est belle cette langue dans les monuments
d'une telle éloquence! qu'elle a de majesté! Mais c'est un fonds dont
le génie de Bossuet n'a fait qu'exploiter les richesses : il n'eût pas à
ce degré fertilisé un idiome stérile et pauvre; s'il semble s'être ap-
proprié, par le droit d'une sorte de création, tout ce qu'il a su y
trouver; si l'on dit qu'il s'est fait une langue particulière qu'on
nomme la langue de Bossuet, il est vrai de dire aussi que ce langage
qui lui appartient n'est qu'un résultat des combinaisons merveilleu-
ses auxquelles pouvait se plier avec succès l'heureuse nature de
notre commun idiome. Il a tiré l'or de la mine, mais la mine exis-
tait : il a couvert le sol de moissons brillantes, mais le champ était
fécond; et le sentiment de l'orgueil national est doublé, quand on
réfléchit que, si notre langue dut beaucoup à Bossuet, le génie et
la gloire de cet homme prodigieux doivent également beaucoup à
notre langue, accusée de faiblesse par quelques étrangers qui ne la
connaissent pas, et même par quelques Français qui l'écrivent mal.

(Dussault, Notice sur Bossuet.)

IV.

Les philosophes de la Grèce énoncèrent, dans l'enceinte de leurs
écoles, quelques grandes vérités morales, et Platon avait eu de sublimes pressentiments sur les destinées humaines : mais ces idées,
mêlées d'erreurs et enveloppées de ténèbres, divulguées à voix basse

depuis la mort de Socrate, ne s'adressaient pas à la foule du peuple ;
et dans ces gouvernements, si favorables en apparence à la dignité
de l'homme, on ne faisait rien pour lui apprendre ses devoirs et ses
immortelles espérances. Le christianisme élevait une tribune où les
plus sublimes vérités étaient annoncées hautement pour tout le
monde, où les plus pures leçons de la morale étaient rendues familières à la multitude ignorante : tribune formidable, devant laquelle
s'étaient humiliés les empereurs souillés du sang des peuples ; tribune
pacifique et tutélaire, qui plus d'une fois donna refuge à ses mortels
ennemis ; tribune où furent longtemps défendus des intérêts partout
abandonnés, et qui seule plaidait éternellement la cause du pauvre
contre le riche, du faible contre l'oppresseur, et de l'homme
contre lui-même.

Là tout s'ennoblit et se divinise : l'orateur, maître des esprits qu'il
élève et qu'il consterne tour à tour, peut leur montrer quelque chose
de plus grand que la gloire, et de plus effrayant que la mort ; il peut
faire descendre du haut des cieux une éternelle espérance sur ces
tombeaux où Périclès n'apportait que des regrets et des larmes. Si,
comme l'orateur romain, il célèbre les guerriers de la légion de Mars
tombés au champ de bataille, il donne à leurs âmes cette immortalité que Cicéron n'osait promettre qu'à leur souvenir ; il charge Dieu
lui-même d'acquitter la reconnaissance de la patrie. Veut-il se renfermer dans la prédication évangélique ? cette science de la morale,
cette expérience de l'homme, ces secrets des passions, étude éternelle des philosophes et des orateurs anciens, doivent être dans sa
main. C'est lui, plus encore que l'orateur de l'antiquité, qui doit
connaître tous les détours du cœur humain, toutes les vicissitudes des
émotions, toutes les parties sensibles de l'âme, non pour exciter ces
affections violentes, ces animosités populaires, ces grands incendies
des passions, ces feux de vengeance et de haine où triomphait l'antique éloquence, mais pour apaiser, pour adoucir, pour purifier les
âmes. Armé contre toutes les passions, sans avoir le droit d'en appeler aucune à son secours, il est obligé de créer une passion nouvelle, s'il est permis de profaner par ce nom le sentiment profond et
sublime qui seul peut tout vaincre et tout remplacer dans les cœurs,
l'enthousiasme religieux qui doit donner à son accent, à ses pensées,
à ses paroles, plutôt l'inspiration d'un prophète que le mouvement
d'un orateur.

A cette image de l'éloquence apostolique, n'avez-vous pas reconnu
Bossuet? Grand homme, ta gloire vaincra toujours la monotonie
d'un éloge tant de fois entendu. Le privilége du sublime te fut donné ;

et rien n'est inépuisable comme l'admiration que le sublime inspire.
Soit que tu racontes les renversements des États, et que tu pénètres
dans les causes profondes des révolutions; soit que tu verses des
pleurs sur une jeune femme mourante au milieu des pompes et des
dangers de la cour; soit que ton âme s'élance avec celle de Condé,
et partage l'ardeur qu'elle décrit; soit que, dans l'impétueuse richesse de tes sermons à demi préparés, tu saisisses, tu entraînes
toutes les vérités de la morale et de la religion, partout tu agrandis
la parole humaine, tu surpasses l'orateur antique, tu ne lui ressem-
bles pas: réunissant une imagination plus hardie, un enthousiasme
plus élevé, une fécondité plus originale, une vocation plus haute, tu
sembles ajouter l'éclat de ton génie à la majesté du culte public, et
consacrer encore la religion elle-même.

(M. VILLEMAIN, *Discours d'ouverture
du Cours d'éloquence française.*)

ORAISON FUNÈBRE

DE

HENRIETTE-MARIE DE FRANCE,

REINE DE LA GRANDE-BRETAGNE,

Prononcée le 16 novembre 1669, en présence de Monsieur, frère unique du Roi, et de Madame, en l'église des religieuses de Sainte-Marie de Chaillot, où repose le cœur de Sa Majesté.

NOTICE

SUR HENRIETTE-MARIE DE FRANCE,

REINE DE LA GRANDE-BRETAGNE.

HENRIETTE-MARIE était la sixième des enfants que Henri IV, roi de France, eut de son mariage avec Marie de Médicis. Elle naquit en 1609. En 1625 elle épousa Charles Ier, roi d'Angleterre, si connu par ses revers et sa mort malheureuse. Louis XIII, frère aîné de la princesse, n'avait consenti à ce mariage qu'à condition que le pape accorderait une dispense à cause de la différence de religion. Cette dispense fut accordée ; et la jeune reine, qui, aux termes du contrat de mariage, devait jouir de la plus grande liberté relativement à l'exercice du culte catholique, partit pour l'Angleterre, suivie de son confesseur, le père dé Bérulle, depuis cardinal, et de douze autres prêtres de la congrégation de l'Oratoire. Ces prêtres furent accusés de travailler secrètement à faire des prosélytes à la religion catholique, et la reine fut obligée de les remplacer par des capucins, qui déplurent comme leurs prédécesseurs.

Bientôt le feu des discordes civiles et religieuses s'alluma avec fureur ; il fit de la vie de la reine d'Angleterre et de celle du roi un enchaînement de catastrophes plus tragiques les unes que les autres. En Écosse et en Angleterre on se révolta, on prit les armes, et le roi eut à combattre ses propres sujets. Dans tout le cours de cette guerre malheureuse il y eut quelques intervalles de calme et de soumission ; mais les rebelles augmentant chaque jour d'audace et de puissance, le roi fut obligé de quitter Londres et de se séparer de la reine. Celle-ci alla en Hollande chercher à son époux des secours en hommes et en argent. Une furieuse tempête l'accueillit à son retour, lui fit perdre deux vaisseaux, et la rejeta sur les côtes de Hollande, d'où elle partit encore, et aborda en Angleterre. Cinq vaisseaux ennemis, avertis de sa descente, vinrent canonner le lieu où elle était retirée. Elle y courut les plus grands dangers, et dans cette occasion, comme dans toutes celles qui suivirent, montra, avec le plus grand zèle pour la cause de son époux, un courage au-dessus de son sexe et de sa fortune. Forcée de quitter encore le roi, qu'elle avait rejoint, et qu'elle accompagnait partout, elle se réfugia à Exeter, où elle accoucha d'une fille (Henriette-Anne) qui fut depuis duchesse d'Orléans.

La reine eut à peine le temps de se rétablir de ses couches, et fut obligée de chercher en France un asile contre la fureur de ses ennemis. Sa tête était mise à prix. Il lui fallut abandonner son enfant à des mains étrangères; puis, s'embarquant pour sa terre natale, se confier encore à la mer orageuse. Là elle fut de nouveau surprise par la tempête, qui lui enleva un vaisseau; et, poursuivie à coups de canon jusque sur les côtes de France, elle y aborda enfin, après s'être vue mille fois en danger de perdre la vie. Mais en France d'autres calamités l'attendaient encore. C'était le temps des guerres de la Fronde. Souvent insultée par les frondeurs, jusque dans le Louvre où elle demeurait, elle éprouva même le besoin des choses nécessaires à la vie, et se vit forcée de demander au parlement ce qu'elle appelait elle-même une aumône pour subsister. C'est dans cette triste situation qu'elle apprit la mort du roi son mari, que Cromwell fit condamner à mort et décapiter le 9 février 1649. La reine alors ne songea plus qu'à s'assurer une retraite, pour y cacher son infortune et finir tranquillement ses jours. C'est dans cette vue qu'elle fonda à Chaillot le couvent de la Visitation : elle vint s'y établir avec le roi son fils et ses autres enfants, qu'elle faisait instruire dans la foi catholique. Enfin le calme rétabli en France, le retour de la famille royale à Paris, et peu de temps après le rétablissement inespéré de son fils Charles II au trône de ses ancêtres, lui permirent, après tant de malheurs, de goûter quelques jours sereins. Le désir de voir le roi son fils tranquille possesseur de sa couronne, et surtout l'espoir d'être utile aux catholiques, la déterminèrent à faire jusqu'à deux fois le voyage d'Angleterre, où elle reçut sur son passage tous les témoignages de la joie et de l'affection du peuple. Son dessein, en revenant en France, était de finir ses jours dans cette même retraite de la Visitation de Chaillot, où elle avait vécu d'abord. Elle avait aussi une maison à Colombe, près Paris, où elle allait passer la belle saison : ce fut là qu'elle mourut le 10 septembre 1669, âgée de soixante ans.

Louis XIV fit transporter son corps à Saint-Denis, et son cœur au couvent de la Visitation à Chaillot, où elle avait choisi sa sépulture. Quarante jours après, le duc d'Orléans son gendre (Monsieur) et la princesse Henriette sa fille (Madame) lui firent faire un service solennel, où Bossuet, pour lors évêque de Condom, prononça son oraison funèbre.

Bossuet avait près de quarante-deux ans lorsqu'il fut nommé à l'évêché de Condom. La reine d'Angleterre (Henriette de France) était morte presque subitement trois jours auparavant à Colombe, près de Paris, dans une maison de campagne où elle allait ordinairement passer les beaux jours de l'automne.

La mort de cette princesse devint une grande époque dans la vie de Bossuet : elle ouvrit à son génie une nouvelle carrière; et, dès qu'il y fut entré, il fut ce que nul autre n'a été après lui. Bossuet est resté pour l'Oraison funèbre ce qu'Homère est encore pour la poésie épique, le modèle que tous leurs successeurs cherchent à imiter, et n'aspirent pas même à égaler.

Jamais un plus beau sujet ne pouvait s'offrir à l'éloquence que l'histoire d'une reine, « fille, femme et mère de tant de rois, dont les catastro- « phes avaient rempli tout l'univers, *et dont la vie seule offrait toutes* « *les extrémités des choses humaines.* »

Louis XIV jugea que Bossuet seul pouvait remplir tout ce que l'on devait attendre d'un tel sujet. Bossuet fit plus : il alla au delà de ce que l'imagination aurait osé espérer du sujet et de l'orateur même. Il a montré dans l'Oraison funèbre de la reine d'Angleterre jusqu'où la pensée et la parole de l'homme peuvent s'élever, sans qu'il leur soit peut-être jamais donné de s'élever plus haut.

Cette *Oraison funèbre* a été pendant plus d'un siècle le sujet de la méditation profonde des hommes religieux et des hommes d'État. Jamais l'alliance de la religion et de la politique, le danger des innovations religieuses, et les terribles conséquences des maximes anarchiques, n'avaient été présentés sous des caractères plus frappants. On ne savait, en la lisant, si on devait plus admirer le pontife qui parle au nom du ciel, ou le sage politique qui annonce aux rois et aux peuples que « *toutes les révolutions sont* « *causées, ou par la mollesse ou par la violence des princes.* »

Mais depuis que par une déplorable conformité nous nous sommes vus en présence des mêmes catastrophes, Bossuet ne se montre plus à nous comme un orateur ou un historien : on croit entendre la voix d'un prophète; toutes ses paroles semblent animées de cette inspiration sacrée qui annonçait à la nation juive et à ses rois une longue suite de calamités.

L'exorde de cette *Oraison funèbre* est peut-être le plus imposant qui ait jamais ouvert un discours religieux, comme la péroraison de celle du grand Condé est la plus magnifique conception de l'éloquence ancienne et moderne. Le texte seul de cette Oraison funèbre en expose tout le sujet : et quel sujet !

Ce fut par l'*Oraison funèbre de la reine d'Angleterre* que Bossuet se montra en France le créateur de l'éloquence *funèbre*, comme il avait donné dans ses sermons les plus nobles modèles de l'éloquence *de la chaire*, et telle a été l'influence de son génie pour la gloire de l'Église gallicane, que ses successeurs dans l'une et dans l'autre carrière sont restés les premiers orateurs sacrés de l'Europe chrétienne.

Bossuet a été véritablement créateur de l'éloquence funèbre, quoiqu'il y ait eu des oraisons funèbres avant Bossuet ; mais personne avant lui n'avait donné à la religion un caractère si auguste, à la raison un accent si éloquent, à la politique autant de profondeur, à l'histoire autant de majesté. Personne n'avait encore parlé et écrit comme Bossuet ; personne n'avait trouvé comme lui le sublime de l'expression dans le sublime de la pensée, et l'art singulier de donner quelquefois à la pensée encore plus de grandeur par la simplicité de l'expression : et comme l'antiquité ne pouvait offrir aucun modèle d'un genre d'éloquence qui ne peut appartenir qu'à la religion des chrétiens, les orateurs qui ont succédé à Bossuet dans la chaire funèbre n'ont pu renouveler encore les merveilles qu'il avait créées. Quelque opinion que l'on puisse avoir du mérite des Sermons de Bossuet, il est au moins certain que si Bourdaloue et Massillon sont les premiers des prédicateurs, les Oraisons funèbres le placeront toujours au premier rang des orateurs.

(Le cardinal DE BAUSSET, *Histoire de Bossuet*, liv. III.)

ORAISON FUNÈBRE

DE

HENRIETTE-MARIE DE FRANCE,

REINE DE LA GRANDE-BRETAGNE.

Et nunc, reges, intelligite; erudimini, qui judicatis terram.
Maintenant, ô rois, apprenez ; instruisez-vous, juges de la terre.
(*Ps.* II, 10 [1].)

MONSEIGNEUR,

Celui qui règne dans les cieux, et de qui relèvent tous les empires, à qui seul appartient la gloire, la majesté et l'indépendance, est aussi le seul qui se glorifie de faire la loi aux rois, et de leur donner, quand il lui plaît, de grandes et de terribles leçons. Soit qu'il élève les trônes, soit qu'il les abaisse, soit qu'il communique sa puissance aux princes, soit qu'il la retire à lui-même, et ne leur laisse que leur propre faiblesse ; il leur apprend leurs devoirs d'une manière souveraine et digne de lui. Car, en leur donnant sa puissance, il leur commande d'en user comme il fait lui-même pour le bien du monde ; et il leur fait voir, en la retirant, que toute leur majesté est empruntée, et que, pour être assis sur le trône, ils

---

[1] Ce texte convient d'autant mieux à ce discours, que le but du psalmiste et de l'orateur est le même, de déclarer la suprême autorité de la Providence. (V.)

n'en sont pas moins sous sa main et sous son autorité suprême. C'est ainsi qu'il instruit les princes, non-seulement par des discours et par des paroles, mais encore par des effets et par des exemples. *Et nunc, reges, intelligite; erudimini, qui judicatis terram.*

Chrétiens, que la mémoire d'une grande reine, fille, femme, mère de rois si puissants, et souveraine de trois royaumes, appelle de tous côtés à cette triste cérémonie, ce discours vous fera paraître un de ces exemples redoutables, qui étalent aux yeux du monde sa vanité tout entière. Vous verrez dans une seule vie toutes les extrémités des choses humaines; la félicité sans bornes aussi bien que les misères; une longue et paisible jouissance d'une des plus nobles couronnes de l'univers; tout ce que peuvent donner de plus glorieux la naissance et la grandeur, accumulé sur une tête, qui ensuite est exposée à tous les outrages de la fortune; la bonne cause d'abord suivie de bons succès, et depuis, des retours soudains, des changements inouïs; la rébellion longtemps retenue, à la fin tout à fait maîtresse; nul frein à la licence; les lois abolies; la majesté violée par des attentats jusques alors inconnus; l'usurpation et la tyrannie sous le nom de liberté; une reine fugitive, qui ne trouve aucune retraite dans trois royaumes, et à qui sa propre patrie n'est plus qu'un triste lieu d'exil [1]; neuf voyages sur mer, entrepris par une princesse, malgré les tempêtes; l'Océan étonné de se voir traversé tant de fois en des appareils si divers, et pour des causes si différentes; un trône indignement renversé, et miraculeusement rétabli. Voilà les enseignements que Dieu donne aux rois: ainsi fait-il voir au monde le néant de ses pompes et de ses grandeurs.

---

[1] *A qui sa propre patrie n'est plus qu'un lieu d'exil*, rappelle le mot de Darius fugitif: *Quousque in regno meo exulabo?* (QUINT. CURT., V, 24.)

Si les paroles nous manquent, si les expressions ne répondent pas à un sujet si vaste et si relevé, les choses parleront assez d'elles-mêmes. Le cœur d'une grande reine, autrefois élevé par une si longue suite de prospérités, et puis plongé tout à coup dans un abîme d'amertumes, parlera assez haut; et s'il n'est pas permis aux particuliers de faire des leçons aux princes sur des événements si étranges, un roi me prête ses paroles pour leur dire : *Et nunc, reges, intelligite; erudimini, qui judicatis terram :* « Entendez, ô grands de la terre; ins- « truisez-vous, arbitres du monde [1]. »

Mais la sage et religieuse princesse, qui fait le sujet de ce discours, n'a pas été seulement un spectacle proposé aux hommes, pour y étudier les conseils de la divine Providence, et les fatales révolutions des monarchies; elle s'est instruite elle-même, pendant que Dieu instruisait les princes par son exemple[2]. J'ai déjà dit que ce grand Dieu les enseigne, et en leur donnant et en leur

[1] Est-ce là entrer, dès les premières paroles, au milieu de son sujet, et y transporter tout de suite l'auditeur? Que cet exorde est majestueux, sombre, et religieux! Notre âme n'est-elle pas déjà troublée de ce fracas d'événements sinistres, de révolutions désastreuses, remplie d'une grande scène d'infortunes? Pourquoi? C'est qu'en effet il a fait parler les choses mêmes. Pas un mot qui ne porte, pas un qui ne soit une image ou une idée, un tableau ou une leçon; et, au milieu de cet assemblage si imposant, la grande idée de Dieu qui domine tout. Qu'on se représente, après un semblable exorde, des auditeurs dans un temple qui ajoute encore à son effet, et qu'on se demande si quelqu'un d'eux pouvait songer à Bossuet! Non; l'imagination, assaillie par tant d'objets de douleur et de réflexion, n'a vu, n'a pu voir que le renversement des trônes, les coups de la fortune, les tempêtes, l'Océan. Le lecteur même est entraîné, quoique avec bien moins de moyens pour l'être; et ce n'est qu'après avoir été tout d'une haleine jusqu'au bout de ce discours, qui est à peu près partout de la même force, qu'il peut revenir à lui-même, et s'interroger sur tant de beaux détails et sur toutes les ressources de l'orateur. (L. H.)

[2] VARIANTE. *Première et seconde édition :* par son exemple fameux.

ôtant leur puissance. La reine dont nous parlons a également entendu deux leçons si opposées; c'est-à-dire
qu'elle a usé chrétiennement de la bonne et de la mauvaise fortune. Dans l'une, elle a été bienfaisante; dans
l'autre, elle s'est montrée toujours invincible. Tant
qu'elle a été heureuse, elle a fait sentir son pouvoir au
monde par des bontés infinies; quand la fortune l'eut
abandonnée, elle s'enrichit plus que jamais elle-même
de vertus : tellement qu'elle a perdu, pour son propre
bien[1], cette puissance royale qu'elle avait pour le bien
des autres; et si ses sujets, si ses alliés, si l'Église universelle a profité de ses grandeurs, elle-même a su profiter de ses malheurs et de ses disgrâces plus qu'elle
n'avait fait de toute sa gloire. C'est ce que nous remarquerons dans la vie éternellement mémorable de très-
haute, très-excellente et très-puissante princesse Henriette-Marie de France, reine de la Grande-Bretagne.

Quoique personne n'ignore les grandes qualités d'une
reine dont l'histoire a rempli tout l'univers, je me sens
obligé d'abord à[2] les rappeler en votre mémoire, afin
que cette idée nous serve pour toute la suite du discours.
Il serait superflu de parler au long de la glorieuse naissance de cette princesse : on ne voit rien sous le soleil
qui en égale la grandeur. Le pape saint Grégoire a
donné, dès les premiers siècles, cet éloge singulier à la
couronne de France, « qu'elle est autant au-dessus des
« autres couronnes du monde, que la dignité royale sur-

---

[1] C'est ici la doctrine purement chrétienne, bien supérieure aux doc-
trines philosophiques des païens. Dans le christianisme, c'est Dieu qui
envoie l'affliction ainsi que le bonheur, et non pas un destin aveugle et
tyrannique : la Divinité a un but, et ce but est notre utilité; c'est *pour
notre propre bien.* (V.)

[2] Petite inexactitude de grammaire; il faut *de. Obligé à* exprime un
devoir ; *obligé de,* une nécessité. (V.)

« passe les fortunes particulières [1]. » Que s'il a parlé en
ces termes du temps du roi Childebert, et s'il a élevé si
haut la race de Mérovée, jugez ce qu'il aurait dit du sang
de saint Louis et de Charlemagne. Issue de cette race,
fille de Henri le Grand et de tant de rois, son grand
cœur a surpassé sa naissance. Toute autre place qu'un
trône eût été indigne d'elle. A la vérité, elle eut de quoi
satisfaire à sa noble fierté, quand elle vit qu'elle allait
unir la maison de France à la royale famille des Stuarts,
qui étaient venus à la succession de la couronne d'Angleterre par une fille de Henri VII, mais qui tenaient de
leur chef, depuis plusieurs siècles, le sceptre d'Écosse,
et qui descendaient de ces rois antiques, dont l'origine
se cache si avant dans l'obscurité des premiers temps.
Mais si elle eut de la joie de régner sur une grande nation, c'est parce qu'elle pouvait contenter le désir immense qui sans cesse la sollicitait à faire du bien. Elle
eut une magnificence royale; et l'on eût dit qu'elle perdait ce qu'elle ne donnait pas. Ses autres vertus n'ont
pas été moins admirables. Fidèle dépositaire des plaintes
et des secrets, elle disait que les princes devaient garder
le même silence que les confesseurs, et avoir la même
discrétion. Dans la plus grande fureur des guerres civiles, jamais on n'a douté de sa parole, ni désespéré de
sa clémence [2]. Quelle autre a mieux pratiqué cet art obligeant, qui fait qu'on se rabaisse sans se dégrader, et
qui accorde si heureusement la liberté avec le respect?
Douce, familière, agréable, autant que ferme et vigoureuse, elle savait persuader et convaincre, aussi bien
que commander, et faire valoir la raison non moins que

[1] *Quanto cæteros homines regia dignitas antecedit, tanto cæterarum
gentium regna regni vestri profecto culmen excellit.* (Lib. VI, ép. VI.)

[2] Précision énergique, comparable à celle de Tacite et de Salluste.
(L. H.)

l'autorité. Vous verrez avec quelle prudence elle traitait
les affaires; et une main si habile eût sauvé l'État, si l'État
eût pu être sauvé[1]. On ne peut assez louer la magnanimité de cette princesse. La fortune ne pouvait rien sur
elle : ni les maux qu'elle a prévus, ni ceux qui l'ont surprise, n'ont abattu son courage. Que dirai-je de son
attachement immuable à la religion de ses ancêtres?
Elle a bien su reconnaître que cet attachement faisait la
gloire de sa maison, aussi bien que celle de toute la
France, seule nation de l'univers qui, depuis douze siècles presque accomplis que ses rois ont embrassé le
christianisme, n'a jamais vu sur le trône que des princes
enfants de l'Église. Aussi a-t-elle toujours déclaré que
rien ne serait capable de la détacher de la foi de saint
Louis. Le roi son mari lui a donné, jusques à la mort,
ce bel éloge, qu'il n'y avait que le seul point de la religion où leurs cœurs fussent désunis; et confirmant par
son témoignage la piété de la reine, ce prince très-éclairé
a fait connaître en même temps à toute la terre la tendresse, l'amour conjugal, la sainte et inviolable fidélité
de son épouse incomparable.

   Dieu, qui rapporte tous ses conseils à la conservation
de sa sainte Église, et qui, fécond en moyens, emploie
toutes choses à ses fins cachées, s'est servi autrefois des
chastes attraits de deux saintes héroïnes pour délivrer
ses fidèles des mains de leurs ennemis. Quand il voulut
sauver la ville de Béthulie, il tendit dans la beauté de
Judith un piége imprévu et inévitable à l'aveugle bruta-
lité d'Holopherne. Les grâces pudiques de la reine Esther
eurent un effet aussi salutaire; mais moins violent. Elle
gagna le cœur du roi son mari, et fit d'un prince infi-

---

[1] C'est la traduction de ces vers de Virgile, *Éneid.*, II, 292 :

Si Pergama dextra
Defendi possent , etiam hac defensa fuissent. (C)

dèle un illustre protecteur du peuple de Dieu. Par un conseil à peu près semblable, ce grand Dieu avait préparé un charme innocent au roi d'Angleterre, dans les agréments infinis de la reine son épouse. Comme elle possédait son affection (car les nuages qui avaient paru au commencement furent bientôt dissipés), et que son heureuse fécondité redoublait tous les jours les sacrés liens de leur amour mutuelle; sans commettre l'autorité du roi son seigneur, elle employait son crédit à procurer un peu de repos aux catholiques accablés. Dès l'âge de quinze ans elle fut capable de ces soins; et seize années d'une prospérité accomplie, qui coulèrent sans interruption, avec l'admiration de toute la terre, furent seize années de douceur pour cette Église affligée. Le crédit de la reine obtint aux catholiques ce bonheur singulier et presque incroyable, d'être gouvernés successivement par trois nonces apostoliques, qui leur apportaient les consolations que reçoivent les enfants de Dieu de la communication avec le saint-siége.

Le pape saint Grégoire, écrivant au pieux empereur Maurice, lui représente en ces termes les devoirs des rois chrétiens[1] : « Sachez, ô grand empereur, que la souve- « raine puissance vous est accordée d'en-haut, afin que « la vertu soit aidée, que les voies du ciel soient élar- « gies, et que l'empire de la terre serve[2] l'empire du « ciel. » C'est la vérité elle-même qui lui a dicté ces belles paroles : car qu'y a-t-il de plus convenable à la puissance que de secourir la vertu? à quoi la force doit-elle servir, qu'à défendre la raison? et pourquoi comman-

---

[1] *Ad hoc enim potestas super omnes homines dominorum meorum pietati cælitus data est, ut qui bona appetunt, adjuventur; ut cœlorum via largius pateat, ut terrestre regnum cælesti regno famuletur.* (S. Greg. Ep., lib. III, ep. LXV.)

[2] Var. *Les quatre premières éditions portent :* serve à l'empire du ciel.

dent les hommes, si ce n'est pour faire que Dieu soit obéi ? Mais surtout il faut remarquer l'obligation si glorieuse que ce grand pape impose aux princes, d'élargir les voies du ciel. Jésus-Christ a dit dans son Évangile [1] : « Combien est étroit le chemin qui mène à la vie [2]! » Et voici ce qui le rend si étroit : c'est que le juste, sévère à lui-même, et persécuteur irréconciliable de ses propres passions, se trouve encore persécuté par les injustes passions des autres, et ne peut pas même obtenir que le monde le laisse en repos dans ce sentier solitaire et rude où il grimpe [3] plutôt qu'il ne marche. Accourez, dit saint Grégoire, puissances du siècle; voyez dans quel sentier la vertu chemine; doublement à l'étroit, et par elle-même, et par l'effort de ceux qui la persécutent : secourez-la, tendez-lui la main : puisque vous la voyez déjà fatiguée du combat qu'elle soutient au dedans contre tant de tentations qui accablent la nature humaine, mettez-la du moins à couvert des insultes du dehors. Ainsi vous élargirez un peu les voies du ciel, et rétablirez ce chemin que sa hauteur et son âpreté rendront toujours assez difficile.

Mais si jamais l'on peut dire que la voie du chrétien est étroite, c'est, messieurs, durant les persécutions : car que peut-on imaginer de plus malheureux, que de ne pouvoir conserver la foi sans s'exposer au supplice, ni sacrifier sans trouble, ni chercher Dieu qu'en tremblant ? Tel était l'état déplorable des catholiques anglais. L'erreur et la nouveauté se faisaient entendre dans toutes les chaires; et la doctrine ancienne, qui, selon l'oracle

---

[1] VAR. *Les quatre premières éditions :* que le chemin est étroit qui mène à la vie!

[2] MATTH., VII, 14.

[3] Le mot propre était *gravit*, qui est moins familier, et même plus expressif, puisque *gravir* c'est *grimper avec effort*. (L. H.)

de l'Évangile, «doit être prêchée jusque sur les toits[1], »
pouvait à peine parler à l'oreille. Les enfants de Dieu
étaient étonnés de ne voir plus ni l'autel, ni le sanctuaire, ni ces tribunaux de miséricorde qui justifient ceux
qui s'accusent[2]. O douleur! il fallait cacher la pénitence
avec le même soin qu'on eût fait les crimes; et Jésus-
Christ même se voyait contraint, au grand malheur des
hommes ingrats, de chercher d'autres voiles et d'autres
ténèbres que ces voiles et ces ténèbres mystiques dont
il se couvre volontairement dans l'Eucharistie. A l'arrivée de la reine, la rigueur se ralentit, et les catholiques
respirèrent. Cette chapelle royale, qu'elle fit bâtir avec
tant de magnificence dans son palais de Sommerset, rendait à l'Église sa première forme. HENRIETTE, digne fille
de saint Louis, y animait tout le monde par son exemple,
et y soutenait avec gloire, par ses retraites, par ses
prières et par ses dévotions, l'ancienne réputation de la
très-chrétienne maison de France. Les prêtres de l'Oratoire, que le grand Pierre de Bérulle avait conduits avec
elle, et après eux les pères Capucins, y donnèrent, par
leur piété, aux autels leur véritable décoration, et au
service divin sa majesté naturelle. Les prêtres et les religieux, zélés et infatigables pasteurs de ce troupeau
affligé, qui vivaient en Angleterre pauvres, errants,
travestis, « desquels aussi le monde n'était pas di-
« gne[3], » venaient reprendre avec joie les marques glorieuses de leur profession dans la chapelle de la reine;
et l'Église désolée, qui autrefois pouvait à peine gémir
librement, et pleurer sa gloire passée, faisait retentir
hautement les cantiques de Sion dans une terre étran-

---

[1] *Quod in aure auditis, prædicate super tecta.* (MATTH., X, 27.)

[2] Les critiques ont avec raison admiré la beauté de cette périphrase
pour exprimer les *confessionnaux.*

[3] *Quibus dignus non erat mundus.* (HEB., XI, 38.)

gère. Ainsi la pieuse reine consolait la captivité des fidèles, et relevait leur espérance.

Quand Dieu laisse sortir du puits de l'abîme la fumée
qui obscurcit le soleil, selon l'expression de l'Apocalypse [1], c'est-à-dire l'erreur et l'hérésie; quand pour
punir les scandales, ou pour réveiller les peuples et les
pasteurs, il permet à l'esprit de séduction de tromper
les âmes hautaines, et de répandre partout un chagrin
superbe, une indocile curiosité, et un esprit de révolte;
il détermine dans sa sagesse profonde les limites qu'il
veut donner au malheureux progrès de l'erreur, et aux
souffrances de son Église. Je n'entreprends pas, chrétiens, de vous dire la destinée des hérésies de ces derniers siècles, ni de marquer le terme fatal dans lequel
Dieu a résolu de borner leur cours. Mais si mon jugement ne me trompe pas; si, rappelant la mémoire des
siècles passés, j'en fais un juste rapport à l'état présent;
j'ose croire, et je vois les sages concourir à ce sentiment,
que les jours d'aveuglement sont écoulés, et qu'il est
temps désormais que la lumière revienne. Lorsque le roi
Henri VIII, prince en tout le reste accompli, s'égara dans
les passions qui ont perdu Salomon et tant d'autres rois,
et commença d'ébranler l'autorité de l'Église; les sages
lui dénoncèrent qu'en remuant ce seul point, il mettait
tout en péril, et qu'il donnait, contre son dessein, une
licence effrénée aux âges suivants. Les sages le prévirent;
mais les sages sont-ils crus en ces temps d'emportement,
et ne se rit-on pas de leurs prophéties? Ce qu'une judi-
cieuse prévoyance n'a pu mettre dans l'esprit des hommes, une maîtresse plus impérieuse, je veux dire l'expérience, les a forcés de le croire. Tout ce que la religion

---

[1] *Aperuit puteum abyssi; et ascendit fumus putei:... et obscuratus est
sol.* (Aroc., ix, 2.) (F.)

a de plus saint a été en proie. L'Angleterre a tant changé,
qu'elle ne sait plus elle-même à quoi s'en tenir; et, plus
agitée en sa terre et dans ses ports mêmes que l'Océan
qui l'environne[1], elle se voit inondée par l'effroyable
débordement de mille sectes bizarres. Qui sait si, étant
revenue de ses erreurs prodigieuses touchant la royauté,
elle ne poussera pas plus loin ses réflexions; et si, en-
nuyée de ses changements, elle ne regardera pas avec
complaisance l'état qui a précédé? Cependant admirons
ici la piété de la reine, qui a su si bien conserver les
précieux restes de tant de persécutions. Que de pauvres,
que de malheureux, que de familles ruinées pour la
cause de la foi, ont subsisté pendant tout le cours de sa
vie par l'immense profusion de ses aumônes! Elles se
répandaient de toutes parts jusqu'aux dernières extrémités de ses trois royaumes; et s'étendant par leur abondance, même sur les ennemis de la foi, elles adoucis-
saient leur aigreur, et les ramenaient à l'Église. Ainsi,
non-seulement elle conservait, mais encore elle augmen-
tait le peuple de Dieu. Les conversions étaient innombra-
bles; et ceux qui en ont été témoins oculaires nous ont
appris que, pendant trois ans de séjour qu'elle a fait
dans la cour du roi son fils, la[2] seule chapelle royale a
vu plus de trois cents convertis, sans parler des autres,
abjurer saintement leurs erreurs entre les mains de ses
aumôniers. Heureuse d'avoir conservé si soigneusement
l'étincelle de ce feu divin que Jésus est venu allumer au
monde[3]! Si jamais l'Angleterre revient à soi; si ce levain
précieux vient un jour à sanctifier toute cette masse,
où il a été mêlé par ces royales mains, la postérité la

---

[1] Cette grande et belle image se retrouve dans Démosthène (*Pro Corona*)
et dans Cicéron. (A.-F. Didot.)

[2] Var. *Première édition.* Sa seule.

[3] Luc., XII, 49.

plus éloignée n'aura pas assez de louanges pour célébrer
les vertus de la religieuse HENRIETTE, et croira devoir
à sa piété l'ouvrage si mémorable du rétablissement de
l'Église.

Que si l'histoire de l'Église garde chèrement la mémoire de cette reine, notre histoire ne taira pas les avantages qu'elle a procurés à sa maison et à sa patrie. Femme
et mère très-chérie et très-honorée, elle a réconcilié avec
la France le roi son mari, et le roi son fils. Qui ne sait
qu'après la mémorable action de l'île de Ré, et durant
ce fameux siége de la Rochelle, cette princesse, prompte
à se servir des conjonctures importantes, fit conclure la
paix, qui empêcha l'Angleterre de continuer son secours
aux Calvinistes révoltés? Et dans ces dernières années,
après que notre grand roi, plus jaloux de sa parole et du
salut de ses alliés que de ses propres intérêts, eut déclaré
la guerre aux Anglais, ne fut-elle pas encore une sage
et heureuse médiatrice? Ne réunit-elle pas les deux
royaumes? Et depuis encore, ne s'est-elle pas appliquée
en toutes rencontres à conserver cette même intelligence?
Ces soins regardent maintenant vos altesses royales[1]; et
l'exemple d'une grande reine, aussi bien que le sang de
France et d'Angleterre, que vous avez uni par votre
heureux mariage, vous doit inspirer le désir de travailler
sans cesse à l'union de deux rois qui vous sont si proches,
et de qui la puissance et la vertu peuvent faire le destin
de toute l'Europe.

Monseigneur, ce n'est plus seulement par cette vail-
lante main et par ce grand cœur que vous acquerrez de
la gloire : dans le calme d'une profonde paix vous aurez
des moyens de vous signaler; et vous pouvez servir l'É-
tat sans l'alarmer, comme vous avez fait tant de fois, en

[1] L'orateur s'adresse ici au duc et à la duchesse d'Orléans.

exposant au milieu des plus grands hasards de la guerre
une vie aussi précieuse et aussi nécessaire que la vôtre.
Ce service, Monseigneur, n'est pas le seul qu'on attend
de vous; et l'on peut tout espérer d'un prince que la sagesse conseille, que la valeur anime, et que la justice
accompagne dans toutes ses actions. Mais où m'emporte
mon zèle, si loin de mon triste sujet? Je m'arrête à considérer les vertus de PHILIPPE, et je ne songe pas que
je vous dois l'histoire des malheurs de HENRIETTE.

J'avoue, en la commençant, que je sens plus que jamais la difficulté de mon entreprise. Quand j'envisage
de près les infortunes inouïes d'une si grande reine, je
ne trouve plus de paroles; et mon esprit, rebuté de tant
d'indignes traitements qu'on a faits à la majesté et à la
vertu, ne se résoudrait jamais à se jeter parmi tant
d'horreurs, si la constance admirable avec laquelle cette
princesse a soutenu ses calamités ne surpassait de bien
loin les crimes qui les ont causées. Mais en même temps,
chrétiens, un autre soin me travaille. Ce n'est pas un
ouvrage humain que je médite. Je ne suis pas ici un
historien qui doive vous développer le secret des cabinets, ni l'ordre des batailles, ni les intérêts des partis :
il faut que je m'élève au-dessus de l'homme, pour faire
trembler toute créature sous les jugements de Dieu.
« J'entrerai, avec David, dans les puissances du Sei-
« gneur[1] ; » et j'ai à vous faire voir les merveilles de sa
main et de ses conseils; conseils de juste vengeance sur
l'Angleterre ; conseils de miséricorde pour le salut de la
reine; mais conseils marqués par le doigt de Dieu, dont
l'empreinte est si vive et si manifeste, dans les événements que j'ai à traiter, qu'on ne peut résister à cette
lumière.

---

[1] *Introïbo in potentias Domini.* (PS. LXX, 15.)

Quelque haut qu'on puisse remonter pour rechercher dans les histoires les exemples des grandes mutations, on trouvera que jusques ici elles sont causées, ou par la mollesse ou par la violence des princes. En effet, quand les princes, négligeant de connaître leurs affaires et leurs armées, ne travaillent qu'à la chasse, comme disait cet historien [1], n'ont de gloire que pour le luxe, ni d'esprit que pour inventer des plaisirs; ou quand, emportés par leur humeur violente, ils ne gardent plus ni lois ni mesures, et qu'ils ôtent les égards et la crainte aux hommes, en faisant que les maux qu'ils souffrent leur paraissent plus insupportables que ceux qu'ils prévoient; alors ou la licence excessive, ou la patience poussée à l'extrémité, menacent terriblement les maisons régnantes.

Charles Ier, roi d'Angleterre, était juste, modéré, magnanime, très-instruit de ses affaires et des moyens de régner. Jamais prince ne fut plus capable de rendre la royauté non-seulement vénérable et sainte, mais encore aimable et chère à ses peuples. Que lui peut-on reprocher, sinon sa clémence [2]? Je veux bien avouer de lui ce qu'un auteur célèbre a dit de César, « qu'il a été « clément jusqu'à être obligé de s'en repentir : » *Cæsari proprium et peculiare sit clementiæ insigne, qua usque ad pænitentiam omnes superavit* [3]. Que ce soit donc là, si l'on veut, l'illustre défaut de Charles aussi bien que de César : mais que ceux qui veulent croire que tout est faible dans les malheureux et dans les vaincus ne pensent pas pour cela nous persuader que la force ait manqué à son courage, ni la vigueur à ses conseils. Poursuivi à toute outrance par l'implacable malignité

---

[1] *Venatus maximus labor est.* (Q. CURT., lib. VIII, n. 9.)

[2] On lit ainsi dans l'édition originale; les suivantes portent *la clémence.*

[3] PLIN., *Hist. nat.*, lib. VII, cap. 25.

de la fortune, trahi de tous les siens, il ne s'est pas manqué à lui-même. Malgré les mauvais succès de ses armes infortunées, si on a pu le vaincre, on n'a pas pu le forcer ; et, comme il n'a jamais refusé ce qui était raisonnable étant vainqueur, il a toujours rejeté ce qui était faible et injuste étant captif. J'ai peine à contempler son grand cœur dans ces dernières épreuves. Mais certes il a montré qu'il n'est pas permis aux rebelles de faire perdre la majesté à un roi qui sait se connaître ; et ceux qui ont vu de quel front il a paru dans la salle de Westminster et dans la place de Whitehall peuvent juger aisément combien il était intrépide à la tête de ses armées, combien auguste et majestueux au milieu de son palais et de sa cour. Grande reine, je satisfais à vos plus tendres désirs quand je célèbre ce monarque; et ce cœur, qui n'a jamais vécu que pour lui, se réveille tout poudre[1] qu'il est, et devient sensible, même sous ce drap mortuaire, au nom d'un époux si cher, à qui ses ennemis mêmes accorderont le titre de sage et celui de juste, et que la postérité mettra au rang des grands princes, si son histoire trouve des lecteurs dont le jugement ne se laisse pas maîtriser aux événements ni à la fortune[2].

Ceux qui sont instruits des affaires, étant obligés d'avouer que le roi n'avait point donné d'ouverture ni de prétexte aux excès sacriléges dont nous abhorrons la mémoire, en accusent la fierté indomptable de la nation ; et je confesse que la haine des parricides pourrait jeter les esprits dans ce sentiment. Mais quand on considère de plus près l'histoire de ce grand royaume, et particu-

---

[1] VAR. *Premières éditions.* Tout cendre qu'il est.

[2] Jusque dans le profond abaissement où le comble du malheur a réduit Charles Ier, Bossuet sait conserver à cet infortuné monarque un caractère de grandeur que l'histoire n'a point démenti. Hume a justifié la prédiction de Bossuet par l'équité de ses jugements sur Charles Ier. (B.)

lièrement les derniers règnes, où l'on voit non-seulement les rois majeurs, mais encore les pupilles, et les reines mêmes si absolues et si redoutées[1]; quand on regarde la facilité incroyable avec laquelle la religion a été ou renversée ou rétablie par Henri, par Édouard, par Marie, par Élisabeth, on ne trouve ni la nation si rebelle, ni ses parlements si fiers et si factieux : au contraire, on est obligé de reprocher à ces peuples d'avoir été trop soumis, puisqu'ils ont mis sous le joug leur foi même et leur conscience. N'accusons donc pas aveuglément le naturel des habitants de l'île la plus célèbre du monde, qui, selon les plus fidèles histoires, tirent leur origine des Gaules; et ne croyons pas que les Merciens, les Danois et les Saxons, aient tellement corrompu en eux ce que nos pères leur avaient donné de bon sang[2], qu'ils soient capables de s'emporter à des procédés si barbares, s'il ne s'y était mêlé d'autres causes. Qu'est-ce donc qui les a poussés? Quelle force, quel transport, quelle intempérie a causé ces agitations et ces violences ? N'en doutons pas, chrétiens : les fausses religions, le libertinage d'esprit, la fureur de disputer des choses divines, sans fin, sans règle, sans soumission, a emporté les courages. Voilà les ennemis que la reine a eus à combattre, et que ni sa prudence, ni sa douceur, ni sa fermeté, n'ont pu vaincre.

J'ai déjà dit quelque chose de la licence où se jettent les esprits quand on ébranle les fondements de la religion, et qu'on remue les bornes une fois posées. Mais, comme la matière que je traite me fournit un exemple manifeste,

---

[1] Il s'agit ici de Marie, et surtout d'Élisabeth; les *rois majeurs* désignent Henri VIII; et *les pupilles*, Édouard VI, son successeur immédiat. (C.)

[2] Les éditions les plus estimées portent *bon sens*, leçon évidemment fautive.

et unique dans tous les siècles, de ces extrémités fu-
rieuses, il est, messieurs, de la nécessité de mon sujet
de remonter jusques au principe, et de vous conduire
pas à pas par tous les excès où le mépris de la religion
ancienne et celui de l'autorité de l'Église ont été capables de pousser les hommes.

Donc[1] la source de tout le mal est que ceux qui n'ont
pas craint de tenter, au siècle passé, la réformation par
le schisme, ne trouvant point de plus fort rempart contre toutes leurs nouveautés que la sainte autorité de
l'Église, ils[2] ont été obligés de la renverser. Ainsi les
décrets des conciles, la doctrine des Pères et leur sainte
unanimité, l'ancienne tradition du saint-siége et de
l'Église catholique, n'ont plus été comme autrefois des
lois sacrées et inviolables. Chacun s'est fait à soi-même
un tribunal, où il s'est rendu l'arbitre de sa croyance;
et encore qu'il semble que les novateurs aient voulu
retenir les esprits en les renfermant dans les limites de
l'Écriture sainte, comme ce n'a été qu'à condition que
chaque fidèle en deviendrait l'interprète, et croirait que
le Saint-Esprit lui en dicte l'explication, il n'y a point
de particulier qui ne se voie autorisé par cette doctrine
à adorer ses inventions, à consacrer ses erreurs, à appeler Dieu tout ce qu'il pense. Dès lors on a bien prévu
que, la licence n'ayant plus de frein, les sectes se multi-
plieraient jusqu'à l'infini ; que l'opiniâtreté serait invincible ; et que, tandis que les uns ne cesseraient de disputer, ou donneraient leurs rêveries pour inspirations,
les autres, fatigués de tant de folles visions, et ne pouvant plus reconnaître la majesté de la religion déchirée

---

[1] P. Corneille a souvent employé cette particule affirmative au commencement des phrases.

[2] VAR. *Première et seconde éditions*, ils *manque.*

par tant de sectes, iraient enfin chercher un repos funeste et une entière indépendance dans l'indifférence
des religions ou dans l'athéisme.

Tels, et plus pernicieux encore, comme vous verrez
dans la suite, sont les effets naturels de cette nouvelle
doctrine. Mais, de même qu'une eau débordée ne fait
pas partout les mêmes ravages, parce que sa rapidité
ne trouve pas partout les mêmes penchants et les mêmes
ouvertures; ainsi, quoique cet esprit d'indocilité et
d'indépendance soit également répandu dans toutes les
hérésies de ces derniers siècles, il n'a pas produit uni-
versellement les mêmes effets; il a reçu diverses limites,
suivant que la crainte, ou les intérêts, ou l'humeur des
particuliers et des nations, ou enfin la puissance divine,
qui donne quand il lui plaît des bornes secrètes aux
passions des hommes les plus emportées, l'ont différem-
ment retenu. Que s'il s'est montré tout entier à l'Angleterre, et si sa malignité s'y est déclarée sans réserve,
les rois en ont souffert; mais aussi les rois en ont été
cause. Ils ont trop fait sentir aux peuples que l'ancienne
religion se pouvait changer. Les sujets ont cessé d'en
révérer les maximes quand ils les ont vues céder aux
passions et aux intérêts de leurs princes. Ces terres, trop
remuées et devenues incapables de consistance, sont
tombées de toutes parts, et n'ont fait voir que d'ef-
froyables précipices. J'appelle ainsi tant d'erreurs té-
méraires et extravagantes qu'on voyait paraître tous les
jours. Ne croyez pas que ce soit seulement la querelle
de l'épiscopat, ou quelques chicanes sur la liturgie an-
glicane, qui aient ému les Communes. Ces disputes
n'étaient encore que de faibles commencements, par où
ces esprits turbulents faisaient comme un essai de leur
liberté. Mais quelque chose de plus violent se remuait
dans le fond des cœurs : c'était un dégoût secret de tout

ce qui a de l'autorité , et une démangeaison [1] d'innover sans fin , après qu'on en a vu le premier exemple.

Ainsi les calvinistes, plus hardis que les luthériens, ont servi à établir les sociniens [2], qui ont été plus loin qu'eux, et dont ils grossissent tous les jours le parti. Les sectes infinies des anabaptistes [3] sont sorties de cette même source ; et leurs opinions, mêlées au calvinisme, ont fait naître les indépendants [4], qui n'ont point eu de bornes : parmi lesquels on voit les trembleurs [5], gens

---

[1] La Harpe blâme le mot *démangeaison*, qu'il trouve du style familier. N'y a-t-il pas un excès de délicatesse dans une telle critique ? Cette expression n'est-elle pas relevée par l'emploi qu'en fait Bossuet ? doit-elle plus choquer que le mot *chatouiller*, par exemple, si heureusement placé par Corneille et par Racine dans les vers suivants :

Chatouillait malgré lui son âme avec surprise.
Pompée, acte III, sc. I.
Chatouillaient de mon cœur l'orgueilleuse faiblesse.
Iphigénie, acte I, sc. I.
(M. PATIN.)

[2] Les sociniens rejettent tous les mystères du christianisme. On les appelle aussi *unitaires*, parce qu'ils n'admettent en Dieu qu'une seule personne. Cette secte n'a pas eu pour premier auteur *Fauste Socin* ; elle avait commencé à éclore en 1517. (C.)

[3] Ces sectaires soutiennent qu'il ne faut pas baptiser les enfants avant l'âge de discrétion, ou qu'à cet âge on doit leur réitérer le baptême, parce que, selon eux, ces enfants doivent être en état de rendre raison de leur foi, pour recevoir validement ce sacrement. (LAVEAUX, *Dict. de la Langue française.*)

[4] Ainsi appelés, parce qu'ils font profession de ne dépendre d'aucune assemblée ecclésiastique. Ils prétendent que chaque église ou congrégation particulière a en elle-même tout ce qui est nécessaire pour sa conduite et pour son gouvernement ; qu'elle a toute la puissance ecclésiastique et toute la juridiction, et qu'elle n'est point sujette à une ou plusieurs églises, ni à leurs députés, ni à leurs assemblées, ni à leurs synodes, non plus qu'à aucun évêque. (LAVEAUX.)

[5] Secte qui a commencé en Angleterre en 1650. Les *quacres* ou *trembleurs* n'ont point de prêtres ; ils refusent d'aller à la guerre, tutoient tout le monde, et parlent aux rois mêmes le chapeau sur la tête. Le nom de *trembleurs* leur a été donné à cause du tremblement et des contor-

fanatiques, qui croient que toutes leurs rêveries leur
sont inspirées ; et ceux qu'on nomme chercheurs[1], à
cause que, dix-sept cents ans après Jésus-Christ, ils
cherchent encore la religion, et n'en ont point d'arrêtée.

C'est, messieurs, en cette sorte que les esprits, une
fois émus, tombant de ruines en ruines, se sont divisés
en tant de sectes. En vain les rois d'Angleterre ont cru
les pouvoir retenir sur cette pente dangereuse, en conservant l'épiscopat. Car que peuvent des évêques qui
ont anéanti eux-mêmes l'autorité de leur chaire, et la
révérence qu'on doit à la succession, en condamnant
ouvertement leurs prédécesseurs jusqu'à la source même
de leur sacre, c'est-à-dire jusqu'au pape saint Grégoire,
et au saint moine Augustin son disciple[2], et le premier
apôtre de la nation anglaise? Qu'est-ce que l'épiscopat,
quand il se sépare de l'Église qui est son tout, aussi
bien que du saint-siége qui est son centre, pour s'attacher, contre sa nature, à la royauté comme à son
chef? Ces deux puissances d'un ordre si différent ne
s'unissent pas, mais s'embarrassent mutuellement quand
on les confond ensemble ; et la majesté des rois d'Angleterre serait demeurée plus inviolable, si, contente de

sions qu'ils font dans leurs assemblées, lorsqu'ils se croient inspirés par
le Saint-Esprit.

[1] Selon Stoup, dans son traité sur la religion des Hollandais, il y a
dans ce pays des *chercheurs* qui conviennent de la vérité de la religion
de Jésus-Christ, mais qui prétendent que cette religion n'est professée
dans sa pureté par aucune église, par aucune communion du christianisme. En conséquence, ils ne sont attachés à aucune ; mais ils cherchent, disent-ils, ce que les hommes ont ajouté ou retranché à la parole
de Dieu. Ces *chercheurs*, suivant le même écrivain, sont communs en
Angleterre. (C.)

[2] Cet archevêque de Cantorbéry, envoyé en 596 par saint Grégoire le
Grand pour prêcher le christianisme en Angleterre, est regardé comme
le premier apôtre de cette nation.

ses droits sacrés, elle n'avait point voulu attirer à soi les droits et l'autorité de l'Église [1]. Ainsi rien n'a retenu la violence des esprits féconds en erreurs : et Dieu, pour punir l'irréligieuse instabilité de ces peuples, les a livrés à l'intempérance de leur folle curiosité; en sorte que l'ardeur de leurs disputes insensées, et leur religion arbitraire, est devenue la plus dangereuse de leurs maladies.

Il ne faut point s'étonner s'ils perdirent le respect de la majesté et des lois, ni s'ils devinrent factieux, rebelles et opiniâtres. On énerve la religion quand on la change, et on lui ôte un certain poids, qui seul est capable de tenir les peuples. Ils ont dans le fond du cœur je ne sais quoi d'inquiet qui s'échappe, si on leur ôte ce frein nécessaire ; et on ne leur laisse plus rien à ménager, quand on leur permet de se rendre maîtres de leur religion. C'est de là que nous est né ce prétendu règne de Christ, inconnu jusques alors au christianisme, qui devait anéantir toute royauté [2], et égaler tous les hommes ; songe séditieux des indépendants, et leur chimère impie et sacrilége. Tant il est vrai que tout se tourne en révoltes et en pensées séditieuses, quand l'autorité de la religion est anéantie ! Mais pourquoi chercher des preuves d'une vérité que le Saint-Esprit a prononcée par une sentence manifeste ? Dieu même menace les peuples qui altèrent la religion qu'il a établie, de se retirer

[1] Henri VIII avait cru donner à l'autorité royale plus de force et d'étendue en concentrant toute la puissance spirituelle et temporelle ; mais il est à remarquer que c'est précisément depuis cette époque que la puissance royale s'est affaiblie en Angleterre, et que le roi d'Angleterre n'est plus que le premier magistrat de la nation ; et Bossuet en donne la raison. *On énerve la religion*, etc. (B.)

[2] C'est ainsi qu'on lit dans les cinq premières éditions : *la* est ajouté mal à propos dans les suivantes.

du milieu d'eux, et par là de les livrer aux guerres civiles. Écoutez comme il parle par la bouche du prophète
Zacharie [1] : « Leur âme, dit le Seigneur, a varié envers
« moi, » quand ils ont si souvent changé la religion, « et
« je leur ai dit : Je ne serai plus votre pasteur, » c'est-
à-dire je vous abandonnerai à vous-mêmes, et à votre
cruelle destinée : et voyez la suite : « Que ce qui doit
« mourir aille à la mort; que ce qui doit être retranché
« soit retranché; » entendez-vous ces paroles? « et que
« ceux qui demeureront, se dévorent les uns les autres. »
O prophétie trop réelle, et trop véritablement accomplie !
La reine avait bien raison de juger qu'il n'y avait point
de moyen d'ôter les causes des guerres civiles qu'en retournant à l'unité catholique qui a fait fleurir durant tant
de siècles l'église et la monarchie d'Angleterre, autant
que les plus saintes églises et les plus illustres monarchies
du monde. Ainsi quand cette pieuse princesse servait l'É-
glise, elle croyait servir l'État; elle croyait assurer au roi
des serviteurs, en conservant à Dieu des fidèles. L'expérience a justifié ses sentiments; et il est vrai que le roi
son fils n'a rien trouvé de plus ferme dans son service
que ces catholiques si haïs, si persécutés, que lui avait
sauvés la reine sa mère. En effet, il est visible que puisque la séparation et la révolte contre l'autorité de l'É-
glise a été la source d'où sont dérivés tous les maux,
on n'en trouvera jamais les remèdes que par le retour à
l'unité, et par la soumission ancienne. C'est le mépris
de cette unité qui a divisé l'Angleterre. Que si vous me
demandez comment tant de factions opposées, et tant
de sectes incompatibles, qui se devaient apparemment
détruire les unes les autres, ont pu si opiniâtrément

---

[1] *Anima eorum variavit in me, et dixi : Non pascam vos : quod mori-
tur, moriatur; et quod succiditur, succidatur: et reliqui devorent unusquisque carnem proximi sui.* (ZACH., XI, 8 et seq.)

conspirer ensemble contre le trône royal, vous l'allez apprendre.

Un homme s'est rencontré[1] d'une profondeur d'esprit incroyable, hypocrite raffiné autant qu'habile politique, capable de tout entreprendre et de tout cacher, également actif et infatigable dans la paix et dans la guerre, qui ne laissait rien à la fortune de ce qu'il pouvait lui ôter par conseil et par prévoyance ; mais au reste si vigilant et si prêt à tout[2], qu'il n'a jamais manqué les occasions qu'elle lui a présentées ; enfin un de ces esprits remuants et audacieux, qui semblent être nés pour changer le monde[3]. Que le sort de tels esprits est hasar-

[1] La première expression de ce portrait contient un des secrets particuliers du style de Bossuet : *Un homme s'est rencontré*. Un autre écrivain aurait pu dire : « Cromwell était un de ces prodiges de scélératesse qui apparaissent de temps en temps dans l'univers comme d'effrayants phénomènes, etc. » Il aurait bien dit, mais comme tout le monde peut bien dire, Bossuet dit tout cela d'un seul mot : *Un homme s'est rencontré* ; et, de plus, il dit mieux, parce qu'il fait entendre avec ce seul mot ce qu'il y a de plus extraordinaire, et qu'il y monte l'imagination. Voilà ce que j'appelle la langue de Bossuet : on en trouverait des traits à toutes les pages, et souvent en foule et pressés les uns sur les autres. (L. H.) — Bossuet n'a pas nommé une seule fois Cromwell. Il fait mieux ; il le montre à tous les esprits ; il le rend présent à tous les regards ; il lui laisse tous les lauriers qui ombrageaient son front tant de fois victorieux, et il arrache le masque qui couvrait tant de crimes et d'hypocrisie : c'est la plus noble vengeance du génie et de la vertu. (B.) — Cette modération de Bossuet est d'autant plus remarquable, que l'éloge funèbre de la veuve de Charles Ier fut prononcé en 1669, onze ans seulement après la mort de Cromwell, et dix ans après le rétablissement de Charles II sur le trône : c'est-à-dire, quand depuis deux lustres révolus la mémoire de Cromwell était livrée au jugement de l'histoire, et que son cadavre avait été exhumé, traîné sur la claie dans les rues de Londres, pendu, et enterré au pied du gibet. (M.)

[2] *Prêt à tout* signifie plutôt une disposition de l'âme, qui attend le malheur sans crainte, qu'une attention de l'esprit, qui ne peut être ni surprise ni prévenue. (BATTEUX.)

[3] Bossuet emprunte ici quelques traits à Salluste, qui avait dit, en

deux, et qu'il en paraît dans l'histoire à qui leur audace
a été funeste! Mais aussi que ne font-ils pas, quand il
plaît à Dieu de s'en servir! Il fut donné à celui-ci de
tromper les peuples, et de prévaloir contre les rois[1].
Car, comme il eut aperçu que dans ce mélange infini de
sectes, qui n'avaient plus de règles certaines, le plaisir
de dogmatiser sans être repris ni contraint par aucune autorité ecclésiastique ni séculière était le charme qui possédait les esprits, il sut si bien les concilier par là, qu'il
fit un corps redoutable de cet assemblage monstrueux.
Quand une fois on a trouvé le moyen de prendre la multitude par l'appât de la liberté, elle suit en aveugle,
pourvu qu'elle en entende seulement le nom. Ceux-ci,
occupés du premier objet qui les avait transportés, allaient toujours sans regarder qu'ils allaient à la servitude; et leur subtil conducteur, qui en combattant, en
dogmatisant[2], en mêlant mille personnages divers, en
faisant le docteur et le prophète aussi bien que le soldat
et le capitaine, vit qu'il avait tellement enchanté le
monde, qu'il était regardé de toute l'armée comme un
chef envoyé de Dieu pour la protection de l'indépendance, commença à s'apercevoir qu'il pouvait encore
les pousser plus loin. Je ne vous raconterai pas la suite
trop fortunée de ses entreprises, ni ses fameuses victoires dont la vertu était indignée[3], ni cette longue tran-

parlant de Catilina : *Animus audax, subdolus, varius; cujus rei libet si-
mulator ac dissimulator;* et ailleurs : *Nunquam super industriam ejus
fortuna fuit.* (F.)

[1] APOC., XIII, 5, 7.

[2] Cromwell ne se servit pas seulement de son épée, il se servit aussi
de sa plume, tantôt pour combattre ses adversaires, tantôt pour aigrir
les partis, et pousser les choses jusqu'aux excès dont il avait besoin
pour parvenir à ses desseins.

[3] Voilà un mot qui n'est point dans les anciens. Le *victa Catoni* de
Lucain est emphatique et impie ; *la vertu indignée des victoires de Cromwell* est aussi simple que vrai. (V.)

quillité qui a étonné l'univers. C'était le conseil de Dieu
d'instruire les rois à ne point quitter son Église. Il voulait découvrir, par un grand exemple, tout ce que peut
l'hérésie; combien elle est naturellement indocile et indépendante, combien fatale à la royauté et à toute autorité légitime. Au reste, quand ce grand Dieu a choisi
quelqu'un pour être l'instrument de ses desseins, rien
n'en arrête le cours; ou il enchaîne, ou il aveugle,
ou il dompte tout ce qui est capable de résistance. « Je
« suis le Seigneur, dit-il par la bouche de Jérémie; c'est
« moi qui ai fait la terre avec les hommes et les animaux,
« et je la mets entre les mains de qui il me plaît. Et
« maintenant j'ai voulu soumettre ces terres à Nabucho-
« donosor, roi de Babylone, mon serviteur[1]. » Il l'appelle son serviteur, quoique infidèle, à cause qu'il l'a
nommé pour exécuter ses décrets. « Et j'ordonne,
« poursuit-il, que tout lui soit soumis, jusqu'aux ani-
« maux[2] : » tant il est vrai que tout ploie et que tout est
souple quand Dieu le commande. Mais écoutez la suite de
la prophétie : « Je veux que ces peuples lui obéissent, et
« qu'ils obéissent encore à son fils, jusqu'à ce que le
« temps des uns et des autres vienne[3]. » Voyez, chrétiens, comme les temps sont marqués, comme les générations sont comptées : Dieu détermine jusques à quand
doit durer l'assoupissement, et quand aussi se doit réveiller le monde.

Tel a été le sort de l'Angleterre. Mais que, dans cette

---

[1] *Ego feci terram, et homines, et jumenta quæ sunt super faciem terræ,
in fortitudine mea magna et in brachio meo extento; et dedi eam ei qui pla-
cuit in oculis meis. Et nunc itaque dedi omnes terras istas in manu Nabuchodonosor, regis Babylonis, servi mei.* (JEREM., XXVII, 5, 6.)

[2] *Insuper et bestias agri dedi ei, ut serviant illi.* (Ibid.)

[3] *Et servient ei omnes gentes, et filio ejus, donec veniat tempus terræ
ejus et ipsius.* (Ibid., 7.)

effroyable confusion de toutes choses, il est beau de
considérer ce que la grande HENRIETTE a entrepris pour
le salut de ce royaume; ses voyages, ses négociations,
ses traités, tout ce que sa prudence et son courage op-
posaient à la fortune de l'État; et enfin sa constance, par
laquelle n'ayant pu vaincre la violence de la destinée,
elle en a si noblement soutenu l'effort! Tous les jours
elle ramenait quelqu'un des rebelles; et, de peur qu'ils
ne fussent malheureusement engagés à faillir toujours
parce qu'ils avaient failli une fois, elle voulait qu'ils
trouvassent leur refuge dans sa bonté, et leur sûreté [1]
dans sa parole. Ce fut entre ses mains que le gouverneur
de Sharborough remit ce port et ce château inaccessible.
Les deux Hothams père et fils, qui avaient donné le premier exemple de perfidie, en refusant au roi même les
portes de la forteresse et du port de Hull, choisirent la
reine pour médiatrice, et devaient rendre au roi cette
place avec celle de Beverley; mais ils furent prévenus et
décapités; et Dieu, qui voulut punir leur honteuse dé-
sobéissance par les propres mains des rebelles, ne per-
mit pas que le roi profitât de leur repentir. Elle avait
encore gagné un maire de Londres, dont le crédit était
grand, et plusieurs autres chefs de la faction. Presque
tous ceux qui lui parlaient se rendaient à elle; et si Dieu
n'eût point été inflexible, si l'aveuglement des peuples
n'eût pas été incurable, elle aurait guéri les esprits, et
le parti le plus juste aurait été le plus fort.

On sait, messieurs, que la reine a souvent exposé sa
personne dans ces conférences secrètes; mais j'ai à vous
faire voir de plus grands hasards. Les rebelles s'étaient
saisis des arsenaux et des magasins; et, malgré la défec-

---

[1] *Dans sa bonté et leur sûreté.* Ces mots sont omis dans les éditions vulgaires depuis 1689.

tion de tant de sujets, malgré l'infâme désertion de la
milice même, il était encore plus aisé au roi de lever des
soldats que de les armer. Elle abandonne, pour avoir des
armes et des munitions, non-seulement ses joyaux, mais
encore le soin de sa vie. Elle se met en mer au mois de
février, malgré l'hiver et les tempêtes ; et, sous prétexte
de conduire en Hollande la princesse royale sa fille aînée,
qui avait été mariée à Guillaume, prince d'Orange , elle
va pour engager les États dans les intérêts du roi, lui
gagner des officiers, lui amener des munitions. L'hiver
ne l'avait pas effrayée, quand elle partit d'Angleterre ;
l'hiver ne l'arrête pas onze mois après, quand il faut retourner auprès du roi : mais le succès n'en fut pas semblable. Je tremble au seul récit de la tempête furieuse
dont sa flotte fut battue durant dix jours. Les matelots
furent alarmés jusqu'à perdre l'esprit[1], et quelques-
uns d'entre eux se précipitèrent dans les ondes. Elle,
toujours intrépide, autant que les vagues étaient émues,
rassurait tout le monde par sa fermeté. Elle excitait ceux
qui l'accompagnaient à espérer en Dieu, qui faisait toute
sa confiance ; et, pour éloigner de leur esprit les funestes
idées de la mort qui se présentait de tous côtés, elle
disait, avec un air de sérénité qui semblait déjà ramener
le calme, que les reines ne se noyaient pas. Hélas ! elle
est réservée à quelque chose de bien plus extraordinaire !
et pour s'être sauvée du naufrage[2], ses malheurs n'en seront pas moins déplorables. Elle vit périr ses vaisseaux,
et, presque toute l'espérance d'un si grand secours. L'a-
miral où elle était, conduit par la main de celui qui
domine sur la profondeur de la mer, et qui dompte ses

---

[1] VAR. *Première édition.* Les matelots alarmés en perdirent l'esprit de
frayeur.

[2] VAR. *Première édition.* Sauvée des flots.

flots soulevés, fut repoussé aux ports de Hollande;
et tous les peuples furent étonnés d'une délivrance si
miraculeuse.

Ceux qui sont échappés du naufrage disent un éternel
adieu à la mer et aux vaisseaux [1]; et, comme disait un
ancien auteur [2], ils n'en peuvent même supporter la vue.
Cependant, onze jours après, ô résolution étonnante! la
reine à peine sortie d'une tourmente si épouvantable,
pressée du désir de revoir le roi et de le secourir, ose
encore se commettre à la furie de l'Océan et à la rigueur
de l'hiver. Elle ramasse quelques vaisseaux qu'elle charge
d'officiers et de munitions, et repasse enfin en Angleterre.
Mais qui ne serait étonné de la cruelle destinée de cette
princesse? Après s'être sauvée des flots, une autre tempête lui fut presque fatale. Cent pièces de canon tonnè-
rent sur elle à son arrivée, et la maison où elle entra fut
percée de leurs coups. Qu'elle eut d'assurance dans cet
effroyable péril! mais qu'elle eut de clémence pour
l'auteur d'un si noir attentat! On l'amena prisonnier
peu de temps après; elle lui pardonna son crime, le
livrant pour tout supplice à sa conscience, et à la honte
d'avoir entrepris sur la vie d'une princesse si bonne et
si généreuse : tant elle était au-dessus de la vengeance
aussi bien que de la crainte!

Mais ne la verrons-nous jamais auprès du roi qui souhaite si ardemment son retour? Elle brûle du même désir, et déjà je la vois paraître dans un nouvel appareil.
Elle marche comme un général à la tête d'une armée
royale, pour traverser des provinces que les rebelles

----

[1] VAR. *Première édition.* Ils n'en peuvent même supporter la vue; ce
sont les paroles de Tertullien. *Quatrième édition.* Comme dit Tertullien.
Cependant, etc.

[2] *Naufragio liberati, exinde repudium et navi et mari dicunt.* (TER-
TULL., *de Pœnit.*, n. 7.)

tenaient presque toutes. Elle assiége et prend d'assaut en passant une place considérable qui s'opposait à sa marche; elle triomphe, elle pardonne; et enfin le roi la vient recevoir dans une campagne où il avait remporté, l'année précédente, une victoire signalée sur le général Essex [1]. Une heure après, on apporta la nouvelle d'une grande bataille gagnée. Tout semblait prospérer par sa présence; les rebelles étaient consternés : et si la reine en eût été crue; si, au lieu de diviser les armées royales, et de les amuser, contre son avis, aux siéges infortunés de Hull et de Glocester, on eût marché droit à Londres, l'affaire était décidée, et cette campagne eût fini la guerre. Mais le moment fut manqué. Le terme fatal approchait, et le ciel, qui semblait suspendre, en faveur de la piété de la reine, la vengeance qu'il méditait, commença à se déclarer. « Tu sais vaincre, disait un brave Africain au « plus rusé capitaine qui fut jamais; mais tu ne sais « pas user de ta victoire : Rome que tu tenais t'échappe; « et le destin ennemi t'a ôté tantôt le moyen, tantôt la « pensée de la prendre [2]. » Depuis ce malheureux moment tout alla visiblement en décadence, et les affaires

---

[1] C'était le fils du célèbre et malheureux favori d'Élisabeth. Il hérita de la fierté de son père. A l'avénement de Charles Ier au trône, il fut employé dans diverses circonstances, et se conduisit avec honneur; ses services devenus inutiles, on le remercia avec une froideur qui ne pouvait que choquer un homme aussi fier. Dans les troubles de la guerre civile, Charles le fit déclarer traître, et ne voulut pas entendre des propositions de paix, parce qu'elles venaient de lui. Cette *victoire signalée*, dont parle Bossuet, est sans doute la bataille d'Edgehil, dans laquelle Essex combattit le roi en personne. Chaque parti s'attribua la victoire. Peu de temps après il força Charles de lever le siége de Glocester, ce *siége infortuné* auquel l'orateur fait une allusion si douloureuse. (C.)

[2] *Tum Maharbal : Vincere scis, Annibal, victoria uti nescis.* (Tit. Liv., *Dec.* iii, lib. ii.)

Potiundæ urbis Romæ, modo mentem non dari, modo fortunam. (Ibid. lib. vi.) Dans l'historien, c'est Annibal qui parle ainsi de lui-même.

furent sans retour. La reine, qui se trouva grosse, et qui ne put par tout son crédit faire abandonner ces deux siéges, qu'on vit enfin si mal réussir, tomba en langueur; et tout l'État languit avec elle. Elle fut contrainte de se séparer d'avec le roi, qui était presque assiégé dans Oxford; et ils se dirent un adieu bien triste, quoiqu'ils ne sussent pas que c'était le dernier. Elle se retire à Exeter, ville forte où elle fut elle-même bientôt assiégée. Elle y accoucha d'une princesse, et se vit, douze jours après, contrainte de prendre la fuite pour se réfugier en France.

Princesse, dont la destinée est si grande et si glorieuse, faut-il que vous naissiez en la puissance des ennemis de votre maison? O Éternel, veillez sur elle! anges saints, rangez à l'entour vos escadrons invisibles, et faites la garde autour du berceau d'une princesse si grande et si délaissée! Elle est destinée au sage et valeureux Philippe, et doit des princes à la France, dignes de lui, dignes d'elle et de leurs aïeux[1]. Dieu l'a protégée, messieurs. Sa gouvernante, deux ans après, tire ce précieux enfant des mains des rebelles : et quoique ignorant sa captivité, et sentant trop sa grandeur, elle se découvre elle-même; quoique refusant tous les autres noms, elle s'obstine à dire qu'elle est la princesse; elle est enfin amenée auprès de la reine sa mère, pour faire sa consolation durant ses malheurs, en attendant qu'elle fasse la félicité d'un grand prince et la joie de toute la France. Mais j'interromps l'ordre de mon histoire. J'ai dit que la reine fut obligée à se retirer de son royaume. En effet, elle partit des ports d'Angleterre à la vue des vaisseaux des rebelles, qui la poursuivaient de si près, qu'elle entendait presque leurs cris et leurs menaces insolentes. O voyage bien différent[2] de celui qu'elle avait fait sur

---

[1] **Var.** *Premières éditions.* Et dignes de leurs aïeux.

[2] Le contraste est admirable. C'est le secret des grands écrivains de

la même mer, lorsque, venant prendre possession du sceptre de la Grande-Bretagne, elle voyait, pour ainsi dire, les ondes se courber sous elle, et soumettre toutes leurs vagues à la dominatrice des mers ! Maintenant chassée, poursuivie par ses ennemis implacables, qui avaient eu l'audace de lui faire son procès, tantôt sauvée, tantôt presque prise, changeant de fortune à chaque quart d'heure, n'ayant pour elle que Dieu et son courage inébranlable, elle n'avait ni assez de vents ni assez de voiles pour favoriser sa fuite précipitée. Mais enfin elle arrive à Brest, où après tant de maux il lui fut permis de respirer un peu.

Quand je considère en moi-même les périls extrêmes et continuels qu'a courus cette princesse, sur la mer et sur la terre, durant l'espace de près de dix ans, et que d'ailleurs je vois que toutes les entreprises sont inutiles contre sa personne, pendant que tout réussit d'une manière surprenante contre l'État; que puis-je penser autre chose, sinon que la Providence, autant attachée à lui conserver la vie qu'à renverser sa puissance, a voulu qu'elle survéquît à ses grandeurs, afin qu'elle pût survivre aux attachements de la terre, et aux sentiments d'orgueil, qui corrompent d'autant plus les âmes, qu'elles sont plus grandes et plus élevées? Ce fut un conseil à peu près semblable qui abaissa autrefois David sous la main du rebelle Absalon. « Le voyez-vous ce grand « roi, dit le saint et éloquent prêtre de Marseille [1], le

rapprocher les différentes situations où se trouvent leurs personnages, pour en tirer des moralités frappantes. Voyez Virgile dans l'apparition d'Hector à Énée, et la fameuse phrase de Quinte-Curce : *Darius, tanti modo exercitus rex.* (C.)

[1] *Dejectus usque in servorum suorum, quod grave est, contumeliam; vel, quod gravius, misericordiam; ut vel Siba eum pasceret, vel ei maledicere Semei publice non timeret.* (SALV., *de Guber. Dei*, lib. II, cap. V.)

« voyez-vous seul, abandonné, tellement déchu dans
« l'esprit des siens, qu'il devient un objet de mépris
« aux uns ; et, ce qui est plus insupportable à un grand
« courage, un objet de pitié aux autres ; ne sachant,
« poursuit Salvien, de laquelle de ces deux choses il
« avait le plus à se plaindre, ou de ce que Siba le nour-
« rissait, ou de ce que Séméi avait l'insolence de le
« maudire ? » Voilà, messieurs, une image, mais imparfaite, de la reine d'Angleterre, quand après de si étranges humiliations elle fut encore contrainte de paraître
au monde, et d'étaler, pour ainsi dire, à la France
même, et au Louvre, où elle était née avec tant de gloire,
toute l'étendue de sa misère[1]. Alors elle put bien dire
avec le prophète Isaïe[2] : « Le Seigneur des armées a
« fait ces choses pour anéantir tout le faste des grandeurs
« humaines, et tourner en ignominie ce que l'univers
« a de plus auguste. » Ce n'est pas que la France ait manqué à la fille de Henri le Grand[3] ; Anne la magnanime,
la pieuse, que nous ne nommerons jamais sans regret,
la reçut d'une manière convenable à la majesté des deux
reines. Mais les affaires du roi ne permettant pas que
cette sage régente pût proportionner le remède au mal,
jugez de l'état de ces deux princesses. HENRIETTE, d'un
si grand cœur, est contrainte de demander du secours :
Anne, d'un si grand cœur, ne peut en donner assez. Si

---

[1] « La postérité aura peine à croire, dit le cardinal de Retz, que la
« petite-fille de Henri IV ait manqué d'un fagot pour se lever, au mois de
« janvier, au Louvre. »

[2] *Dominus exercituum cogitavit hoc, ut detraheret superbiam omnis
gloriæ, et ad ignominiam deduceret universos inclytos terræ.* (ISAI.,
XXIII, 9.)

[3] Elle y fut accueillie avec les honneurs dus à une grande reine du sang
français ; mais les troubles de la Fronde n'étaient pas finis, et toute la
famille royale, retirée à Saint-Germain, ressentait les effets de la détresse
générale. (C.)

l'on eût pu avancer ces belles années dont nous admirons maintenant le cours glorieux; Louis, qui entend de si loin les gémissements des chrétiens affligés[1]; qui, assuré de sa gloire, dont la sagesse de ses conseils et la droiture de ses intentions lui répondent toujours malgré l'incertitude des événements, entreprend lui seul la cause commune, et porte ses armes redoutées à travers des espaces immenses de mer et de terre; aurait-il refusé son bras à ses voisins, à ses alliés, à son propre sang, aux droits sacrés de la royauté, qu'il sait si bien maintenir? Avec quelle puissance l'Angleterre l'aurait-elle vu invincible défenseur, ou vengeur présent[2] de la majesté violée! Mais Dieu n'avait laissé aucune ressource au roi d'Angleterre; tout lui manque, tout lui est contraire. Les Écossais, à qui il se donne, le livrent aux parlementaires anglais, et les gardes fidèles de nos rois trahissent le leur[3]. Pendant que le parlement d'Angleterre songe à congédier l'armée, cette armée toute indépendante réforme elle-même à sa mode[4] le parlement qui eût gardé quelques mesures, et se rend maîtresse de tout. Ainsi le roi est mené de captivité en captivité; et la reine remue en vain la France, la Hollande, la Pologne même, et les puissances du Nord les plus éloignées. Elle ranime les Écossais qui arment trente mille hommes; elle fait avec le duc de Lorraine une entreprise pour la

[1] Allusion au secours envoyé à Candie, assiégée par les Turcs. (*Édit.*)

[2] *Vengeur présent* est une expression latine (*numen præsens*). *Présent,* en français, n'a qu'une signification d'assistance comme témoin; en latin, *præsens* signifie aussi une influence actuelle de protection et de vengeance. (V.)

[3] On entend aisément cette phrase quand on sait qu'en France la garde écossaise formait une des quatre compagnies des gardes du corps du roi. (V.)

[4] Cette expression a vieilli. Aujourd'hui, *à sa mode* n'est pas plus noble qu'*à sa guise*. (C.)

délivrance du roi son seigneur, dont le succès paraît
infaillible, tant le concert en est juste. Elle retire ses
chers enfants, l'unique espérance de sa maison, et confesse à cette fois que, parmi les plus mortelles douleurs,
on est encore capable de joie. Elle console le roi, qui
lui écrit de sa prison même qu'elle seule soutient son
esprit, et qu'il ne faut craindre de lui aucune bassesse,
parce que sans cesse il se souvient qu'il est à elle. O mère,
ô femme, ô reine admirable, et digne d'une meilleure
fortune, si les fortunes de la terre étaient quelque chose!
enfin il faut céder à votre sort[1]. Vous avez assez soutenu
l'État, qui est attaqué par une force invincible et divine :
il ne reste plus désormais, sinon que vous teniez ferme
parmi ses ruines.

Comme une colonne[2], dont la masse solide paraît le
plus ferme appui d'un temple ruineux, lorsque ce grand
édifice qu'elle soutenait fond sur elle sans l'abattre :
ainsi la reine se montre le ferme soutien de l'État, lorsqu'après en avoir longtemps porté le faix, elle n'est pas
même courbée sous sa chute[3].

---

[1] Une idée à peu près semblable se retrouve dans Démosthène : « Si
un coup de foudre plus fort que nous, que tous les Hellènes, a éclaté sur
nos têtes, que pouvais-je faire? Le chef d'un vaisseau a tout fait pour
sa sûreté, et muni le bâtiment de tout ce qui lui semblait le garantir ;
mais la tempête vient briser, broyer les agrès : accusera-t-on cet homme
du naufrage? Ce n'est pas moi, dira-t-il, qui tenais le gouvernail. Eh
bien ! ce n'est pas moi qui commandais l'armée; je n'étais pas maître
du sort, le sort est maître de tout. » (*Pro Corona.*) A.-F. Didot.)

[2] **Var.** *Première édition* : Ouvrage d'une antique architecture, qui paraît le plus ferme appui, etc.

[3] Voyez comme Bossuet annonce avec hauteur qu'il va instruire les
rois! comme il se jette ensuite à travers les divisions et les orages de cette
île! comme il peint le débordement des sectes, le fanatisme des indépendants; au milieu d'eux Cromwell, actif et impénétrable, hypocrite et
hardi, dogmatisant et combattant, montrant l'étendard de la liberté et
précipitant les peuples dans la servitude, la reine luttant contre le mal-

Qui cependant pourrait exprimer ses justes douleurs?
Non, messieurs, Jérémie lui-même, qui seul semble être
capable d'égaler les lamentations aux calamités, ne suffirait pas à de tels regrets. Elle s'écrie avec ce prophète[1] : « Voyez, Seigneur, mon affliction. Mon ennemi
« s'est fortifié, et mes enfants sont perdus. Le cruel a
« mis sa main sacrilége sur ce qui m'était le plus cher.
« La royauté a été profanée, et les princes sont foulés
« aux pieds[2]. Laissez-moi, je pleurerai amèrement;
« n'entreprenez pas de me consoler. L'épée a frappé au
« dehors; mais je sens en moi-même une mort sem-
« blable. »

Mais après que nous avons écouté ses plaintes, saintes
filles, ses chères amies (car elle voulait bien vous nommer ainsi), vous qui l'avez vue si souvent gémir devant
les autels de son unique protecteur, et dans le sein des-
quelles elle a versé les secrètes consolations qu'elle en

heur et la révolte, cherchant partout des vengeurs, traversant neuf fois
les mers, battue par les tempêtes, voyant son époux dans les fers, ses
amis sur l'échafaud, ses troupes vaincues, elle-même obligée de céder,
mais, dans la chute de l'État, restant ferme parmi ses ruines, telle qu'une
colonne qui, après avoir longtemps soutenu un temple ruineux, reçoit,
sans être courbée, ce grand édifice qui tombe et fond sur elle sans l'a-
battre! Cependant l'orateur, à travers ce grand spectacle qu'il déploie
sur la terre, nous montre toujours Dieu présent au haut des cieux,
secouant et brisant les trônes, précipitant les révolutions, et, par sa
force invincible, enchaînant ou domptant tout ce qui lui résiste. Cette
idée, répandue dans le discours d'un bout à l'autre, y jette une terreur
religieuse qui en augmente encore l'effet, et en rend le pathétique plus
sublime et plus sombre. (THOMAS.)

[1] *Facti sunt filii mei perditi, quoniam invaluit inimicus.* (LAM., I, 16.)
Manum suam misit hostis ad omnia desiderabilia ejus. (Ibid., 10.) *Pol-
luit regnum et principes ejus.* (Ibid., II, 2.) *Recedite a me, amare flebo,
nolite incumbere, ut consoleminime.* (Is., XXII, 4.) *Foris interficit gladius, et domi mors similis est.* (LAM., I, 20.)

[2] Charles Ier eut la tête tranchée le 30 janvier 1649, après vingt-quatre
ans de règne.

recevait, mettez fin à ce discours, en nous racontant les sentiments chrétiens dont vous avez été les témoins fidèles. Combien de fois a-t-elle en ce lieu remercié Dieu humblement de deux grandes grâces : l'une, de l'avoir fait chrétienne; l'autre, messieurs, qu'attendez-vous? peut-être d'avoir rétabli les affaires du roi son fils ? Non : c'est de l'avoir fait [1] reine malheureuse. Ah! je commence à regretter les bornes étroites du lieu où je parle. Il faut éclater, percer cette enceinte, et faire retentir bien loin une parole qui ne peut être assez entendue. Que ses douleurs l'ont rendue savante dans la science de l'Évangile, et qu'elle a bien connu la religion et la vertu de la croix, quand elle a uni le christianisme avec les malheurs ! Les grandes prospérités nous aveuglent, nous transportent, nous égarent, nous font oublier Dieu, nous-mêmes, et les sentiments de la foi. De là naissent des monstres de crimes, des raffinements de plaisir, des délicatesses d'orgueil, qui ne donnent que trop de fondement à ces terribles malédictions que Jésus-Christ a prononcées dans son Évangile [2] : « Malheur à vous qui riez ! Malheur à vous qui êtes pleins » et contents du monde! Au contraire, comme le christianisme a pris sa naissance de la croix, ce sont aussi les malheurs qui le fortifient. Là on expie ses péchés; là on épure ses intentions; là on transporte ses désirs de la terre au ciel; là on perd tout le goût du monde, et on cesse de s'appuyer sur soi-même et sur sa prudence. Il ne faut pas se flatter, les plus expérimentés dans les affaires font des fautes capitales. Mais que nous nous pardonnons aisément nos fautes, quand la fortune nous les par-

---

[1] Il faudrait *faite*, selon les règles grammaticales, établies postérieurement à Bossuet.

[2] *Væ qui saturati estis!... Væ vobis, qui ridetis!* (LUC., VI, 25.)

donne ! et que nous nous croyons bientôt les plus éclairés et les plus habiles, quand nous sommes les plus élevés et les plus heureux ! Les mauvais succès sont les seuls maîtres qui peuvent nous reprendre utilement, et nous arracher cet aveu d'avoir failli, qui coûte tant à notre orgueil. Alors, quand les malheurs nous ouvrent les yeux, nous repassons avec amertume sur tous nos faux pas : nous nous trouvons également accablés de ce que nous avons fait, et de ce que nous avons manqué de faire ; et nous ne savons plus par où excuser cette prudence présomptueuse qui se croyait infaillible. Nous voyons que Dieu seul est sage ; et, en déplorant vainement les fautes qui ont ruiné nos affaires, une meilleure réflexion nous apprend à déplorer celles qui ont perdu notre éternité, avec cette singulière consolation, qu'on les répare quand on les pleure.

Dieu a tenu douze ans sans relâche, sans aucune consolation de la part des hommes, notre malheureuse reine (donnons-lui hautement ce titre, dont elle a fait un sujet d'actions de grâces), lui faisant étudier sous sa main ces dures, mais solides leçons. Enfin, fléchi par ses vœux et par son humble patience, il a rétabli la maison royale. Charles II est reconnu, et l'injure des rois a été vengée. Ceux que les armes n'avaient pu vaincre, ni les conseils ramener, sont revenus tout à coup d'eux-mêmes : déçus par leur liberté, ils en ont à la fin détesté l'excès, honteux d'avoir eu tant de pouvoir[1], et leurs propres succès leur faisant horreur. Nous savons que ce prince magnanime eût pu hâter ses affaires, en se servant de la main de ceux qui s'offraient à détruire la tyrannie par un seul coup. Sa grande âme a dédaigné ces moyens trop bas. Il a cru qu'en quelque état que fussent les rois, il était de

---

[1] VAR. *Première édition :* honteux d'avoir tant pu, etc.

leur majesté de n'agir que par les lois ou par les armes.
Ces lois qu'il a protégées l'ont rétabli presque toutes
seules : il règne paisible et glorieux sur le trône de ses
ancêtres, et fait régner avec lui la justice, la sagesse et
la clémence.

Il est inutile de vous dire combien la reine fut con-
solée par ce merveilleux événement : mais elle avait appris par ses malheurs à ne changer pas dans un si
grand changement de son état. Le monde une fois banni
n'eut plus de retour dans son cœur. Elle vit avec étonnement que Dieu, qui avait rendu inutiles tant d'entreprises et tant d'efforts, parce qu'il attendait l'heure
qu'il avait marquée, quand elle fut arrivée, alla prendre
comme par la main le roi son fils, pour le conduire à
son trône. Elle se soumit plus que jamais à cette main
souveraine, qui tient du plus haut des cieux les rênes
de tous les empires ; et, dédaignant les trônes qui peuvent être usurpés, elle attacha son affection au royaume
où l'on ne craint point d'avoir des égaux [1], et où l'on
voit sans jalousie ses concurrents. Touchée de ces sentiments, elle aima cette humble maison plus que ses
palais. Elle ne se servit plus de son pouvoir que pour
protéger la foi catholique, pour multiplier ses aumônes,
et pour soulager plus abondamment les familles réfu-
giées de ses trois royaumes, et tous ceux qui avaient été
ruinés pour la cause de la religion, ou pour le service
du roi.

Rappelez en votre mémoire avec quelle circonspection
elle ménageait le prochain, et combien elle avait d'aver-
sion pour les discours empoisonnés de la médisance.
Elle savait de quel poids est, non-seulement la moindre

___

[1] *Plus amant illud regnum, in quo non timent habere consortes.* (S.
Aug., *de Civit. Dei*, lib. v, cap. xxiv.)

parole, mais le silence même des princes; et combien la
médisance se donne d'empire, quand elle a osé seulement paraître en leur auguste présence. Ceux qui la
voyaient attentive à peser toutes ses paroles, jugeaient
bien qu'elle était sans cesse sous la vue de Dieu, et que,
fidèle imitatrice de l'institut de sainte Marie, jamais elle
ne perdait la sainte présence de la Majesté divine. Aussi
rappelait-elle souvent ce précieux souvenir par l'oraison, et par la lecture du livre de l'Imitation de Jésus,
où elle apprenait à se conformer au véritable modèle
des chrétiens. Elle veillait sans relâche sur sa conscience.
Après tant de maux et tant de traverses, elle ne connut
plus d'autres ennemis que ses péchés. Aucun ne lui
sembla léger; elle en faisait un rigoureux examen; et,
soigneuse de les expier par la pénitence et par les aumônes, elle était si bien préparée, que la mort n'a pu la
surprendre, encore qu'elle soit venue sous l'apparence
du sommeil. Elle est morte, cette grande reine; et par sa
mort elle a laissé un regret éternel, non-seulement à
Monsieur et à Madame, qui, fidèles à tous leurs devoirs,
ont eu pour elle des respects si soumis, si sincères,
si persévérants, mais encore à tous ceux qui ont eu
l'honneur de la servir ou de la connaître. Ne plaignons
plus ses disgrâces, qui font maintenant sa félicité. Si
elle avait été plus fortunée, son histoire serait plus pom-
peuse, mais ses œuvres seraient moins pleines; et, avec
des titres superbes, elle aurait peut-être paru vide
devant Dieu. Maintenant qu'elle a préféré la croix au
trône, et qu'elle a mis ses malheurs au nombre des
plus grandes grâces, elle recevra les consolations qui
sont promises à ceux qui pleurent [1]. Puisse donc ce
Dieu de miséricorde accepter ses afflictions en sacrifice

---

[1] Matth., v, 5.

agréable! Puisse-t-il la placer au sein d'Abraham ; et, content de ses maux, épargner désormais à sa famille et au monde de si terribles leçons [1]!

[1] Cette péroraison est si tranquille, qu'à peine elle en paraît une. Soit à dessein, soit parce que la leçon que Bossuet avait promise aux rois est donnée, soit parce que son génie se calme et s'apaise quand il n'a plus à parler de la Providence, qui remue les royaumes ; cette fin de discours ressemble à celle de la vie de Henriette, qui s'éteint sans éclat ; et, après ce fracas de disgrâces royales et de leçons divines, l'orateur repose l'âme de ses auditeurs dans une espérance douce et chrétienne. (V.)

ORAISON FUNÈBRE

DE

HENRIETTE-ANNE D'ANGLETERRE,

DUCHESSE D'ORLÉANS,

Prononcée à Saint-Denis le 21ᵉ jour d'août 1670.

NOTICE

SUR HENRIETTE-ANNE D'ANGLETERRE,

DUCHESSE D'ORLÉANS.

HENRIETTE-ANNE D'ANGLETERRE était la dernière des enfants du roi Charles Ier et de Henriette-Marie de France, son épouse, dont Bossuet a peint les malheurs d'une manière si énergique. Elle naquit dans le temps où le roi et la reine, proscrits par leurs sujets révoltés, étaient obligés de fuir. La reine avait même été forcée de se séparer du roi, et de se retirer à Exeter en 1644, pour y faire ses couches. Elle eut à peine le temps de se rétablir, échappa aux révoltés, et se retira en France sans pouvoir emmener sa fille, qui demeura prisonnière à Exeter. Au bout de deux ans, la gouvernante aux soins de laquelle sa mère l'avait confiée eut l'adresse de soustraire la jeune princesse à ses gardiens, et de la faire embarquer pour la France, où, remise entre les mains de la reine sa mère, elle fut élevée sous ses yeux, et avec toutes sortes de soins.

Elle avait à peine atteint sa quatorzième année, qu'on songea à disposer d'elle. La reine, mère de Louis XIV, parut souhaiter que le roi son fils l'épousât : mais Louis XIV, la trouvant trop jeune, ou par d'autres motifs encore, n'avait pas de goût pour ce mariage. La reine mère la choisit donc pour MONSIEUR (Philippe, duc d'Orléans), son second fils, et vint la demander elle-même à la reine d'Angleterre, qui l'accorda facilement. Le mariage ne fut retardé que par le voyage que fit la jeune princesse avec la reine sa mère en Angleterre, où, par l'effet d'une révolution nouvelle, Charles II était rétabli sur le trône de ses ancêtres. Il eut lieu à son retour en 1661.

La jeune duchesse, ornée de tous les dons de la nature, et possédant avec beaucoup d'esprit mille heureuses qualités, fit, pendant l'espace trop abrégé de sa vie, les délices d'une cour aimable. Elle se livra aux plaisirs, et oublia quelquefois cette prudence et cette retenue dont son sexe et son rang lui faisaient également un devoir. La reine sa belle-mère et la reine sa mère lui firent souvent à ce sujet des représentations qui ne furent pas toujours inutiles, mais dont l'effet était de courte durée.

L'année 1670 fut glorieuse pour elle. Louis XIV, qui avait remarqué la supériorité de son esprit et les qualités qui la distinguaient, lui témoignait une grande confiance. Il la chargea d'une négociation fort délicate auprès du roi Charles II son frère, que Louis XIV, résolu de déclarer la guerre aux Hollandais, voulait détacher de la triple alliance. Le projet s'exécuta comme il avait été conçu, et le voyage de MADAME réussit complétement. Lorsqu'elle revint en France, elle avait entre les mains un traité d'où dépendait le sort d'une partie de l'Europe, et jouissait d'une considération qui lui promettait la plus brillante carrière pour l'avenir. Une mort cruelle et douloureuse vint à l'instant détruire toutes ces illusions.

Dès l'année précédente, la mort de sa mère, la belle Oraison funèbre que Bossuet prononça à cette occasion, et les entretiens de ce célèbre prélat, avaient déjà fait sur elle de vives et salutaires impressions, qui se renouvelèrent sur la fin de sa vie.

Huit jours après son retour en France, une indisposition subite la surprit à Saint-Cloud, où elle s'était retirée pour s'y reposer quelque temps de ses fatigues ; et le mal fit aussitôt des progrès si effrayants, qu'elle s'aperçut bientôt que son heure dernière approchait. L'ecclésiastique qui fut appelé auprès d'elle a laissé un long récit des douleurs qu'elle souffrit, de la résignation avec laquelle elle les supporta jusqu'au dernier moment, et surtout des sentiments de repentir sincère qu'elle montra, et qui furent un grand sujet d'édification. Bossuet, alors évêque de Condom, appelé en toute diligence, arriva assez à temps pour en être aussi témoin, et recevoir ses derniers soupirs le 30 juin 1670.

Neuf mois s'étaient à peine écoulés depuis que Bossuet était descendu de la chaire où il venait de prononcer l'Oraison funèbre de la reine d'Angleterre, lorsqu'un malheur aussi terrible qu'imprévu le ramena au milieu des tombeaux, pour y prononcer, sur le cercueil de la princesse sa fille, les paroles les plus touchantes qui soient peut-être jamais sorties de la bouche des hommes.

Un triste et douloureux souvenir est resté attaché au nom de *Henriette* d'Angleterre. Elle était la dernière fille de l'infortuné Charles Ier, comme la reine sa mère était la dernière fille de Henri IV. Les premiers regards de *Henriette* de France, au moment où elle naquit dans le palais des rois ses ancêtres, avaient vu son père, dans tout l'éclat de sa gloire, assis paisiblement sur un trône qu'il tenait des droits du sang, et qu'il avait conquis par sa valeur, adoré de ceux même de ses sujets qu'il s'était vu forcé de combattre, et prêt à donner des lois à l'Europe par l'ascendant de la confiance ou par la terreur de ses armes.

Henriette d'Angleterre était née sous des auspices moins heureux : elle avait reçu le jour au milieu des camps ; elle n'avait vu autour de son berceau que les ennemis les plus acharnés de sa maison ; et les premières paroles qu'elle avait entendues n'avaient été que des cris de rage et de fureur contre les auteurs de ses jours. Échappée à leurs sinistres complots, et rendue à sa mère encore plus malheureuse qu'elle, son enfance n'avait pas même été exempte de ces cruelles privations dont les conditions les plus communes ont rarement l'expérience. A travers les égards et la bienveillance sincère qu'elle trouva dans la cour où elle était venue chercher un asile, elle avait pu reconnaître que la pitié que l'on inspire est, de tous les sentiments, celui qui pèse le plus sur une âme noble et fière. Cette impression pénible l'avait en quelque sorte forcée de renfermer dans le silence de son cœur tous les mouvements qui l'oppressaient, et avait donné à son caractère, trop porté peut-être à l'épanchement et à l'abandon de la confiance, une réserve opposée à son inclination naturelle. Mais cette noble circonspection pouvait seule lui conserver la dignité du malheur.

Lorsqu'une Providence moins sévère l'eut rendue à son rang et à ses honneurs, et qu'elle se vit tout à coup appelée à occuper la seconde place dans la première cour de l'Europe, les qualités aimables qu'elle avait reçues de la nature parurent emprunter un nouvel éclat de la contrainte même qu'elle s'était si longtemps imposée.

A peine *Henriette* d'Angleterre parut-elle sous un nouveau titre à cette cour de Louis XIV, brillante alors de toute la splendeur d'un roi jeune, sensible à la gloire, plein de grandeur, de goût et de magnificence, qu'elle fut l'objet de tous les hommages. Le sentiment qu'elle inspira devint une espèce de culte public. Quoique placée au second rang, elle eut tout le crédit, tous les agréments, et presque tous les honneurs du premier.

Il était difficile qu'une jeune princesse que son penchant à la confiance et à la bonté ne prémunissait peut-être pas assez contre l'excès de ses vertus mêmes, eût assez d'empire sur elle pour échapper à tous les traits de la censure ou de l'indiscrétion. Des nuages vinrent plus d'une fois obscurcir ces jours de fêtes et de plaisirs ; et les orages intérieurs de son palais lui firent souvent regretter les temps malheureux où l'abaissement même de sa maison avait du moins préservé son enfance de ces chagrins domestiques, les plus difficiles peut-être de tous à supporter.

Telle était la disposition de cette princesse, lorsqu'elle entendit la voix de Bossuet invoquer avec un accent si religieux les mânes de sa mère. Au milieu des séductions dont elle s'était vue environnée, un sentiment naturel de bonté avait défendu son âme de cette indifférence qui ferme l'oreille aux conseils de la vertu, lorsqu'elle fait enfin entendre sa voix dans le silence des passions. Les peines et les contradictions, qui venaient si souvent corrompre la prospérité dont elle paraissait jouir, l'avaient préparée à chercher dans la religion des consolations que le monde ne pouvait pas lui offrir. Une heureuse inspiration, excitée par l'impression que les paroles de Bossuet avaient laissée au fond de son âme, la porta à mettre toute sa confiance en lui. Il venait de lui montrer, dans l'histoire même des auteurs de ses jours, les exemples les plus éclatants de l'instabilité de toutes les grandeurs de la terre. A la voix de Bossuet, la religion descendit dans le cœur de *Henriette* d'Angleterre ; et le premier bienfait qu'elle lui accorda fut ce calme, cette satisfaction intérieure, qu'elle avait perdus depuis longtemps.

Tandis qu'il entretenait dans un cœur né pour la vertu ces heureuses inclinations que le monde et ses vanités avaient pu égarer, mais n'avaient pu corrompre, la politique vint un instant disputer cette princesse à l'ascendant de Bossuet.

Henriette d'Angleterre devint tout à coup le lien secret d'une négociation à laquelle était attaché le sort de tout un peuple ; deux grands rois confièrent à la discrétion d'une princesse de vingt-six ans les vastes combinaisons d'un plan que le mystère le plus profond devait encore couvrir de ses voiles, et qui ne devait éclater que pour faire disparaître du rang des nations une nation qui avait conquis sa liberté par cent ans de combats, d'industrie, et de sagesse. Le succès le plus heureux avait couronné ses soins ; et, au milieu même des fêtes qui avaient marqué tous les lieux de son passage dans deux grands royaumes, elle avait tissu les nœuds d'une alliance qui allait étonner l'Europe, et la condamner à un silence impuissant ou à un désespoir terrible. *Henriette* d'Angleterre revenait triomphante, et, s'abandonnant peut-être avec trop de complaisance à cette prospérité nouvelle, *elle allait se précipiter dans la gloire* ; expressions que Bossuet emprunte à Tacite.

Ce fut au milieu de tant d'honneurs et des enchantements des plus brillantes destinées, que la mort vint soudain frapper cette grande victime, « pour faire voir dans une seule mort la mort et le néant de toutes les grandeurs humaines. » Les plus violents orages dans l'intérieur de son palais marquèrent son dernier jour ; et tout à coup retentit, *comme un éclat de tonnerre*, cette étonnante nouvelle : *Madame se meurt ! Madame est morte !*

Qu'on se représente Bossuet placé, dans une situation si douloureuse, auprès d'une jeune princesse que ses qualités rendaient chère à tous ceux qui l'approchaient ; qui lui avait donné sa confiance sur les dispositions les plus secrètes de son âme avec tout l'abandon de la piété filiale ; qu'il venait de voir expirer à ses yeux à la fleur de son âge, au comble de toutes les prospérités humaines, et on n'aura pas de peine à concevoir la profonde émotion qu'il dut apporter en prononçant sur son tombeau ces paroles de l'Écriture, si souvent répétées d'une voix étouffée par ses larmes : *O vanité des vanités !* paroles dont l'application ne fut peut-être jamais plus juste et plus éloquente.

Bossuet avait fait parler son génie dans l'Oraison funèbre de la reine d'Angleterre ; il laissa parler son âme tout entière dans celle de la princesse sa fille. Cette Oraison funèbre seule pourrait prouver qu'il n'était point aussi étranger qu'on le croit communément à ces douces affections de l'âme, à ce langage du cœur, à ces expressions sensibles dont le charme est toujours si puissant, parce qu'elles sont la voix de la nature gémissant sur les malheurs de la condition humaine.

(Le cardinal DE BAUSSET, *Histoire de Bossuet*,
liv. III.)

ORAISON FUNÈBRE

DE

HENRIETTE-ANNE D'ANGLETERRE,

DUCHESSE D'ORLÉANS.

Vanitas vanitatum, dixit Ecclesiastes : vanitas vanitatum, et omnia vanitas.

Vanité des vanités, a dit l'Ecclésiaste : vanité des vanités, et tout est vanité (ECCLES., I, 2.)

MONSEIGNEUR [1],

J'étais donc encore destiné à rendre ce devoir funèbre à très-haute et très-puissante princesse HENRIETTE-ANNE D'ANGLETERRE, DUCHESSE D'ORLÉANS. Elle que j'avais vue si attentive pendant que je rendais le même devoir à la reine sa mère, devait être sitôt après le sujet d'un discours semblable ; et ma triste voix était réservée à ce déplorable ministère ! O vanité ! ô néant ! ô mortels ignorants de leurs destinées ! L'eût-elle cru, il y a dix mois ? Et vous, messieurs, eussiez-vous pensé, pendant qu'elle versait tant de larmes en ce lieu, qu'elle dût sitôt vous y rassembler pour la pleurer elle-même ? Princesse, le digne objet de l'admiration de deux grands royaumes, n'était-ce pas assez que l'Angleterre pleurât votre absence, sans être encore réduite à pleurer votre mort ? et la France, qui vous revit, avec tant de joie, environnée

[1] Monsieur le Prince.

d'un nouvel éclat, n'avait-elle plus d'autres pompes et d'autres triomphes pour vous, au retour de ce voyage fameux, d'où vous aviez remporté tant de gloire et de si belles espérances? « Vanité des vanités, et tout est vanité. » C'est la seule parole qui me reste; c'est la seule réflexion que me permet, dans un accident si étrange, une si juste et si sensible douleur. Aussi n'ai-je point parcouru les livres sacrés, pour y trouver quelque texte que je pusse appliquer à cette princesse. J'ai pris, sans étude et sans choix, les premières paroles que me présente l'Ecclésiaste, où, quoique la vanité ait été si souvent nommée, elle ne l'est pas encore assez à mon gré pour le dessein que je me propose. Je veux dans un seul malheur déplorer toutes les calamités du genre humain, et dans une seule mort faire voir la mort et le néant de toutes les grandeurs humaines. Ce texte, qui convient à tous les états et à tous les événements de notre vie, par une raison particulière devient propre à mon lamentable sujet, puisque jamais les vanités de la terre n'ont été si clairement découvertes, ni si hautement confondues. Non, après ce que nous venons de voir, la santé n'est qu'un nom, la vie n'est qu'un songe, la gloire n'est qu'une apparence, les grâces et les plaisirs ne sont qu'un dangereux amusement : tout est vain en nous, excepté le sincère aveu que nous faisons devant Dieu de nos vanités, et le jugement arrêté qui nous fait mépriser tout ce que nous sommes.

Mais dis-je la vérité? L'homme, que Dieu a fait à son image, n'est-il qu'une ombre? Ce que Jésus-Christ est venu chercher du ciel en la terre, ce qu'il a cru pouvoir, sans se ravilir, acheter de tout son sang, n'est-ce qu'un rien? Reconnaissons notre erreur. Sans doute ce triste spectacle des vanités humaines nous imposait; et l'espérance publique, frustrée tout à coup par la mort de cette

princesse, nous poussait trop loin. Il ne faut pas permettre à l'homme de se mépriser tout entier, de peur
que, croyant, avec les impies, que notre vie n'est qu'un
jeu où règne le hasard, il ne marche sans règle et sans
conduite, au gré de ses aveugles désirs. C'est pour cela
que l'Ecclésiaste, après avoir commencé son divin ouvrage par les paroles que j'ai récitées, après en avoir rempli toutes les pages du mépris des choses humaines, veut
enfin montrer à l'homme quelque chose de plus solide, et
conclut tout son discours en lui disant : « Crains Dieu, et
« garde ses commandements ; car c'est là tout l'homme :
« et sache que le Seigneur examinera dans son jugement
« tout ce que nous aurons fait de bien et de mal[1]. »
Ainsi tout est vain en l'homme, si nous regardons ce
qu'il donne au monde ; mais au contraire, tout est important, si nous considérons ce qu'il doit à Dieu. Encore
une fois, tout est vain en l'homme, si nous regardons
le cours de sa vie mortelle ; mais tout est précieux, tout
est important, si nous contemplons le terme où elle aboutit, et le compte qu'il en faut rendre. Méditons donc aujourd'hui, à la vue de cet autel et de ce tombeau, la
première et la dernière parole de l'Ecclésiaste ; l'une
qui montre le néant de l'homme, l'autre qui établit sa
grandeur. Que ce tombeau nous convainque de notre
néant[2], pourvu que cet autel, où l'on offre tous les jours

---

[1] *Deum time, et mandata ejus observa; hoc est enim omnis homo : et
cuncta quæ fiunt adducet Deus in judicium, pro omni errato, sive bonum,
sive malum illud sit.* (ECCLES., XII, 13, 14.)

[2] Dieu, la religion, un autel, des tombeaux, tous ces vastes sujets de
méditation qui écrasent ou qui humilient l'imagination des autres hommes, semblent être le domaine de Bossuet et la patrie de son génie. On
sait qu'il respire plus à son aise à la hauteur où le place ce grand spectacle du temps et de l'éternité : et c'est de cette hauteur qu'il considère
les rois, les trônes, et toutes les grandeurs de la terre comme placées
sous la main de Dieu, pour servir de simples témoignages de sa toute-

pour nous une victime d'un si grand prix, nous apprenne
en même temps notre dignité. La princesse que nous
pleurons sera un témoin fidèle de l'un et de l'autre.
Voyons ce qu'une mort soudaine lui a ravi; voyons ce
qu'une sainte mort lui a donné. Ainsi nous apprendrons
à mépriser ce qu'elle a quitté sans peine, afin d'attacher
toute notre estime à ce qu'elle a embrassé avec tant d'ardeur, lorsque son âme, épurée de tous les sentiments
de la terre, et pleine du ciel où elle touchait, a vu la lumière toute manifeste. Voilà les vérités que j'ai à traiter,
et que j'ai crues dignes d'être proposées à un si grand
prince, et à la plus illustre assemblée de l'univers.

« Nous mourons tous, disait cette femme dont l'Écri-
« ture a loué la prudence au second livre des Rois, et
« nous allons sans cesse au tombeau, ainsi que des eaux
« qui se perdent sans retour[1]. » En effet, nous ressem-
blons tous à des eaux courantes. De quelque superbe
distinction que se flattent les hommes, ils ont tous une
même origine; et cette origine est petite. Leurs années
se poussent successivement comme des flots : ils ne ces-
sent de s'écouler; tant qu'enfin[2], après avoir fait un peu
plus de bruit, et traversé un peu plus de pays les uns
que les autres, ils vont tous ensemble se confondre
dans un abîme où l'on ne reconnaît plus ni princes,
ni rois, ni toutes ces autres qualités superbes qui distin-
guent les hommes; de même que ces fleuves tant vantés

puissance, lorsqu'il juge à propos de les briser, de les anéantir, et de
les faire disparaître comme la paille légère emportée par le vent. (B.)

[1] *Omnes morimur, et quasi aquæ dilabimur in terram, quæ non rever-
tuntur.* (II. REG., XIV, 14.)

[2] *Tant qu'enfin* semble d'abord très-familier, mais on ne peut pas
rendre mieux l'idée de l'auteur; car *jusqu'à ce que* n'aurait point la
même force. (V.)

demeurent sans nom et sans gloire, mêlés dans l'Océan avec les rivières les plus inconnues[1].

Et certainement, messieurs, si quelque chose pouvait élever les hommes au-dessus de leur infirmité naturelle ; si l'origine qui nous est commune souffrait quelque distinction solide et durable entre ceux que Dieu a formés de la même terre, qu'y aurait-il dans l'univers de plus distingué que la princesse dont je parle ? Tout ce que peuvent faire non-seulement la naissance et la fortune, mais encore les grandes qualités de l'esprit, pour l'élévation d'une princesse, se trouve rassemblé, et puis anéanti dans la nôtre. De quelque côté que je suive les traces de sa glorieuse origine, je ne découvre que des rois, et partout je suis ébloui de l'éclat des plus augustes couronnes. Je vois la maison de France, la plus grande, sans comparaison, de tout l'univers, et à qui les plus

---

[1] Voici une comparaison du même genre, mais dont les répétitions oiseuses et la marche traînante montrent à quelle distance Bossuet était alors du point de perfection qu'il a su atteindre : « Il y a beaucoup de « raisons de nous comparer à des eaux courantes, comme fait l'Écriture « sainte. Car, de même que quelque inégalité qui paraisse dans le cours « des rivières qui arrosent la surface de la terre, elles ont toutes cela de « commun, qu'elles viennent d'une petite origine ; que, dans le progrès « de leur course, elles roulent leurs flots en bas par une chute conti- « nuelle, et qu'elles vont enfin perdre leurs noms avec leurs eaux dans « le sein immense de l'Océan, où l'on ne distingue point le Rhin, ni le « Danube, ni ces autres fleuves renommés d'avec les rivières les plus « inconnues : ainsi tous les hommes commencent par les mêmes infir- « mités. Dans le progrès de leur âge, les années se poussent les unes les « autres comme des flots : leur vie roule et descend sans cesse à la mort, « par sa pesanteur naturelle ; et enfin, après avoir fait, ainsi que des « fleuves, un peu plus de bruit les uns que les autres, ils vont tous se « confondre dans ce gouffre infini du néant, où l'on ne trouve plus ni « rois, ni princes, ni capitaines, ni tous ces augustes noms qui nous sé- « parent les uns des autres, mais la corruption et les vers, la cendre et « la pourriture, qui nous égalent. » (*Oraison funèbre de Henri de Gornay.*) (F.)

puissantes maisons peuvent bien céder sans envie, puisqu'elles tâchent de tirer leur gloire de cette source. Je vois les rois d'Écosse, les rois d'Angleterre, qui ont régné depuis tant de siècles sur une des plus belliqueuses nations de l'univers, plus encore par leur courage que par l'autorité de leur sceptre. Mais cette princesse, née sur le trône, avait l'esprit et le cœur plus haut que sa naissance. Les malheurs de sa maison n'ont pu l'accabler dans sa première jeunesse; et dès lors on voyait en elle une grandeur qui ne devait rien à la fortune. Nous disions avec joie que le ciel l'avait arrachée, comme par miracle, des mains des ennemis du roi son père, pour la donner à la France : don précieux, inestimable présent, si seulement la possession en avait été plus durable! Mais pourquoi ce souvenir vient-il m'interrompre? Hélas! nous ne pouvons un moment arrêter les yeux sur la gloire de la princesse, sans que la mort s'y mêle aussitôt pour tout offusquer de son ombre. O mort, éloigne-toi de notre pensée, et laisse-nous tromper pour un peu de temps la violence de notre douleur, par le souvenir de notre joie[1]! Souvenez-vous donc, messieurs, de l'admiration que la princesse d'Angleterre donnait à toute la cour. Votre mémoire vous la peindra mieux, avec tous ses traits et son incomparable douceur, que ne pourront jamais faire toutes mes paroles. Elle croissait au milieu des bénédictions de tous les peuples; et les années ne cessaient de lui apporter de nouvelles grâces. Aussi la reine sa mère, dont elle a toujours été la consolation, ne l'aimait pas plus tendrement que faisait ANNE d'Espagne. ANNE, vous le savez, messieurs, ne trouvait rien au-dessus de cette princesse.

[1] Que de beautés cent fois remarquées et toujours nouvelles! Qui ne sait cet endroit par cœur? Ceux qui ont lu Virgile retrouvent ici une belle imitation de *Propria hæc si dona fuissent*. (*Æneid.*, VI, 872. (V.)

Après nous avoir donné une reine, seule capable par
sa piété, et par ses autres vertus royales, de soutenir
la réputation d'une tante si illustre, elle voulut, pour
mettre dans sa famille ce que l'univers avait de plus
grand, que PHILIPPE DE FRANCE, son second fils, épousât
la princesse HENRIETTE; et quoique le roi d'Angleterre,
dont le cœur égale la sagesse, sût que la princesse sa
sœur, recherchée de tant de rois, pouvait honorer un
trône, il lui vit remplir avec joie la seconde place de
France, que la dignité d'un si grand royaume peut
mettre en comparaison avec les premières du reste du
monde.

Que si son rang la distinguait, j'ai eu raison de vous
dire qu'elle était encore plus distinguée par son mérite.
Je pourrais vous faire remarquer qu'elle connaissait si
bien la beauté des ouvrages de l'esprit, que l'on croyait
avoir atteint la perfection quand on avait su plaire à MA-
DAME. Je pourrais encore ajouter que les plus sages et
les plus expérimentés admiraient cet esprit vif et perçant, qui embrassait sans peine les plus grandes affaires, et pénétrait avec tant de facilité dans les plus secrets
intérêts. Mais pourquoi m'étendre sur une matière où
je puis tout dire en un mot? Le roi, dont le jugement
est une règle toujours sûre, a estimé la capacité de cette
princesse, et l'a mise par son estime au-dessus de tous
nos éloges.

Cependant, ni cette estime, ni tous ces grands avantages, n'ont pu donner atteinte à sa modestie. Tout éclairée qu'elle était, elle n'a point présumé de ses connaissances, et jamais ses lumières ne l'ont éblouie. Rendez
témoignage à ce que je dis, vous que cette grande princesse a honorés de sa confiance. Quel esprit avez-vous
trouvé plus élevé? mais quel esprit avez-vous trouvé
plus docile? Plusieurs, dans la crainte d'être trop faciles,

se rendent inflexibles à la raison, et s'affermissent contre
elle. MADAME s'éloignait toujours autant de la présomption que de la faiblesse ; également estimable, et de ce
qu'elle savait trouver les sages conseils, et de ce qu'elle
était capable de les recevoir. On les sait bien connaître,
quand on fait sérieusement l'étude qui plaisait tant à
cette princesse. Nouveau genre d'étude, et presque inconnu aux personnes de son âge et de son rang ; ajoutons,
si vous voulez, de son sexe. Elle étudiait ses défauts ;
elle aimait qu'on lui en fît des leçons sincères : marque
assurée d'une âme forte, que ses fautes ne dominent
pas, et qui ne craint point de les envisager de près [1],
par une secrète confiance des ressources qu'elle sent pour
les surmonter. C'était le dessein d'avancer dans cette
étude de sagesse, qui la tenait si attachée à la lecture
de l'histoire, qu'on appelle avec raison la sage conseil-
lère des princes. C'est là que les plus grands rois n'ont
plus de rang que par leurs vertus, et que, dégradés à
jamais par les mains de la mort, ils viennent subir,
sans cour et sans suite, le jugement de tous les peuples
et de tous les siècles. C'est là qu'on découvre que le lus-
tre qui vient de la flatterie est superficiel, et que les
fausses couleurs, quelque industrieusement qu'on les
applique, ne tiennent pas. Là notre admirable princesse étudiait les devoirs de ceux dont la vie compose
l'histoire : elle y perdait insensiblement le goût des ro-
mans, et de leurs fades héros ; et, soigneuse de se former
sur le vrai, elle méprisait ces froides et dangereuses fictions. Ainsi, sous un visage riant, sous cet air de jeunesse
qui semblait ne promettre que des jeux, elle cachait un
sens et un sérieux, dont ceux qui traitaient avec elle
étaient surpris.

[1] VAR. *Première édition* : et qui ne craint point d'envisager de près ses
défauts, par une secrète confiance, etc.

Aussi pouvait-on sans crainte lui confier les plus grands secrets. Loin du commerce des affaires, et de la société des hommes, ces âmes sans force, aussi bien que sans foi, qui ne savent pas retenir leur langue indiscrète! « Ils ressemblent, dit le Sage [1], à une ville sans murailles, « qui est ouverte de toutes parts, » et qui devient la proie du premier venu. Que MADAME était au-dessus de cette faiblesse ! Ni la surprise, ni l'intérêt, ni la vanité, ni l'appât d'une flatterie délicate, ou d'une douce conversation, qui souvent, épanchant le cœur, en fait échapper le secret, n'était capable de lui faire découvrir le sien [2]; et la sûreté qu'on trouvait en cette princesse, que son esprit rendait si propre aux grandes affaires, lui faisait confier les plus importantes.

Ne pensez pas que je veuille, en interprète téméraire des secrets d'État, discourir sur le voyage d'Angleterre ; ni que j'imite ces politiques spéculatifs, qui arrangent suivant leurs idées les conseils des rois, et composent, sans instruction, les annales de leur siècle. Je ne parlerai de ce voyage glorieux que pour dire que MADAME y fut admirée plus que jamais. On ne parlait qu'avec transport de la bonté de cette princesse, qui, malgré les divisions trop ordinaires dans les cours, lui gagna d'abord tous les esprits. On ne pouvait assez louer son incroyable dextérité à traiter les affaires les plus délicates, à guérir

[1] *Sicut urbs patens et absque murorum ambitu, ita vir qui non potest in loquendo cohibere spiritum suum.* (PROV., XXV, 28.)

[2] On a souvent admiré dans Bossuet cette hauteur des pensées ; mais ce que peut-être on n'a pas assez remarqué, c'est son expression, qui souvent dans les plus petites choses anime et colorie tout. Veut-il parler de la discrétion de madame Henriette : *Ni la surprise, ni l'intérêt, etc.* A quoi tient le mérite de cette phrase ? A cette image si naturelle et si juste qui semble placée là d'elle-même, qui représente le cœur humain, qui s'ouvre, quand on le séduit, sous la figure d'un vase qui se répand quand on l'a penché. (L. H.)

ces défiances cachées qui souvent les tiennent en suspens, et à terminer tous les différends d'une manière qui conciliait les intérêts les plus opposés. Mais qui pourrait penser, sans verser des larmes, aux marques d'estime et de tendresse que lui donna le roi son frère? Ce grand roi, plus capable encore d'être touché par le mérite que par le sang, ne se lassait point d'admirer les excellentes qualités de MADAME. O plaie irrémédiable! ce qui fut en ce voyage le sujet d'une si juste admiration, est devenu pour ce prince le sujet d'une douleur qui n'a point de bornes. Princesse, le digne lien des deux plus grands rois du monde, pourquoi leur avez-vous été sitôt ravie? Ces deux grands rois se connaissent; c'est l'effet des soins de MADAME : ainsi leurs nobles inclinations concilieront leurs esprits, et la vertu sera entre eux une immortelle médiatrice. Mais si leur union ne perd rien de sa fermeté, nous déplorerons éternellement qu'elle ait perdu son agrément le plus doux, et qu'une princesse si chérie de tout l'univers ait été précipitée dans le tombeau, pendant que la confiance de deux si grands rois l'élevait au comble de la grandeur et de la gloire.

La grandeur et la gloire! Pouvons-nous encore entendre ces noms dans ce triomphe de la mort[1]? Non, messieurs, je ne puis plus soutenir ces grandes paroles, par lesquelles l'arrogance humaine tâche de s'étourdir elle-même, pour ne pas apercevoir son néant. Il est

[1] On ne peut douter que Bossuet, en composant cet éloge funèbre, ne fût profondément affecté, tant il y parle avec éloquence et de la misère et de la faiblesse de l'homme. Comme il s'indigne de prononcer encore les mots de grandeur et de gloire! Il peint la terre sous l'image d'un débris vaste et universel; il fait voir l'homme cherchant toujours à s'élever, et la puissance divine poussant l'orgueil de l'homme jusqu'au néant, et, pour égaler à jamais les conditions, ne faisant de nous tous qu'une même cendre. Cependant Bossuet, à travers ces idées générales, revient toujours à la princesse, et tous ses retours sont des cris de douleur. (TH.)

temps de faire voir que tout ce qui est mortel, quoi qu'on ajoute par le dehors pour le faire paraître grand, est par son fond incapable d'élévation. Écoutez à ce propos le profond raisonnement, non d'un philosophe qui dispute dans une école, ou d'un religieux qui médite dans un cloître : je veux confondre le monde par ceux que le monde même révère le plus, par ceux qui le connaissent le mieux, et ne lui veux donner, pour le convaincre, que des docteurs assis sur le trône. « O Dieu, dit « le roi prophète[1], vous avez fait mes jours mesurables, « et ma substance n'est rien devant vous. » Il est ainsi, chrétiens : tout ce qui se mesure finit ; et tout ce qui est né pour finir n'est pas tout à fait sorti du néant, où il est sitôt replongé. Si notre être, si notre substance n'est rien, tout ce que nous bâtissons dessus, que peut-il être ? Ni l'édifice n'est plus solide que le fondement, ni l'accident attaché à l'être, plus réel que l'être même. Pendant que la nature nous tient si bas, que peut faire la fortune pour nous élever? Cherchez, imaginez parmi les hommes les différences les plus remarquables; vous n'en trouverez point de mieux marquée, ni qui vous paraisse plus effective, que celle qui relève le victorieux au-dessus des vaincus qu'il voit étendus à ses pieds. Cependant ce vainqueur, enflé de ses titres, tombera lui-même à son tour entre les mains de la mort. Alors ces malheureux vaincus rappelleront à leur compagnie leur superbe triomphateur; et du creux de leurs tombeaux sortira cette voix, qui foudroie toutes les grandeurs : « Vous voilà « blessé comme nous; vous êtes devenu semblable à « nous[2]. » Que la fortune ne tente donc pas de nous

[1] *Ecce mensurabiles posuisti dies meos, et substantia mea tanquam nihilum ante te.* (Ps. XXXVIII, 6.)

[2] *Et tu vulneratus es, sicut et nos : nostri similis effectus es.* (Is., XIV, 10.)

tirer du néant, ni de forcer la bassesse de notre nature.

Mais peut-être, au défaut de la fortune, les qualités de l'esprit, les grands desseins, les vastes pensées pourront nous distinguer du reste des hommes. Gardez-vous bien de le croire, parce que toutes nos pensées, qui n'ont pas Dieu pour objet, sont du domaine de la mort. « Ils mourront, dit le roi prophète [1], et en ce jour péri- « ront toutes leurs pensées; » c'est-à-dire les pensées des conquérants, les pensées des politiques, qui auront imaginé dans leurs cabinets des desseins où le monde entier sera compris. Ils se seront munis de tous côtés par des précautions infinies; enfin ils auront tout prévu, excepté leur mort qui emportera en un moment toutes leurs pensées. C'est pour cela que l'Ecclésiaste, le roi Salomon, fils du roi David (car je suis bien aise de vous faire voir la succession de la même doctrine dans un même trône); c'est, dis-je, pour cela que l'Ecclésiaste, faisant le dénombrement des illusions qui travaillent les enfants des hommes, y comprend la sagesse même. « Je « me suis, dit-il [2], appliqué à la sagesse, et j'ai vu que « c'était encore une vanité, » parce qu'il y a une fausse sagesse qui, se renfermant dans l'enceinte des choses mortelles, s'ensevelit avec elles dans le néant. Ainsi je n'ai rien fait pour MADAME, quand je vous ai représenté tant de belles qualités qui la rendaient admirable au monde, et capable des plus hauts desseins où une princesse puisse s'élever. Jusqu'à ce que je commence à vous raconter ce qui l'unit à Dieu, une si illustre princesse ne paraîtra dans ce discours que comme un exemple le plus grand qu'on se puisse proposer, et le plus capable de

---

[1] *In illa die peribunt omnes cogitationes eorum.* (Ps. CXLV, 4.)

[2] *Transivi ad contemplendam sapientiam ; ... loculusque cum mente mea, animadverti quod hoc quoque esset vanitas.* (ECCLES., II, 12, 15.)

persuader aux ambitieux qu'ils n'ont aucun moyen de se distinguer, ni par leur naissance, ni par leur grandeur, ni par leur esprit, puisque la mort, qui égale tout, les domine de tous côtés avec tant d'empire, et que, d'une main si prompte et si souveraine, elle renverse les têtes les plus respectées.

Considérez, messieurs, ces grandes puissances que nous regardons de si bas. Pendant que nous tremblons sous leur main, Dieu les frappe pour nous avertir. Leur élévation en est la cause ; et il les épargne si peu, qu'il ne craint pas de les sacrifier à l'instruction du reste des hommes. Chrétiens, ne murmurez pas si MADAME a été choisie pour nous donner une telle instruction. Il n'y a rien ici de rude pour elle, puisque, comme vous le verrez dans la suite, Dieu la sauve par le même coup qui nous instruit. Nous devrions être assez convaincus de notre néant : mais s'il faut des coups de surprise à nos cœurs enchantés de l'amour du monde, celui-ci est assez grand et assez terrible. O nuit désastreuse! ô nuit effroyable, où retentit tout à coup, comme un éclat de tonnerre, cette étonnante nouvelle : MADAME se meurt, MADAME est morte[1]! Qui de nous ne se sentit frappé à ce

---

[1] L'éloge funèbre de Madame, enlevée à la fleur de son âge, eut le plus grand et le plus rare des succès, celui de faire verser des larmes à la cour. Bossuet fut obligé de s'arrêter après ces paroles : *O nuit désastreuse, nuit effroyable, où retentit tout à coup, comme un éclat de tonnerre, cette étonnante nouvelle : Madame se meurt ! Madame est morte[*] ! L'au-*

[*] Cette exclamation de Bossuet, si passionnée, si éloquente, ne serait-elle pas une imitation, presque une traduction ? Le poëte anglais Waller a fait des vers sur la mort d'une lady Rich, et ceux-ci parmi les autres :

That horrid word at once, like lightning spread
Strook all our ears : The lady Rich is dead!
Heart rending news !

Voilà bien la même pensée, les mêmes figures. Or cette lady Rich mourut en 1638, et l'Oraison funèbre est de 1670. Mais Bossuet lisait-il les poëtes anglais? Je ne le pense guère. Toutefois il faut remarquer que Waller passa plusieurs années en

coup, comme si quelque tragique accident avait désolé sa famille? Au premier bruit d'un mal si étrange, on accourut à Saint-Cloud de toutes parts; on trouve tout consterné, excepté le cœur de cette princesse. Partout on entend des cris; partout on voit la douleur et le désespoir, et l'image de la mort. Le roi, la reine, Monsieur, toute la cour, tout le peuple, tout est abattu, tout est désespéré; et il me semble que je vois l'accomplissement de cette parole du prophète[1] : « Le roi pleurera, le « prince sera désolé, et les mains tomberont au peuple « de douleur et d'étonnement. »

Mais et les princes et les peuples gémissaient en vain. En vain Monsieur, en vain le roi même tenait MADAME serrée par de si étroits embrassements. Alors ils pouvaient dire l'un et l'autre avec saint Ambroise : *Stringebam brachia, sed jam amiseram quam tenebam*[2] : « Je « serrais les bras, mais j'avais déjà perdu ce que je « tenais. » La princesse leur échappait parmi des em-

---

ditoire éclata en sanglots, et la voix de l'orateur fut interrompue par ses soupirs et par ses pleurs. (VOLT.) — Lorsqu'au bout de cent cinquante ans nous relisons dans Bossuet ces sombres et lamentables expressions, il n'est personne qui n'entende, pour ainsi dire, retentir à son oreille ce *coup de tonnerre* qui couvrit de deuil cette nuit désastreuse, et qui ne laissa à la douleur et à l'étonnement de tous les habitants d'une grande ville qu'*un seul mot* pour annoncer le danger, et *un seul mot* pour apprendre la catastrophe. Il est facile encore aujourd'hui de comprendre comment elles firent couler les larmes de tous ceux qui les entendirent, puisque après plus d'un siècle nous ne pouvons nous-mêmes nous défendre de partager cette émotion. (B.)

[1] *Rex lugebit, et princeps induetur mærore, et manus populi terræ conturbabuntur.* (ÉZECH., VII, 27.)

[2] *Orat. de Obitu Satyri fratris*, lib. I, n. 19.

France, et particulièrement à Paris, dans les sociétés les plus brillantes; que des traductions durent y circuler; que Bossuet a pu les connaître... Les génies les plus riches et les plus féconds ne dédaignent pas ces emprunts, et même en ont besoin. (Note tirée du *Télémaque* de la *Collection des Classiques français*, t. 1, p. 220; *Paris, Lefèvre*, 1824, 2 vol. in-8°.)

brassements si tendres, et la mort plus puissante nous l'enlevait entre ces royales mains[1]. Quoi donc, elle devait périr sitôt! Dans la plupart des hommes, les changements se font peu à peu, et la mort les prépare ordinairement à son dernier coup. MADAME cependant a passé du matin au soir, ainsi que l'herbe des champs[2]. Le matin elle fleurissait; avec quelle grâce, vous le savez : le soir nous la vîmes séchée; et ces fortes expressions, par lesquelles l'Écriture sainte[3] exagère l'inconstance des choses humaines, devaient être pour cette princesse si précises et si littérales. Hélas! nous composions son histoire de tout ce qu'on peut imaginer de plus glorieux. Le passé et le présent nous garantissaient l'avenir, et on pouvait tout attendre de tant d'excellentes qualités. Elle allait s'acquérir deux puissants royaumes,

[1] Le 29 juin 1670, dans l'après-midi, peu de jours après son retour d'Angleterre, cette princesse, après avoir pris un verre d'eau de chicorée, sentit tout à coup des douleurs aiguës; et des symptômes de la nature la plus alarmante ne laissèrent pas même une faible espérance. Il paraît que, dans le premier moment de trouble où un événement si terrible avait jeté tous les esprits, les médecins qu'on avait appelés de Paris et de Versailles, ne voulant ou n'osant s'expliquer sur les causes réelles ou présumées d'une crise si extraordinaire, se méprirent dans le choix des remèdes, et en reconnurent peut-être l'inutilité. (B.)

[2] Si l'on fait abstraction, en lisant cette phrase, et de la duchesse d'Orléans et de Bossuet, on ne la trouvera point éloquente; à peine la remarquerait-on dans une idylle. Mais si l'on fait attention à cette jeune princesse, enlevée aux bénédictions du peuple et aux espérances du royaume; si l'on pense que l'orateur chrétien est forcé lui-même de s'attendrir sur ces grâces si touchantes, et cette beauté que la mort vient de flétrir; si l'on songe que cet orateur est un évêque, que cet évêque est Bossuet, il faudra bien convenir que l'austère prélat dut être singulièrement ému pour faire entendre jusque dans le sanctuaire des regrets accordés à ces fragiles faveurs de la nature. (L.-P. GIBON, *Thèse sur l'Éloquence.*)

[3] *Homo, sicut fœnum dies ejus, tanquam flos agri sic efflorebit.* (Ps. CII, 15.)

par des moyens agréables : toujours douce, toujours
paisible autant que généreuse et bienfaisante, son crédit
n'y aurait jamais été odieux : on ne l'eût point vue s'attirer la gloire avec une ardeur inquiète et précipitée ;
elle l'eût attendue sans impatience, comme sûre de la
posséder. Cet attachement qu'elle a montré si fidèle pour
le roi jusques à la mort, lui en donnait les moyens. Et
certes c'est le bonheur de nos jours, que l'estime se
puisse joindre avec le devoir, et qu'on puisse autant
s'attacher au mérite et à la personne du prince, qu'on
en révère la puissance et la majesté. Les inclinations de
MADAME ne l'attachaient pas moins fortement à tous ses
autres devoirs. La passion qu'elle ressentait pour la
gloire de Monsieur n'avait point de bornes. Pendant que
ce grand prince, marchant sur les pas de son invincible
frère, secondait avec tant de valeur et de succès ses
grands et héroïques desseins dans la campagne de
Flandre, la joie de cette princesse était incroyable. C'est
ainsi que ses généreuses inclinations la menaient à la
gloire par les voies que le monde trouve les plus belles ;
et si quelque chose manquait encore à son bonheur, elle
eût tout gagné par sa douceur et par sa conduite. Telle
était l'agréable histoire que nous faisions pour MADAME ;
et, pour achever ces nobles projets, il n'y avait que la
durée de sa vie, dont nous ne croyions pas devoir être
en peine. Car qui eût pu seulement penser que les années eussent dû manquer à une jeunesse qui semblait si
vive ? Toutefois c'est par cet endroit que tout se dissipe
en un moment. Au lieu de l'histoire d'une belle vie,
nous sommes réduits à faire l'histoire d'une admirable,
mais triste mort. A la vérité, messieurs, rien n'a jamais
égalé la fermeté de son âme, ni ce courage paisible qui,
sans faire effort pour s'élever, s'est trouvé, par sa naturelle situation, au-dessus des accidents les plus redouta-

bles. Oui, MADAME fut douce envers la mort[1] comme
elle l'était envers tout le monde. Son grand cœur ni ne
s'aigrit, ni ne s'emporta contre elle. Elle ne la brave
non plus avec fierté, contente de l'envisager sans émotion, et de la recevoir sans trouble. Triste consolation,
puisque, malgré ce grand courage, nous l'avons perdue! C'est la grande vanité des choses humaines. Après
que, par le dernier effort de notre courage, nous avons
pour ainsi dire surmonté la mort, elle éteint en nous
jusqu'à ce courage par lequel nous semblions la défier.
La voilà, malgré ce grand cœur, cette princesse si admirée et si chérie! la voilà telle que la mort nous l'a
faite[2]! Encore ce reste tel quel va-t-il disparaître : cette
ombre de gloire va s'évanouir; et nous l'allons voir
dépouillée même de cette triste décoration. Elle va descendre à ces sombres lieux, à ces demeures souterraines,

[1] Cette expression, *fut douce envers la mort*, peut paraître d'abord un
peu bizarre; mais la suite la fait comprendre et goûter, et elle amène
cette belle réflexion : « Après que, par le dernier effort de notre cou-
« rage, nous avons pour ainsi dire surmonté la mort, elle éteint en nous
« jusqu'à ce courage par lequel nous semblions la défier. » (V.)

[2] Voyez, page 20, la remarque de M. de Chateaubriand sur ce passage.
— Il y a une sorte d'expressions familières qui choqueraient dans un
écrivain médiocre, parce qu'elles tiendraient de la faiblesse, et qui plaisent
chez Bossuet, d'abord parce qu'elles ne peuvent paraître une impuissance
de dire mieux dans un homme dont l'élocution est ordinairement si élevée, ensuite parce qu'elles sont de nature à faire mieux sentir que leur
extrême simplicité est ce qu'il y a de mieux pour la force du sens et le
dessein de l'auteur. Un exemple le fera comprendre. *La voilà!...* Cette
phrase en elle-même est du style familier : placez-la dans un discours
faiblement écrit, elle fera rire; dans Bossuet, elle est frappante de vérité
et d'énergie. Pourquoi? C'est qu'après avoir dit sur le même sujet ce qu'il
y a de plus relevé, il finit par ne rien trouver de plus expressif que cette
locution, vulgaire, il est vrai, mais qui rend si bien, et en un seul mot,
tout ce que la mort *a fait de Madame*, que les termes les plus choisis n'en
diraient pas autant. C'est ainsi que la valeur des termes dépend souvent
de celle de l'auteur qui les emploie; et l'on pourrait dire, comme un
proverbe de goût : *Tant vaut l'homme, tant vaut la parole.* (L. H.)

pour y dormir dans la poussière avec les grands de la terre, comme parle Job[1]; avec ces rois et ces princes anéantis, parmi lesquels à peine peut-on la placer, tant les rangs y sont pressés, tant la mort est prompte à remplir ces places. Mais ici notre imagination nous abuse encore. La mort ne nous laisse pas assez de corps pour occuper quelque place, et on ne voit là que les tombeaux qui fassent quelque figure. Notre chair change bientôt de nature : notre corps prend un autre nom; même celui de cadavre, dit Tertullien[2], parce qu'il nous montre encore quelque forme humaine, ne lui demeure pas longtemps : il devient un je ne sais quoi, qui n'a plus de nom dans aucune langue; tant il est vrai que tout meurt en lui, jusqu'à ces termes funèbres par lesquels on exprimait ses malheureux restes.

C'est ainsi que la puissance divine, justement irritée contre notre orgueil, le pousse jusqu'au néant; et que, pour égaler à jamais les conditions, elle ne fait de nous tous qu'une même cendre. Peut-on bâtir sur ces ruines? peut-on appuyer quelque grand dessein sur ce débris inévitable des choses humaines[3]? Mais quoi! messieurs,

---

[1] JOB, XXI, 26.

[2] *Cadit (caro) in originem terram, et cadaveris nomen, ex isto quoque nomine peritura, in nullum inde jam nomen, in omnis jam vocabuli mortem.* (TERTULL., *de Resurr. carnis*, n. 4.) Le texte est ici un peu altéré.

[3] Après avoir cité tout ce morceau, depuis ces mots (page 98) : *Rien n'a jamais égalé*, etc., jusqu'ici : *Sur ce débris inévitable des choses humaines*, La Harpe dit : « Nul n'a tiré un plus grand parti que Bossuet des idées de mort, de destruction, d'anéantissement, si fréquentes chez les anciens, qui connaissaient le pouvoir qu'elles ont sur notre imagination, sur cette étrange faculté qui règne dans nous si impérieusement, qu'elle nous rend avides des impressions mêmes qui effrayent notre raison et humilient notre orgueil. Mais ces idées lugubres ont ici un autre résultat que chez les anciens : ils appelaient la pensée de la mort comme un avertissement de jouir du moment qui passe, et qui peut être le dernier. On conçoit, au contraire, qu'une religion qui ne considère le temps que comme

tout est-il donc désespéré pour nous? Dieu, qui foudroie
toutes nos grandeurs jusqu'à les réduire en poudre, ne
nous laisse-t-il aucune espérance? Lui, aux yeux de qui
rien ne se perd, et qui suit toutes les parcelles de notre
corps, en quelque endroit écarté du monde que la corruption ou le hasard les jette, verra-t-il périr sans ressource ce qu'il a fait capable de le connaître et de l'aimer? Ici un nouvel ordre de choses se présente à moi;
les ombres de la mort se dissipent : « Les voies me sont
« ouvertes à la véritable vie [1]. » MADAME n'est plus dans
le tombeau; la mort, qui semblait tout détruire, a tout
établi : voici le secret de l'Ecclésiaste, que je vous avais
marqué dès le commencement de ce discours, et dont il
faut maintenant découvrir le fond.

Il faut donc penser, chrétiens, qu'outre le rapport que
nous avons du côté du corps avec la nature changeante
et mortelle, nous avons d'un autre côté un rapport intime et une secrète affinité avec Dieu, parce que Dieu
même a mis quelque chose en nous qui peut confesser
la vérité de son être, en adorer la perfection, en admirer la plénitude; quelque chose qui peut se soumettre [2]

un passage à l'éternité, fournit à l'éloquence des instructions d'un ordre
bien plus relevé; et nulle part elles ne sont plus frappantes que dans Bossuet. On pourrait dire de lui, si on osait hasarder des expressions qui se
présentent quand on le lit, et qui semblent dans son goût, que nul
homme ne s'est avancé plus loin dans l'éternité, et ne s'est enfoncé plus
avant dans les profondeurs de notre néant. »

[1] *Notas mihi fecisti vias vitæ.* (Ps. xv, 10.)

[2] Remarquez cette expression dont l'orateur se sert pour établir la
seule élévation de l'homme dans son rapport intime avec Dieu : *Il y a*,
dit-il, *quelque chose qui peut se soumettre à sa souveraine puissance.* Ne
paraît-il pas singulier d'énoncer comme un titre de grandeur une faculté
de soumission? Non-seulement ce contraste d'idées et d'expressions est
vraiment sublime, mais il y a ici un mérite propre à Bossuet; c'est de
jeter rapidement des idées étendues, sans s'arrêter à les développer. Il y

à sa souveraine puissance, s'abandonner à sa haute et incompréhensible sagesse, se confier en sa bonté, craindre sa justice, espérer son éternité. De ce côté, messieurs, si l'homme croit avoir en lui de l'élévation, il ne se trompera pas. Car, comme il est nécessaire que chaque chose soit réunie à son principe, et que c'est pour cette raison, dit l'Ecclésiaste [1], « que le corps retourne « à la terre, dont il a été tiré, » il faut, par la suite du même raisonnement, que ce qui porte en nous la marque divine, ce qui est capable de s'unir à Dieu, y soit aussi rappelé. Or ce qui doit retourner à Dieu, qui est la grandeur primitive et essentielle, n'est-il pas grand et élevé? C'est pourquoi, quand je vous ai dit que la grandeur et la gloire n'étaient parmi nous que des noms pompeux vides de sens et de choses, je regardais le mauvais usage que nous faisons de ces termes. Mais, pour dire la vérité dans toute son étendue, ce n'est ni l'erreur ni la vanité qui ont inventé ces noms magnifiques; au contraire, nous ne les aurions jamais trouvés, si nous n'en avions porté le fonds en nous-mêmes : car où prendre ces nobles idées dans le néant? La faute que nous faisons n'est donc pas de nous être servis de ces noms; c'est de les avoir appliqués à des objets trop indignes. Saint Chrysostome a bien compris cette vérité quand il a dit : « Gloire, ri-

a ici un grand fonds de vérités philosophiques, indiqué en peu de mots. En effet, quoiqu'il y ait infiniment moins de distance de la bête à l'homme que de l'homme à Dieu, cependant l'instinct de la bête ne va pas jusqu'à connaître la prodigieuse supériorité de la raison humaine ; et la raison humaine, tout imparfaite qu'elle est, s'est élevée jusqu'à l'idée de l'intelligence divine, c'est-à-dire jusqu'à l'idée de l'infini : et, comme la conséquence nécessaire de cette idée est un sentiment de soumission, il est rigoureusement vrai que ce sentiment tient à ce qu'il y a de plus grand dans l'homme, à sa raison, qui a conçu l'infini. (L. H.)

[1] *Revertatur pulvis ad terram suam, unde erat; et spiritus redeat ad Deum, qui dedit illum.* (ECCLES., XII, 7.)

« chesses, noblesse, puissance, pour les hommes du
« monde ne sont que des noms ; pour nous, si nous servons
« Dieu, ce seront des choses. Au contraire, la pauvreté,
« la honte, la mort, sont des choses trop effectives et trop
« réelles pour eux ; pour nous, ce sont seulement des
« noms [1] » ; parce que celui qui s'attache à Dieu ne perd
ni ses biens, ni son honneur, ni sa vie. Ne vous étonnez
donc pas si l'Ecclésiaste dit si souvent : « Tout est vanité. »
Il s'explique, « tout est vanité sous le soleil [2], » c'est-à-
dire tout ce qui est mesuré par les années, tout ce qui est
emporté par la rapidité du temps. Sortez du temps et du
changement ; aspirez à l'éternité : la vanité ne vous tiendra plus asservis. Ne vous étonnez pas si le même Ecclésiaste méprise tout en nous, jusqu'à la sagesse, et ne trouve
rien de meilleur que de goûter en repos le fruit de son travail [3]. La sagesse dont il parle en ce lieu est cette sagesse
insensée, ingénieuse à se tourmenter, habile à se tromper elle-même, qui se corrompt dans le présent, qui s'é-
gare dans l'avenir ; qui, par beaucoup de raisonnements et de grands efforts, ne fait que se consumer
inutilement en amassant des choses que le vent emporte.
« Hé ! s'écrie ce sage roi [4], y a-t-il rien de si vain ? » Et
n'a-t-il pas raison de préférer la simplicité d'une vie
particulière, qui goûte doucement et innocemment ce
peu de biens que la nature nous donne, aux soucis et
aux chagrins des avares, aux songes inquiets des ambitieux ? « Mais cela même, dit-il [5], ce repos, cette douceur

---

[1] *Gloria enim et potentia, divitiæ et nobilitas, et his similia, nomina
sunt apud ipsos, res autem apud nos : quemadmodum et tristitia, mors
et ignominia, et paupertas, et similia, nomina sunt apud nos, res apud
illos.* (Homil. LVIII, al. LIX, in Matth., n. 5, tom. VII, pag. 591.)
[2] ECCLES., 1, 2, 14 ; III, 11, etc. — [3] Ibid., 1, 17 ; II, 14, 24.
[4] *Et est quidquam tam vanum ?* (ECCLES., II, 19.)
[5] *Vidi quod hoc quoque esset vanitas.* (Ibid., 1.)

« de la vie , est encore une vanité , » parce que la mort trouble et emporte tout. Laissons-lui donc mépriser tous les états de cette vie, puisque enfin, de quelque côté qu'on s'y tourne, on voit toujours la mort en face, qui couvre de ténèbres tous nos plus beaux jours. Laissons-lui égaler le fou et le sage ; et même, je ne craindrai pas de le dire hautement en cette chaire, laissons-lui confondre l'homme avec la bête : *Unus interitus est hominis et jumentorum* [1].

En effet, jusqu'à ce que nous ayons trouvé la véritable sagesse ; tant que nous regarderons l'homme par les yeux du corps, sans y démêler par l'intelligence ce secret principe de toutes nos actions, qui, étant capable de s'unir à Dieu, doit nécessairement y retourner, que verrons-nous autre chose dans notre vie que de folles inquiétudes ? et que verrons-nous dans notre mort qu'une vapeur qui s'exhale, que des esprits qui s'épuisent, que des ressorts qui se démontent et se déconcertent, enfin qu'une machine qui se dissout et qui se met en pièces ? Ennuyés de ces vanités, cherchons ce qu'il y a de grand et de solide en nous. Le sage nous l'a montré dans les dernières paroles de l'Ecclésiaste ; et bientôt MADAME nous le fera paraître dans les dernières actions de sa vie. « Crains Dieu, et observe ses commandements ; car « c'est là tout l'homme [2]. » Comme s'il disait : Ce n'est pas l'homme que j'ai méprisé, ne le croyez pas ; ce sont les opinions, ce sont les erreurs par lesquelles l'homme abusé se déshonore lui-même. Voulez-vous savoir en un mot ce que c'est que l'homme ? Tout son devoir, tout son objet, toute sa nature, c'est de craindre Dieu : tout le reste est vain, je le déclare ; mais aussi tout le reste n'est pas l'homme. Voici ce qui est réel et solide, et ce

[1] ECCLES., III, 19. — [2] Ibid., XII, 13.

que la mort ne peut enlever ; car, ajoute l'Ecclésiaste ,
« Dieu examinera, dans son jugement, tout ce que nous
« aurons fait de bien et de mal [1]. » Il est donc maintenant
aisé de concilier toutes choses. Le Psalmiste dit « qu'à
« la mort périront toutes nos pensées [2]. » Oui, celles que
nous aurons laissé emporter au monde, dont la figure
passe et s'évanouit. Car, encore que notre esprit soit de
nature à vivre toujours, il abandonne à la mort tout ce
qu'il consacre aux choses mortelles ; de sorte que nos
pensées, qui devaient être incorruptibles du côté de
leur principe, deviennent périssables du côté de leur
objet. Voulez-vous sauver quelque chose de ce débris
si universel, si inévitable ? Donnez à Dieu vos affections ;
nulle force ne vous ravira ce que vous aurez déposé en
ces [3] mains divines. Vous pourrez hardiment mépriser
la mort, à l'exemple de notre héroïne chrétienne. Mais,
afin de tirer d'un si bel exemple toute l'instruction qu'il
nous peut donner, entrons dans une profonde considération des conduites de Dieu sur elle, et adorons en cette
princesse le mystère de la prédestination et de la grâce.

Vous savez que toute la vie chrétienne, que tout l'ouvrage de notre salut, est une suite continuelle de miséricordes : mais le fidèle interprète du mystère de la grâce,
je veux dire le grand Augustin, m'apprend cette véritable et solide théologie, que c'est dans la première
grâce et dans la dernière que la grâce se montre grâce,
c'est-à-dire que c'est dans la vocation qui nous prévient,
et dans la persévérance finale qui nous couronne, que
la bonté qui nous sauve paraît toute gratuite et toute
pure. En effet, comme nous changeons deux fois d'état,
en passant premièrement des ténèbres à la lumière, et

---

[1] Eccles., XII, 14. — [2] Ps. cxlv, 4.
[3] On lit *ses* dans les éditions vulgaires.

ensuite de la lumière imparfaite de la foi à la lumière
consommée de la gloire ; comme c'est la vocation qui
nous inspire la foi, et que c'est la persévérance qui nous
transmet à la gloire, il a plu à la divine bonté de se
marquer elle-même, au commencement de ces deux états,
par une impression illustre et particulière, afin que nous
confessions que toute la vie du chrétien, et dans le temps
qu'il espère, et dans le temps qu'il jouit, est un miracle de grâce. Que ces deux principaux moments de la
grâce ont été bien marqués par les merveilles que Dieu
a faites pour le salut éternel de HENRIETTE D'ANGLE-
TERRE ! Pour la donner à l'Église, il a fallu renverser
tout un grand royaume. La grandeur de la maison d'où
elle est sortie n'était pour elle qu'un engagement plus
étroit dans le schisme de ses ancêtres ; disons des derniers de ses ancêtres, puisque tout ce qui les précède,
à remonter jusqu'aux premiers temps, est si pieux et
si catholique [1]. Mais, si les lois de l'État s'opposent à
son salut éternel, Dieu ébranlera tout l'État pour l'affranchir de ces lois. Il met les âmes à ce prix ; il remue
le ciel et la terre pour enfanter ses élus ; et, comme rien
ne lui est cher que ces enfants de sa dilection éternelle,
que ces membres inséparables de son Fils bien-aimé,
rien ne lui coûte, pourvu qu'il les sauve. Notre princesse
est persécutée avant que de naître, délaissée aussitôt
que mise au monde ; arrachée, en naissant, à la piété
d'une mère catholique ; captive, dès le berceau, des ennemis implacables de sa maison ; et, ce qui était plus
déplorable, captive des ennemis de l'Église, par conséquent destinée premièrement par sa glorieuse naissance, et ensuite par sa malheureuse captivité, à l'er-

---

[1] Tous les rois d'Angleterre, depuis saint Édouard jusqu'à Henri VIII,
furent catholiques.

reur et à l'hérésie. Mais le sceau de Dieu était sur elle.
Elle pouvait dire avec le prophète : « Mon père et ma
« mère m'ont abandonnée ; mais le Seigneur m'a reçue
« en sa protection [1]. » Délaissée de toute la terre dès ma
naissance, « je fus comme jetée entre les bras de sa pro-
« vidence paternelle ; et, dès le ventre de ma mère, il
« se déclara mon Dieu [2]. » Ce fut à cette garde fidèle que
la reine sa mère commit ce précieux dépôt. Elle ne fut
point trompée dans sa confiance. Deux ans après, un
coup imprévu, et qui tenait du miracle, délivra la
princesse des mains des rebelles. Malgré les tempêtes
de l'Océan et les agitations encore plus violentes de la
terre, Dieu, la prenant sur ses ailes comme l'aigle prend
ses petits, la porta lui-même dans ce royaume ; lui-
même la posa dans le sein de la reine sa mère, ou plutôt dans le sein de l'Église catholique. Là elle apprit les
maximes de la piété véritable, moins par les instructions qu'elle y recevait que par les exemples vivants de
cette grande et religieuse reine. Elle a imité ses pieuses
libéralités. Ses aumônes, toujours abondantes, se sont
répandues principalement sur les catholiques d'Angleterre, dont elle a été la fidèle protectrice. Digne fille de
saint Édouard et de saint Louis, elle s'attacha du fond de
son cœur à la foi de ces deux grands rois. Qui pourrait
assez exprimer le zèle dont elle brûlait pour le rétablissement de cette foi dans le royaume d'Angleterre, où
l'on en conserve encore tant de précieux monuments ?
Nous savons qu'elle n'eût pas craint d'exposer sa vie pour
un si pieux dessein : et le ciel nous l'a ravie ! O Dieu !
que prépare ici votre éternelle providence ? Me permet-

[1] *Pater meus et mater mea dereliquerunt me ; Dominus autem assump-
sit me.* (Ps. XXVI, 10.)

[2] *In te projectus sum ex utero : de ventre matris mea Deus meus es tu*
(Ps. XXI, 11.)

trez-vous, ô Seigneur, d'envisager en tremblant vos saints et redoutables conseils? Est-ce que les temps de confusion ne sont pas encore accomplis? est-ce que le crime qui fit céder vos vérités saintes à des passions malheureuses est encore devant vos yeux, et que vous ne l'avez pas assez puni par un aveuglement de plus d'un siècle? Nous ravissez-vous HENRIETTE par un effet du même jugement qui abrégea les jours de la reine Marie, et son règne si favorable à l'Église? ou bien voulez-vous triompher seul? et en nous ôtant les moyens dont nos désirs se flattaient, réservez-vous, dans les temps marqués par votre prédestination éternelle, de secrets retours à l'État et à la maison d'Angleterre? Quoi qu'il en soit, ô grand Dieu! recevez-en aujourd'hui les bienheureuses prémices en la personne de cette princesse. Puissent toute sa maison et tout le royaume suivre l'exemple de sa foi! Ce grand roi qui remplit de tant de vertus le trône de ses ancêtres, et fait louer tous les jours la divine main qui l'y a rétabli comme par miracle, n'improuvera pas notre zèle si nous souhaitons devant Dieu que lui et tous ses peuples soient comme nous. *Opto apud Deum,... non tantum te, sed etiam omnes,... fieri tales qualis et ego sum*[1]. Ce souhait est fait pour les rois; et saint Paul, étant dans les fers, le fit la première fois en faveur du roi Agrippa[2]: mais saint Paul en exceptait ses liens, *exceptis vinculis his;* et nous, nous souhaitons principa-

---

[1] ACT., XXVI, 29.

[2] Le roi Agrippa, étant venu à Césarée, désira entendre l'illustre prisonnier des Juifs. Saint Paul en profita, non-seulement pour sa défense, mais pour l'instruction d'Agrippa lui-même. Lorsqu'il parla de la résurrection de Jésus-Christ, le gouverneur s'écria : « Paul, vous avez perdu l'esprit! » Mais, malgré cette interpellation, saint Paul ayant continué son éloquent discours, Agrippa finit par lui dire : « Je pense que vous voudriez presque me persuader de me faire chrétien. » A quoi saint Paul

lement que l'Angleterre, trop libre dans sa croyance, trop licencieuse dans ses sentiments, soit enchaînée comme nous de ces bienheureux liens qui empêchent l'orgueil humain de s'égarer dans ses pensées, en le captivant sous l'autorité du Saint-Esprit et de l'Église.

Après vous avoir exposé le premier effet de la grâce de Jésus-Christ en notre princesse, il me reste, messieurs, de vous faire considérer le dernier, qui couronnera tous les autres. C'est par cette dernière grâce que la mort change de nature pour les chrétiens, puisqu'au lieu qu'elle semblait être faite pour nous dépouiller de tout, elle commence, comme dit l'Apôtre [1], à nous revêtir, et nous assure éternellement la possession des biens véritables. Tant que nous sommes détenus dans cette demeure mortelle, nous vivons assujettis aux changements, parce que, si vous me permettez de parler ainsi, c'est la loi du pays que nous habitons ; et nous ne possédons aucun bien, même dans l'ordre de la grâce, que nous ne puissions perdre un moment après par la mutabilité naturelle de nos désirs. Mais aussitôt qu'on cesse pour nous de compter les heures, et de mesurer notre vie par les jours et par les années ; sortis des figures qui passent, et des ombres qui disparaissent, nous arrivons au règne de la vérité, où nous sommes affranchis de la loi des changements. Ainsi notre âme n'est plus en péril ; nos résolutions ne vacillent plus ; la mort, ou plutôt la grâce de la persévérance finale, a la force de les fixer ; et de même que le testament de Jésus-Christ, par lequel il se donne à nous, est confirmé à jamais, suivant le droit des testaments et la doctrine de l'A-

répondit d'un ton serein et animé : « Plût à Dieu que vous, seigneur, et tous ceux qui m'écoutent, devinssiez tels que je suis, à la réserve de ces liens ! »

[1] II. Cor., v. 3.

pôtre [1], par la mort de ce divin testateur; ainsi la mort du fidèle fait que ce bienheureux testament, par lequel, de notre côté, nous nous donnons au Sauveur, devient irrévocable. Donc, messieurs, si je vous fais voir encore une fois MADAME aux prises avec la mort, n'appréhendez rien pour elle : quelque cruelle que la mort vous paraisse, elle ne doit servir à cette fois que pour accomplir l'œuvre de la grâce, et sceller en cette princesse le conseil de son éternelle prédestination. Voyons donc ce dernier combat; mais, encore un coup, affermissons-nous, ne mêlons point de faiblesse à une si forte action, et ne déshonorons point par nos larmes une si belle victoire. Voulez-vous voir combien la grâce, qui a fait triompher MADAME, a été puissante? voyez combien la mort a été terrible. Premièrement, elle a plus de prise sur une princesse qui a tant à perdre. Que d'années elle va ravir à cette jeunesse! que de joie elle enlève à cette fortune! que de gloire elle ôte à ce mérite! D'ailleurs peut-elle venir où plus prompte ou plus cruelle [2]? C'est ramasser toutes ses forces, c'est unir tout ce qu'elle a de plus redoutable que de joindre, comme elle fait, aux plus vives douleurs l'attaque la plus imprévue. Mais quoique, sans menacer et sans avertir, elle se fasse

[1] HEBR., X, 15.

[2] Elle expira le 30 juin 1670, à trois heures du matin, neuf heures seulement après qu'elle eut ressenti les premières atteintes du mal sous lequel elle succomba avec tous les symptômes d'un empoisonnement. On s'accorde généralement à regarder le chevalier de Lorraine comme l'auteur de ce forfait. Retiré à Rome, ce favori y supportait impatiemment sa disgrâce. Deux officiers de la maison de Monsieur, qui avaient partagé les débauches du chevalier, souhaitaient ardemment son retour, auquel Madame était le seul obstacle. Il paraît qu'il leur envoya un poison subtil par un nommé Moulli, et que l'un d'eux jeta le poison dans l'eau de chicorée que devait prendre la princesse. (Voyez les *OEuvres de madame de La Fayette*; Paris, 1835, t. III, p. 202.) (F.)

sentir tout entière dès le premier coup, elle trouve la princesse prête. La grâce, plus active encore, l'a déjà mise en défense. Ni la gloire ni la jeunesse n'auront un soupir. Un regret immense de ses péchés ne lui permet pas de regretter autre chose. Elle demande le crucifix sur lequel elle avait vu expirer la reine sa belle-mère, comme pour y recueillir les impressions de constance et de piété, que cette âme vraiment chrétienne y avait laissées avec les derniers soupirs. A la vue d'un si grand objet, n'attendez pas de cette princesse des discours étudiés et magnifiques : une sainte simplicité fait ici toute la grandeur. Elle s'écrie : « O mon Dieu, pour-« quoi n'ai-je pas toujours mis en vous ma confiance ? » Elle s'afflige, elle se rassure, elle confesse humblement, et avec tous les sentiments d'une profonde douleur, que de ce jour seulement elle commence à connaître Dieu ; n'appelant pas le connaître, que de regarder encore tant soit peu le monde. Qu'elle nous parut au-dessus de ces lâches chrétiens, qui s'imaginent avancer leur mort quand ils préparent leur confession ; qui ne reçoivent les saints sacrements que par force : dignes certes de recevoir pour leur jugement ce mystère de piété qu'ils ne reçoivent qu'avec répugnance. MADAME appelle les prêtres plutôt que les médecins. Elle demande d'elle-même les sacrements de l'Église ; la pénitence avec componction ; l'Eucharistie avec crainte, et puis avec confiance ; la sainte Onction des mourants avec un pieux empressement. Bien loin d'en être effrayée, elle veut la recevoir avec connaissance : elle écoute l'explication de ces saintes cérémonies, de ces prières apostoliques qui, par une espèce de charme divin, suspendent les douleurs les plus violentes, qui font oublier la mort (je l'ai vu[1] souvent) à qui les écoute avec foi : elle les suit,

---

[1] Bossuet cache la vérité par modestie, quand il s'efface lui-même du

elle s'y conforme ; on lui voit paisiblement présenter son corps à cette huile sacrée, ou plutôt au sang de Jésus, qui coule si abondamment avec cette précieuse liqueur. Ne croyez pas que ses excessives et insupportables douleurs aient tant soit peu troublé sa grande âme. Ah ! je ne veux plus tant admirer les braves, ni les conquérants. MADAME m'a fait connaître la vérité de cette parole du Sage[1] : « Le patient vaut mieux que le fort ; et « celui qui dompte son cœur vaut mieux que celui qui « prend des villes. » Combien a-t-elle été maîtresse du sien ! avec quelle tranquillité a-t-elle satisfait à tous ses devoirs ! Rappelez en votre pensée ce qu'elle dit à Monsieur. Quelle force ! quelle tendresse ! O paroles qu'on voyait sortir de l'abondance d'un cœur qui se sent au-dessus de tout ; paroles que la mort présente, et Dieu plus présent encore, ont consacrées ; sincère production d'une âme qui, tenant au ciel, ne doit plus rien à la terre que la vérité, vous vivrez éternellement dans la mémoire des hommes, mais surtout vous vivrez éternellement dans le cœur de ce grand prince. MADAME ne peut plus résister aux larmes qu'elle lui voit répandre. Invincible par tout autre endroit, ici elle est contrainte de céder. Elle prie Monsieur de se retirer, parce qu'elle ne veut plus sentir de tendresse que pour ce Dieu crucifié qui lui tend les bras. Alors qu'avons-nous vu ? qu'avons-nous ouï ? Elle se conformait aux ordres de Dieu ; elle lui offait ses souffrances en expiation de ses

---

récit de cette agonie ; quand il attribue tout le prodige de son propre talent aux belles et touchantes prières de l'Église ; quand il rappelle toujours comme témoin (*je l'ai vu souvent*), jamais comme acteur, l'héroïsme de la foi de cette princesse, dont la religion seule eut, selon lui, la gloire de *suspendre les douleurs les plus violentes* en lui faisant même *oublier la mort*. (M.)

[1] *Melior est patiens viro forti ; et qui dominatur animo suo, expugnatore urbium.* PROV., XVI, 32.

fautes; elle professait hautement la foi catholique et la résurrection des morts, cette précieuse consolation des fidèles mourants. Elle excitait le zèle de ceux qu'elle avait appelés pour l'exciter elle-même, et ne voulait point qu'ils cessassent un moment de l'entretenir des vérités chrétiennes. Elle souhaita mille fois d'être plongée au sang de l'Agneau; c'était un nouveau langage que la grâce lui apprenait. Nous ne voyions[1] en elle ni cette ostentation par laquelle on veut tromper les autres, ni ces émotions d'une âme alarmée, par lesquelles on se trompe soi-même. Tout était simple, tout était solide, tout était tranquille; tout partait d'une âme soumise, et d'une source sanctifiée par le Saint-Esprit.

En cet état, messieurs, qu'avions-nous à demander à Dieu pour cette princesse, sinon qu'il l'affermît dans le bien, et qu'il conservât en elle les dons de sa grâce? Ce grand Dieu nous exauçait; mais souvent, dit saint Augustin[2], en nous exauçant il trompe heureusement notre prévoyance. La princesse est affermie dans le bien d'une manière plus haute que celle que nous entendions. Comme Dieu ne voulait plus exposer aux illusions du monde les sentiments d'une piété si sincère, il a fait ce que dit le Sage[3]; « il s'est hâté. » En effet, quelle diligence! en neuf heures l'ouvrage est accompli. « Il s'est hâté de la tirer du milieu des iniquités. » Voilà, dit le grand saint Ambroise[4], la merveille de la mort dans les chrétiens : elle ne finit pas leur vie; elle ne finit que leurs péchés, et les périls où ils sont exposés. Nous nous sommes plaints que la mort, ennemie des

---

[1] Var. *Première édition* : nous ne voyons.

[2] *In Ep. Joan.*, tract. vi, n. 7, 8; tom. iii, part. ii, col. 866, 867.

[3] *Properavit educere de medio iniquitatum.* (Sap., iv, 14.)

[4] *Finis factus est erroris, quia culpa, non natura, deferit* (*De bono mortis*, cap. ix, n. 38; tom. i, col. 405.)

fruits que nous promettait la princesse, les a ravagés dans la fleur ; qu'elle a effacé, pour ainsi dire, sous le pinceau même, un tableau qui s'avançait à la perfection avec une incroyable diligence, dont les premiers traits, dont le seul dessin montrait déjà tant de grandeur. Changeons maintenant de langage ; ne disons plus que la mort a tout d'un coup arrêté le cours de la plus belle vie du monde, et de l'histoire qui se commençait le plus noblement : disons qu'elle a mis fin aux plus grands périls dont une âme chrétienne peut être assaillie. Et pour ne point parler ici des tentations infinies qui attaquent à chaque pas la faiblesse humaine, quel péril n'eût point trouvé cette princesse dans sa propre gloire ? La gloire : qu'y a-t-il pour le chrétien de plus pernicieux et de plus mortel ? quel appât plus dangereux ? quelle fumée plus capable de faire tourner les meilleures têtes ? Considérez la princesse ; représentez-vous cet esprit qui, répandu par tout son extérieur, en rendait les grâces si vives : tout était esprit, tout était bonté. Affable à tous avec dignité, elle savait estimer les uns sans fâcher les autres ; et quoique le mérite fût distingué, la faiblesse ne se sentait pas dédaignée. Quand quelqu'un traitait avec elle, il semblait qu'elle eût oublié son rang pour ne se soutenir que par sa raison. On ne s'apercevait presque pas qu'on parlât à une personne si élevée ; on sentait seulement au fond de son cœur qu'on eût voulu lui rendre au centuple la grandeur dont elle se dépouillait si obligeamment. Fidèle en ses paroles, incapable de déguisement, sûre à ses amis ; par la lumière et la droiture de son esprit, elle les mettait à couvert des vains ombrages, et ne leur laissait à craindre que leurs propres fautes. Très-reconnaissante des services, elle aimait à prévenir les injures par sa bonté ; vive à les sentir, facile à les pardonner. Que dirai-je de sa libéralité ? Elle

donnait non-seulement avec joie, mais avec une hauteur
d'âme qui marquait tout ensemble et le mépris du don
et l'estime de la personne. Tantôt par des paroles touchantes, tantôt même par son silence, elle relevait ses
présents ; et cet art de donner agréablement, qu'elle
avait si bien pratiqué durant sa vie, l'a suivie, je le sais[1],
jusqu'entre les bras de la mort. Avec tant de grandes et
tant d'aimables qualités, qui eût pu lui refuser son admiration? Mais avec son crédit, avec sa puissance, qui
n'eût voulu s'attacher à elle? N'allait-elle pas gagner tous
les cœurs? c'est-à-dire la seule chose qu'ont à gagner ceux
à qui la naissance et la fortune semblent tout donner : et
si cette haute élévation est un précipice affreux pour les
chrétiens, ne puis-je pas dire, messieurs, pour me

[1] Bossuet fait ici allusion à un trait qui montre jusqu'où cette princesse
porta la grâce et la délicatesse qui lui étaient naturelles, *même entre les
bras de la mort.* Sa première femme de chambre s'étant approchée pour
lui donner quelque chose, elle lui dit en anglais, afin que Bossuet ne l'en-
tendît pas : *Donnez à M. de Condom, lorsque je serai morte, l'émeraude
que j'ai fait faire pour lui.* (B.) — Louis XIV voulut mettre lui-même
cette bague au doigt de Bossuet : il lui dit qu'il l'invitait à la porter pendant toute sa vie, en souvenir de Madame; et il ajouta qu'il ne croyait
pas pouvoir mieux témoigner son intérêt à la mémoire de cette princesse
qu'en le chargeant de prêcher son oraison funèbre. On félicita Bossuet,
en lui exprimant seulement quelques regrets de ce que les bienséances de
la chaire ne lui permettraient peut-être pas de rappeler dans cet éloge
un legs aussi honorable pour la princesse que pour l'orateur. *Eh!
pourquoi pas?* dit-il dans un premier mouvement de reconnaissance.
Trois syllabes suffirent à Bossuet pour retracer avec autant de dignité
que de mesure l'histoire généralement divulguée de cette bague, qu'on
voyait briller à son doigt : c'est le triomphe des bienséances oratoires.
Ces trois mots, *je le sais*, fondus pour ainsi dire dans une narration où
ils ne figurent pas moins par leur précision que par leur clarté, mais
dont on ne peut deviner le vrai sens sans être instruit de l'anecdote qui
les motive, ces trois mots enfin, si simples et si frappants par un trait
sublime de situation unique en éloquence, attendrirent et enthousiasmè-
rent tout l'auditoire, qui se montra digne de les sentir et de les apprécier, en les répétant plusieurs fois avec un transport unanime. (M.)

B.

servir des paroles fortes du plus grave des historiens [1],
« qu'elle allait être précipitée dans la gloire? » car
quelle créature fut jamais plus propre à être l'idole du
monde? Mais ces idoles que le monde adore, à combien
de tentations délicates ne sont-elles pas exposées! La
gloire, il est vrai, les défend de quelques faiblesses;
mais la gloire les défend-elle de la gloire même? ne s'a-
dorent-elles pas secrètement? ne veulent-elles pas être
adorées? Que n'ont-elles pas à craindre de leur amour-
propre! et que se peut refuser la faiblesse humaine,
pendant que le monde lui accorde tout? N'est-ce pas là
qu'on apprend à faire servir à l'ambition, à la grandeur, à la politique, et la vertu, et la religion, et le
nom de Dieu? La modération, que le monde affecte,
n'étouffe pas les mouvements de la vanité : elle ne sert
qu'à les cacher; et plus elle ménage le dehors, plus elle
livre le cœur aux sentiments les plus délicats et les plus
dangereux de la fausse gloire. On ne compte plus que
soi-même; et on dit au fond de son cœur : « Je suis, et
il n'y a que moi sur la terre [2]. » En cet état, messieurs,
la vie n'est-elle pas un péril? la mort n'est-elle pas une
grâce? Que ne doit-on [3] craindre de ses vices, si les
bonnes qualités sont si dangereuses! N'est-ce donc pas
un bienfait de Dieu d'avoir abrégé les tentations avec
les jours de MADAME; de l'avoir arrachée à sa propre
gloire, avant que cette gloire, par son excès, eût mis en
hasard sa modération! Qu'importe que sa vie ait été si
courte? jamais ce qui doit finir ne peut être long.
Quand nous ne compterions point ses confessions plus
exactes, ses entretiens de dévotion plus fréquents, son

[1] *In ipsam gloriam præceps agebatur.* (TACIT., *Agric.*, n. 41.).
[2] *Ego sum, et præter me non est altera.* (Is., XLVII, 10.)
[3] *Pas*, qu'ajoutent ici les éditions vulgaires, ne se trouve dans aucune
des éditions faites du vivant de l'auteur.

application plus forte à la piété dans les derniers temps
de sa vie; ce peu d'heures saintement passées parmi les
plus rudes épreuves, et dans les sentiments les plus
purs du christianisme, tiennent lieu toutes seules d'un
âge accompli. Le temps a été court, je l'avoue; mais l'o-
pération de la grâce a été forte; mais la fidélité de l'âme
a été parfaite. C'est l'effet d'un art consommé, de réduire en petit tout un grand ouvrage; et la grâce, cette
excellente ouvrière, se plaît quelquefois à renfermer en
un jour la perfection d'une longue vie [1]. Je sais que Dieu
ne veut pas qu'on s'attende à de tels miracles; mais si
la témérité insensée des hommes abuse de ses bontés,
son bras pour cela n'est pas raccourci, et sa main n'est
pas affaiblie. Je me confie pour MADAME en cette miséricorde, qu'elle a si sincèrement et si humblement récla-
mée. Il semble que Dieu ne lui ait conservé le jugement
libre jusqu'au dernier soupir, qu'afin de faire durer les
témoignages de sa foi. Elle a aimé en mourant le Sauveur Jésus; les bras lui ont manqué plutôt que l'ardeur
d'embrasser la croix; j'ai vu sa main défaillante [2] chercher encore en tombant de nouvelles forces pour appliquer sur ses lèvres ce bienheureux signe de notre rédemption : n'est-ce pas mourir entre les bras et dans le
baiser du Seigneur ? Ah! nous pouvons achever ce saint
sacrifice, pour le repos de MADAME, avec une pieuse
confiance. Ce Jésus en qui elle a espéré, dont elle a

[1] Rien ne peut mieux faire connaître l'esprit de douceur et de charité
chrétienne dont Bossuet fit usage dans les derniers moments de Henriette
d'Angleterre, que ce qu'il dit ici lui-même. (B.)

[2] Fénelon n'est pas plus sensible. Bossuet a employé ici et consacré,
pour ainsi dire, ces deux beaux vers de Tibulle, *Eleg.*, I, 63 :

> *Te spectem, suprema mihi quum venerit hora,*
> *Te teneam moriens, deficiente manu.*

On sait que le pieux et ingénieux Commire avait placé cette inscription
au pied de son crucifix. (V.)

porté la croix en son corps par des douleurs si cruelles, lui donnera encore son sang dont elle est déjà toute teinte, toute pénétrée, par la participation à ses sacrements, et par la communion avec ses souffrances.

Mais en priant pour son âme, chrétiens, songeons à nous-mêmes. Qu'attendons-nous pour nous convertir? Et[1] quelle dureté est semblable à la nôtre, si un accident si étrange, qui devrait nous pénétrer jusqu'au fond de l'âme, ne fait que nous étourdir pour quelques moments? Attendons-nous que Dieu ressuscite des morts pour nous instruire? Il n'est point nécessaire que les morts reviennent, ni que quelqu'un sorte du tombeau : ce qui entre aujourd'hui dans le tombeau doit suffire pour nous convertir[2]. Car si nous savons nous connaître, nous confesserons, chrétiens, que les vérités de l'éternité sont assez bien établies; nous n'avons rien que de faible à leur opposer; c'est par passion, et non par raison, que nous osons les combattre. Si quelque chose les empêche de régner sur nous, ces saintes et salutaires vérités, c'est que le monde nous occupe; c'est que les sens nous enchantent; c'est que le présent nous entraîne. Faut-il un autre spectacle pour nous détromper, et des sens, et du présent, et du monde? La Providence divine pouvait-elle nous mettre en vue, ni de plus près, ni plus fortement, la vanité des choses humaines? et si nos cœurs s'endurcissent après un avertissement si sensible, que lui reste-t-il autre chose, que de nous frapper nous-mêmes sans miséricorde? Prévenons un coup si funeste; et n'attendons pas toujours des miracles de la grâce. Il n'est rien de plus odieux à la souveraine

---

[1] *Et*, qu'on lit dans les trois premières éditions, paraît nécessaire.

[2] Une phrase suffit à Bossuet pour étouffer par un trait sublime cette prétention des pécheurs, qui voudraient être favorisés d'apparitions miraculeuses, pour déterminer leur conversion. (M.)

puissance que de la vouloir forcer par des exemples,
et de lui faire une loi de ses grâces et de ses faveurs[1]. Qu'y
a-t-il donc, chrétiens, qui puisse nous empêcher de recevoir, sans différer, ses inspirations? Quoi! le charme
de sentir est-il si fort que nous ne puissions rien prévoir?
Les adorateurs des grandeurs humaines seront-ils satis-
faits de leur fortune, quand ils verront que dans un
moment leur gloire passera à leur nom, leurs titres à
leurs tombeaux, leurs biens à des ingrats, et leurs dignités peut-être à leurs envieux? Que si nous sommes
assurés qu'il viendra un dernier jour où la mort nous
forcera de confesser toutes nos erreurs, pourquoi ne
pas mépriser par raison ce qu'il faudra un jour mépriser par force? et quel est notre aveuglement, si toujours
avançant vers notre fin, et plutôt mourants que vivants,
nous attendons les derniers soupirs pour prendre les
sentiments que la seule pensée de la mort nous devrait
inspirer à tous les moments de notre vie[2]? Commencez
aujourd'hui à mépriser les faveurs du monde; et toutes
les fois que vous serez dans ces lieux augustes, dans ces
superbes palais à qui MADAME donnait un éclat que vos
yeux recherchent encore; toutes les fois que, regardant
cette grande place qu'elle remplissait si bien, vous sen-
tirez qu'elle y manque; songez que cette gloire que vous

---

[1] VAR. *Première édition* : Recevez donc sans différer ses inspirations,
et ne tardez pas à vous convertir. Quoi! etc.

[2] Bossuet, en envoyant l'Oraison funèbre de la reine d'Angleterre et
de madame Henriette à l'abbé de Rancé, lui écrivait : « J'ai laissé ordre
« de vous faire passer deux Oraisons funèbres, qui, parce qu'elles font
« voir le néant du monde, peuvent avoir place parmi les livres d'un soli-
« taire, et que, en tout cas, il peut regarder comme deux têtes de mort
« assez touchantes. » Ces mots, jetés au hasard dans une lettre qui
n'était pas destinée à voir le jour, révèlent la pensée habituelle de Bossuet. Jamais la puissance et la grandeur ne venaient se présenter à son
esprit qu'il ne vît la mort à côté. (B.)

admiriez faisait son péril en cette vie, et que dans l'autre elle est devenue le sujet d'un examen rigoureux où rien n'a été capable de la rassurer, que cette sincère résignation qu'elle a eue aux ordres de Dieu, et les saintes humiliations de la pénitence[1].

[1] Voyez page 20, le jugement de M. de Chateaubriand.

ORAISON FUNÈBRE

DE

MARIE-THÉRÈSE D'AUTRICHE,

INFANTE D'ESPAGNE,

REINE DE FRANCE ET DE NAVARRE,

Prononcée à Saint-Denis, le 1er de septembre 1683,
en présence de monseigneur le Dauphin.

NOTICE

SUR MARIE-THÉRÈSE D'AUTRICHE,

REINE DE FRANCE.

MARIE-THÉRÈSE D'AUTRICHE était l'unique fruit du mariage de Philippe IV, roi d'Espagne, et d'Élisabeth de France, sa première femme. Elle naquit en 1638. Lorsqu'il fut question de lui choisir un époux, la France était depuis très-longtemps en guerre avec l'Espagne, et les deux nations épuisées avaient un égal intérêt à la paix. Le mariage de cette princesse avec Louis XIV fut le gage de la réconciliation entre les deux couronnes. Aussi cette union, qui eut lieu en 1660, fut-elle un des plus grands traits de la politique et de l'habileté du cardinal Mazarin, et l'un des plus glorieux événements de son ministère.

Les mémoires et les historiens du temps s'accordent à faire l'éloge de MARIE-THÉRÈSE, pour laquelle le roi son époux montra constamment beaucoup de déférence et de respect. Mais, malgré ces témoignages extérieurs, et même les preuves d'estime et d'attachement qu'elle recevait de son époux, MARIE-THÉRÈSE, qui se sentait digne de posséder son cœur tout entier, n'était pas moins cruellement affectée de le voir trop souvent infidèle, et en souffrait d'autant plus qu'elle était obligée de dissimuler son humiliation et sa douleur. Ces chagrins contribuèrent sans doute, autant que son éducation et ses principes, à la détacher du monde et de ses plaisirs, et à lui inspirer la plus austère et la plus ardente dévotion. Toutes les pratiques de la religion, tous les devoirs qu'elle prescrit, tous les exercices de piété qu'elle ordonne ou qu'elle recommande, furent toujours son occupation la plus chère. En l'année 1672, le roi, ayant déclaré la guerre à la Hollande, et se disposant à partir pour cette campagne, mit le gouvernement entre les mains de la reine, avec le titre de régente. Cette régence dura peu, mais servit à prouver la capacité de la reine dans les affaires, et toute la confiance que le roi avait en elle.

Des six enfants que Louis XIV eut de son mariage avec MARIE-THÉRÈSE, le Dauphin seul survécut à sa mère, qu'une fièvre maligne emporta presque subitement le 30 juillet 1683. Elle était alors âgée de quarante-cinq ans.

Treize ans s'étaient écoulés depuis que Bossuet avait fait répandre tant de
larmes en déplorant la mort d'une jeune princesse parée de tous les dons
de la nature et de tout l'éclat des grandeurs, frappée par un coup imprévu
au sein des plaisirs et des prospérités.

La mort de *Marie-Thérèse d'Autriche* n'offrait ni à l'imagination, ni au
sentiment peut-être, de si touchantes émotions. Cependant elle pouvait inspirer un juste et doux intérêt. Sans avoir les grâces et l'esprit de Henriette
d'Angleterre, Marie-Thérèse d'Autriche n'était pas sans beauté; et, quoiqu'elle
ait parcouru une carrière un peu plus longue, sa mort, à l'âge de quarante-
cinq ans, pouvait paraître prématurée. A peine revenue avec le roi, son
époux, d'un voyage triomphant que ce prince venait de faire à ses armées
et aux places frontières qu'il avait ajoutées à son empire, une maladie de
quelques jours abrégea sa vie; et, pour se servir des expressions de Bossuet, « elle se trouva toute vive et tout entière entre les bras de la mort,
« sans presque l'avoir envisagée. » Elle mourut au moment où son cœur
s'ouvrait pour la première fois au bonheur, et où elle voyait luire l'espoir
d'un avenir doux et tranquille qui allait succéder à des chagrins que le respect et la crainte avaient toujours comprimés, et à des douleurs qui avaient
tenu une trop grande place dans sa vie. Les soins délicats de madame de Main-
tenon avaient ramené auprès d'elle Louis XIV, qui se montrait touché de ses
vertus. La Providence venait même d'adoucir ses peines, en lui donnant la
consolation de voir sa postérité affermie sur le trône. Son fils avait un fils
qui promettait une longue suite d'héritiers.

Quoiqu'elle n'eût jamais inspiré un sentiment passionné à Louis XIV, elle
était peut-être la femme qui convenait le mieux à un tel roi. Religieuse,
soumise, bienfaisante, étrangère à la domination et aux affaires, elle soutenait la majesté de sa naissance par une dignité naturelle, et laissait réfléchir
sur Louis XIV seul tous les rayons de cette gloire dont il était si jaloux, et
qu'elle n'eut jamais le désir ni même la pensée de partager. Ce prince lui
rendit à sa mort le plus touchant hommage que sa modestie pouvait lui
permettre d'ambitionner : « Depuis vingt-trois ans que je vivais avec la
reine, je n'ai point eu d'autre chagrin de sa part que celui de l'avoir perdue. »
Ce furent les premières paroles qui échappèrent à Louis XIV au moment
où on vint lui annoncer que cette princesse n'était plus. C'était l'histoire entière de sa vie; c'était le tableau simple et fidèle de son âme et de son caractère; c'était la plus belle oraison funèbre qui pût honorer sa mémoire.

Louis XIV jugea que l'honneur de parler dans une occasion aussi solen-
nelle ne pouvait appartenir qu'à Bossuet; et Bossuet sut encore se faire entendre avec intérêt dans le simple récit de ces vertus douces et paisibles
qu'on aime à retrouver dans un sexe dont la modestie et la bonté forment
le plus touchant caractère, et dans un rang où elles peuvent exercer une
heureuse influence pour l'exemple des mœurs et la consolation du malheur.

Dans l'*Oraison funèbre de Marie-Thérèse*, Bossuet ne s'élève pas sans
doute à la même hauteur que dans celles de la reine d'Angleterre et de ma-

dame Henriette : mais, au lieu de lui en faire un reproche, on doit approuver son goût et sa réserve. Cette reine, respectable par ses vertus et sa bonté, n'avait aucune influence sur les affaires, ni même sur l'opinion. Elle ne laissait ni vide ni regrets à aucune ambition, à aucun intérêt, à aucune espérance : elle décorait le trône plutôt qu'elle ne l'occupait; et on aurait été étonné d'entendre Bossuet parler avec pompe et fracas d'une vie et d'une mort à laquelle la génération qui en a été témoin a été aussi indifférente que celle qui l'a suivie. Mais on verra que, malgré l'espèce d'aridité du sujet, Bossuet a su mêler un grand nombre de beautés à la simplicité du récit qu'on attendait de lui; et que, sans jamais exagérer la vérité, il a montré la femme de Louis XIV telle qu'elle était, et telle que devrait être pour son propre bonheur toute princesse élevée au même rang.

(Le cardinal DE BAUSSET, *Histoire de Bossuet*, liv. VIII.)

ORAISON FUNÈBRE

DE

MARIE-THÉRÈSE D'AUTRICHE,

INFANTE D'ESPAGNE,

REINE DE FRANCE ET DE NAVARRE.

Sine macula enim sunt ante thronum Dei.

Ils sont sans tache devant le trône de Dieu. (Paroles de l'apôtre saint Jean dans sa *Révélation*, chap. XIV, 5.)

MONSEIGNEUR,

Quelle assemblée l'apôtre saint Jean nous fait paraître ! Ce grand prophète nous ouvre le ciel, et notre foi y découvre « sur la sainte montagne de Sion, » dans la partie la plus élevée de la Jérusalem bienheureuse, l'Agneau qui ôte le péché du monde, avec une compagnie digne de lui. Ce sont[1] ceux dont il est écrit au commencement de l'Apocalypse[2] : « Il y a dans l'église de Sardis un « petit nombre de fidèles, *pauca nomina*, qui n'ont pas « souillé leurs vêtements; » ces riches vêtements dont le baptême les a revêtus, vêtements qui ne sont rien moins que Jésus-Christ même, selon ce que dit l'Apôtre[3] : « Vous tous qui avez été baptisés, vous avez été

---

[1] VAR. *Première édition* : C'est ceux, etc.

[2] *Habes pauca nomina in Sardis, qui non inquinaverunt vestimenta sua.* (APOC., III, 4.)

[3] *Quicumque in Christo baptizati estis, Christum induistis.* (GAL. III, 27.)

« revêtus de Jésus-Christ. » Ce petit nombre chéri de Dieu pour son innocence, et remarquable par la rareté d'un don si exquis, a su conserver ce précieux vêtement et la grâce du baptême. Et quelle sera la récompense d'une si rare fidélité? Écoutez parler le Juste et le Saint : « Ils « marchent, dit-il [1], avec moi, revêtus de blanc, parce « qu'ils en sont dignes; » dignes par leur innocence de porter dans l'éternité la livrée de l'Agneau sans tache, et de marcher toujours avec lui, puisque jamais ils ne l'ont quitté depuis qu'il les a mis dans sa compagnie : « Âmes pures et innocentes ; âmes vierges, » comme les appelle saint Jean [2], au même sens que saint Paul disait à tous les fidèles de Corinthe [3] : « Je vous ai promis, « comme une vierge pudique, à un seul homme, qui « est Jésus-Christ. » La vraie chasteté de l'âme, la vraie pudeur chrétienne est de rougir du péché, de n'avoir d'yeux ni d'amour que pour Jésus-Christ, et de tenir toujours ses sens épurés de la corruption du siècle. C'est dans cette troupe innocente et pure que la reine a été placée : l'horreur qu'elle a toujours eue du péché lui a mérité cet honneur. La foi, qui pénètre jusqu'aux cieux, nous la fait voir aujourd'hui dans cette bienheureuse compagnie. Il me semble que je reconnais cette modestie, cette paix, ce recueillement que nous lui voyions devant les autels, qui inspirait du respect pour Dieu et pour elle : Dieu ajoute à ces saintes dispositions le transport d'une joie céleste. La mort ne l'a point changée, si ce n'est qu'une immortelle beauté a pris la place d'une beauté changeante et mortelle. Cette éclatante blancheur, symbole de son innocence et de la candeur de son âme,

---

[1] *Ambulabunt mecum in albis, quia digni sunt.* (Apoc., III, 4.)

[2] *Virgines enim sunt.* (Ibid., XIV, 4.)

[3] *Despondi vos uni viro virginem castam exhibere Christo.* (II Cor., XI, 2.)

n'a fait, pour ainsi parler, que passer au dedans, où nous la voyons rehaussée d'une lumière divine. « Elle « marche avec l'Agneau, car elle en est digne[1]. » La sincérité de son cœur, sans dissimulation et sans artifice, la range au nombre de ceux dont saint Jean a dit, dans les paroles qui précèdent celles de mon texte, que « le « mensonge ne s'est point trouvé en leur bouche[2], » ni aucun déguisement dans leur conduite ; « ce qui fait « qu'on les voit sans tache devant le trône de Dieu : » *Sine macula enim sunt ante thronum Dei.* En effet, elle est sans reproche devant Dieu et devant les hommes : la médisance ne peut attaquer aucun endroit de sa vie depuis son enfance jusqu'à sa mort; et une gloire si pure, une si belle réputation, est un parfum précieux qui réjouit le ciel et la terre.

Monseigneur, ouvrez les yeux à ce grand spectacle. Pouvais-je mieux essuyer vos larmes, celles des princes qui vous environnent, et de cette auguste assemblée, qu'en vous faisant voir au milieu de cette troupe resplendissante et dans cet état glorieux une mère si chérie et si regrettée ? Louis même, dont la constance ne peut vaincre ses justes douleurs, les trouverait plus traitables dans cette pensée. Mais ce qui doit être votre unique consolation doit aussi, monseigneur, être votre exemple; et, ravi de l'éclat immortel d'une vie toujours si réglée et toujours si irréprochable, vous devez en faire passer toute la beauté dans la vôtre.

Qu'il est rare, chrétiens, qu'il est rare, encore une fois, de trouver cette pureté parmi les hommes! mais surtout qu'il est rare de la trouver parmi les grands! « Ceux que vous voyez revêtus d'une robe blanche,

---

[1] Apoc., III, 4.

[2] *In ore eorum non est inventum mendacium : sine macula enim sunt ante thronum Dei.* (Apoc., xiv, 5.)

« ceux-là, dit saint Jean [1], viennent d'une grande afflic-
« tion », *de tribulatione magna,* afin que nousentendions
que cette divine blancheur se forme ordinairement sous
la croix, et rarement dans l'éclat, trop plein de tentation, des grandeurs humaines.

Et toutefois il est vrai, messieurs, que Dieu, par un
miracle de sa grâce, se plaît à choisir parmi les rois de
ces âmes pures. Tel a été saint Louis, toujours pur et
toujours saint dès son enfance; et MARIE-THÉRÈSE, sa
fille, a eu de lui ce bel héritage.

Entrons, messieurs, dans les desseins de la Providence;
et admirons les bontés de Dieu, qui se répandent sur
nous et sur tous les peuples dans la prédestination de
cette princesse. Dieu l'a élevée au faîte des grandeurs
humaines, afin de rendre la pureté et la perpétuelle régularité de sa vie plus éclatante et plus exemplaire. Ainsi
sa vie et sa mort, également pleines de sainteté et de
grâce, deviennent l'instruction du genre humain. Notre
siècle n'en pouvait recevoir de plus parfaite, parce qu'il
ne voyait nulle part, dans une si haute élévation, une
pareille pureté. C'est ce rare et merveilleux assemblage
que nous aurons à considérer dans les deux parties de
ce discours. Voici en peu de mots ce que j'ai à dire de
la plus pieuse des reines, et tel est le digne abrégé de
son éloge : Il n'y a rien que d'auguste dans sa personne;
il n'y a rien que de pur dans sa vie. Accourez, peuples ;
venez contempler dans la première place du monde la
rare et majestueuse beauté d'une vertu toujours constante. Dans une vie si égale, il n'importe pas à cette
princesse où la mort frappe ; on n'y voit point d'endroit
faible par où elle pût craindre d'être surprise : toujours

---

[1] *Hi qui amicti sunt stolis albis.... hi sunt qui venerunt de tribulatione magna.* (APOC., VII, 13, 14.)

vigilante, toujours attentive à Dieu et à son salut, sa
mort, si précipitée et si effroyable pour nous, n'avait
rien de dangereux pour elle. Ainsi son élévation ne ser-
vira qu'à faire voir à tout l'univers, comme du lieu le
plus éminent qu'on découvre dans son enceinte, cette
importante vérité, qu'il n'y a rien de solide ni de vraiment grand parmi les hommes que d'éviter le péché;
et que la seule précaution contre les attaques de la mort,
c'est l'innocence de la vie. C'est, messieurs, l'instruction
que nous donne dans ce tombeau, ou plutôt du plus haut
des cieux, très-haute, très-excellente, très-puissante,
et très-chrétienne princesse MARIE-THÉRÈSE D'AUTRICHE,
INFANTE D'ESPAGNE, REINE DE FRANCE ET DE NAVARRE.

Je n'ai pas besoin de vous dire que c'est Dieu qui donne
les grandes naissances, les grands mariages, les enfants,
la postérité. C'est lui qui dit à Abraham [1] : « Les rois
« sortiront de vous, » et qui fait dire par son prophète à
David [2] : « Le Seigneur vous fera une maison. » « Dieu,
« qui d'un seul homme a voulu former tout le genre hu-
« main, comme dit saint Paul [3], et de cette source com-
« mune le répandre sur toute la face de la terre, » en a
vu et prédestiné dès l'éternité les alliances et les divisions, « marquant les temps, poursuit-il, et donnant
« des bornes à la demeure des peuples, » et enfin un
cours réglé à toutes ces choses. C'est donc Dieu qui a
voulu élever la reine par une auguste naissance à un
auguste mariage, afin que nous la vissions honorée au-

---

[1] *Reges ex te egredientur.* (GEN., XVII, 6.)

[2] *Prædicit tibi Dominus, quod domum faciat tibi Dominus.* (II REG.,
VII, 11.)

[3] *Deus qui fecit ex uno omne genus hominum inhabitare super univer-
sam faciem terræ, definiens statuta tempora, et terminos habitationis
eorum.* (ACT., XVII, 24, 26.)

dessus de toutes les femmes de son siècle, pour avoir été chérie, estimée, et trop tôt, hélas! regrettée par le plus grand de tous les hommes.

Que je méprise ces philosophes[1] qui, mesurant les conseils de Dieu à leurs pensées, ne le font auteur que d'un certain ordre général, d'où le reste se développe comme il peut! comme s'il avait à notre manière des vues générales et confuses, et comme si la souveraine intelligence pouvait ne pas comprendre dans ses desseins les choses particulières, qui seules subsistent véritablement[2]! N'en doutons pas, chrétiens; Dieu a préparé dans son conseil éternel les premières familles qui sont la source des nations, et dans toutes les nations les qualités dominantes qui en devaient faire la fortune. Il a aussi ordonné dans les nations les familles particulières dont elles sont composées; mais principalement celles qui devaient gouverner ces nations, et en particulier, dans ces familles, tous les hommes par lesquels elles devaient ou s'élever, ou se soutenir, ou s'abattre.

C'est par la suite de ces conseils que Dieu a fait naître les deux puissantes maisons d'où la reine devait sortir, celle de France et celle d'Autriche, dont il se sert pour balancer les choses humaines : jusqu'à quel degré et jusqu'à quel temps ? il le sait, et nous l'ignorons.

---

[1] Voilà toujours le secret de Bossuet : il rend compte de tout par les décrets de la Providence, et il *méprise ces philosophes* qui veulent s'en passer. Dieu, *dans son conseil éternel*, a préparé Marie-Thérèse pour épouse au plus grand des hommes ; et cet homme sera Louis. On a beau se récrier, le soupçonner de flatterie, l'accuser d'*appeler Dieu* cet arrangement politique de deux cours pour le mariage d'une infante ; il ne s'inquiète pas de cela, sûr que, quand il recourt à la Providence, il remonte à la vraie source des événements et à celle des plus beaux mouvements oratoires. (V.)

[2] Voilà la philosophie de la religion, et Bossuet y rattache tout de suite la philosophie de la politique. (B.)

On remarque dans l'Écriture que Dieu donne aux
maisons royales certains caractères propres, comme celui que les Syriens, quoique ennemis des rois d'Israël,
leur attribuaient par ces paroles : « Nous avons appris
« que les rois de la maison d'Israël sont cléments [1]. »

Je n'examinerai pas les caractères particuliers qu'on
a donnés aux maisons de France et d'Autriche; et sans
dire que l'on redoutait davantage les conseils de celle
d'Autriche, ni qu'on trouvait quelque chose de plus vigoureux dans les armes et dans le courage de celle de
France, maintenant que par une grâce particulière ces
deux caractères se réunissent visiblement en notre faveur, je remarquerai seulement ce qui faisait la joie de
la reine : c'est que Dieu avait donné à ces deux maisons,
d'où elle est sortie, la piété en partage; de sorte que
sanctifiée, qu'on m'entende bien, c'est-à-dire consacrée
à la sainteté par sa naissance, selon la doctrine de saint
Paul [2], elle disait avec cet apôtre : « Dieu, que ma famille
« a toujours servi, et à qui je suis dédiée par mes ancê-
« tres : « *Deus cui servio a progenitoribus* [3].

Que s'il faut venir au particulier de l'auguste maison
d'Autriche, que peut-on voir de plus illustre que sa
descendance immédiate, où, durant l'espace de quatre
cents ans, on ne trouve que des rois et des empereurs,
et une si grande affluence de maisons royales, avec tant
d'États et tant de royaumes, qu'on a prévu il y a longtemps qu'elle en serait surchargée?

Qu'est-il besoin de parler de la très-chrétienne maison
de France, qui, par sa noble constitution, est incapable
d'être assujettie à une famille étrangère ; qui est toujours
dominante dans son chef; qui, seule dans tout l'univers

---

[1] *Ecce audivimus quod reges domus Israël clementes sint.* (III Reg.,
XX, 31.)

[2] *Filii vestri... sancti sunt.* (I Cor., VII, 14.)

[3] II Tim., 1, 3.

et dans tous les siècles, se voit après sept cents ans d'une royauté établie (sans compter ce que la grandeur d'une si haute origine fait trouver ou imaginer aux curieux observateurs des antiquités), seule, dis-je, se voit, après tant de siècles encore, dans sa force et dans sa fleur, et toujours en possession du royaume le plus illustre qui fut jamais sous le soleil [1], et devant Dieu et devant les hommes : devant Dieu, d'une pureté inaltérable dans la foi; et devant les hommes, d'une si grande dignité qu'il a pu perdre l'Empire sans perdre sa gloire ni son rang?

La reine a eu part à cette grandeur non-seulement par la riche et fière maison de Bourgogne, mais encore par Isabelle de France [2], sa mère, digne fille de Henri le Grand, et, de l'aveu de l'Espagne, la meilleure reine, comme la plus regrettée, qu'elle eût jamais vue sur le trône. Triste rapport de cette princesse avec la reine sa fille : elle avait à peine quarante-deux ans quand l'Espagne la pleura; et, pour notre malheur, la vie de MARIE-THÉRÈSE n'a guère eu un plus long cours. Mais la sage, la courageuse et la pieuse Isabelle devait une partie de sa gloire aux malheurs de l'Espagne, dont on sait qu'elle trouva le remède par un zèle et par des conseils qui ranimèrent les grands et les peuples, et, si on le peut dire, le roi même. Ne nous plaignons pas, chrétiens, de ce que la reine sa fille, dans un état plus tranquille, donne aussi un sujet moins vif à nos discours; et contentons-nous de penser que dans des occasions aussi malheureuses, dont Dieu nous a préservés, nous y eussions pu trouver les mêmes ressources.

---

[1] On sait que l'empereur Maximilien répétait souvent qu'après le royaume du ciel, c'était celui de France qui excitait le plus son ambition. (C.)

[2] Plus connue sous le nom d'Élisabeth, fille de Henri IV et femme de Philippe IV. Elle mourut en 1644.

Avec quelle application et quelle tendresse Philippe IV,
son père, ne l'avait-il pas élevée? On la regardait en
Espagne non pas comme une infante, mais comme
un infant; car c'est ainsi qu'on y appelle la princesse
qu'on reconnaît comme héritière de tant de royaumes.
Dans cette vue, on approcha d'elle tout ce que l'Espagne avait de plus vertueux et de plus habile. Elle se vit,
pour ainsi parler, dès son enfance tout environnée de
vertus; et on voyait paraître en cette jeune princesse
plus de belles qualités qu'elle n'attendait de couronnes.
Philippe l'élève ainsi pour ses États; Dieu, qui nous
aime, la destine à Louis.

Cessez, princes et potentats, de troubler[1] par vos prétentions le projet de ce mariage. Que l'amour, qui semble aussi le vouloir troubler[2], cède lui-même. L'amour
peut bien remuer le cœur des héros du monde; il peut
bien y soulever des tempêtes et y exciter des mouvements qui fassent trembler les politiques, et qui donnent des espérances aux insensés : mais il y a des âmes
d'un ordre supérieur à ses lois, à qui il ne peut inspirer
des sentiments indignes de leur rang; il y a des mesures
prises dans le ciel, qu'il ne peut rompre; et l'infante,
non-seulement par son auguste naissance, mais encore
par sa vertu et par sa réputation, est seule digne de
Louis.

C'était « la femme prudente qui est donnée propre-

[1] La maison d'Autriche avait surtout intérêt à traverser cette union.
On voulait que l'infante, qui pouvait être héritière de tant d'États en
épousant le jeune Léopold, portât ses droits dans la maison d'Autriche,
et non dans une maison ennemie. Mais enfin Philippe IV ayant eu un
autre fils, et sa femme étant encore enceinte, le danger de donner l'infante au roi de France parut moins grand, et la bataille des Dunes lui
rendit la paix nécessaire. (C.)

[2] Bossuet ne pouvait mieux rappeler la nièce du cardinal Mazarin, à
laquelle Louis XIV faisait une cour assidue. (V.)

« ment par le Seigneur, » comme dit le Sage[1]. Pourquoi « donnée proprement par le Seigneur, » puisque c'est le Seigneur qui donne tout? et quel est ce merveilleux avantage, qui mérite d'être attribué d'une façon si particulière à la divine bonté? Il ne faut, pour l'entendre, que considérer ce que peut dans les maisons la prudence tempérée d'une femme sage pour les soutenir, pour y faire fleurir dans la piété la véritable sagesse, et pour calmer des passions violentes qu'une résistance emportée ne ferait qu'aigrir.

Ile pacifique, où se doivent terminer les différends de deux grands empires à qui tu sers de limites; île éternellement mémorable par les conférences de deux grands ministres[2]; où l'on vit développer toutes les adresses et tous les secrets d'une politique si différente; où l'un se donnait du poids par la lenteur, et l'autre prenait l'ascendant par sa pénétration : auguste journée, où deux fières nations longtemps ennemies, et alors réconciliées par MARIE-THÉRÈSE, s'avancent sur leurs confins, leurs rois à leur tête, non plus pour se combattre, mais pour s'embrasser; où ces deux rois, avec leur cour, d'une grandeur, d'une politesse, et d'une magnificence aussi bien que d'une conduite si différente, furent l'un à l'autre et à tout l'univers un si grand spectacle : fêtes sacrées, mariage fortuné, voile nuptial, bénédiction, sacrifice, puis-je mêler aujourd'hui vos cérémonies et vos pompes avec ces pompes funèbres, et le comble des grandeurs avec leurs ruines? Alors l'Espagne perdit ce que nous

---

[1] *A Domino proprie uxor prudens.* (PROV., XIX, 14.)

[2] Ce fut dans l'île des Faisans, située au milieu de la rivière de la Bidassoa, qui sépare la France de l'Espagne, qu'eurent lieu entre le cardinal Mazarin et don Louis Haro les conférences qui amenèrent le traité des Pyrénées (1659), et, par suite, le mariage du roi de France avec l'infante d'Espagne.

gagnions : maintenant nous perdons tout les uns et les autres; et MARIE-THÉRÈSE périt pour toute la terre. L'Espagne pleurait seule : maintenant que la France et l'Espagne mêlent leurs larmes, et en versent des torrents, qui pourrait les arrêter? Mais, si l'Espagne pleurait son infante qu'elle voyait monter sur le trône le plus glorieux de l'univers, quels seront nos gémissements à la vue de ce tombeau, où tous ensemble nous ne voyons plus que l'inévitable néant des grandeurs humaines? Taisons-nous; ce n'est pas des larmes que je veux tirer de vos yeux. Je pose les fondements des instructions que je veux graver dans vos cœurs : aussi bien la vanité des choses humaines, tant de fois étalée dans cette chaire, ne se montre que trop d'elle-même, sans le secours de ma voix, dans ce sceptre sitôt tombé d'une si royale main, et dans une si haute majesté si promptement dissipée.

Mais ce qui en faisait le plus grand éclat n'a pas encore paru. Une reine si grande par tant de titres le devenait tous les jours par les grandes actions du roi et par le continuel accroissement de sa gloire. Sous lui la France a appris à se connaître. Elle se trouve des forces que les siècles précédents ne savaient pas. L'ordre et la discipline militaire s'augmentent avec les armées. Si les Français peuvent tout, c'est que leur roi est partout leur capitaine; et, après qu'il a choisi l'endroit principal qu'il doit animer par sa valeur, il agit de tous côtés par l'impression de sa vertu[1].

Jamais on n'a fait la guerre avec une force plus inévitable, puisque, en méprisant les saisons, il a ôté jusqu'à la défense à ses ennemis. Les soldats, ménagés et exposés

---

[1] Tout cet éloge de Louis XIV est rempli de beautés très-élevées. Il est fort étendu, et il devait l'être, parce que sa gloire est celle de la reine. (V.)

quand il faut, marchent avec confiance sous ses étendards : nul fleuve ne les arrête, nulle forteresse ne les
effraie. On sait que Louis foudroie les villes plutôt qu'il
ne les assiége ; et tout est ouvert à sa puissance.

Les politiques ne se mêlent plus de deviner ses desseins. Quand il marche, tout se croit également menacé : un voyage tranquille[1] devient tout à coup une
expédition redoutable à ses ennemis. Gand tombe avant
qu'on pense à le munir : Louis y vient par de longs détours ; et la reine, qui l'accompagne au cœur de l'hiver,
joint au plaisir de le suivre celui de servir secrètement
à ses desseins.

Par les soins d'un si grand roi, la France entière n'est
plus, pour ainsi parler, qu'une seule forteresse qui
montre de tous côtés un front redoutable. Couverte de
toutes parts, elle est capable de tenir la paix avec sûreté
dans son sein, mais aussi de porter la guerre partout
où il faut, et de frapper de près et de loin avec une
égale force. Nos ennemis le savent bien dire ; et nos alliés ont ressenti, dans le plus grand éloignement, combien la main de Louis était secourable[2].

[1] Bossuet fait sans doute allusion ici aux premières conquêtes du roi
en Flandre, où il envoya trois armées en 1667, pour appuyer ses prétentions sur le duché de Brabant. Il se mit à la tête de la plus nombreuse,
commandée par Turenne. Il mena à cette expédition, à laquelle on
donna le nom de prise de possession, la reine son épouse, avec une
cour brillante. Entre cette époque et celle indiquée par la phrase suivante il s'écoula onze ans. C'est en 1678 que Louis XIV partit de Versailles
et se rendit en Flandre, où il investit Gand, qu'il emporta en cinq jours.
L'orateur dit qu'il y vint par de longs détours, parce que auparavant
il se rendit en Lorraine, et menaça Luxembourg, pour attirer l'ennemi
de ce côté, et distraire son attention. (C.)

[2] A la sollicitation de l'empereur Léopold, une expédition fut dirigée
contre les Turcs. Montecuculli fait, dans ses Mémoires, le plus grand
éloge de la valeur française, à laquelle on dut le succès de la journée
décisive du Saint-Gothard, qui amena une trêve de vingt ans entre la
Turquie et l'Autriche.

Avant lui, la France, presque sans vaisseaux, tenait en vain aux deux mers : maintenant on les voit couvertes, depuis le levant jusqu'au couchant, de nos flottes victorieuses ; et la hardiesse française porte partout la terreur avec le nom de Louis. Tu céderas, ou tu tomberas sous ce vainqueur, Alger, riche des dépouilles de la chrétienté[1]. Tu disais en ton cœur avare : Je tiens la mer sous mes lois, et les nations sont ma proie. La légèreté de tes vaisseaux te donnait de la confiance ; mais tu te verras attaquée dans tes murailles comme un oiseau ravissant qu'on irait chercher parmi ses rochers et dans son nid, où il partage son butin à ses petits. Tu rends déjà tes esclaves. Louis a brisé les fers dont tu accablais ses sujets, qui sont nés pour être libres sous son glorieux empire[2]. Tes maisons ne sont plus qu'un amas de pierres. Dans ta brutale fureur[3], tu te tournes contre toi-même, et tu ne sais comment assouvir ta rage impuissante. Mais nous verrons la fin de tes brigandages. Les pilotes étonnés s'écrient par avance : « Qui est sem- « blable à Tyr ? et toutefois elle s'est tue dans le milieu « de la mer[4]. » Et la navigation va être assurée par les armes de Louis.

L'éloquence s'est épuisée à louer la sagesse de ses lois et l'ordre de ses finances. Que n'a-t-on pas dit de sa fermeté, à laquelle nous voyons céder jusqu'à la fureur des duels ? La sévère justice de Louis, jointe à ses incli-

---

[1] Cette apostrophe à Alger est une heureuse imitation de la prophétie d'Isaïe sur Tyr. (V.)

[2] C'est Duquesne qui fut chargé du bombardement d'Alger. Cette ville remit entre ses mains les esclaves chrétiens qu'elle possédait encore, et qui étaient échappés à la férocité des barbares.

[3] En effet les Algériens, dans la rage que leur inspirait la destruction répandue autour d'eux, lancèrent aux ennemis, à l'aide de leurs mortiers, les membres épars de leurs prisonniers et du consul lui-même. (C.)

[4] *Quæ est ut Tyrus, quæ obmutuit in medio maris?* (EZECH., XXVII, 32.)

nations bienfaisantes, fait aimer à la France l'autorité sous laquelle heureusement réunie elle est tranquille et victorieuse. Qui veut entendre combien la raison préside dans les conseils de ce prince n'a qu'à prêter l'oreille quand il lui plaît d'en expliquer les motifs. Je pourrais ici prendre à témoin les sages ministres des cours étrangères, qui le trouvent aussi convaincant dans ses discours que redoutable par ses armes. La noblesse de ses expressions vient de celle de ses sentiments, et ses paroles précises sont l'image de la justesse qui règne dans ses pensées. Pendant qu'il parle avec tant de force, une douceur surprenante lui ouvre les cœurs, et donne, je ne sais comment, un nouvel éclat à la majesté qu'elle tempère.

N'oublions pas ce qui faisait la joie de la reine. Louis est le rempart de la religion; c'est à la religion qu'il fait servir ses armes redoutées par mer et par terre. Mais songeons qu'il ne l'établit partout au dehors que parce qu'il la fait régner au dedans et au milieu de son cœur. C'est là qu'il abat des ennemis plus terribles que ceux que tant de puissances jalouses de sa grandeur, et l'Europe entière, pourraient armer contre lui. Nos vrais ennemis sont en nous-mêmes; et Louis combat ceux-là plus que tous les autres. Vous voyez tomber de toutes parts les temples de l'hérésie[1] : ce qu'il renverse au dedans est un sacrifice bien plus agréable; et l'ouvrage du chrétien, c'est de détruire les passions, qui feraient de nos cœurs un temple d'idoles[2]. Que servirait à Louis d'avoir étendu sa gloire partout où s'étend le genre humain? Ce ne lui est rien d'être l'homme que les autres

---

[1] Allusion à la révocation de l'édit de Nantes.

[2] La victoire que Louis XIV remporta sur sa passion, en congédiant la nièce de Mazarin, commença à faire connaître qu'il avait une grande âme.

hommes admirent : il veut être, avec David, « l'homme
« selon le cœur de Dieu [1].» C'est pourquoi Dieu le bénit.
Tout le genre humain demeure d'accord qu'il n'y a rien
de plus grand que ce qu'il fait, si ce n'est qu'on veuille
compter pour plus grand encore tout ce qu'il n'a pas
voulu faire, et les bornes qu'il a données à sa puissance. Adorez donc, ô grand roi! celui qui vous fait
régner, qui vous fait vaincre, et qui vous donne dans la
victoire, malgré la fierté qu'elle inspire, des sentiments
si modérés. Puisse la chrétienté ouvrir les yeux, et reconnaître le vengeur que Dieu lui envoie! Pendant, ô malheur! ô honte! ô juste punition de nos péchés! pendant,
dis-je, qu'elle est ravagée par les infidèles, qui pénètrent
jusqu'à ses entrailles, que tarde-t-elle à se souvenir et
des secours de Candie [2], et de la fameuse journée du
Raab [3], où Louis renouvela dans le cœur des infidèles
l'ancienne opinion qu'ils ont des armes françaises fatales
à leur tyrannie, et, par des exploits inouïs, devint le
rempart de l'Autriche, dont il avait été la terreur?

Ouvrez donc les yeux, chrétiens, et regardez ce héros, dont nous pouvons dire, comme saint Paulin disait
du grand Théodose [4], que nous voyons en Louis, « non
« un roi, mais un serviteur de Jésus-Christ, et un prince

---

[1] I Reg., xiii, 14.

[2] Le roi donna inutilement aux autres princes l'exemple de secourir
Candie, assiégée par les Turcs. Ses galères et ses vaisseaux y portèrent
sept mille hommes, commandés par le duc de Beaufort; secours devenu
trop faible dans un si grand danger, parce que la générosité française ne
fut imitée par personne.

[3] Il y eut un grand combat au Saint-Gothard, au bord du Raab,
entre les Turcs et l'armée de l'Empereur. Les Français y firent des prodiges de valeur.

[4] *In Theodosio non imperatorem, sed Christi servum; nec regno, sed
fide, principem prædicamus.* — Le texte porte : *In Theodosio non tam
imperatorem quam Christi servum; nec regno, sed fide, principem prædi-
carem.* (Ad Sev., Ep. xxviii, n. 6.)

« qui s'élève au-dessus des hommes plus encore par sa
« foi que par sa couronne. »

C'était, messieurs, d'un tel héros que MARIE-THÉRÈSE
devait partager la gloire d'une façon particulière, puisque, non contente d'y avoir part comme compagne de
son trône, elle ne cessait d'y contribuer par la persévérance de ses vœux.

Pendant que ce grand roi la rendait la plus illustre
de toutes les reines, vous la faisiez, monseigneur, la
plus illustre de toutes les mères. Vos respects l'ont con-
solée de la perte de ses autres enfants. Vous les lui avez
rendus : elle s'est vue renaître dans ce prince [1] qui fait
vos délices et les nôtres; et elle a trouvé une fille digne
d'elle dans cette auguste princesse qui, par son rare
mérite autant que par les droits d'un nœud sacré, ne
fait avec vous qu'un même cœur. Si nous l'avons admirée dès le moment qu'elle parut, le roi a confirmé notre
jugement; et maintenant devenue, malgré ses souhaits,
la principale décoration d'une cour dont un si grand
roi fait le soutien, elle est la consolation de toute la
France.

Ainsi notre reine [2], heureuse par sa naissance, qui
lui rendait la piété aussi bien que la grandeur comme
héréditaire, par sa sainte éducation, par son mariage,
par la gloire et par l'amour d'un si grand roi, par le
mérite et par les respects de ses enfants, et par la vénération de tous les peuples, ne voyait rien sur la terre

[1] Bossuet parle ici de Louis de France, qu'on appelait Monseigneur
et le grand Dauphin, et qui avait épousé la fille de l'électeur de Bavière.
De six enfants que Louis XIV eut de Marie-Thérèse, le Dauphin seul survécut à sa mère.

[2] Bossuet, par cette phrase, qui est un résumé de tout ce qui a précédé, se rattache à son sujet, dont il semblait s'être écarté, et montre
que les éloges qu'il vient de faire ne sont pas des hors-d'œuvre, mais
des développements nécessaires à l'histoire de Marie-Thérèse. (C.)

qui ne fût au-dessous d'elle. Élevez maintenant, ô Seigneur ! et mes pensées et ma voix. Que je puisse représenter à cette auguste audience l'incomparable beauté d'une âme que vous avez toujours habitée, qui n'a jamais « affligé votre Esprit saint [1], » qui jamais n'a perdu « le goût du don céleste [2]; » afin que nous commencions, malheureux pécheurs, à verser sur nousmêmes un torrent de larmes, et que, ravis des chastes attraits de l'innocence, jamais nous ne nous lassions d'en pleurer la perte.

A la vérité, chrétiens, quand on voit dans l'Évangile [3] la brebis perdue préférée par le bon pasteur à tout le reste du troupeau; quand on y lit cet heureux retour du prodigue retrouvé, et ce transport d'un père attendri qui met en joie toute sa famille, on est tenté de croire que la pénitence est préférée à l'innocence même, et que le prodigue retourné reçoit plus de grâces que son aîné, qui ne s'est jamais échappé de la maison paternelle. Il est l'aîné toutefois; et deux mots, que lui dit son père, lui font bien entendre qu'il n'a pas perdu ses avantages : « Mon fils, lui dit-il [4], vous êtes toujours avec « moi; et tout ce qui est à moi est à vous. » Cette parole, messieurs, ne se traite guère dans les chaires, parce que cette inviolable fidélité ne se trouve guère dans les mœurs. Expliquons-la toutefois, puisque notre illustre sujet nous y conduit, et qu'elle a une parfaite conformité avec notre texte. Une excellente doctrine de saint Thomas nous la fait entendre, et concilie toutes choses. Dieu témoigne plus d'amour au juste toujours fidèle; il

---

[1] *Nolite contristare Spiritum sanctum Dei.* (EPHES., IV, 30.)
[2] *Gustaverunt donum cœleste.* (HEB., VI, 4.)
[3] LUC., XV, 4 et 20.
[4] *Fili, tu semper mecum es : et omnia mea tua sunt.* (Ibid., 31.)

en témoigne davantage aussi au pécheur réconcilié, mais en deux manières différentes. L'un paraîtra plus favorisé, si l'on a égard à ce qu'il est; et l'autre, si l'on remarque d'où il est sorti. Dieu conserve au juste un plus grand don; il retire le pécheur d'un plus grand mal. Le juste semblera plus avantagé, si l'on pèse son mé-, rite; et le pécheur plus chéri, si l'on considère son indignité. Le père du prodigue l'explique lui-même : « Mon « fils, vous êtes toujours avec moi; et tout ce qui est à « moi est à vous. » C'est ce qu'il dit à celui à qui il conserve un plus grand don : « Il fallait se réjouir, parce « que votre frère était mort; et il est ressuscité [1]. » C'est ainsi qu'il parle de celui qu'il retire d'un plus grand abîme de maux. Ainsi les cœurs sont saisis d'une joie soudaine par la grâce inespérée d'un beau jour d'hiver, qui, après un temps pluvieux, vient réjouir tout d'un coup la face du monde; mais on ne laisse pas de lui préférer la constante sérénité d'une saison plus bénigne : et, s'il nous est permis d'expliquer les sentiments du Sauveur par ces sentiments humains, il s'émeut plus sensiblement sur les pécheurs convertis, qui sont sa nouvelle conquête; mais il réserve une plus douce familiarité aux justes, qui sont ses anciens et perpétuels amis, puisque, s'il dit, parlant du prodigue : « Qu'on lui rende sa première robe [2], » il ne lui dit pas toutefois : « Vous êtes toujours avec moi; » ou, comme saint Jean le répète dans l'Apocalypse : « Ils sont tou- « jours avec l'Agneau, et paraissent sans tache devant « son trône : » *Sine macula sunt ante thronum Dei.*

Comment se conserve cette pureté dans ce lieu de ten-

---

[1] *Gaudere oportebat, quia frater tuus hic mortuus erat; et revixit.* (Luc., xv, 32.)

[2] *Dixit pater ad servos suos : Cito proferte stolam primam, et induite illum.* (Luc., xv, 22.)

tations et parmi les illusions des grandeurs du monde, vous l'apprendrez de la reine. Elle est de ceux dont le Fils de Dieu a prononcé dans l'Apocalypse[1] : Celui qui « sera victorieux, je le ferai comme une colonne dans « le temple de mon Dieu : » *Faciam illum columnam in templo Dei mei.* Il en sera l'ornement, il en sera le soutien par son exemple ; il sera haut, il sera ferme. Voilà déjà quelque image de la reine. « Il ne sortira jamais du « temple : » *Foras non egredietur amplius*[2]. Immobile comme une colonne, il aura sa demeure fixe dans la maison du Seigneur, et n'en sera jamais séparé par aucun crime. « Je le ferai, » dit Jésus-Christ ; et c'est l'ouvrage de ma grâce. Mais comment affermira-t-il cette colonne ? Écoutez, voici le mystère : « Et j'écrirai dessus, » poursuit le Sauveur. J'élèverai la colonne, mais en même temps je mettrai dessus une inscription mémorable. Hé ! qu'écrirez-vous, ô Seigneur ? Trois noms seulement, afin que l'inscription soit aussi courte que magnifique : « J'y écrirai, dit-il[3], le nom de mon Dieu, et le nom de « la cité de mon Dieu, la nouvelle Jérusalem, et mon « nouveau nom. » Ces noms, comme la suite le fera paraître, signifient une foi vive dans l'intérieur, les pratiques extérieures de la piété dans les saintes observances de l'Église, et la fréquentation des saints sacrements : trois moyens de conserver l'innocence, et l'abrégé de la vie de notre sainte princesse. C'est ce que vous verrez écrit sur la colonne, et vous lirez dans son inscription les causes de sa fermeté. Et d'abord : « J'y écrirai, dit-il, le nom de mon Dieu, » en lui inspirant une foi vive. C'est, messieurs, par une telle foi que le nom de Dieu est gravé profondément dans nos cœurs. Une foi vive est

---

[1] APOC., III, 12. — [2] Ibid.

[3] *Scribam super eum nomen Dei mei, et nomen civitatis Dei mei, novæ Jerusalem,... et nomen meum novum.* (APOC., III, 12.)

le fondement de la stabilité que nous admirons : car d'où viennent nos inconstances, si ce n'est de notre foi chancelante? Parce que ce fondement est mal affermi, nous craignons de bâtir dessus, et nous marchons d'un pas douteux dans le chemin de la vertu. La foi seule a de quoi fixer l'esprit vacillant; car écoutez les qualités que saint Paul lui donne [1] : *Fides sperandarum substantia rerum.* « La foi, dit-il, est une substance, » un solide fondement, un ferme soutien. Mais de quoi? de ce qui se voit dans le monde? Comment donner une consistance, ou, pour parler avec saint Paul, une substance et un corps à cette ombre fugitive? La foi est donc un soutien, mais « des choses qu'on doit espérer. » Et quoi encore ? *Argumentum non apparentium :* « C'est une pleine con-« viction de ce qui ne paraît pas. » La foi doit avoir en elle la conviction. Vous ne l'avez pas, direz-vous : j'en sais la cause; c'est que vous craignez de l'avoir, au lieu de la demander à Dieu, qui la donne. C'est pourquoi tout tombe en ruine dans vos mœurs, et vos sens trop décisifs emportent si facilement votre raison incertaine et irrésolue. Et que veut dire cette conviction dont parle l'Apôtre, si ce n'est, comme il dit ailleurs [2], « une sou-« mission de l'intelligence entièrement captivée sous « l'autorité d'un Dieu qui parle ? » Considérez la pieuse reine devant les autels; voyez comme elle est saisie de la présence de Dieu : ce n'est pas par sa suite qu'on la connaît, c'est par son attention et par cette respectueuse immobilité qui ne lui permet pas même de lever les yeux. Le sacrement adorable approche. Ah ! la foi du centurion, admirée par le Sauveur même, ne fut pas plus vive, et il ne dit pas plus humblement : « Je ne suis pas di-

----

[1] Heb., XI, 1.

[2] *In captivitatem redigentes omnem intellectum in obsequium Christi.* (II Cor. x, 5.)

gne [1]. » Voyez comme elle frappe cette poitrine innocente, comme elle se reproche les moindres péchés, comme elle abaisse cette tête auguste devant laquelle s'incline l'univers. La terre, son origine et sa sépulture, n'est pas encore assez basse pour la recevoir : elle voudrait disparaître tout entière devant la majesté du roi des rois. Dieu lui grave par une foi vive, dans le fond du cœur, ce que disait Isaïe [2] : « Cherchez des antres « profonds ; cachez-vous dans les ouvertures de la terre « devant la face du Seigneur, et devant la gloire d'une « si haute majesté. »

Ne vous étonnez donc pas si elle est si humble sur le trône. O spectacle merveilleux, et qui ravit en admiration le ciel et la terre! Vous allez voir une reine qui, à l'exemple de David, attaque de tous côtés sa propre grandeur, et tout l'orgueil qu'elle inspire : vous verrez dans les paroles de ce grand roi la vive peinture de la reine, et vous en reconnaîtrez tous les sentiments. *Domine, non est exaltatum cor meum!* « O Seigneur, mon « cœur ne s'est point haussé [3]! » voilà l'orgueil attaqué dans sa source. *Neque elati sunt oculi mei;* « mes regards « ne se sont pas élevés : » en voilà l'ostentation et le faste réprimé. Ah! Seigneur, je n'ai pas eu ce dédain qui empêche de jeter les yeux sur les mortels trop rampants, et qui fait dire à l'âme arrogante : « Il n'y a que « moi sur la terre [4]. » Combien était ennemie la pieuse reine de ces regards dédaigneux ! et dans une si haute élévation, qui vit jamais paraître en cette princesse ou

---

[1] MATTH., VIII, 8, 10.

[2] *Ingredere in petram, et abscondere in fossa humo a facie timoris Domini, et a gloria majestatis ejus.* (ISAI., II, 10.)

[3] Ps. CXXX, 1.

[4] *Dicis in corde tuo : Ego sum, et non est præter me amplius.* (ISAI., XLVII, 8.)

le moindre sentiment d'orgueil, ou le moindre air de
mépris ? David poursuit : *Neque ambulavi in magnis, neque in mirabilibus super me;* « je ne marche point dans
« de vastes pensées, ni dans des merveilles qui me pas-
« sent. » Il combat ici les excès où tombent naturellement les grandes puissances. « L'orgueil, qui monte
« toujours[1], » après avoir porté ses prétentions à ce que
la grandeur humaine a de plus solide, ou plutôt de moins
ruineux, pousse ses desseins jusqu'à l'extravagance, et
donne témérairement dans des projets insensés, comme
faisait ce roi superbe (digne figure de l'ange rebelle),
« lorsqu'il disait en son cœur : Je m'élèverai au-dessus
« des nues, je poserai mon trône sur les astres, et je se-
« rai semblable au Très-Haut[2]. » Je ne me perds point,
dit David, dans de tels excès; et voilà l'orgueil méprisé
dans ses égarements. Mais après l'avoir ainsi rabattu dans
tous les endroits par où il semblait vouloir s'élever,
David l'atterre tout à fait par ces paroles : « Si, dit-il,
« je n'ai pas eu d'humbles sentiments, et que j'aie exalté
« mon âme : » *Si non humiliter sentiebam, sed exaltavi animam meam;* ou, comme traduit saint Jérôme : *Si non silere
feci animam meam :* « si je n'ai pas fait taire mon âme : »
si je n'ai pas imposé silence à ces flatteuses pensées
qui se présentent sans cesse pour enfler nos cœurs. Et
enfin il conclut ainsi ce beau psaume : *Sicut ablactatus
ad matrem suam, sic ablactata est anima mea.* «Mon âme a
« été, dit-il, comme un enfant sevré. » Je me suis arra-
ché moi-même aux douceurs de la gloire humaine, peu
capables de me soutenir, pour donner à mon esprit une
nourriture plus solide. Ainsi l'âme supérieure domine

---

[1] *Superbia eorum qui te oderunt ascendit semper.* (Ps. LXXIII, 23.)

[2] *Qui dicebas in corde tuo : In cœlum conscendam; super astra Dei
exaltabo solium meum... Ascendam super altitudinem nubium : similis
ero Altissimo.* (ISAI., XIV, 13, 14.)

de tous côtés cette impérieuse grandeur, et ne lui laisse dorénavant aucune place. David ne donna jamais de plus beau combat. Non, mes frères, les Philistins défaits, et les ours mêmes déchirés de ses mains, ne sont rien à comparaison de sa grandeur qu'il a domptée. Mais la sainte princesse que nous célébrons l'a égalé dans la gloire d'un si beau triomphe.

Elle sut pourtant se prêter au monde avec toute la dignité que demandait sa grandeur. Les rois, non plus que le soleil, n'ont pas reçu en vain l'éclat qui les environne : il est nécessaire au genre humain ; et ils doivent, pour le repos autant que pour la décoration de l'univers, soutenir une majesté[1] qui n'est qu'un rayon de celle de Dieu. Il était aisé à la reine de faire sentir une grandeur qui lui était naturelle[2]. Elle était née dans une cour où la majesté se plaît à paraître avec tout son appareil, et d'un père qui sut conserver avec une grâce, comme avec une jalousie particulière, ce qu'on appelle en Espagne les coutumes de qualité et les bienséances du palais. Mais elle aimait mieux tempérer la majesté, et l'anéantir devant Dieu, que de la faire éclater devant les hommes. Ainsi nous la voyions courir aux autels, pour y goûter avec David un humble repos, et s'enfoncer dans son oratoire, où, malgré le tumulte de la cour, elle trouvait le Carmel d'Élie, le désert de Jean, et

---

[1] VAR. *Première édition* : Les rois doivent cet éclat à l'univers, comme le soleil lui doit sa lumière ; et, pour le repos du genre humain, ils doivent soutenir une majesté, etc.

[2] On ne saurait donner une idée plus juste des mœurs de cette princesse et de la hauteur de ses sentiments, qu'en rapportant une réponse qu'elle fit un jour à une carmélite qu'elle avait priée de lui aider à faire son examen de conscience pour une confession générale. Cette religieuse lui demanda si, avant son mariage, elle n'avait point eu envie de plaire à quelques-uns des jeunes gens de la cour du roi son père : « Oh non ! ma mère, dit-elle, il n'y avait point de rois. » (*Le président* HÉNAULT.)

la montagne si souvent témoin des gémissements de
Jésus.

J'ai appris de saint Augustin que « l'âme attentive se
« fait elle-même[1] une solitude : » *Gignit enim sibi ipsa
mentis intentio solitudinem*[2]. Mais, mes frères, ne nous
flattons pas; il faut savoir se donner des heures d'une
solitude effective, si l'on veut conserver les forces de
l'âme. C'est ici qu'il faut admirer l'inviolable fidélité
que la reine gardait à Dieu. Ni les divertissements, ni
les fatigues des voyages, ni aucune occupation ne lui
faisait perdre ces heures particulières qu'elle destinait
à la méditation et à la prière. Aurait-elle été si persévé-
rante dans cet exercice, si elle n'y eût goûté « la manne
« cachée, que nul ne connaît que celui qui en ressent les
« saintes douceurs[3] ? » C'est là qu'elle disait avec David :
« O Seigneur, votre servante a trouvé son cœur pour
« vous faire cette prière ! » *Invenit servus tuus cor suum*[4].
Où allez-vous, cœurs égarés? Quoi, même pendant la
prière, vous laissez errer votre imagination vagabonde;
vos ambitieuses pensées vous reviennent devant Dieu ;
elles font même le sujet de votre prière ! Par l'effet du
même transport qui vous fait parler aux hommes de
vos prétentions, vous en venez encore parler à Dieu,
pour faire servir le ciel et la terre à vos intérêts. Ainsi
votre ambition, que la prière devait éteindre, s'y
échauffe : feu bien différent de celui que David « sentait

---

[1] On lit ainsi dans les éditions données par l'auteur, et non pas *à
elle-même*, comme portent les éditions vulgaires.

[2] *De divers. Quæstion. ad Simplicium*, lib. II, Quæst. IV ; tom. VI,
col. 118.

[3] *Vincenti dabo manna absconditum :... et... nomen novum... quod
nemo scit, nisi qui accipit.* (Apoc., II, 17.)

[4] *Invenit servus tuus cor suum hac. ut araret te oratione* (II Reg.,
cap. VII, 27.)

« allumer dans sa méditation[1]. » Ah ! plutôt puissiez
vous dire avec ce grand roi, et avec la pieuse reine que
nous honorons :« O Seigneur, votre serviteur a trouvé
son cœur ! » J'ai rappelé ce fugitif, et le voilà tout entier devant votre face.

Ange saint qui présidiez à l'oraison de cette sainte
princesse, et qui portiez cet encens au-dessus des nues
pour le faire brûler sur l'autel que saint Jean a vu dans
le ciel[2], racontez-nous les ardeurs de ce cœur blessé de
l'amour divin : faites-nous paraître ces torrents de larmes
que la reine versait devant Dieu pour ses péchés. Quoi
donc, les âmes innocentes ont-elles aussi les pleurs et
les amertumes de la pénitence? Oui, sans doute, puisqu'il
est écrit que « rien n'est pur sur la terre[3], » et que ce-
« lui qui dit qu'il ne pèche pas se trompe lui-même[4].»
Mais c'est des péchés légers; légers par comparaison,
je le confesse : légers en eux-mêmes; la reine n'en connaît aucun de cette nature. C'est ce que porte en son
fonds toute âme innocente. La moindre ombre se remarque sur ces vêtements qui n'ont pas encore été salis, et
leur vive blancheur en accuse toutes les taches. Je trouve
ici les chrétiens trop savants. Chrétien[5], tu sais trop la
distinction des péchés véniels d'avec les mortels. Quoi,
le nom commun de péché ne suffira pas pour te les faire
détester les uns et les autres ? Sais-tu que ces péchés qui
semblent légers deviennent accablants par leur multi-

---

[1] *Concaluit cor meum intra me : et in meditatione mea exardescet ignis.*
(Ps. xxxviii, 4.)

[2] Apoc., viii, 3.

[3] *Cœli non sunt mundi in conspectu ejus.* (Job, xv, 15.)

[4] *Si dixerimus quoniam peccatum non habemus, ipsi nos seducimus.*
(I Joan., 1, 8.)

[5] Cette apostrophe est vive et belle; mais tout ce long morceau est
absolument du genre des sermons. (V.)

tude, à cause des funestes dispositions[1] qu'ils mettent dans les consciences? C'est ce qu'enseignent d'un commun accord tous les saints docteurs, après saint Augustin et saint Grégoire. Sais-tu que les péchés qui seraient véniels par leur objet peuvent devenir mortels par l'excès de l'attachement? Les plaisirs innocents le deviennent bien, selon la doctrine des saints; et seuls ils ont pu damner le mauvais riche, pour avoir été trop goûtés. Mais qui sait le degré qu'il faut pour leur inspirer ce poison mortel? et n'est-ce pas une des raisons qui fait que David s'écrie : *Delicta quis intelligit*[2]? « Qui peut connaître ses péchés? » Que je hais donc ta vaine science et ta mauvaise subtilité, âme téméraire, qui prononces si hardiment : Ce péché que je commets sans crainte est véniel! L'âme vraiment pure n'est pas si savante. La reine sait en général qu'il y a des péchés véniels, car la foi l'enseigne; mais la foi ne lui enseigne pas que les siens le soient. Deux choses vous vont faire voir l'éminent degré de sa vertu. Nous le savons, chrétiens, et nous ne donnons point de fausses louanges devant ces autels : elle a dit souvent, dans cette bienheureuse simplicité qui lui était commune avec tous les saints, qu'elle ne comprenait pas comment on pouvait commettre volontairement un seul péché, pour petit qu'il fût. Elle ne disait donc pas, Il est véniel: elle disait, Il est péché; et son cœur innocent se soulevait. Mais comme il échappe toujours quelque péché à la fragilité humaine, elle ne disait pas, Il est léger : encore une fois, Il est péché, disait-elle. Alors, pénétrée des siens, s'il arrivait quelque malheur à sa personne, à sa famille, à l'État, elle s'en accusait seule. Mais quels malheurs, direz-vous, dans cette grandeur et dans un si long cours de prospérités?

[1] VAR. *Première édition* : et par les funestes dispositions, etc.
[2] Ps. XVIII, 13.

Vous croyez donc que les déplaisirs et les plus mortelles douleurs ne se cachent pas sous la pourpre? ou qu'un royaume est un remède universel à tous les maux, un baume qui les adoucit, un charme qui les enchante? au lieu que par un conseil de la Providence divine, qui sait donner aux conditions les plus élevées leur contre-poids, cette grandeur que nous admirons de loin comme quelque chose au-dessus de l'homme touche moins quand on y est né, ou se confond elle-même dans son abondance; et qu'il se forme au contraire parmi les grandeurs une nouvelle sensibilité pour les déplaisirs, dont le coup est d'autant plus rude qu'on est moins préparé à le soutenir.

Il est vrai que les hommes aperçoivent moins cette malheureuse délicatesse dans les âmes vertueuses. On les croit insensibles, parce que non-seulement elles savent taire, mais encore sacrifier leurs peines secrètes. Mais le Père céleste se plaît à les regarder dans ce secret; et comme il sait leur préparer leur croix, il y mesure aussi leur récompense. Croyez-vous que la reine pût être en repos dans ces fameuses campagnes qui nous apportaient coup sur coup tant de surprenantes nouvelles? Non, messieurs : elle était toujours tremblante, parce qu'elle voyait toujours cette précieuse vie, dont la sienne dépendait, trop facilement hasardée. Vous avez vu ses terreurs : vous parlerai-je de ses pertes, et de la mort de ses chers enfants? Ils lui ont tous déchiré le cœur. Représentons-nous ce jeune prince[1] que les Grâces semblaient elles-mêmes avoir formé de leurs mains : pardonnez-moi ces expressions. Il me semble que je vois encore tomber cette fleur. Alors, triste messager[2] d'un

[1] Le duc d'Anjou, second fils de la reine, mort en 1671, âgé de trois ans.

[2] En 1672, Bossuet, alors précepteur du Dauphin, avait été chargé

événement si funeste, je fus aussi le témoin, en voyant le
roi et la reine, d'un côté de la douleur la plus pénétrante,
et de l'autre des plaintes les plus lamentables ; et sous
des formes différentes, je vis une affliction sans mesure. Mais je vis aussi des deux côtés la foi également
victorieuse ; je vis le sacrifice agréable de l'âme humiliée
sous la main de Dieu, et deux victimes royales immoler
d'un commun accord leur propre cœur.

Pourrai-je maintenant jeter les yeux sur la terrible
menace du ciel irrité, lorsqu'il sembla si longtemps
vouloir frapper ce Dauphin même, notre plus chère espérance? Pardonnez-moi, messieurs, pardonnez-moi si
je renouvelle vos frayeurs. Il faut bien, et je le puis
dire, que je me fasse à moi-même cette violence, puisque je ne puis montrer qu'à ce prix la constance de la
reine. Nous vîmes alors dans cette princesse, au milieu
des alarmes d'une mère, la foi d'une chrétienne. Nous
vîmes un Abraham prêt à immoler Isaac, et quelques
traits de Marie quand elle offrit son Jésus. Ne craignons
point de le dire, puisqu'un Dieu ne s'est fait homme
que pour assembler autour de lui des exemples pour
tous les états. La reine, pleine de foi, ne se propose pas
un moindre modèle que Marie. Dieu lui rend aussi son
fils unique, qu'elle lui offre d'un cœur déchiré, mais
soumis, et veut que nous lui devions encore une fois un
si grand bien.

On ne se trompe pas, chrétiens, quand on attribue
tout à la prière. Dieu, qui l'inspire, ne lui peut rien
refuser. « Un roi, dit David[1], ne se sauve pas par ses

d'annoncer à Louis XIV et à la reine la mort du jeune duc d'Anjou. Il
rappelle cet événement avec un charme d'expression et de sensibilité
qui retrace les images les plus touchantes de Virgile. (B.)

[1] *Non salvatur rex per multam virtutem : et gigas non salvabitur in
multitudine virtutis suæ.* (Ps. XXXII, 16.)

« armées ; et le puissant ne se sauve pas par sa valeur. »
Ce n'est pas aussi aux sages conseils qu'il faut attribuer
les heureux succès. « Il s'élève, dit le Sage [1], plusieurs
« pensées dans le cœur de l'homme : » reconnaissez
l'agitation et les pensées incertaines des conseils humains : « mais, poursuit-il, la volonté du Seigneur de-
« meure ferme ; » et pendant que les hommes délibè-
rent, il ne s'exécute que ce qu'il résout. « Le Terrible,
« le Tout-Puissant, qui ôte, quand il lui plaît, l'esprit
« des princes [2], » le leur laisse aussi quand il veut,
pour les confondre davantage, « et les prendre dans
« leurs propres finesses [3]. Car il n'y a point de prudence,
« il n'y a point de sagesse, il n'y a point de conseil con-
« tre le Seigneur [4]. » Les Machabées étaient vaillants ; et
néanmoins il est écrit « qu'ils combattaient par leurs
« prières » plus que par leurs armes : *Per orationes
congressi sunt* [5] : assurés, par l'exemple de Moïse, que les
mains élevées à Dieu enfoncent plus de bataillons que
celles qui frappent. Quand tout cédait à Louis, et que nous
crûmes voir revenir le temps des miracles, où les murailles tombaient au bruit des trompettes, tous les peuples jetaient les yeux sur la reine, et croyaient voir partir de son oratoire la foudre qui accablait tant de villes.

Que si Dieu accorde aux prières les prospérités temporelles, combien plus leur accorde-t-il les vrais biens,
c'est-à-dire les vertus ! Elles sont le fruit naturel d'une

---

[1] *Multæ cogitationes in corde viri : voluntas autem Domini perma-
nebit.* (Prov., XIX, 21.)

[2] *Vovete et reddite Domino Deo vestro... terribili, et ei qui aufert spiritum principum.* (Ps. LXXV, 12, 13.)

[3] *Qui apprehendit sapientes in astutia eorum.* (Job, V, 13 ; I Cor.,
III, 19.)

[4] *Non est sapientia, non est prudentia, non est consilium contra Domi-
num.* (Prov., XXI, 30.)

[5] II Mach., XV, 25.

âme unie à Dieu par l'oraison. L'oraison, qui nous les
obtient, nous apprend à les pratiquer non-seulement
comme nécessaires, mais encore comme reçues « du
« Père des lumières, d'où descend sur nous tout don
« parfait [1]. » Et c'est là le comble de la perfection, parce
que c'est le fondement de l'humilité. C'est ainsi que
MARIE-THÉRÈSE attira par la prière toutes les vertus
dans son âme. Dès sa première jeunesse elle fut, dans
les mouvements d'une cour alors assez turbulente, la
consolation et le seul soutien de la vieillesse infirme du
roi son père. La reine sa belle-mère, malgré ce nom
odieux, trouva en elle non-seulement un respect, mais
encore une tendresse que ni le temps ni l'éloignement
n'ont pu altérer : aussi pleure-t-elle sans mesure, et ne
veut point recevoir de consolation. Quel cœur, quel respect, quelle soumission n'a-t-elle pas eue pour le roi !
toujours vive pour ce grand prince, toujours jalouse de
sa gloire, uniquement attachée aux intérêts de son État,
infatigable dans les voyages, et heureuse pourvu qu'elle
fût en sa compagnie ; femme enfin où saint Paul aurait
vu l'Église occupée de Jésus-Christ [2], et unie à ses volontés par une éternelle complaisance. Si nous osions
demander au grand prince qui lui rend ici avec tant de
piété les derniers devoirs quelle mère il a perdue, il
nous répondrait par ses sanglots ; et je vous dirai en
son nom ce que j'ai vu avec joie, ce que je répète avec
admiration, que les tendresses inexplicables de MARIE-
THÉRÈSE tendaient toutes à lui inspirer la foi, la piété,
la crainte de Dieu, un attachement inviolable pour le
roi, des entrailles de miséricorde pour les malheureux,

---

[1] *Omne datum optimum, et omne donum perfectum desursum est, descendens a Patre luminum.* (JAC., I, 17.)

[2] EPHES., V, 24.

une immuable persévérance dans tous ses devoirs, et tout ce que nous louons dans la conduite de ce prince. Parlerai-je des bontés de la reine tant de fois éprouvées par ses domestiques, et ferai-je retentir encore devant ces autels les cris de sa maison désolée? Et vous, pauvres de Jésus-Christ, pour qui seuls elle ne poúvait endurer qu'on lui dît que ses trésors étaient épuisés; vous premièrement, pauvres volontaires, victimes de Jésus-Christ, religieux, vierges sacrées, âmes pures dont le monde n'était pas digne; et vous, pauvres, quelque nom que vous portiez, pauvres connus, pauvres honteux, malades, impotents, estropiés, « restes d'hommes, » pour parler avec saint Grégoire de Nazianze[1], car la reine respectait en vous tous les caractères de la croix de Jésus-Christ; vous donc qu'elle assistait avec tant de joie, qu'elle visitait avec de si saints empressements, qu'elle servait avec tant de foi, heureuse de se dépouiller d'une majesté empruntée et d'adorer dans votre bassesse la glorieuse pauvreté de Jésus-Christ, quel admirable panégyrique prononceriez-vous par vos gémissements à la gloire de cette princesse, s'il m'était permis de vous introduire dans cette auguste assemblée? Recevez, père Abraham, dans votre sein cette héritière de votre foi, comme vous servante des pauvres, et digne de trouver en eux, non plus des anges, mais Jésus-Christ même. Que dirai-je davantage? Écoutez tout en un mot : fille, femme, mère, maîtresse, reine telle que nos vœux l'auraient pu faire, plus que tout cela, chrétienne, elle accomplit tous ses devoirs sans présomption, et fut humble non-seulement parmi toutes les grandeurs, mais encore parmi toutes les vertus.

J'expliquerai en peu de mots les deux autres noms

[1] *Veterum hominum miseræ reliquiæ.* (ORAT. XVI; tom. I, p. 244.)

que nous voyons écrits sur la colonne mystérieuse de
l'Apocalypse, et dans le cœur de la reine. Par le « nom
« de la sainte cité de Dieu, la nouvelle Jérusalem [1], » vous
voyez bien, messieurs, qu'il faut entendre le nom de
l'Église catholique, cité sainte dont toutes « les pierres
« sont vivantes [2], » dont Jésus-Christ est le fondement,
qui « descend du ciel » avec lui, parce qu'elle y est renfermée comme dans le chef dont tous les membres reçoivent leur vie ; cité qui se répand par toute la terre,
et s'élève jusqu'aux cieux pour y placer ses citoyens. Au
seul nom de l'Église, toute la foi de la reine se réveillait.
Mais une vraie fille de l'Église, non contente d'en embrasser la sainte doctrine, en aime les observances, où
elle fait consister la principale partie des pratiques extérieures de la piété.

L'Église, inspirée de Dieu et instruite par les saints
apôtres, a tellement disposé l'année, qu'on y trouve
avec la vie, avec les mystères, avec la prédication et la
doctrine de Jésus-Christ, le vrai fruit de toutes ces choses
dans les admirables vertus de ses serviteurs et dans les
exemples de ses saints ; et enfin un mystérieux abrégé
de l'Ancien et du Nouveau Testament, et de toute l'histoire ecclésiastique. Par là toutes les saisons sont fruc-
tueuses pour les chrétiens ; tout y est plein de Jésus-
Christ, qui est toujours « admirable, » selon le prophète [3], et non-seulement en lui-même, mais encore
« dans ses saints [4]. » Dans cette variété, qui aboutit toute
à l'unité sainte tant recommandée par Jésus-Christ [5],

---

[1] *Qui vicerit... scribam super eum nomen... civitatis Dei mei , novæ
Jerusalém, quæ descendit de cœlo a Deo meo.* (Apoc., cap. III, 12.)

[2] *Ad quem (Christum) accedentes lapidem vivum,... et ipsi tanquam
lapides vivi superædificamini, domus spiritualis.* (I Petr., II, 4, 5.)

[3] *Vocabitur nomen ejus, Admirabilis.* (Is., IX, 6.)

[4] *Mirabilis in sanctis suis.* (Ps. LXVII, 36.)

[5] *Porro unum est necessarium.* (Luc., X, 42.)

l'âme innocente et pieuse trouve avec des plaisirs célestes une solide nourriture et un perpétuel renouvellement
de sa ferveur. Les jeûnes y sont mêlés dans les temps
convenables, afin que l'âme, toujours sujette aux tentations et au péché, s'affermisse et se purifie par la pénitence. Toutes ces pieuses observances avaient dans la
reine l'effet bienheureux que l'Église même demande :
elle se renouvelait dans toutes les fêtes, elle se sacrifiait
dans tous les jeûnes et dans toutes les abstinences. L'Espagne sur ce sujet a des coutumes que la France ne suit
pas; mais la reine se rangea bientôt à l'obéissance : l'habitude ne put rien contre la règle; et l'extrême exac-
titude de cette princesse marquait la délicatesse de sa
conscience. Quel autre a mieux profité de cette parole :
« Qui vous écoute m'écoute[1]? » Jésus-Christ nous y enseigne cette excellente pratique de marcher dans les
voies de Dieu sous la conduite particulière de ses serviteurs qui exercent son autorité dans son Église. Les confesseurs de la reine pouvaient tout sur elle dans l'exercice de leur ministère, et il n'y avait aucune vertu où
elle ne pût être élevée par son obéissance. Quel respect
n'avait-elle pas pour le souverain pontife, vicaire de
Jésus-Christ, et pour tout l'ordre ecclésiastique ! Qui
pourrait dire combien de larmes lui ont coûté ces divisions toujours trop longues, et dont on ne peut demander la fin avec trop de gémissements? Le nom même et
l'ombre de division faisait horreur à la reine, comme à
toute âme pieuse. Mais qu'on ne s'y trompe pas : le
saint-siége ne peut jamais oublier la France, ni la
France manquer au saint-siége[2]. Et ceux qui, pour leurs

---

[1] *Qui vos audit me audit.* (Luc., x, 16.)

[2] On pourrait être surpris de voir Bossuet ramener, dans l'Oraison
funèbre d'une princesse étrangère aux affaires publiques, les querelles

intérêts particuliers, couverts, selon les maximes de
leur politique, du prétexte de piété, semblent vouloir
irriter le saint-siége contre un royaume qui en a toujours été le principal soutien sur la terre, doivent penser qu'une chaire si éminente, à qui Jésus-Christ a tant
donné, ne veut pas être flattée par les hommes, mais
honorée selon la règle avec une soumission profonde;
qu'elle est faite pour attirer tout l'univers à son unité,
et y rappeler à la fin tous les hérétiques; et que ce qui est
excessif, loin d'être le plus attirant, n'est pas même le
plus solide ni le plus durable.

Avec le saint nom de Dieu, et avec le nom de la cité
sainte, la nouvelle Jérusalem, je vois, messieurs, dans
le cœur de notre pieuse reine le nom nouveau du Sauveur. Quel est, Seigneur, votre nom nouveau, sinon
celui que vous expliquez, quand vous dites : « Je suis
« le pain de vie; » et, « Ma chair est vraiment viande[1]; »
et, « Prenez, mangez, ceci est mon corps[2]? » Ce nom
nouveau du Sauveur est celui de l'Eucharistie, nom composé de bien et de grâce; qui nous montre dans cet adorable sacrement une source de miséricorde, un miracle
d'amour, un mémorial et un abrégé de toutes les grâces,
et le Verbe même tout changé en grâce et en douceur
pour ses fidèles. Tout est nouveau dans ce mystère : c'est
le « Nouveau Testament[3] » de notre Sauveur, et on com-

qui existaient alors entre la cour de France et celle de Rome : mais il faut
se rappeler qu'à cette époque l'on était à Rome au plus haut degré d'irri-
tation contre la France, et que tout faisait craindre qu'Innocent XI ne
s'abandonnât à quelque mesure inconsidérée. On croyait qu'il était
prudent et utile de prémunir l'opinion publique contre l'impression que
pouvait faire la conduite du pape. (C.)

[1] *Ego sum panis vitæ... Caro mea vere est cibus.* (JOAN., VI, 48, 56.)

[2] *Accipite, et comedite : hoc est corpus meum.* (MATTH., XXVI, 26.)

[3] *Hic est sanguis meus Novi Testamenti.* (MATTH., XXVI, 28.)

mence à y boire ce « vin nouveau [1] » dont la céleste Jérusalem est transportée. Mais pour le boire dans ce lieu de tentation et de péché, il s'y faut préparer par la pénitence. La reine fréquentait ces deux sacrements avec une ferveur toujours nouvelle. Cette humble princesse se sentait dans son état naturel, quand elle était comme pécheresse aux pieds d'un prêtre, y attendant la miséricorde et la sentence de Jésus-Christ. Mais l'Eucharistie était son amour; toujours affamée de cette viande céleste, et toujours tremblante en la recevant, quoiqu'elle ne pût assez communier pour son désir, elle ne cessait de se plaindre humblement et modestement des communions fréquentes qu'on lui ordonnait. Mais qui eût pu refuser l'Eucharistie à l'innocence, et Jésus-Christ à une foi si vive et si pure? La règle que donne saint Augustin est de modérer l'usage de la communion quand elle tourne en dégoût. Ici on voyait toujours une ardeur nouvelle, et cette excellente pratique de chercher dans la communion la meilleure préparation, comme la plus parfaite action de grâces pour la communion même. Par ces admirables pratiques, cette princesse est venue à sa dernière heure sans qu'elle eût besoin d'apporter à ce terrible passage une autre préparation que celle de sa sainte vie; et les hommes, toujours hardis à juger les autres, sans épargner les souverains, car on n'épargne que soi-même dans ses jugements; les hommes, dis-je, de tous les états, et autant les gens de bien que les autres, ont vu la reine emportée avec une telle précipitation dans la vigueur de son âge, sans être en inquiétude pour son salut. Apprenez donc, chrétiens, et vous principalement qui ne pouvez vous accoutumer à la pensée

---

[1] *Non bibam amodo de hoc genimine vitis, usque in diem illum, cum illud bibam vobiscum novum in regno Patris mei* (Ibid., 29.)

de la mort, en attendant que vous méprisiez celle que Jésus-Christ a vaincue, ou même que vous aimiez celle qui met fin à nos péchés, et nous introduit à la vraie vie, apprenez à la désarmer d'une autre sorte, et embrassez la belle pratique, où, sans se mettre en peine d'attaquer la mort, on n'a besoin que de s'appliquer à sanctifier sa vie.

La France a vu de nos jours deux reines plus unies encore par la piété que par le sang, dont la mort également précieuse devant Dieu, quoique avec des circonstances différentes, a été d'une singulière édification à toute l'Église. Vous entendez bien que je veux parler d'ANNE D'AUTRICHE et de sa chère nièce, ou plutôt de sa chère fille MARIE-THÉRÈSE. ANNE dans un âge déjà avancé, et MARIE-THÉRÈSE dans sa vigueur; mais toutes deux d'une si heureuse constitution, qu'elle semblait nous promettre le bonheur de les posséder un siècle entier, nous sont enlevées contre notre attente, l'une par une longue maladie, et l'autre par un coup imprévu. ANNE, avertie de loin par un mal aussi cruel qu'irrémédiable, vit avancer la mort à pas lents, et sous la figure qui lui avait toujours paru la plus affreuse : MARIE-THÉRÈSE, aussitôt emportée que frappée par la maladie, se trouve toute vive et tout entière entre les bras de la mort sans presque l'avoir envisagée. A ce fatal avertissement, ANNE, pleine de foi, ramasse toutes les forces qu'un long exercice de la piété lui avait acquises, et regarde sans se troubler toutes les approches de la mort. Humiliée sous la main de Dieu, elle lui rend grâces de l'avoir ainsi avertie; elle multiplie ses aumônes toujours abondantes; elle redouble ses dévotions toujours assidues; elle apporte de nouveaux soins à l'examen de sa conscience toujours rigoureux. Avec quel renouvellement de foi et d'ardeur lui vîmes-

nous recevoir le saint Viatique! Dans de semblables
actions, il ne fallut à MARIE-THÉRÈSE que sa ferveur
ordinaire : sans avoir besoin de la mort pour exciter sa
piété, sa piété s'excitait toujours assez elle-même, et
prenait dans sa propre force un continuel accroissement. Que dirons-nous, chrétiens, de ces deux reines?
Par l'une Dieu nous apprit comment il faut profiter du
temps, et l'autre nous a fait voir que la vie vraiment
chrétienne n'en a pas besoin. En effet, chrétiens, qu'attendons-nous? Il n'est pas digne d'un chrétien de ne
s'évertuer contre la mort qu'au moment qu'elle se présente pour l'enlever. Un chrétien toujours attentif à
combattre ses passions « meurt tous les jours » avec
l'Apôtre[1] : *Quotidie morior*. Un chrétien n'est jamais
vivant sur la terre, parce qu'il y est toujours mortifié,
et que la mortification est un essai, un apprentissage,
commencement de la mort. Vivons-nous, chrétiens,
vivons-nous? Cet âge que nous comptons, et où tout ce
que nous comptons n'est plus à nous, est-ce une vie? et
pouvons-nous n'apercevoir pas ce que nous perdons
sans cesse avec les années? Le repos et la nourriture ne
sont-ils pas de faibles remèdes de la continuelle maladie
qui nous travaille? et celle que nous appelons la dernière, qu'est-ce autre chose, à le bien entendre, qu'un
redoublement, et comme le dernier accès du mal que
nous apportons au monde en naissant? Quelle santé
nous couvrait la mort que la reine portait dans le sein!
De combien près la menace a-t-elle été suivie du coup!
et où en était cette grande reine, avec toute la majesté
qui l'environnait, si elle eût été moins préparée? Tout
d'un coup on voit arriver le moment fatal, où la terre
n'a plus rien pour elle que des pleurs. Que peuvent tant

---

[1] I. COR., XV, 31.

de fidèles domestiques empressés autour de son lit? Le
roi même, que pouvait-il, lui, messieurs, lui qui suc-
combait à la douleur avec toute sa puissance et tout son
courage? Tout ce qui environne ce prince l'accable.
MONSIEUR, MADAME, venaient partager ses déplaisirs, et
les augmentaient par les leurs. Et vous, Monseigneur,
que pouviez-vous que de lui percer le cœur par vos
sanglots? Il l'avait assez percé par le tendre ressouvenir
d'un amour qu'il trouvait toujours également vif après
vingt-trois ans écoulés. On en gémit, on en pleure; voilà
ce que peut la terre pour une reine si chérie : voilà ce
que nous avons à lui donner, des pleurs, des cris inutiles. Je me trompe, nous avons encore des prières;
nous avons ce saint sacrifice, rafraîchissement de nos
peines, expiation de nos ignorances, et des restes de
nos péchés. Mais songeons que ce sacrifice d'une valeur
infinie, où toute la croix de Jésus est renfermée, ce
sacrifice serait inutile à la reine, si elle n'avait mérité,
par sa bonne vie, que l'effet en pût passer jusqu'à elle :
autrement, dit saint Augustin [1], qu'opère un tel sacrifice? Nul soulagement pour les morts, une faible consolation pour les vivants. Ainsi tout le salut vient de
cette vie, dont la fuite précipitée nous trompe toujours.
« Je viens, dit Jésus-Christ [2], comme un voleur. » Il a
fait selon sa parole; il est venu surprendre la reine dans
le temps que nous la croyions la plus saine, dans le
temps qu'elle se trouvait la plus heureuse. Mais c'est ainsi
qu'il agit : il trouve pour nous tant de tentations et une
telle malignité dans tous les plaisirs, qu'il vient troubler
les plus innocents dans ses élus. Mais il vient, dit-il,
« comme un voleur, » toujours surprenant, et impénétrable dans ses démarches. C'est lui-même qui s'en glori-

[1] SERM. CLXXII, tom. v, col. 827.
[2] *Veniam ad te tanquam fur.* (APOC., III, 3.)

fie dans toute son Ecriture. Comme un voleur, direz-vous,
indigne comparaison ! N'importe, qu'elle soit indigne
de lui, pourvu qu'elle nous effraie, et qu'en nous effrayant elle nous sauve. Tremblons donc, chrétiens,
tremblons devant lui à chaque moment; car qui pourrait
ou l'éviter quand il éclate, ou le découvrir quand il se
cache? « Ils mangeaient, dit-il[1], ils buvaient, ils ache-
« taient, ils vendaient, ils plantaient, ils bâtissaient,
« ils faisaient des mariages aux jours de Noé et aux jours
« de Lot, » et une subite ruine les vint accabler. Ils
mangeaient, ils buvaient, ils se mariaient. C'était des
occupations innocentes : que sera-ce, quand en contentant nos impudiques désirs, en assouvissant nos vengeances et nos secrètes jalousies, en accumulant dans
nos coffres des trésors d'iniquité, sans jamais vouloir
séparer le bien d'autrui d'avec le nôtre; trompés par
nos plaisirs, par nos jeux, par notre santé, par notre
jeunesse, par l'heureux succès de nos affaires, par nos
flatteurs, parmi lesquels il faudrait peut-être compter
des directeurs infidèles que nous avons choisis pour
nous séduire, et enfin par nos fausses pénitences qui ne
sont suivies d'aucun changement de nos mœurs, nous
viendrons tout à coup au dernier jour? La sentence par-
tira d'en haut : « La fin est venue, la fin est venue: »
Finis venit, venit finis. « La fin est venue sur vous. »
Nunc finis super te[2] : tout va finir pour vous en ce moment.
Tranchez, « concluez : » *Fac conclusionem*[3]. Frappez
l'arbre infructueux qui n'est plus bon que pour le feu :
« coupez l'arbre, arrachez ses branches, secouez ses

---

[1] *Sicut factum est in diebus Noe, ita erit in diebus Filii hominis... Uxores
ducebant, et dabantur ad nuptias... Similiter sicut factum est in diebus
Lot : edebant et bibebant; emebant et vendebant; plantabant et ædifica-
bant.* (Luc., xvii, 26, 27, 28.)

[2] Ezech., vii, 2. — [3] Ibid., 23.

« feuilles, abattez ses fruits [1] : » périsse par un seul coup tout ce qu'il avait avec lui-même. Alors s'élèveront des frayeurs mortelles, et des grincements de dents, préludes de ceux de l'enfer. Ah! mes frères, n'attendons pas ce coup terrible! Le glaive qui a tranché les jours de la reine est encore levé sur nos têtes; nos péchés en ont affilé le tranchant fatal. « Le glaive que je tiens en « main, dit le Seigneur notre Dieu, est aiguisé et poli : « il est aiguisé, afin qu'il perce; il est poli et limé, afin « qu'il brille [2]. » Tout l'univers en voit le brillant éclat. Glaive du Seigneur, quel coup vous venez de faire! Toute la terre en est étonnée. Mais que nous sert ce brillant qui nous étonne, si nous ne prévenons le coup qui nous tranche? Prévenons-le, chrétiens, par la pénitence. Qui pourrait n'être pas ému à ce spectacle? Mais ces émotions d'un jour, qu'opèrent-elles? Un dernier endurcissement, parce que, à force d'être touché inutilement, on ne se laisse plus toucher d'aucun objet. Le sommes-nous des maux de la Hongrie et de l'Autriche ravagées? Leurs habitants passés au fil de l'épée, et ce sont encore les plus heureux; la captivité entraîne bien d'autres maux et pour le corps et pour l'âme : ces habitants désolés, ne sont-ce pas des chrétiens et des catholiques, nos frères, nos propres membres, enfants de la même Église, et nourris à la même table du pain de vie? Dieu accomplit sa parole : « le jugement commence par sa « maison [3], » et le reste de la maison ne tremble pas! Chrétiens, laissez-vous fléchir; faites pénitence; apaisez

---

[1] *Clamavit fortiter, et sic ait·: Succidite arborem, et præcidite ramos ejus; excutite folia ejus; et dispergite fructus ejus.* (DAN., IV, 11.)

[2] *Hæc dicit Dominus Deus : Loquere : Gladius, gladius exacutus est, et limatus. Ut cædat victimas, exacutus est : ut splendeat, limatus est.* (EZECH., XXI, 9, 10.)

[3] *Tempus est ut incipiat judicium a domo Dei.* (I. PETR., IV, 17.)

Dieu par vos larmes. Écoutez la pieuse reine qui parle plus haut que tous les prédicateurs. Écoutez-la, princes ; écoutez-la, peuples ; écoutez-la, Monseigneur, plus que tous les autres. Elle vous dit par ma bouche, et par une voix qui vous est connue, que la grandeur est un songe, la joie une erreur, la jeunesse une fleur qui tombe, et la santé un nom trompeur. Amassez donc les biens qu'on ne peut perdre. Prêtez l'oreille aux graves discours que saint Grégoire de Nazianze adressait aux princes et à la maison régnante. « Respectez, leur disait-« il [1], votre pourpre, » respectez votre puissance qui vient de Dieu, et ne l'employez que pour le bien. « Con-« naissez ce qui vous a été confié, et le grand mystère « que Dieu accomplit en vous. Il se réserve à lui seul les « choses d'en haut ; il partage avec vous celles d'en bas : « montrez-vous dieux aux peuples soumis, » en imitant la bonté et la munificence divine. C'est, Monseigneur, ce que vous demandent ces empressements de tous les peuples, ces perpétuels applaudissements, et tous ces regards qui vous suivent. Demandez à Dieu, avec Salomon [2], la sagesse qui vous rendra digne de l'amour des peuples et du trône de vos ancêtres ; et quand vous songerez à vos devoirs, ne manquez pas de considérer à quoi vous obligent les immortelles actions de Louis le Grand et l'incomparable piété de Marie-Thérèse [3].

---

[1] *Imperatores, purpuram vereamini... Cognoscite quantum id sit, quod vestra fidei commissum est, quantumque circa vos mysterium... Supera solius Dei sunt ; infera autem, vestra etiam sunt. Subditis vestris deos vos praebete.* (Orat. XXVII, tom. 1, pag. 471.)

[2] Sap., IX, 4.

[3] Louis XIV, au moment de la mort de Marie-Thérèse, en avait fait le plus grand éloge possible : *Voilà,* dit-il, *le premier chagrin qu'elle m'ait donné.* Le discours de Bossuet ne pouvait être que le développement de ce beau mot, qui renferme l'éloge le plus complet qu'un époux, et surtout un époux roi, puisse jamais faire de sa femme. Mais on sait que les

vertus domestiques et modestes ne sont pas celles qui prêtent le plus à la grande éloquence, à celle qui s'adresse aux hommes assemblés. Dans tout ce qui prétend aux grands effets, il faut quelque chose qui se rapproche du dramatique, des désastres, des révolutions, des scènes, des contrastes : voilà ce qui sert le mieux le poëte, l'orateur, l'historien ; il semble que l'homme aime mieux être ému que d'être instruit. L'éloge de la simple vertu ressemble à un beau portrait : quelque parfaite qu'en soit l'exécution, il frappera beaucoup moins qu'une physionomie passionnée dans un tableau d'histoire ; et c'est encore là un de ces principes généraux par lesquels tous les arts se rapprochent les uns des autres. (L. H.)

ORAISON FUNÈBRE

D'ANNE DE GONZAGUE DE CLÈVES,

PRINCESSE PALATINE,

Prononcée en présence de monseigneur le Duc, de madame la Duchesse, et de monseigneur le duc de Bourbon, dans l'église des Carmélites du faubourg Saint-Jacques, le 9 août 1685.

NOTICE

SUR ANNE DE GONZAGUE DE CLÈVES,

PRINCESSE PALATINE.

Anne de Gonzague était la deuxième des trois filles de Charles de Gonzague-Clèves, premier du nom, duc de Nevers, de Rhetel, de Mantoue et de Montferrat : elle naquit en 1616. L'aînée des filles fut reine de Pologne ; Anne de Gonzague et sa plus jeune sœur, sacrifiées dès leur jeune âge à l'agrandissement de leur aînée, étaient destinées à la vie religieuse : aussi, dès l'enfance, furent-elles mises au couvent. Anne de Gonzague fut élevée à l'abbaye de Faremonstier, diocèse de Meaux. L'empressement qu'on mit à lui faire prendre les goûts et les habitudes monastiques fut précisément ce qui l'en détourna. Devenue libre, et maîtresse de ses droits par la mort de son père, arrivée en 1637, elle parut à la cour de France, et épousa quelque temps après le prince Édouard, l'un des treize enfants que Frédéric V, duc de Bavière, comte palatin du Rhin, avait eus d'Élisabeth, fille de Jacques Ier, roi d'Angleterre. Le prince Édouard s'était réfugié en France pendant les malheurs de sa maison. Il était protestant ; mais il renonça à l'hérésie pour épouser la princesse Anne : et de ce mariage naquirent quatre enfants, dont une fille, qui, en 1663, épousa Henri-Jules, duc d'Enghien, depuis prince de Condé.

Les guerres de la Fronde furent pour la princesse palatine une occasion de faire briller sa dextérité dans les affaires et ses talents dans l'art de concilier les esprits. C'est l'idée qu'on donne d'elle dans tous les Mémoires du temps. Attachée au parti de la reine-régente, elle eut souvent à négocier les intérêts de la cour, figura dans beaucoup d'intrigues, et finit par essuyer une disgrâce en 1660, ayant été forcée à cette époque, par le cardinal Mazarin, de donner sa démission de la charge de surintendante de la maison de la reine, dont le même Mazarin l'avait fait pourvoir. Elle resta pendant trois ans éloignée de la cour, et employa ce temps, qu'elle passa à la campagne, à acquitter toutes ses dettes avec la plus scrupuleuse fidélité.

On cite encore, comme un trait de magnanimité qui l'honore, un secours en argent qu'elle envoya à la reine de Pologne, sa sœur, lorsque celle-ci, poursuivie par les Suédois qui lui faisaient la guerre, était réduite aux dernières extrémités. ANNE, pour rendre service à la reine sa sœur, dont elle avait d'ailleurs beaucoup à se plaindre, oublia dans cette occasion le mauvais état de ses propres affaires; et cette conduite généreuse lui gagna tous les cœurs.

ANNE devint veuve en 1663, et il paraît qu'elle se servit de la liberté du veuvage pour se livrer avec moins de contrainte à tous les plaisirs. Elle en vint même jusqu'à perdre la foi, sentant, lorsqu'on parlait sérieusement devant elle des mystères de la religion catholique, « la même envie de rire qu'on sent ordinairement quand « des personnes fort simples croient des choses ridicules et impos- « sibles. » Ce sont les propres expressions de la princesse elle-même, à qui l'abbé de Rancé, ce fameux réformateur de la Trappe, ordonna d'écrire toutes les circonstances de sa conversion miraculeuse. On en trouvera les principales dans l'Oraison funèbre suivante. Une foi vive et une pénitence austère succédèrent à tous les égarements de l'esprit et du cœur; et douze années de langueur ou de douleurs aiguës rendirent cette pénitence plus entière encore et plus parfaite. Elle mourut à Paris en 1684, âgée de soixante-huit ans.

ORAISON FUNÈBRE

D'ÀNNE DE GONZAGUE DE CLÈVES,

PRINCESSE PALATINE [1].

Apprehendi te ab extremis terræ, et a longinquis ejus vocavi te : elegi te, et non abjeci te : ne timeas, quia ego tecum sum.

Je t'ai pris par la main, pour te ramener des extrémités de la terre : je t'ai appelé des lieux les plus éloignés : je t'ai choisi, et je ne t'ai pas rejeté : ne crains point, parce que je suis avec toi. *C'est Dieu même qui parle ainsi.* (ISAI., XLI, 9, 10.)

MONSEIGNEUR,

Je voudrais que toutes les âmes éloignées de Dieu ; que tous ceux qui se persuadent qu'on ne peut se vaincre soi-même, ni soutenir sa constance parmi les combats et les douleurs ; tous ceux enfin qui désespèrent de leur conversion ou de leur persévérance, fussent présents à cette assemblée. Ce discours leur ferait connaître qu'une âme fidèle à la grâce, malgré les obstacles les plus in-

---

[1] L'*Oraison funèbre de la princesse palatine* est peut-être, de toutes les Oraisons funèbres de Bossuet, celle qui atteste le plus la force et la fécondité de son génie. Si elle n'a pas l'éclat, la pompe que l'on admire dans celles de la reine d'Angleterre, de madame Henriette, et du grand Condé, c'est parce qu'on ne doit point les y chercher. Mais elle offre plus qu'aucune autre de vastes sujets de méditation aux âmes religieuses, et même à celles qui désirent de fixer leurs pensées incertaines sur les fondements de la religion. En un mot, on peut dire, avec M. de La Harpe, « que cette « Oraison funèbre est le plus sublime de tous les sermons. » (B.) — Bossuet a surmonté, à force d'art, les difficultés d'un sujet extrêmement épineux, comme il en a déguisé la faiblesse, à force de génie. Les morceaux sur la Fronde et sur la Pologne sont au rang des plus sublimes inspirations de l'éloquence. (DUSSAULT.)

vincibles, s'élève à la perfection la plus éminente. La princesse à qui nous rendons les derniers devoirs, en récitant selon sa coutume l'office divin, lisait les paroles d'Isaïe que j'ai rapportées. Qu'il est beau de méditer l'Écriture sainte ! et que Dieu y sait bien parler, non-seulement à toute l'Église, mais encore à chaque fidèle selon ses besoins ! Pendant qu'elle méditait ces paroles (c'est elle-même qui le raconte dans une lettre admirable), Dieu lui imprima dans le cœur que c'était à elle qu'il les adressait. Elle crut entendre une voix douce et paternelle qui lui disait : « Je t'ai ramenée des extrémités de la « terre, des lieux les plus éloignés [1]; » des voies détournées, où tu te perdais, abandonnée à ton propre sens, si loin de la céleste patrie, et de la véritable voie qui est Jésus-Christ. Pendant que tu disais en ton cœur rebelle : Je ne puis me captiver ; j'ai mis sur toi ma puissante main, « et j'ai dit : Tu seras ma servante : je t'ai « choisie » dès l'éternité, « et je n'ai pas rejeté » ton âme superbe et dédaigneuse. Vous voyez par quelles paroles Dieu lui fait sentir l'état d'où il l'a tirée. Mais écoutez comme il l'encourage parmi les dures épreuves où il met sa patience : « Ne crains point » au milieu des maux dont tu te sens accablée, « parce que je suis ton Dieu » qui te fortifie : « ne te détourne pas de la voie où je t'en- « gage, puisque je suis avec toi ; » jamais je ne cesserai de te secourir ; « et le Juste que j'envoie au monde, » ce Sauveur miséricordieux, ce Pontife compatissant, « te tient par la main : » *Tenebit te dextera Justi mei.* Voilà, messieurs, le passage entier du saint prophète Isaïe, dont je n'avais récité que les premières paroles. Puis-je mieux vous représenter les conseils de Dieu sur cette princesse que par des paroles dont il s'est servi pour lui

[1] Isai., xli, 9, 10.

expliquer les secrets de ces admirables conseils ? Venez
maintenant, pécheurs, quels que vous soyez, en quelques régions écartées que la tempête de vos passions
vous ait jetés : fussiez-vous dans ces terres ténébreuses
dont il est parlé dans l'Écriture [1], et dans l'ombre de la
mort; s'il vous reste quelque pitié de votre âme malheureuse, venez voir d'où la main de Dieu a retiré la princesse ANNE; venez voir où la main de Dieu l'a élevée.
Quand on voit de pareils exemples dans une princesse
d'un si haut rang; dans une princesse qui fut nièce
d'une impératrice, et unie par ce lien à tant d'empereurs, sœur d'une puissante reine [2], épouse d'un
fils de roi, mère de deux grandes princesses [3], dont
l'une est un ornement dans l'auguste maison de France,
et l'autre s'est fait admirer dans la puissante maison de
Brunswick; enfin dans une princesse dont le mérite
passe la naissance, encore que, sortie d'un père et de
tant d'aïeux souverains, elle ait réuni en elle, avec le
sang de Gonzague et de Clèves, celui des Paléologue [4];
celui de Lorraine, et celui de France par tant de côtés :
quand Dieu joint à ces avantages une égale réputation,
et qu'il choisit une personne d'un si grand éclat pour
être l'objet de son éternelle miséricorde, il ne se propose rien moins que d'instruire tout l'univers. Vous
donc qu'il assemble en ce saint lieu; et vous principalement, pécheurs, dont il attend la conversion avec une
si longue patience, n'endurcissez pas vos cœurs : ne

---

[1] *Populus qui ambulabat in tenebris;... habitantibus in regione um-
bræ mortis.* (ISAI., IX, 2.)

[2] La reine de Pologne.

[3] La première était l'épouse du duc d'Enghien, fils du grand Condé;
la seconde fut mariée à Jean-Frédéric de Brunswick, duc de Hanovre.

[4] Du côté de son père, la princesse descendait des Paléologue, famille
qui occupa le trône de Constantinople.

croyez pas qu'il vous soit permis d'apporter seulement
à ce discours des oreilles curieuses. Toutes les vaines
excuses dont vous couvrez votre impénitence vous vont
être ôtées. Ou la princesse palatine portera la lumière
dans vos yeux, ou elle fera tomber, comme un déluge
de feu, la vengeance de Dieu sur vos têtes. Mon discours,
dont vous vous croyez peut-être les juges, vous jugera
au dernier jour : ce sera sur vous un nouveau fardeau,
comme parlaient les prophètes : *Onus verbi Domini super
Israël* [1] ; et si vous n'en sortez plus chrétiens, vous en
sortirez plus coupables. Commençons donc avec confiance
l'œuvre de Dieu. Apprenons, avant toutes choses, à n'être
pas éblouis du bonheur qui ne remplit pas le cœur de
l'homme ; ni des belles qualités qui ne le rendent pas
meilleur ; ni des vertus dont l'enfer est rempli, qui nourrissent le péché et l'impénitence, et qui empêchent
l'horreur salutaire que l'âme pécheresse aurait d'elle-
même. Entrons encore plus profondément dans les voies
de la divine Providence, et ne craignons pas de faire
paraître notre princesse dans les états différents où elle
a été. Que ceux-là craignent de découvrir les défauts des
âmes saintes, qui ne savent pas combien est puissant le
bras de Dieu, pour faire servir ces défauts non-seulement
à sa gloire, mais encore à la perfection de ses élus. Pour
nous, mes frères, qui savons à quoi ont servi à saint
Pierre ses reniements, à saint Paul les persécutions qu'il
a fait souffrir à l'Église [2], à saint Augustin ses erreurs,

---

[1] ZACH., XII, 1.

[2] Saint Paul puisa, dans la secte des pharisiens, une haine violente
contre le christianisme. Il consentit à la mort de saint Étienne ; et, lorsqu'on le lapidait, il paraissait ne respirer que le sang et le carnage des
disciples de Jésus-Christ. Ayant obtenu des lettres du grand-prêtre des
Juifs pour aller à Damas se saisir de tous les chrétiens, et les conduire,
chargés de chaînes, à Jérusalem, il se convertit tout à coup en chemin,
et se fit baptiser à Damas. (C.)

à tous les saints pénitents leurs péchés ; ne craignons pas de mettre la princesse palatine dans ce rang, ni de la suivre jusque dans l'incrédulité où elle était enfin tombée. C'est de là que nous la verrons sortir pleine de gloire et de vertu, et nous bénirons avec elle la main qui l'a relevée : heureux si la conduite que Dieu tient sur elle nous fait craindre la justice, qui nous abandonne à nous-mêmes, et désirer la miséricorde, qui nous en arrache. C'est ce que demande de vous très-haute et très-puissante princesse, ANNE DE GONZAGUE ET DE CLÈVES, PRINCESSE DE MANTOUE ET DE MONTFERRAT, COMTESSE PALATINE DU RHIN.

Jamais plante ne fut cultivée avec plus de soin, ni ne se vit plus tôt couronnée de fleurs et de fruits, que la princesse ANNE. Dès ses plus tendres années, elle perdit sa pieuse mère Catherine de Lorraine. Charles, duc de Nevers, et depuis duc de Mantoue, son père, lui en trouva une digne d'elle ; et ce fut la vénérable mère Françoise de La Châtre, d'heureuse et sainte mémoire, abbesse de Faremonstier, que nous pouvons appeler la restauratrice de la règle de saint Benoît, et la lumière de la vie monastique. Dans la solitude de Sainte-Fare, autant éloignée des voies du siècle que sa bienheureuse situation la sépare de tout commerce du monde ; dans cette sainte montagne, que Dieu avait choisie depuis mille ans, où les épouses de Jésus-Christ faisaient revivre la beauté des anciens jours ; où les joies de la terre étaient inconnues ; où les vestiges des hommes du monde, des curieux et des vagabonds ne paraissaient pas : sous la conduite de la sainte abbesse, qui savait donner le lait aux enfants, aussi bien que le pain aux forts, les commencements de la princesse ANNE étaient heureux. Les mystères lui furent révélés ; l'Écriture lui devint familière ; on lui avait appris la langue latine, parce que c'était celle de l'Église; et l'office divin faisait ses délices. Elle aimait tout dans la vie religieuse, jusqu'à ses austérités et à ses humiliations; et durant douze ans qu'elle fut dans ce monastère, on lui voyait tant de modestie et tant de sagesse, qu'on ne savait à quoi elle était le plus propre, ou à commander ou à obéir. Mais la sage abbesse, qui la crut capable de soutenir sa réforme, la destinait au gouvernement; et déjà on la comptait parmi les princesses qui avaient conduit cette célèbre abbaye, quand sa famille, trop empressée à exécuter ce pieux projet, le rompit. Nous sera-t-il permis de le dire? la princesse MARIE[1], pleine alors de l'esprit du monde, croyait, selon la coutume des grandes maisons, que ses jeunes sœurs devaient être sacrifiées à ses grands desseins. Qui ne sait où son rare mérite et son éclatante beauté, avantage toujours trompeur, lui firent porter ses espérances? Et d'ailleurs, dans les plus puissantes maisons, les partages ne sont-ils pas regardés comme une espèce de dissipation, par où elles se détruisent d'elles-mêmes : tant le néant y est attaché! La princesse BÉNÉDICTE, la plus jeune des trois sœurs, fut la première immolée à ces intérêts de famille. On la fit abbesse, sans que, dans un âge si tendre, elle sût ce qu'elle faisait; et la marque d'une si grande dignité fut comme un jouet entre ses mains. Un sort semblable était destiné à la princesse ANNE. Elle eût pu renoncer à sa liberté, si on lui eût permis de la sentir; et il eût fallu la conduire, et non pas la précipiter[2] dans le bien. C'est ce qui renversa tout à coup les desseins de Faremonstier. Avenai[3]

---

[1] Reine de Pologne, et sœur aînée de la princesse palatine.

[2] Dans l'*Oraison funèbre de Madame*, Bossuet avait déjà dit qu'*elle allait être précipitée dans la gloire.* C'est la seconde fois qu'il traduit le *præceps agebatur* de Tacite. (V.)

[3] Petite ville de Champagne.

parut avoir un air plus libre, et la princesse BÉNÉDICTE
y présentait à sa sœur une retraite agréable. Quelle
merveille de la grâce ! Malgré une vocation si peu régulière, la jeune abbesse devint un modèle de vertu.
Ses douces conversations rétablirent dans le cœur de la
princesse ANNE ce que d'importuns empressements en
avaient banni. Elle prêtait de nouveau l'oreille à Dieu,
qui l'appelait avec tant d'attraits à la vie religieuse ; et
l'asile qu'elle avait choisi pour défendre sa liberté devint
un piége innocent pour la captiver. On remarquait dans
les deux princesses la même noblesse dans les sentiments,
le même agrément, et, si vous me permettez de parler
ainsi, les mêmes insinuations dans les entretiens : au
dedans les mêmes désirs, au dehors les mêmes grâces ;
et jamais sœurs ne furent unies par des liens ni si doux
ni si puissants. Leur vie eût été heureuse dans leur éternelle union, et la princesse ANNE n'aspirait plus qu'au
bonheur d'être une humble religieuse d'une sœur dont
elle admirait la vertu. En ce temps le duc de Mantoue
leur père mourut : les affaires l'appelèrent à la cour ;
la princesse BÉNÉDICTE, qui avait son partage dans le
ciel, fut jugée propre à concilier les intérêts différents
dans la famille. Mais, ô coup funeste pour la princesse
ANNE ! la pieuse abbesse mourut dans ce beau travail,
et dans la fleur de son âge. Je n'ai pas besoin de vous
dire combien le cœur tendre de la princesse ANNE fut
profondément blessé par cette mort. Mais ce ne fut pas
là sa plus grande plaie. Maîtresse de ses désirs, elle vit
le monde ; elle en fut vue : bientôt elle sentit qu'elle
plaisait ; et vous savez le poison subtil qui entre dans
un jeune cœur avec ces pensées. Ces beaux desseins furent oubliés. Pendant que tant de naissance, tant de biens,
tant de grâces qui l'accompagnaient, lui attiraient les
regards de toute l'Europe, le prince Édouard de Bavière,

fils de l'électeur Frédéric V, comte palatin du Rhin, et roi de Bohême, jeune prince qui s'était réfugié en France durant les malheurs de sa maison, la mérita. Elle préféra aux richesses les vertus de ce prince, et cette noble alliance, où de tous côtés on ne trouvait que des rois. La princesse ANNE l'invite à se faire instruire : il connut bientôt les erreurs où les derniers de ses pères, déserteurs de l'ancienne foi, l'avaient engagé. Heureux présages pour la maison palatine ! Sa conversion fut suivie de celle de la princesse Louise sa sœur, dont les vertus font éclater par toute l'Église la gloire du saint monastère de Maubuisson ; et ces bienheureuses prémices ont attiré une telle bénédiction sur la maison palatine, que nous la voyons enfin catholique dans son chef. Le mariage de la princesse ANNE fut un heureux commencement d'un si grand ouvrage. Mais, hélas ! tout ce qu'elle aimait devait être de peu de durée. Le prince son époux lui fut ravi, et lui laissa trois princesses, dont les deux qui restent pleurent encore la meilleure mère qui fut jamais, et ne trouvent de consolation que dans le souvenir de ses vertus. Ce n'est pas encore le temps de vous en parler. La princesse palatine est dans l'état le plus dangereux de sa vie. Que le monde voit peu de ces veuves dont parle saint Paul [1], « qui, vraiment veuves et désolées, » s'ensevelissent, pour ainsi dire, elles-mêmes dans le tombeau de leur époux ; y enterrent tout amour humain avec ces cendres chéries ; et, délaissées sur la terre, « mettent « leur espérance en Dieu, et passent les nuits et les jours « dans la prière ! » Voilà l'état d'une veuve chrétienne, selon les préceptes de saint Paul : état oublié parmi nous, où la viduité est regardée, non plus comme un

---

[1] *Viduas honora, quæ vere viduæ sunt... Quæ autem vere vidua est, et desolata, speret in Deum, et instet obsecrationibus et orationibus nocte ac die.* (I. TIM., V, 3, 5.)

état de désolation, car ces mots ne sont plus connus,
mais comme un état désirable, où, affranchi de tout
joug, on n'a plus à contenter que soi-même, sans songer
à cette terrible sentence de saint Paul[1] : « La veuve qui
« passe sa vie dans les plaisirs; » remarquez qu'il ne dit
pas, La veuve qui passe sa vie dans les crimes; il dit :
« La veuve qui la passe dans les plaisirs, elle est morte
« toute vive; » parce qu'oubliant le deuil éternel et le
caractère de désolation, qui fait le soutien comme la
gloire de son état, elle s'abandonne aux joies du monde.
Combien donc en devrait-on pleurer comme mortes, de
ces veuves jeunes et riantes, que le monde trouve si
heureuses! Mais, surtout, quand on a connu Jésus-Christ,
et qu'on a eu part à ses grâces; quand la lumière divine
s'est découverte, et qu'avec des yeux illuminés on se jette
dans les voies du siècle : qu'arrive-t-il à une âme qui
tombe d'un si haut état, qui renouvelle contre Jésus-
Christ, et encore contre Jésus-Christ connu et goûté,
tous les outrages des Juifs, et le crucifie encore une fois?
Vous reconnaissez le langage de saint Paul[2]. Achevez
donc, grand Apôtre, et dites-nous ce qu'il faut attendre
d'une chute si déplorable. « Il est impossible, dit-il,
« qu'une telle âme soit renouvelée par la pénitence. »
Impossible : quelle parole! Soit, messieurs, qu'elle
signifie que la conversion de ces âmes, autrefois si favo-
risées, surpasse toute la mesure des dons ordinaires, et
demande, pour ainsi parler, le dernier effort de la puissance divine; soit que l'impossibilité dont parle saint

---

[1] *Nam quæ in deliciis est, vivens mortua est.* (I. Tim., v, 6.)

[2] *Impossibile est enim eos qui semel sunt illuminati, gustaverunt etiam donum cœleste, et participes facti sunt Spiritus Sancti, gustaverunt nihilominus bonum Dei verbum, virtutesque seculi venturi, et prolapsi sunt, rursus renovari ad pœnitentiam, rursum crucifigentes sibimetipsis Filium Dei, et ostentui habentes.* (Hebr., vi, 4 et seq.)

Paul veuille dire qu'en effet il n'y a plus de retour à
ces premières douceurs qu'a goûtées une âme innocente,
quand elle y a renoncé avec connaissance, de sorte
qu'elle ne peut rentrer dans la grâce que par des chemins
difficiles et avec des peines extrêmes.

Quoi qu'il en soit, chrétiens, l'un et l'autre s'est vérifié
dans la princesse palatine. Pour la plonger entièrement
dans l'amour du monde, il fallait ce dernier malheur :
quoi? la faveur de la cour. La cour veut toujours unir
les plaisirs avec les affaires. Par un mélange étonnant,
il n'y a rien de plus sérieux, ni ensemble de plus enjoué.
Enfoncez : vous trouvez partout des intérêts cachés,
des jalousies délicates qui causent une extrême sensibilité, et dans une ardente ambition, des soins et un sérieux
aussi tristé qu'il est vain. Tout est couvert d'un air gai,
et vous diriez qu'on ne songe qu'à s'y divertir. Le génie
de la princesse palatine se trouva également propre
aux divertissements et aux affaires. La cour ne vit jamais
rien de plus engageant; et sans parler de sa pénétration,
ni de la fertilité infinie de ses expédients, tout cédait
au charme secret de ses entretiens. Que vois-je durant
ce temps ? Quel trouble ! quel affreux spectacle se présente ici à mes yeux ! La monarchie ébranlée jusqu'aux
fondements, la guerre civile, la guerre étrangère, le
feu au dedans et au dehors; les remèdes de tous côtés
plus dangereux que les maux : les princes arrêtés avec
grand péril, et délivrés avec un péril encore plus grand :
ce prince [1] que l'on regardait comme le héros de son
siècle rendu inutile à sa patrie, dont il avait été le soutien;
et ensuite, je ne sais comment, contre sa propre inclination [2], armé contre elle : un ministre persécuté, et

---

[1] Le grand Condé.

[2] Ce fut en haine du cardinal, plus que par sa *propre inclination*, qu'il
s'arma contre sa patrie.

devenu nécessaire, non-seulement par l'importance de
ses services, mais encore par ses malheurs, où l'autorité
souveraine était engagée[1]. Que dirai-je? Était-ce là de
ces tempêtes par où le ciel a besoin de se décharger
quelquefois? et le calme profond de nos jours devait-il
être précédé par de tels orages? Ou bien était-ce les derniers efforts d'une liberté remuante, qui allait céder la
place à l'autorité légitime? Ou bien était-ce comme un
travail de la France prête à enfanter le règne miraculeux
de Louis? Non, non : c'est Dieu qui voulait montrer
qu'il donne la mort, et qu'il ressuscite; qu'il plonge
jusqu'aux enfers, et qu'il en retire[2]; qu'il secoue la terre,
et la brise, et qu'il guérit en un moment toutes ses bri-
sures[3]. Ce fut là que la princesse palatine signala sa
fidélité, et fit paraître toutes les richesses de son esprit.
Je ne dis rien qui ne soit connu. Toujours fidèle à l'État
et à la grande reine ANNE D'AUTRICHE, on sait qu'avec
le secret de cette princesse elle eut encore celui de tous
les partis : tant elle était pénétrante, tant elle s'attirait
de confiance, tant il lui était naturel de gagner les cœurs!
Elle déclarait aux chefs des partis jusqu'où elle pouvait
s'engager; et on la croyait incapable ni de tromper ni
d'être trompée. Mais son caractère particulier était de
concilier les intérêts opposés, et, en s'élevant au-dessus,
de trouver le secret endroit, et comme le nœud par où
on les peut réunir[4]. Que lui servirent ses rares talents?

---

[1] Rien de plus juste que ce verbe *engagée*; tous les échecs qu'éprou-
vait le cardinal retombaient sur la cour, qu'il gouvernait alors. (C.)

[2] *Dominus fortificat, et vivificat; deducit ad inferos, et reducit.*
(I. REG., II, 6.)

[3] *Commovisti terram, et conturbasti eam : sana contritiones ejus, quia
commota est.* (Ps. LIX, 4.)

[4] « Elle se mêla de tout ce qui se fit alors, écrit madame de Motteville,
détermina l'élargissement des princes, rendit à la reine mère d'impor-

que lui servit d'avoir mérité la confiance intime de la
cour ? d'en soutenir le ministre deux fois éloigné, contre
sa mauvaise fortune, contre ses propres frayeurs, contre
la malignité de ses ennemis, et enfin contre ses amis,
ou partagés, ou irrésolus, ou infidèles? Que ne lui pro-
mit-on pas dans ces besoins! Mais quel fruit lui en re-
vint-il, sinon de connaître par expérience le faible des
grands politiques; leurs volontés changeantes, ou leurs
paroles trompeuses[1]; la diverse face des temps; les amusements des promesses; l'illusion des amitiés de la terre,
qui s'en vont avec les années et les intérêts; et la profonde obscurité du cœur de l'homme, qui ne sait jamais
ce qu'il voudra, qui souvent ne sait pas bien ce qu'il
veut, et qui n'est pas moins caché ni moins trompeur
à lui-même qu'aux autres[2]. O éternel roi des siècles,
qui possédez seul l'immortalité, voilà ce qu'on vous

tants services, et lui donna les moyens de soutenir Mazarin, qui n'en fut
pas fort reconnaissant. »

[1] La princesse palatine fit en effet l'expérience des *volontés changeantes*,
des *paroles trompeuses*, des *promesses illusoires* d'un ministre qui ne voulait être fidèle ni à la haine ni à l'amitié. On lui avait promis la place de
surintendante de la maison de la jeune reine; mais le cardinal Mazarin,
toujours tourmenté de la fureur insensée d'enrichir et d'élever une
famille qu'il n'aimait pas plus qu'il n'en était aimé, porta le roi à demander à la princesse palatine la démission d'une place dont elle avait déjà
le titre, pour la faire passer à la comtesse de Soissons, sa nièce. (B.)

[2] Dans ce tableau fidèle de toutes les cours, il est facile de démêler
les traits qui conviennent au cardinal Mazarin en particulier. Bossuet le
juge sans prévention, sans haine, sans amertume. Il parlait devant des
hommes qui avaient été les amis ou les ennemis de ce ministre; il parlait
sous un roi qui avait conservé du respect et de la reconnaissance pour
la mémoire d'un ministre à qui il croyait devoir beaucoup, et qui en
effet lui avait rendu de grands services. Bossuet s'élève au-dessus de
toutes ces considérations; il juge son siècle et ses contemporains avec la
même impartialité et la même indépendance qu'il aurait jugé les hommes
et les événements placés dans un long éloignement; et, jusque dans ses
Oraisons funèbres, Bossuet est l'interprète de la postérité. (B.)

préfère; voilà ce qui éblouit les âmes qu'on appelle grandes!

Dans ces déplorables erreurs, la princesse palatine avait les vertus que le monde admire, et qui font qu'une âme séduite s'admire elle-même : inébranlable dans ses amitiés, et incapable de manquer aux devoirs humains. La reine sa sœur en fit l'épreuve dans un temps où leurs cœurs étaient désunis. Un nouveau conquérant s'élève en Suède. On y voit un autre Gustave non moins fier, ni moins hardi, ou moins belliqueux que celui dont le nom fait encore trembler l'Allemagne. Charles-Gustave[1] parut à la Pologne surprise et trahie comme un lion qui tient sa proie dans ses ongles, tout prêt à la mettre en pièces. Qu'est devenue cette redoutable cavalerie qu'on voit fondre sur l'ennemi avec la vitesse d'un aigle? Où sont ces âmes guerrières, ces marteaux d'armes tant vantés, et ces arcs qu'on ne vit jamais tendus en vain? Ni les chevaux ne sont vites, ni les hommes ne sont adroits, que pour fuir devant le vainqueur. En même temps la Pologne se voit ravagée par le rebelle Cosaque, par le Moscovite infidèle, et plus encore par le Tartare, qu'elle appelle à son secours dans son désespoir. Tout nage dans le sang, et on ne tombe que sur des corps morts. La reine n'a plus de retraite; elle a quitté le royaume : après de courageux, mais de vains efforts, le roi est contraint de la suivre : réfugiés dans la Silésie, où ils manquent des choses les plus nécessaires, il ne leur reste qu'à considérer de quel côté allait tomber ce grand arbre ébranlé par tant de mains et frappé de tant de coups à sa racine, ou qui en enlèverait les rameaux épars[2]. Dieu en avait disposé autrement. La Pologne

---

[1] Gustave-Adolphe, le vainqueur des Impériaux à Leipsick et à Lutzen.

[2] *Clamavit fortiter, et sic ait : Succidite arborem, et præcidite ramos*

était nécessaire à son Église, et lui devait un vengeur [1]. Il la regarde en pitié. Sa main puissante ramène en arrière le Suédois indompté [2], tout frémissant qu'il était. Il se venge sur le Danois, dont la soudaine invasion l'avait rappelé; et déjà il l'a réduit à l'extrémité. Mais l'Empire et la Hollande se remuent contre un conquérant qui menaçait tout le Nord de la servitude. Pendant qu'il rassemble de nouvelles forces, et médite de nouveaux carnages, Dieu tonne du plus haut des cieux : le redouté capitaine tombe au plus beau temps de sa vie; et la Pologne est délivrée [3]. Mais le premier rayon d'espérance vint de la princesse palatine : honteuse de n'envoyer que cent mille livres au roi et à la reine de Pologne, elle les envoie du moins avec une incroyable promptitude. Qu'admira-t-on davantage, ou de ce que ce secours vint si à propos, ou de ce qu'il vint d'une main dont on ne l'attendait pas, ou de ce que, sans chercher d'excuse dans le mauvais état où se trouvaient ses affaires, la princesse palatine s'ôta tout pour soulager une sœur qui ne l'aimait pas? Les deux princesses ne furent plus qu'un même cœur : la reine parut vraiment reine par une bonté et par une magnificence dont le bruit a retenti par toute la terre; et la princesse palatine joignit au respect qu'elle avait pour une aînée de ce rang et de ce mérite une éternelle reconnaissance.

Quel est, messieurs, cet aveuglement dans une âme

---

ejus : excutite folia ejus, et dispergite fructus ejus. (DAN., IV, 11, 20.) *Succident eum alieni, et crudelissimi nationum, et projicient eum super montes, et in cunctis convallibus corruent rami ejus, et confringentur arbusta ejus in universis rupibus terræ.* (EZECH., XXXI, 12.)

[1] Jean Sobieski, depuis roi de Pologne, défit les Turcs à la bataille de Choczim le 11 novembre 1673, et leur tua vingt-huit mille hommes.

[2] *Reducam te in viam, per quam venisti.* (IV. REG., XIX, 28.)

[3] La Harpe cite en entier ce morceau comme un exemple d'images fortes et hardies.

chrétienne, et qui le pourrait comprendre, d'être incapable de manquer aux hommes, et de ne craindre pas de manquer à Dieu? comme si le culte de Dieu ne tenait aucun rang parmi les devoirs ! Contez-nous donc maintenant, vous qui les savez, toutes les grandes qualités de la princesse palatine; faites-nous voir, si vous le pouvez, toutes les grâces de cette douce éloquence qui s'insinuait dans les cœurs par des tours si nouveaux et si naturels; dites qu'elle était généreuse, libérale, reconnaissante, fidèle dans ses promesses, juste : vous ne faites que raconter ce qui l'attachait à elle-même. Je ne vois dans tout ce récit que le prodigue de l'Évangile[1], qui veut avoir son partage, qui veut jouir de soi-même et des biens que son père lui a donnés, qui s'en va le plus loin qu'il peut de la maison paternelle, « dans un « pays écarté, » où il dissipe tant de rares trésors, et en un mot où il donne au monde tout ce que Dieu voulait avoir. Pendant qu'elle contentait le monde, et se contentait elle-même, la princesse palatine n'était pas heureuse; et le vide des choses humaines se faisait sentir à son cœur. Elle n'était heureuse ni pour avoir avec l'estime du monde, qu'elle avait tant désirée, celle du roi même; ni pour avoir l'amitié et la confiance de PHILIPPE[2], et des deux princesses qui ont fait successivement avec lui la seconde lumière de la cour : de PHILIPPE, dis-je, ce grand prince que ni sa naissance, ni sa valeur, ni la victoire elle-même, quoiqu'elle se donne à lui avec tous ses avantages, ne peuvent enfler; et de ces deux grandes princesses, dont on ne peut nommer l'une sans douleur, ni connaître l'autre sans l'admirer. Mais peut-être que le solide établissement de

---

[1] Luc., xv, 12, 13.

[2] Philippe d'Orléans, Monsieur, frère de Louis XIV. Il fut marié deux fois, d'abord à Henriette d'Angleterre, ensuite à Charlotte-Élisabeth de Bavière. Bossuet veut parler ici de ces deux princesses.

la famille de notre princesse achèvera son bonheur.
Non, elle n'était heureuse ni pour avoir placé auprès
d'elle la princesse Anne, sa chère fille et les délices de
son cœur, ni pour l'avoir placée dans une maison où
tout est grand. Que sert de s'expliquer davantage? On
dit tout quand on prononce seulement le nom de Louis
de Bourbon, prince de Condé, et de Henri-Jules de
Bourbon, duc d'Enghien. Avec un peu plus de vie, elle
aurait vu les grands dons, et le premier des mortels,
touché de ce que le monde admire le plus après lui, se
plaire à le reconnaître par de dignes distinctions. C'est
ce qu'elle devait attendre du mariage de la princesse
Anne. Celui de la princesse Bénédicte ne fut guère
moins heureux, puisqu'elle épousa Jean-Frédéric, duc
de Brunswick et de Hanovre, souverain puissant qui
avait joint le savoir avec la valeur, la religion catholique avec les vertus de sa maison, et, pour comble de
joie à notre princesse, le service de l'Empire avec les
intérêts de la France. Tout était grand dans sa famille;
et la princesse Marie, sa fille, n'aurait eu à désirer sur
la terre qu'une vie plus longue. Que s'il fallait avec tant
d'éclat la tranquillité et la douceur, elle trouvait dans
un prince, aussi grand d'ailleurs que celui qui honore
cette audience, avec les grandes qualités, celles qui
pouvaient contenter sa délicatesse; et dans la duchesse
sa chère fille, un naturel tel qu'il le fallait à un cœur
comme le sien, un esprit qui se fait sentir sans vouloir
briller, une vertu qui devait bientôt forcer l'estime du
monde, et, comme une vive lumière, percer tout à
coup, avec un grand éclat, un beau, mais sombre
nuage. Cette alliance fortunée lui donnait une perpétuelle et étroite liaison avec le prince[1], qui de tout
temps avait le plus ravi son estime; prince qu'on ad-

[1] Le grand Condé.

mire autant dans la paix que dans la guerre, en qui l'u-
nivers attentif ne voit plus rien à désirer, et s'étonne de
trouver enfin toutes les vertus en un seul homme. Que
fallait-il davantage? et que manquait-il au bonheur de
notre princesse? Dieu, qu'elle avait connu; et tout avec
lui. Une fois elle lui avait rendu son cœur. Les douceurs
célestes, qu'elle avait goûtées sous les ailes de sainte
Fare, étaient revenues dans son esprit. Retirée à la campagne, séquestrée du monde, elle s'occupa trois ans entiers à régler sa conscience et ses affaires. Un million,
qu'elle retira du duché de Rethelois, servit à multiplier
ses bonnes œuvres; et la première fut d'acquitter ce
qu'elle devait avec une scrupuleuse régularité, sans se
permettre ces compositions si adroitement colorées qui
souvent ne sont qu'une injustice couverte d'un nom
spécieux. Est-ce donc ici cet heureux retour que je vous
promets depuis si longtemps? Non, messieurs; vous ne
verrez encore à cette fois qu'un plus déplorable éloignement. Ni les conseils de la Providence ni l'état de la
princesse ne permettaient qu'elle partageât tant soit peu
son cœur : une âme comme la sienne ne souffre point
de tels partages; et il fallait ou tout à fait rompre ou se
rengager tout à fait avec le monde. Les affaires l'y
rappelèrent; sa piété s'y dissipa encore une fois : elle
éprouva que Jésus-Christ n'a pas dit en vain : *Fiunt
novissima hominis illius pejora prioribus* [1] *:* « L'état de
« l'homme qui retombe devient pire que le premier. »
Tremblez, âmes réconciliées, qui renoncez si souvent à
la grâce de la pénitence; tremblez, puisque chaque
chute creuse sous vos pas de nouveaux abîmes; tremblez enfin au terrible exemple de la princesse palatine.
A ce coup le Saint-Esprit irrité se retire : les ténèbres

[1] Luc., XI, 26.

s'épaississent ; la foi s'éteint. Un saint abbé [1], dont la
doctrine et la vie sont un ornement de notre siècle, ravi
d'une conversion aussi admirable et aussi parfaite que
celle de notre princesse, lui ordonna de l'écrire pour
l'édification de l'Église. Elle commence ce récit en con-
fessant son erreur. Vous, Seigneur, dont la bonté infinie n'a rien donné aux hommes de plus efficace pour
effacer leurs péchés que la grâce de les reconnaître,
recevez l'humble confession de votre servante ; et en
mémoire d'un tel sacrifice, s'il lui reste quelque chose à
expier après une si longue pénitence, faites-lui sentir
aujourd'hui vos miséricordes. Elle confesse donc, chrétiens, qu'elle avait tellement perdu les lumières de la
foi, que, lorsqu'on parlait sérieusement des mystères
de la religion, elle avait peine à retenir ce ris dédaigneux qu'excitent les personnes simples lorsqu'on leur
voit croire des choses impossibles : « Et, poursuit-elle,
« c'eût été pour moi le plus grand de tous les miracles
« que de me faire croire fermement le christianisme. »
Que n'eût-elle pas donné pour obtenir ce miracle ? Mais
l'heure marquée par la divine Providence n'était pas
encore venue. C'était le temps où elle devait être livrée
à elle-même, pour mieux sentir dans la suite la merveilleuse victoire de la grâce. Ainsi elle gémissait dans
son incrédulité, qu'elle n'avait pas la force de vaincre.
Peu s'en faut qu'elle ne s'emporte jusqu'à la dérision,
qui est le dernier excès et comme le triomphe de l'orgueil, et qu'elle ne se trouve parmi « ces moqueurs
« dont le jugement est si proche, » selon la parole du
Sage [2] : *Parata sunt derisoribus judicia.*

Déplorable aveuglement ! Dieu a fait un ouvrage au

[1] M. de Rancé, abbé de la Trappe.
[2] PROV., XIX, 29.

milieu de nous, qui, détaché de toute autre cause, et
ne tenant qu'à lui seul, remplit tous les temps et tous
les lieux, et porte par toute la terre, avec l'impression
de sa main, le caractère de son autorité : c'est Jésus-
Christ et son Église. Il a mis dans cette Église une autorité
seule capable d'abaisser l'orgueil et de relever la simplicité, et qui, également propre aux savants et aux
ignorants, imprime aux uns et aux autres un même respect. C'est contre cette autorité que les libertins se révoltent avec un air de mépris. Mais qu'ont-ils vu ces rares
génies? qu'ont-ils vu plus que les autres? Quelle ignorance est la leur! et qu'il serait aisé de les confondre,
si, faibles et présomptueux, ils ne craignaient d'être
instruits? Car pensent-ils avoir mieux vu les difficultés
à cause qu'ils y succombent, et que les autres, qui les
ont vues, les ont méprisées? Ils n'ont rien vu; ils n'en-
tendent rien, ils n'ont pas même de quoi établir le néant,
auquel ils espèrent après cette vie; et ce misérable partage ne leur est pas assuré. Ils ne savent s'ils trouveront
un Dieu propice ou un Dieu contraire. S'ils le font égal[1]
au vice et à la vertu, quelle idole! Que s'il ne dédaigne
pas de juger ce qu'il a créé, et encore ce qu'il a créé capable d'un bon et d'un mauvais choix, qui leur dira ou
ce qui lui plaît, ou ce qui l'offense, ou ce qui l'apaise?
Par où ont-ils deviné que tout ce qu'on pense de ce premier
Être soit indifférent, et que toutes les religions qu'on
voit sur la terre lui soient également bonnes? Parce qu'il
y en a de fausses, s'ensuit-il qu'il n'y en ait pas une véritable? ou qu'on ne puisse plus connaître l'ami sincère,
parce qu'on est environné de trompeurs? Est-ce peut-être
que tous ceux qui errent sont de bonne foi? L'homme
ne peut-il pas, selon sa coutume, s'en imposer à lui-

[1] *Égal* est ici dans le sens d'*indifférent*.

même? Mais quel supplice ne méritent pas les obstacles qu'il aura mis par ses préventions à des lumières plus pures? où a-t-on pris que la peine et la récompense ne soient que pour les jugements humains, et qu'il n'y ait pas en Dieu une justice dont celle qui reluit en nous ne soit qu'une étincelle? Que s'il est une telle justice souveraine, et par conséquent inévitable, divine, et par conséquent infinie, qui nous dira qu'elle n'agisse jamais selon sa nature, et qu'une justice infinie ne s'exerce pas à la fin par un supplice infini et éternel? Où en sont donc les impies? et quelle assurance ont-ils contre la vengeance éternelle dont on les menace? Au défaut d'un meilleur refuge, iront-ils enfin se plonger dans l'abîme de l'athéisme? et mettront-ils leur repos dans une fureur qui ne trouve presque point de place dans les esprits? Qui leur résoudra ces doutes, puisqu'ils veulent les appeler de ce nom? Leur raison, qu'ils prennent pour guide, ne présente à leur esprit que des conjectures et des embarras. Les absurdités où ils tombent en niant la religion deviennent plus insoutenables que les vérités dont la hauteur les étonne; et, pour ne vouloir pas croire des mystères incompréhensibles, ils suivent l'une après l'autre d'incompréhensibles erreurs. Qu'est-ce donc après tout, messieurs, qu'est-ce que leur malheureuse incrédulité, sinon une erreur sans fin, une témérité qui hasarde tout, un étourdissement volontaire, et en un mot un orgueil qui ne peut souffrir son remède, c'est-à-dire[1] qui ne peut souffrir une autorité légitime? Ne croyez pas que l'homme ne soit emporté que par l'intempérance des sens. L'intempérance de l'esprit n'est pas moins flatteuse. Comme l'autre, elle se fait des plaisirs cachés, et s'irrite par la défense. Ce superbe

---

[1] Var. *Première édition* : c'est-à-dire une autorité légitime?

croit s'élever au-dessus de tout et au-dessus de lui-même,
quand il s'élève, ce lui semble, au-dessus de la religion,
qu'il a si longtemps révérée : il se met au rang des gens
désabusés; il insulte en son cœur aux faibles esprits,
qui ne font que suivre les autres sans rien trouver par
eux-mêmes; et, devenu le seul objet de ses complaisances, il se fait lui-même son Dieu.

C'est dans cet abîme profond que la princesse palatine
allait se perdre. Il est vrai qu'elle désirait avec ardeur
de connaître la vérité. Mais où est la vérité sans la foi,
qui lui paraissait impossible, à moins que Dieu l'établît
en elle par un miracle? Que lui servait d'avoir conservé
la connaissance de la Divinité ? Les esprits même les
plus déréglés n'en rejettent pas l'idée, pour n'avoir point
à se reprocher un aveuglement trop visible. Un Dieu
qu'on fait à sa mode, aussi patient, aussi insensible que
nos passions le demandent, n'incommode pas. La liberté
qu'on se donne de penser tout ce qu'on veut, fait qu'on
croit respirer un air nouveau. On s'imagine jouir de
soi-même et de ses désirs; et dans le droit qu'on pense
acquérir de ne se rien refuser, on croit tenir tous les
biens, et on les goûte par avance.

En cet état, chrétiens, où la foi même est perdue,
c'est-à-dire où le fondement est renversé, que restait-il
à notre princesse, que restait-il à une âme qui, par un
juste jugement de Dieu, était déchue de toutes les grâces,
et ne tenait à Jésus-Christ par aucun lien ? qu'y restait-il,
chrétiens, si ce n'est ce que dit saint Augustin? Il restait
la souveraine misère et la souveraine miséricorde :
Restabat magna miseria, et magna misericordia[1]. Il restait
ce secret regard d'une Providence miséricordieuse, qui
la voulait rappeler des extrémités de la terre; et voici

____
[1] *In Psalm.* L, n. 8; tom. IV, col. 466.

quelle fut la première touche. Prêtez l'oreille, messieurs ; elle a quelque chose de miraculeux. Ce fut un songe admirable ; de ceux que Dieu même fait venir du ciel par le ministère des anges ; dont les images sont si nettes et si démêlées ; où l'on voit je ne sais quoi de céleste. Elle crut, c'est elle-même qui le raconte au saint abbé : écoutez, et prenez garde surtout de n'écouter pas avec mépris l'ordre des avertissements divins, et la conduite de la grâce. Elle crut, dis-je, « que marchant seule dans « une forêt, elle y avait rencontré un aveugle dans une « petite loge. Elle s'approche pour lui demander s'il « était aveugle de naissance, ou s'il l'était devenu par « quelque accident. Il répondit qu'il était aveugle-né. « Vous ne savez donc pas, reprit-elle, ce que c'est que « la lumière, qui est si belle et si agréable, et le soleil « qui a tant d'éclat et de beauté ? Je n'ai, dit-il, jamais « joui de ce bel objet, et je ne m'en puis former aucune « idée. Je ne laisse pas de croire, continua-t-il, qu'il est « d'une beauté ravissante. L'aveugle parut alors changer « de voix et de visage, et prenant un ton d'autorité : « Mon exemple, dit-il, vous doit apprendre qu'il y a des « choses très-excellentes et très-admirables qui échap- « pent à notre vue, et qui n'en sont ni moins vraies ni « moins désirables, quoiqu'on ne les puisse ni compren- « dre ni imaginer. » C'est, en effet, qu'il manque un sens aux incrédules, comme à l'aveugle et ce sens c'est Dieu qui le donne, selon ce que dit saint Jean[1] : « Il « nous a donné un sens pour connaître le vrai Dieu, et « pour être en son vrai Fils : » *Dedit nobis sensum, ut cognoscamus verum Deum, et simus in vero Filio ejus.* Notre princesse le comprit. En même temps, au milieu d'un songe si mystérieux, « elle fit l'application de la

---

[1] I. Joan., V, 20.

« belle comparaison de l'aveugle, aux vérités de la reli-
« gion et de l'autre vie : » ce sont ses mots que je vous
rapporte. Dieu, qui n'a besoin ni de temps, ni d'un long
circuit de raisonnements, pour se faire entendre, tout
à coup lui ouvrit les yeux. Alors, par une soudaine illu-
mination, « elle se sentit si éclairée (c'est elle-même
« qui continue à vous parler), et tellement transportée
« de la joie d'avoir trouvé ce qu'elle cherchait depuis
« si longtemps, qu'elle ne put s'empêcher d'embrasser
« l'aveugle, dont le discours lui découvrait une plus
« belle lumière que celle dont il était privé. Et, dit-elle,
« il se répandit dans mon cœur une joie si douce et une
« foi si sensible, qu'il n'y a point de paroles capables
« de l'exprimer. » Vous attendez, chrétiens, quel sera
le réveil d'un sommeil si doux et si merveilleux. Écoutez,
et reconnaissez que ce songe est vraiment divin. « Elle
« s'éveilla là-dessus, dit-elle, et se trouva dans le même
« état où elle s'était vue dans cet admirable songe, c'est-
« à-dire tellement changée, qu'elle avait peine à le croire. »
Le miracle qu'elle attendait est arrivé : elle croit, elle
qui jugeait la foi impossible : Dieu la change par une
lumière soudaine, et par un songe qui tient de l'extase.
Tout suit en elle de la même force. « Je me levai, pour-
« suit-elle, avec précipitation : mes actions étaient mêlées
« d'une joie et d'une activité extraordinaire. » Vous le
voyez : cette nouvelle vivacité, qui animait ses actions,
se ressent encore dans ses paroles. « Tout ce que je li-
« sais sur la religion, me touchait jusqu'à répandre des
« larmes. Je me trouvais à la messe dans un état bien
« différent de celui où j'avais accoutumé d'être. » Car
c'était de tous les mystères celui qui lui paraissait le plus
incroyable. « Mais alors, dit-elle, il me semblait sentir la
« présence réelle de Notre-Seigneur, à peu près comme l'on
« sent les choses visibles, et dont l'on ne peut douter. »

Ainsi, elle passa tout à coup d'une profonde obscurité
à une lumière manifeste. Les nuages de son esprit sont
dissipés : miracle aussi étonnant que celui où Jésus-
Christ fit tomber en un instant des yeux de Saul converti
cette espèce d'écaille dont ils étaient couverts [1]. Qui
donc ne s'écrierait à un si soudain changement : « Le
« doigt de Dieu est ici [2] ! » La suite ne permet pas d'en
douter, et l'opération de la grâce se reconnaît dans ses
fruits. Depuis ce bienheureux moment, la foi de notre
princesse fut inébranlable : et même cette joie sensible
qu'elle avait à croire, lui fut continuée quelque temps.
Mais au milieu de ces célestes douceurs, la justice divine
eut son tour. L'humble princesse ne crut pas qu'il lui
fût permis d'approcher d'abord des saints sacrements.
Trois mois entiers furent employés à repasser avec larmes ses ans écoulés parmi tant d'illusions, et à préparer sa confession. Dans l'approche du jour désiré où elle
espérait de la faire, elle tomba dans une syncope qui
ne lui laissa ni couleur, ni pouls, ni respiration. Revenue d'une si longue et si étrange défaillance, elle se vit
replongée dans un plus grand mal; et après les affres
de la mort, elle ressentit toutes les horreurs de l'enfer.
Digne effet des sacrements de l'Église, qui, donnés ou
différés, font sentir à l'âme la miséricorde de Dieu, ou
tout le poids de ses vengeances. Son confesseur qu'elle
appelle la trouve sans force, incapable d'application,
et prononçant à peine quelques mots entrecoupés : il
fut contraint de remettre la confession au lendemain.
Mais il faut qu'elle vous raconte elle-même quelle nuit
elle passa dans cette attente. Qui sait si la Providence
n'aura pas amené ici quelque âme égarée, qui doive

[1] ACT., IX, 18.
[2] *Digitus Dei est hic.* (EXOD., VIII, 19.)

être touchée de ce récit? « Il est, dit-elle, impossible de
« s'imaginer les étranges peines de mon esprit sans les
« avoir éprouvées. J'appréhendais à chaque moment le
« retour de ma syncope, c'est-à-dire ma mort et ma dam-
« nation. J'avouais bien que je n'étais pas. digne d'une
« miséricorde que j'avais si longtemps négligée ; et je
« disais à Dieu, dans mon. cœur, que je n'avais aucun
« droit de me plaindre de sa justice ; mais qu'enfin, chose
« insupportable ! je ne le verrais jamais ; que je serais
« éternellement avec ses ennemis, éternellement sans
« l'aimer, éternellement haïe de lui. Je sentais tendre-
« ment ce déplaisir, et je le sentais même, comme je crois
« (ce sont ses propres paroles), entièrement détachée
« des autres peines de l'enfer. » Le voilà, mes chères
sœurs, vous le connaissez, le voilà ce pur amour, que
Dieu lui-même répand dans les cœurs avec toutes ses délicatesses et dans toute sa vérité. La voilà cette crainte
qui change les cœurs : non point la crainte de l'esclave,
qui craint l'arrivée d'un maître fâcheux ; mais la crainte
d'une chaste épouse, qui craint de perdre ce qu'elle
aime. Ces sentiments tendres, mêlés de larmes et de
frayeur, aigrissaient son mal jusqu'à la dernière extrémité. Nul n'en pénétrait la cause, et on attribuait ces
agitations à la fièvre dont elle était tourmentée. Dans
cet état pitoyable, pendant qu'elle se regardait comme
une personne réprouvée, et presque sans espérance de
salut ; Dieu, qui fait entendre ses vérités en telle manière
et sous telles figures qu'il lui plaît, continua de l'instruire, comme il a fait Joseph et Salomon ; et durant
l'assoupissement que l'accablement lui causa, il lui mit
dans l'esprit cette parabole si semblable à celle de l'É-
vangile. Elle voit paraître ce que Jésus-Christ n'a pas dédaigné de nous donner comme l'image de sa tendresse [1] ;

[1] MATTH., XXIII, 37.

une poule devenue mère, empressée autour des petits
qu'elle conduisait. Un d'eux s'étant écarté, notre malade
le voit englouti par un chien avide. Elle accourt, elle
lui arrache cet innocent animal. En même temps on lui
crie d'un autre côté qu'il le fallait rendre au ravisseur,
dont on éteindrait l'ardeur en lui enlevant sa proie.
« Non, dit-elle, je ne le rendrai jamais. » En ce moment
elle s'éveilla; et l'application de la figure qui lui avait
été montrée se fit en un instant dans son esprit, comme
si on lui eût dit : « Si vous, qui êtes mauvaise [1], ne pouvez
« vous résoudre à rendre ce petit animal que vous avez
« sauvé, pourquoi croyez-vous que Dieu infiniment bon
« vous redonnera au démon, après vous avoir tirée de
« sa puissance? Espérez, et prenez courage. » A ces
mots elle demeura dans un calme et dans une joie qu'elle
ne pouvait exprimer, « comme si un ange lui eût appris
« (ce sont encore ses paroles), que Dieu ne l'abandonne-
« rait pas [2]. » Ainsi tomba tout à coup la fureur des vents

---

[1] MATTH., VII, 11.

[2] L'éloquence partage avec la poésie le privilége de revêtir d'expressions nobles des objets et des images qui, sans cet artifice, ne sauraient
appartenir au genre oratoire. Bossuet excelle dans ce talent ou dans cette
magie d'assortir les récits les plus populaires à la majesté de ses discours.
Le songe de la princesse palatine eût embarrassé sans doute un autre
orateur; et il faut avouer que l'histoire d'un *poussin* enlevé par un *chien*
sous les ailes de sa mère n'était pas aisée à ennoblir dans une oraison funèbre, où la narration d'un pareil songe ne semblait pas pouvoir être
admise. Bossuet lutte avec gloire contre la difficulté de son sujet, et d'a-
bord il se hâte d'imprimer un caractère religieux à son auditoire. Voyez
avec quel art admirable l'orateur rapproche toutes les allégories d'une imagination riche et brillante, l'intervention de la Divinité, la préparation
oratoire d'un sommeil mystique, le songe de Joseph, celui de Salomon,
la parabole de l'Évangile; il vous familiarise d'avance avec le merveilleux dont il vous rapproche, en vous environnant d'un horizon qui vous
présente de tous côtés de pareils prodiges; et, par les ornements acces-
soires, il vous prépare, il vous amène ainsi à entendre sans surprise les
détails d'un rêve où il n'est question que d'une poule, dont il semblait

et des flots à la voix de Jésus-Christ qui les menaçait[1] ;
et il ne fit pas un moindre miracle dans l'âme de notre
sainte pénitente, lorsque, parmi les frayeurs d'une conscience alarmée, et « les douleurs de l'enfer[2], » il lui
fit sentir tout à coup par une vive confiance, avec la
rémission de ses péchés, cette « paix qui surpasse toute
« intelligence[3]. » Alors une joie céleste saisit tous ses
sens, « et les os humiliés tressaillirent[4]. » Souvenez-vous,
ô sacré pontife, quand vous tiendrez en vos mains la
sainte victime qui ôte les péchés du monde, souvenez-
vous de ce miracle de sa grâce. Et vous, saints prêtres,
venez; et vous, saintes filles[5]; et vous, chrétiens; venez
aussi, ô pécheurs! tous ensemble commençons d'une
même voix le cantique de la délivrance, et ne cessons
de répéter avec David : « Que Dieu est bon! que sa mi-
« séricorde est éternelle[6]! »

Il ne faut point manquer à de telles grâces, ni les
recevoir avec mollesse. La princesse palatine change
en un moment tout entière : nulle parure que la simplicité, nul ornement que la modestie. Elle se montre
au monde à cette fois; mais ce fut pour lui déclarer
qu'elle avait renoncé à ses vanités. Car aussi quelle erreur à une chrétienne, et encore à une chrétienne péni-

---

impossible, ou, pour mieux dire, ridicule de parler. Rien ne prouve mieux
que cet exemple qu'un grand talent parviendra toujours à adapter avec
succès au style de l'éloquence presque tout ce qu'on pourrait se permettre dans les entretiens de la société. (M.)

[1] MARC., IV, 39. LUC., VIII, 24.

[2] *Dolores inferni circumdederunt me.* (Ps. XVII, 6.)

[3] *Pax Dei, quæ exsuperat omnem sensum.* (PHILIP., IV, 7.)

[4] *Auditui meo dabis gaudium et lætitiam; et exultabunt ossa humiliata.*
(Ps. L, 10.)

[5] Les carmélites.

[6] *Confitemini Domino, quoniam bonus, quoniam in æternum misericordia ejus.* (Ps. CXXXV, 1.)

tente, d'orner ce qui n'est digne que de son mépris? de
peindre et de parer l'idole du monde? de retenir comme
par force, et avec mille artifices autant indignes qu'i-
nutiles, ces grâces qui s'envolent avec le temps? Sans
s'effrayer de ce qu'on dirait, sans craindre comme autrefois ce vain fantôme des âmes infirmes, dont les grands
sont épouvantés plus que tous les autres, la princesse
palatine parut à la cour si différente d'elle-même; et
dès lors elle renonça à tous les divertissements, à tous
les jeux jusqu'aux plus innocents, se soumettant aux
sévères lois de la pénitence chrétienne, et ne songeant
qu'à restreindre et à punir une liberté qui n'avait pu
demeurer dans ses bornes. Douze ans de persévérance,
au milieu des épreuves les plus difficiles, l'ont élevée à
un éminent degré de sainteté. La règle qu'elle se fit dès
le premier jour fut immuable; toute sa maison y entra :
chez elle on ne faisait que passer d'un exercice de piété
à un autre. Jamais l'heure de l'oraison ne fut changée
ni interrompue, pas même par les maladies. Elle savait
que, dans ce commerce sacré, tout consiste à s'humilier sous la main de Dieu, et moins à donner qu'à recevoir :
ou plutôt, selon le précepte de Jésus-Christ[1], son oraison fut perpétuelle pour être égale au besoin. La lecture
de l'Évangile et des livres saints en fournissait la matière : si le travail semblait l'interrompre, ce n'était que
pour la continuer d'une autre sorte. Par le travail on
charmait l'ennui, on ménageait le temps, on guérissait
la langueur de la paresse et les pernicieuses rêveries de
l'oisiveté. L'esprit se relâchait pendant que les mains,
industrieusement occupées, s'exerçaient dans des ouvrages dont la piété avait donné le dessein : c'était ou
des habits pour les pauvres, ou des ornements pour les

---

[1] *Oportet semper orare, et non deficere.* (LUC., XVIII, 1.)

autels. Les psaumes avaient succédé aux cantiques des
joies du siècle. Tant qu'il n'était point nécessaire de
parler, la sage princesse gardait le silence : la vanité et
les médisances, qui soutiennent tout le commerce du
monde, lui faisaient craindre tous les entretiens; et rien
ne lui paraissait ni agréable ni sûr que la solitude. Quand
elle parlait de Dieu, le goût intérieur d'où sortaient toutes ses paroles se communiquait à ceux qui conversaient
avec elle; et les nobles expressions qu'on remarquait
dans ses discours ou dans ses écrits venaient de la haute
idée qu'elle avait conçue des choses divines. Sa foi ne
fut pas moins simple que vive : dans les fameuses questions qui ont troublé en tant de manières le repos de nos
jours, elle déclarait hautement qu'elle n'avait autre part
à y prendre que celle d'obéir à l'Église. Si elle eût eu la
fortune des ducs de Nevers ses pères, elle en aurait surpassé la pieuse magnificence, quoique cent temples fameux en portent la gloire jusqu'au ciel, « et que les
« églises des saints publient leurs aumônes[1]. » Le duc
son père avait fondé dans ses terres de quoi marier tous
les ans soixante filles : riche oblation, présent agréable.
La princesse sa fille en mariait aussi tous les ans ce
qu'elle pouvait, ne croyant pas assez honorer les libéralités de ses ancêtres, si elle ne les imitait. On ne peut
retenir ses larmes quand on lui voit épancher son cœur
sur de vieilles femmes qu'elle nourrissait. Des yeux si
délicats firent leurs délices de ces visages ridés, de ces
membres courbés sous les ans. Écoutez ce qu'elle en
écrit au fidèle ministre de ses charités; et dans un même
discours, apprenez à goûter la simplicité et la charité
chrétienne. « Je suis ravie, dit-elle, que l'affaire de nos

---

[1] *Eleemosynas illius enarrabit omnis Ecclesia sanctorum.* (Eccl.,
XXXI, 11.)

« bonnes vieilles soit si avancée. Achevons vite, au nom
« de Notre-Seigneur; ôtons vitement cette bonne femme
« de l'étable où elle est, et la mettons dans un de ces
« petits lits. » Quelle nouvelle vivacité succède à celle
que le monde inspire! Elle poursuit : « Dieu me don-
« nera peut-être de la santé pour aller servir cette para-
« lytique; au moins je le ferai par mes soins, si les forces
« me manquent; et, joignant mes maux aux siens, je
« les offrirai plus hardiment à Dieu. Mandez-moi ce qu'il
« faut pour la nourriture et les ustensiles de ces pau-
« vres femmes; peu à peu nous les mettrons à leur
« aise. » Je me plais à répéter toutes ces paroles, malgré les oreilles délicates [1]; elles effacent les discours les
plus magnifiques, et je voudrais ne parler plus que ce
langage. Dans les nécessités extraordinaires, sa charité
faisait de nouveaux efforts. Le rude hiver des années
dernières acheva de la dépouiller de ce qui lui restait de
superflu; tout devint pauvre dans sa maison et sur sa
personne : elle voyait disparaître avec une joie sensible les restes des pompes du monde; et l'aumône lui
apprenait à se retrancher tous les jours quelque chose
de nouveau. C'est en effet la vraie grâce de l'aumône,
en soulageant les besoins des pauvres, de diminuer en
nous d'autres besoins, c'est-à-dire ces besoins honteux
qu'y fait la délicatesse, comme si la nature n'était pas
assez accablée de nécessités. Qu'attendez-vous, chrétiens,
à vous convertir? et pourquoi désespérez-vous de votre
salut? Vous voyez la perfection où s'élève l'âme pénitente quand elle est fidèle à la grâce. Ne craignez ni la
maladie, ni les dégoûts, ni les tentations, ni les peines

[1] On a droit de tout dire, quand on sait le relever par un langage si
majestueux. Il ne reste donc aucune excuse aux orateurs dont le style
est abject et rampant dans des détails beaucoup moins bas, et moins
difficiles à ennoblir. (**M.**)

les plus cruelles. Une personne si sensible et si délicate,
qui ne pouvait seulement entendre nommer les maux,
a souffert douze ans entiers, et presque sans intervalle,
ou les plus vives douleurs, ou des langueurs qui épui-
saient le corps et l'esprit; et cependant, durant tout ce
temps et dans les tourments inouïs de sa dernière maladie,
où ses maux s'augmentèrent jusques aux derniers excès,
elle n'a eu à se repentir que d'avoir une seule fois sou-
haité une mort plus douce. Encore réprima-t-elle ce
faible désir en disant aussitôt après avec Jésus-Christ la
prière du sacré mystère du Jardin; c'est ainsi qu'elle
appelait la prière de l'agonie de notre Sauveur : « O mon
« Père! que votre volonté soit faite, et non pas la
« mienne [1]. » Ses maladies lui ôtèrent la consolation
qu'elle avait tant désirée d'accomplir ses premiers desseins, et de pouvoir achever ses jours sous la discipline
et dans l'habit de Sainte-Fare. Son cœur, donné ou plutôt rendu à ce monastère, où elle avait goûté les premières grâces, a témoigné son désir; et sa volonté a été
aux yeux de Dieu un sacrifice parfait. C'eût été un soutien
sensible à une âme comme la sienne d'accomplir de
grands ouvrages pour le service de Dieu; mais elle est
menée par une autre voie, par celle qui crucifie davantage, qui, sans rien laisser entreprendre à un esprit
courageux, le tient accablé et anéanti sous la rude loi
de souffrir. Encore s'il eût plu à Dieu de lui conserver
ce goût sensible de la piété qu'il avait renouvelé dans
son cœur au commencement de sa pénitence! mais non,
tout lui est ôté; sans cesse elle est travaillée de peines
insupportables. « O Seigneur! disait le saint homme Job,
« vous me tourmentez d'une manière merveilleuse [2]. »

---

[1] *Pater,... non mea voluntas, sed tua, fiat.* (LUC., XXII, 42.)
[2] *Mirabiliter me crucias.* (JOB, X, 16.)

C'est que , sans parler ici de ses autres peines, il portait
au fond de son cœur une vive et continuelle appréhension de déplaire à Dieu. Il voyait d'un côté sa sainte
justice, devant laquelle les anges ont peine à soutenir
leur innocence. Il le voyait avec ces yeux éternellement
ouverts observer toutes les démarches, « compter tous
« les pas d'un pécheur[1], et garder ses péchés comme
« sous le sceau, » pour les lui représenter au dernier
jour : *Signasti quasi in sacculo delicta mea*[2]. D'un autre
côté il ressentait ce qu'il y a de corrompu dans le cœur
de l'homme. «Je craignais, dit-il, toutes mes œuvres[3].»
Que vois-je? le péché! le péché partout! Et il s'écriait
jour et nuit : « O Seigneur! pourquoi n'ôtez-vous pas
« mes péchés[4]? » Et que ne tranchez-vous une fois ces
malheureux jours, où l'on ne fait que vous offenser,
afin qu'il ne soit pas dit « que je suis contraire à la parole
« du Saint[5]? » Tel était le fond de ses peines; et ce qui
paraît de si violent dans ses discours n'est que la délicatesse d'une conscience qui se redoute elle-même, ou
l'excès d'un amour qui craint de déplaire. La princesse
palatine souffrit quelque chose de semblable. Quel supplice à une conscience timorée! Elle croyait voir partout dans ses actions un amour-propre déguisé en vertu.
Plus elle était clairvoyante, plus elle était tourmentée.
Ainsi Dieu l'humiliait par ce qui a coutume de nourrir
l'orgueil, et lui faisait un remède de la cause de son
mal. Qui pourrait dire par quelles terreurs elle arrivait

---

[1] *Gressus meos dinumerasti.* (Job, xiv, 16.)

[2] Ibid, 17.

[3] *Verebar omnia opera.* (Id., ix, 28.)

[4] *Cur non tollis peccatum meum? et quare non aufers iniquitatem meam?*
(Ib., vii, 21.)

[5] *Et hæc mihi sit consolatio, ut affligens me dolore, non parcat, nec
contradicam sermonibus Sancti.* (Ib., vi, 10.)

aux délices de la sainte table? Mais elle ne perdait pas
la confiance. Enfin, dit-elle, c'est ce qu'elle écrit au
saint prêtre que Dieu lui avait donné pour la soutenir
dans ses peines : « Enfin je suis parvenue au divin ban-
« quet. Je m'étais levée dès le matin pour être devant
« le jour aux portes du Seigneur; mais lui seul sait les
« combats qu'il a fallu rendre. » La matinée se passait
dans ce cruel exercice. « Mais à la fin, poursuit-elle,
« malgré mes faiblesses, je me suis comme traînée moi-
« même aux pieds de Notre-Seigneur; et j'ai connu qu'il
« fallait, puisque tout s'est fait en moi par la force de la
« divine bonté, que je reçusse encore avec une espèce
« de force ce dernier et souverain bien. » Dieu lui découvrait dans ces peines l'ordre secret de sa justice sur
ceux qui ont manqué de fidélité aux grâces de la pénitence. « Il n'appartient pas, disait-elle, aux esclaves
« fugitifs qu'il faut aller reprendre par force, et les
« ramener comme malgré eux, de s'asseoir au festin
« avec les enfants et les amis; et c'est assez qu'il leur
« soit permis de venir recueillir à terre les miettes qui
« tombent de la table de leurs seigneurs. »

Ne vous étonnez pas, chrétiens, si je ne fais plus,
faible orateur, que de répéter les paroles de la princesse
palatine; c'est que j'y ressens la manne cachée, et le
goût des Écritures divines, que ses peines et ses sentiments lui faisaient entendre. Malheur à moi, si dans
cette chaire j'aime mieux me chercher moi-même que
votre salut, et si je ne préfère à mes inventions, quand
elles pourraient vous plaire, les expériences de cette
princesse, qui peuvent vous convertir! Je n'ai regret
qu'à ce que je laisse, et je ne puis vous taire ce qu'elle a
écrit touchant les tentations d'incrédulité. « Il est bien
« croyable, disait-elle, qu'un Dieu qui aime infiniment
« en donne des preuves proportionnées à l'infinité de

« son amour, et à l'infinité de sa puissance : et ce qui
« est propre à la toute-puissance d'un Dieu passe de
« bien loin la capacité de notre faible raison. C'est,
« ajoute-t-elle, ce que je me dis à moi-même, quand les
« démons tâchent d'étonner ma foi; et depuis qu'il a plu
« à Dieu de me mettre dans le cœur, » remarquez ces
belles paroles, « que son amour est la cause de tout ce
« que nous croyons, cette réponse me persuade plus
« que tous les livres. » C'est en effet l'abrégé de tous les
saints livres, et de toute la doctrine chrétienne. Sortez,
Parole éternelle, Fils unique du Dieu vivant, sortez du
bienheureux sein de votre Père[1], et venez annoncer aux
hommes le secret que vous y voyez. Il l'a fait, et durant
trois ans il n'a cessé de nous dire le secret des conseils
de Dieu. Mais tout ce qu'il en a dit est renfermé dans ce
seul mot de son Évangile : « Dieu a tant aimé le monde,
« qu'il lui a donné son Fils unique[2]. » Ne demandez
plus ce qui a uni en Jésus-Christ le ciel et la terre, et la
croix avec les grandeurs : « Dieu a tant aimé le monde. »
Est-il incroyable que Dieu aime, et que la bonté se
communique? Que ne fait pas entreprendre aux âmes
courageuses l'amour de la gloire, aux âmes les plus
vulgaires l'amour des richesses; à tous enfin, tout ce
qui porte le nom d'amour? Rien ne coûte, ni périls, ni
travaux, ni peines : et voilà[3] les prodiges dont l'homme
est capable. Que si l'homme, qui n'est que faiblesse,
tente l'impossible; Dieu, pour contenter son amour,
n'exécutera-t-il rien d'extraordinaire? Disons donc,
pour toute raison, dans tous les mystères : « Dieu a tant
« aimé le monde. » C'est la doctrine du maître, et le dis-

---

[1] *Unigenitus Filius, qui est in sinu Patris, ipse enarravit.* (JOAN., I, 18.

[2] *Sic Deus dilexit mundum, ut Filium suum unigenitum daret.* (Id.,
III, 16.)

[3] VAR. *Première édition :* et voilà tous les prodiges.

ciple bien-aimé l'avait bien comprise. De son temps un
Cérinthe [1], un hérésiarque, ne voulait pas croire qu'un
Dieu eût pu se faire homme, et se faire la victime des
pécheurs. Que lui répondit cet apôtre vierge, ce prophète du Nouveau Testament, cet aigle, ce théologien
par excellence, ce saint vieillard qui n'avait de force
que pour prêcher la charité, et pour dire : « Aimez-vous
« les uns les autres en Notre-Seigneur; » que répondit-
il à cet hérésiarque? Quel symbole, quelle nouvelle
confession de foi opposa-t-il à son hérésie naissante?
Écoutez, et admirez. « Nous croyons, dit-il [2], et nous
« confessons l'amour que Dieu a pour nous : » *Et nos
credidimus charitati quam habet Deus in nobis.* C'est là
toute la foi des chrétiens; c'est la cause et l'abrégé de
tout le symbole. C'est là que la princesse palatine a
trouvé la résolution de ses anciens doutes. Dieu a aimé :
c'est tout dire. S'il a fait, disait-elle, de si grandes
choses pour déclarer son amour dans l'Incarnation, que
n'aura-t-il pas fait pour le consommer dans l'Eucharistie, pour se donner, non plus en général à la nature
humaine, mais à chaque fidèle en particulier? Croyons
donc avec saint Jean en l'amour d'un Dieu : la foi nous
paraîtra douce, en la prenant par un endroit si tendre.
Mais n'y croyons pas à demi, à la manière des hérétiques, dont l'un en retranche une chose, et l'autre une
autre; l'un le mystère de l'Incarnation, et l'autre celui
de l'Eucharistie; chacun ce qui lui déplaît : faibles esprits, ou plutôt cœurs étroits et entrailles resserrées [3],

[1] Cérinthe, chef des hérétiques des premier et deuxième siècles. Il
était Juif de nation ou de religion. Après avoir étudié la philosophie dans
l'école d'Alexandrie, il parut dans la Palestine, et répandit ses erreurs
principalement dans l'Asie mineure. (C.)

[2] I. JOAN., IV, 16.

[3] *Cor nostrum dilatatum est... Angustiamini autem in visceribus vestris.*
(II. COR., VI, 11, 12.)

que la foi et la charité n'ont pas assez dilatées pour comprendre toute l'étendue de l'amour d'un Dieu ! Pour nous, croyons sans réserve, et prenons le remède entier, quoi qu'il en coûte à notre raison. Pourquoi veut-on que les prodiges coûtent tant à Dieu? Il n'y a plus qu'un seul prodige que j'annonce aujourd'hui au monde. O ciel, ô terre, étonnez-vous à ce prodige nouveau ! C'est que, parmi tant de témoignages de l'amour divin, il y ait tant d'incrédules et tant d'insensibles. N'en augmentez pas le nombre qui va croissant tous les jours. N'alléguez plus votre malheureuse incrédulité, et ne faites pas une excuse de votre crime. Dieu a des remèdes pour vous guérir, et il ne reste qu'à les obtenir par des vœux continuels. Il a su prendre la sainte princesse dont nous parlons par le moyen qu'il lui a plu[1] ; il en a d'autres pour vous jusqu'à l'infini; et vous n'avez rien à craindre, que de désespérer de ses bontés. Vous osez nommer vos ennuis, après les peines terribles où vous l'avez vue ! Cependant, si quelquefois elle désirait d'en être un peu soulagée, elle se le reprochait à elle-même : « Je commence, disait-elle, à m'apercevoir « que je cherche le paradis terrestre à la suite de Jésus- « Christ, au lieu de chercher la montagne des Olives et « le Calvaire, par où il est entré dans sa gloire. » Voilà ce qu'il lui servit de méditer l'Évangile nuit et jour, et de se nourrir de la parole de vie. C'est encore ce qui lui fit dire cette admirable parole : « Qu'elle aimait « mieux vivre et mourir sans consolation que d'en cher- « cher hors de Dieu. » Elle a porté ces sentiments jusqu'à l'agonie; et, prête à rendre l'âme, on entendit qu'elle disait d'une voix mourante : « Je m'en vais voir « comment Dieu me traitera ; mais j'espère en ses misé-

---

[1] VAR. *Première édition* : qui lui a plu.

« ricordes. » Cette parole de confiance emporta son âme
sainte au séjour des justes. Arrêtons ici, chrétiens : et
vous, Seigneur, imposez silence à cet indigne ministre,
qui ne fait qu'affaiblir votre parole. Parlez dans les
cœurs, prédicateur invisible, et faites que chacun se
parle à soi-même. Parlez, mes frères, parlez : je ne suis
ici que pour aider vos réflexions. Elle viendra cette
heure dernière : elle approche, nous y touchons, la
voilà venue. Il faut dire avec ANNE DE GONZAGUE : Il n'y
a plus ni princesse, ni palatine ; ces grands noms dont
on s'étourdit ne subsistent plus. Il faut dire avec elle :
Je m'en vais, je suis emporté[1] par une force inévitable ;
tout fuit, tout diminue, tout disparaît à mes yeux. Il ne
reste plus à l'homme que le néant et le péché : pour
tout fonds, le néant ; pour toute acquisition, le péché.
Le reste, qu'on croyait tenir, échappe : semblable à de
l'eau gelée, dont le vil cristal se fond entre les mains
qui le serrent, et ne fait que les salir[2]. Mais voici ce qui
glacera le cœur, ce qui achèvera d'éteindre la voix, ce
qui répandra la frayeur dans toutes les veines : « Je
« m'en vais voir comment Dieu me traitera ; » dans un
moment je serai entre ces mains, dont saint Paul écrit
en tremblant : « Ne vous y trompez pas, on ne se moque
pas de Dieu[3] : » et encore, « C'est une chose horrible
« de tomber entre les mains du Dieu vivant[4], » entre
ces mains où tout est action, où tout est vie ; rien ne
s'affaiblit, ni se relâche, ni ne se ralentit jamais. Je

---

[1] VAR. *Première édition* : emportée.

[2] Quand Bossuet ne veut pas déployer cette pompe de description qui
rend ses comparaisons si augustes sans qu'elles deviennent jamais trop
poétiques, il se borne à un seul trait, dont son imagination fait un
tableau qui suffit au développement de sa pensée. Ici il n'a besoin que
d'une phrase pour peindre toute la misère des riches au lit de mort. (M.)

[3] *Nolite errare ; Deus non irridetur.* (GAL., VI, 7.)

[4] *Horrendum est incidere in manus Dei viventis.* (HEBR., X, 31.)

m'en vais voir si ces mains toutes-puissantes me seront favorables ou rigoureuses; si je serái éternellement, ou parmi leurs dons, ou sous leurs coups. Voilà ce qu'il faudra dire nécessairement avec notre princesse. Mais pourrons-nous ajouter avec une conscience aussi tranquille : « J'espère en sa miséricorde? » Car, qu'aurons-nous fait pour la fléchir? Quand aurons-nous écouté « la voix de celui qui crie dans le désert : Préparez les « voies du Seigneur [1]? » Comment? par la pénitence. Mais serons-nous fort contents d'une pénitence commencée à l'agonie, qui n'aura jamais été éprouvée, dont jamais on n'aura vu aucun fruit; d'une pénitence imparfaite, d'une pénitence nulle; douteuse, si vous le voulez; sans forces, sans réflexion, sans loisir, pour en réparer les défauts? N'en est-ce pas assez pour être pénétré de crainte jusque dans la moelle des os? Pour celle dont nous parlons, ah! mes frères, toutes les vertus qu'elle a pratiquées se ramassent dans cette dernière parole, dans ce dernier acte de sa vie; la foi, le courage, l'abandon à Dieu, la crainte de ses jugements, et cet amour plein de confiance, qui seul efface tous les péchés. Je ne m'étonne donc pas si le saint pasteur qui l'assista dans sa dernière maladie, et qui recueillit ses derniers soupirs, pénétré de tant de vertus, les porta jusque dans la chaire, et ne put s'empêcher de les célébrer dans l'assemblée des fidèles. Siècle vainement subtil, où l'on veut pécher avec raison, où la faiblesse veut s'autoriser par des maximes, où tant d'âmes insensées cherchent leur repos dans le naufrage de la foi, et ne font d'effort contre elles-mêmes que pour vaincre, au lieu de leurs passions, les remords de leur conscience,

---

[1] *Vox clamantis in deserto : Parate viam Domini... Facite ergo fructus dignos pœnitentiæ.* (Luc., III, 4, 8.)

la princesse palatine t'est donnée « comme un signe et un prodige : » *in signum et in portentum*[1]. Tu la verras au dernier jour, comme je t'en ai menacé, confondre ton impénitence et tes vaines excuses. Tu la verras se joindre à ces saintes filles, et à toute la troupe des saints : et qui pourra soutenir leurs redoutables clameurs? Mais que sera-ce quand Jésus-Christ paraîtra lui-même à ces malheureux; quand ils verront celui qu'ils auront percé, comme dit le prophète[2]; dont ils auront rouvert toutes les plaies; et qu'il leur dira d'une voix terrible : « Pourquoi me déchirez-vous par vos « blasphèmes, » nation impie? *Me configitis gens tota*[3]. Ou si vous ne le faisiez pas par vos paroles, pourquoi le faisiez-vous par vos œuvres? Ou pourquoi avez-vous marché dans mes voies d'un pas incertain, comme si mon autorité était douteuse? Race infidèle, me connaissez-vous à cette fois? Suis-je votre roi? suis-je votre juge? suis-je votre Dieu? Apprenez-le par votre supplice. Là commencera ce pleur éternel; là ce grincement de dents[4], qui n'aura jamais de fin. Pendant que les orgueilleux seront confondus, vous fidèles, « qui trem- « blez à sa parole[5], » en quelque endroit que vous soyez de cet auditoire, peu connus des hommes et connus de Dieu, vous commencerez à lever la tête[6]. Si, touchés des saints exemples que je vous propose, vous laissez attendrir vos cœurs; si Dieu a béni le travail par

---

[1] ISAI., VIII, 18.

[2] *Aspicient ad me quem confixerunt.* (ZACH., XII, 10.)

[3] MALACH., III, 9.

[4] *Ibi erit fletus et stridor dentium.* (MATTH., VIII, 12.)

[5] *Ad quem autem respiciam, nisi ad pauperculum et contritum spiritu, et trementem sermones meos... Audite verbum Domini, qui tremitis ad verbum ejus.* (ISAI., LXVI, 2, 5.)

[6] *Respicite, et levate capita vestra; quoniam appropinquat redemptio vestra.* (LUC., XXI, 28.)

14.

lequel je tâche de vous enfanter en Jésus-Christ; et
que, trop indigne ministre de ses conseils, je n'y aie
pas été moi-même un obstacle, vous bénirez la bonté
divine, qui vous aura conduits à la pompe funèbre de
cette pieuse princesse, où vous aurez peut-être trouvé
le commencement de la véritable vie.

Et vous, prince[1], qui l'avez tant honorée pendant
qu'elle était au monde, qui, favorable interprète de
ses moindres désirs, continuez votre protection et vos
soins à tout ce qui lui fut cher; et qui lui donnez les
dernières marques de piété avec tant de magnificence
et tant de zèle : vous, princesse, qui gémissez en lui
rendant ce triste devoir, et qui avez espéré de la voir
revivre dans ce discours, que vous dirai-je pour vous
consoler? Comment pourrai-je, madame, arrêter ce torrent de larmes que le temps n'a pas épuisé, que tant de
justes sujets de joie n'ont pas tari? Reconnaissez ici le
monde; reconnaissez ses maux toujours plus réels que
ses biens, et ses douleurs par conséquent plus vives et
plus pénétrantes que ses joies. Vous avez perdu ces
heureux moments où vous jouissiez des tendresses d'une
mère, qui n'eut jamais son égale; vous avez perdu cette
source inépuisable de sages conseils : vous avez perdu
ces consolations qui, par un charme secret, faisaient
oublier les maux dont la vie humaine n'est jamais
exempte. Mais il vous reste ce qu'il y a de plus précieux;
l'espérance de la rejoindre dans le jour de l'éternité,
et en attendant, sur la terre, le souvenir de ses instructions, l'image de ses vertus, et les exemples de sa vie.

[1] Son gendre, le duc d'Enghien, fils du grand Condé.

ORAISON FUNÈBRE

DE

MESSIRE MICHEL LE TELLIER,

CHEVALIER,

CHANCELIER DE FRANCE,

Prononcée dans l'église paroissiale de Saint-Gervais,
où il fut inhumé, le 25 janvier 1686.

NOTICE

SUR MESSIRE MICHEL LE TELLIER,

CHANCELIER DE FRANCE.

MICHEL LE TELLIER, fils de Michel, seigneur de Châville, près Meudon, et conseiller à la cour des aides, naquit en 1603, et entra de bonne heure dans la carrière de la magistrature. Il fut pourvu d'une charge de conseiller au grand conseil, n'étant encore âgé que de vingt et un ans, et s'y fit remarquer par beaucoup d'intégrité et d'application au travail. Il quitta cette charge en 1631, pour exercer celle de procureur du roi au Châtelet. En 1639 il fut fait maître des requêtes, et un an après nommé intendant de l'armée de Piémont. Dans l'intervalle de ces deux dernières promotions, le cardinal Mazarin l'avait choisi pour accompagner le chancelier Séguier, qu'on envoyait en Normandie ramener à la soumission les révoltés de cette province. Le chancelier avait à sa disposition des forces imposantes ; LE TELLIER et lui furent assez heureux et assez habiles pour pouvoir s'en passer. Enfin le cardinal Mazarin le proposa au roi pour remplir la charge de secrétaire d'État, vacante par la démission volontaire de M. Desnoyers ; et LE TELLIER commença dès lors à faire les fonctions de cette charge, dont il n'eut néanmoins le titre qu'après la mort de son prédécesseur.

Ce fut principalement sous la régence d'Anne d'Autriche, et pendant la minorité de Louis XIV, que MICHEL LE TELLIER signala son zèle pour l'autorité royale, et fit preuve à la fois de fermeté et de prudence dans les circonstances critiques où l'on se trouvait alors. Il eut la plus grande part au traité de Ruel, qui parut d'abord ramener le calme ; et ce fut à lui que la reine régente et le cardinal donnèrent leur confiance pendant les troubles qui suivirent de près ce traité.

Quand, en 1651, le cardinal Mazarin se vit obligé de céder à l'orage, et de s'éloigner de la cour, Le TELLIER crut devoir suivre son exemple : mais il ne tarda pas à être rappelé, et le fut même avant le retour du cardinal ; et, quand celui-ci fut forcé de nouveau de quitter la cour, et de sortir même du royaume, tout le poids du ministère retomba alors sur MICHEL LE TELLIER, qui demeura constamment auprès de la reine régente et du jeune roi.

Le roi enfin étant rentré dans Paris, et le cardinal Mazarin étant revenu à la cour avec plus d'autorité que jamais, Le Tellier fut, pour récompense de ses services, revêtu de la charge de trésorier des ordres du roi ; et en 1654 il obtint, pour le marquis de Louvois son fils, la survivance de sa charge de secrétaire d'État, ce qui était alors une grâce fort singulière. Lorsqu'en 1659 le cardinal Mazarin partit pour aller négocier la paix avec l'Espagne, et le mariage du roi avec l'infante Marie-Thérèse, il laissa MICHEL LE TELLIER auprès du roi, pour dresser les dépêches et instructions qu'il attendait de la cour ; et c'est à lui qu'il adressait la relation de ses conférences avec le ministre d'Espagne.

Le cardinal mourut en 1661 ; et Louis XIV, s'étant mis dès lors, à la tête des affaires, ne cessa pas d'accorder toute sa confiance à MICHEL LE TELLIER, qui continua ses fonctions de secrétaire d'État jusqu'en l'année 1666, qu'il obtint ra permission d'en remettre les fonctions et le titre à son fils le marquis de Louvois : mais il n'en conserva pas moins la qualité de ministre, et comme tel ne manqua jamais d'assister régulièrement au conseil. En 1677, le roi lui donna une nouvelle preuve de sa confiance et de son estime en l'élevant, après la mort de M. d'Aligre, à la dignité de chancelier et garde des sceaux de France. Il avait alors soixante-quatorze ans ; et dans une place si éminente, et dont les fonctions étaient si étendues, si multipliées, il montra beaucoup de vigueur d'esprit, d'activité et d'application. Il recommandait souvent à sa famille et à ses amis de l'avertir dès qu'on apercevrait en lui le moindre affaiblissement de tête, pour que ses infirmités naturelles ne devinssent pas préjudiciables au bien public. Mais il n'eut pas besoin de cet avertissement ; il mourut en 1685, encore en possession de sa charge ; et jusqu'à ses derniers moments, où il souffrit des douleurs aiguës, et où Bossuet l'assista, il montra, avec toutes les dispositions d'un chrétien résigné, une fermeté d'âme, une constance à souffrir ses maux, et une force de tête vraiment admirables.

Il avait été de tout temps fort zélé pour les intérêts de l'Église et pour la propagation de la foi catholique. En 1681 le roi convoqua une assemblée générale du clergé pour terminer l'affaire de la Régale, qui, depuis quelques années, divisait la cour de France et celle de Rome. LE TELLIER, alors chancelier, eut beaucoup de part aux délibérations de cette assemblée, et à la rédaction des quatre fameux articles qu'elle dressa. Il ne contribua pas peu aussi à la révocation de l'édit de Nantes; et en scellant cette mémorable déclaration, qu'il regardait comme un des plus grands et des plus glorieux événements du règne de Louis XIV, il dit, en pleurant de joie, qu'après ce triomphe de la foi, qui mettait le comble à ses souhaits les plus ardents, il mourrait en paix et sans regret.

Il y avait à peine cinq mois que Bossuet venait de prononcer l'Oraison funèbre de la princesse palatine, qu'il se vit encore forcé, par des considérations puissantes sur son cœur, à rendre les mêmes honneurs à la mémoire d'un homme qui lui avait rendu des services importants dans sa jeunesse, et dont le fils avait également des droits à sa reconnaissance. Le chancelier *Le Tellier* avait été un des premiers auteurs de l'élévation de Bossuet par ces témoignages indirects qu'un ministre est à portée de rendre sans compromettre ni user son crédit, et qui souvent ont plus de succès que des sollicitations éclatantes. Sans sortir de la circonspection naturelle de son caractère, il avait accoutumé de bonne heure l'oreille de Louis XIV à entendre le nom de Bossuet comme celui de l'un des ecclésiastiques de son royaume qui devait le plus honorer le discernement et le choix d'un monarque digne d'apprécier son génie et ses talents. Les sermons de Bossuet à la cour avaient ensuite fixé l'opinion personnelle de ce prince, qui avait l'esprit aussi juste que les sentiments élevés. L'archevêque de Reims, fils du chancelier, avait également rendu un service très-important à Bossuet encore jeune, à l'occasion de son procès pour le prieuré de Gassicourt. Depuis cette époque l'archevêque de Reims s'était toujours honoré du titre d'ami de Bossuet, et plus souvent encore de celui de son admirateur.

Un amour-propre assez naturel faisait vivement désirer à l'archevêque de Reims que l'homme le plus éloquent de son siècle fût l'historien et le panégyriste de son père. Bossuet ne put refuser à l'amitié et à la reconnaissance un témoignage qu'on lui demandait comme une grâce, et qui lui parut un devoir. L'archevêque de Reims ne fut trompé ni dans ses conjectures ni dans ses espérances, et le chancelier *Le Tellier* est resté plus connu par l'Oraison funèbre de Bossuet que par son ministère.

Cette Oraison funèbre est une belle histoire, et Bossuet s'y montre en beaucoup d'endroits le rival de Tacite; il inspire même plus de confiance que Tacite; il juge les événements et les hommes sans amertume, comme sans amour et sans haine. On ne le voit jamais tourmenté de l'étude pénible de peindre les hommes encore plus pervers qu'ils ne le sont, et de supposer au crime plus de génie qu'il n'en a eu, peut-être même qu'il ne peut en avoir. Bossuet est toujours simple, parce qu'il est toujours vrai; mais il sait allier cette simplicité à une finesse d'observation, à une profondeur et à une connaissance des hommes, qui étonnent toujours dans un homme qui passa la plus grande partie de sa vie dans son cabinet.

On a peine à comprendre comment l'*Oraison funèbre du chancelier Le Tellier* n'a jamais été appréciée comme il nous semble qu'elle mérite de l'être. Cette espèce de prévention ne peut être attribuée qu'à la nature même du sujet. On est tellement accoutumé à voir Bossuet s'élever au-dessus des trônes et des grandeurs de la terre, et ébranler l'imagination par ces grandes catastrophes qui font trembler les peuples et les rois, qu'on se rend presque indifférent à l'histoire d'une vie qui n'offre que le mouvement régulier d'une longue suite d'années qui se succèdent et se res-

220

semblent par l'ordre, la sagesse, et un travail paisible et uniforme. Il faut convenir en effet que le chancelier *Le Tellier* n'avait, ni dans son caractère ni dans sa vie publique, cette énergie et cet éclat qui préparent l'imagination à un grand intérêt ou à de fortes émotions.

Mais c'était la difficulté même d'obtenir de grands effets d'un sujet aussi simple, aussi peu favorable aux mouvements oratoires, sans jamais en sortir, sans avoir jamais recours à des faits, à des personnages, à des ornements étrangers, qui demandait tout le talent de Bossuet. Son sujet lui traçait impérieusement les limites où il devait se renfermer. Le caractère de l'homme dont il avait à parler était donné et connu. La vérité et les convenances lui interdisaient toutes les fictions et toutes les exagérations mensongères. Il était défendu, pour ainsi dire, à Bossuet de rien créer, de rien imaginer. Mais, par bonheur pour Bossuet et pour nous, le chancelier *Le Tellier* avait été associé à des événements et à des personnages célèbres ; et Bossuet a fait de l'histoire d'un homme sage, prudent et calme, l'histoire la plus fidèle d'un temps remarquable par de grands mouvements et de grandes vicissitudes. Il a donné à ce tableau historique toutes les couleurs les plus propres à jeter un nouvel éclat sur un siècle que l'imagination est accoutumée à se représenter comme l'une des époques les plus brillantes par l'esprit, la valeur et les grâces. Bossuet a plus fait encore : s'élevant au-dessus de ces dehors frivoles et séduisants, il a su donner à l'histoire son véritable caractère, en attachant à ses récits des réflexions aussi justes que profondes, aussi éclatantes par la pensée qu'énergiques et pittoresques par l'expression. Enfin Bossuet, toujours Bossuet, montre la Providence gouvernant et réprimant cette effervescence passagère des esprits et des passions, pour donner à Louis XIV la gloire d'affermir l'autorité royale par l'empire de la religion et des lois, et d'attacher son nom au plus beau siècle de la monarchie.

(Le cardinal DE BAUSSET, *Histoire de Bossuet*, liv. VIII.)

ORAISON FUNÈBRE

DE

MESSIRE MICHEL LE TELLIER,

CHANCELIER DE FRANCE.

---

*Posside sapientiam, acquire prudentiam ; arripe illam, et exaltabitte : glorifica-
beris ab ea, cum eam fueris amplexatus.*

Possédez la sagesse, et acquérez la prudence : si vous la cherchez avec ardeur, elle
vous élèvera, et vous remplira de gloire quand vous l'aurez embrassée. (Prov.,
iv, 7, 8.)

Messeigneurs[1],

En louant l'homme incomparable dont cette illustre
assemblée célèbre les funérailles et honore les vertus,
je louerai la sagesse même : et la sagesse que je dois
louer dans ce discours, n'est pas celle qui élève les hommes et qui agrandit les maisons; ni celle qui gouverne
les empires, qui règle la paix et la guerre, et enfin qui
dicte les lois, et qui dispense les grâces. Car encore que
ce grand ministre, choisi par la divine Providence pour
présider aux conseils du plus sage de tous les rois, ait
été le digne instrument des desseins les mieux concertés
que l'Europe ait jamais vus; encore que la sagesse, après
l'avoir gouverné dès son enfance, l'ait porté aux plus
grands honneurs, et au comble des félicités humaines;
sa fin nous a fait paraître que ce n'était pas pour ces

[1] A messeigneurs les évêques qui étaient présents en habit.

avantages qu'il en écoutait les conseils. Ce que nous lui
avons vu quitter sans peine n'était pas l'objet de son
amour. Il a connu la sagesse que le monde ne connaît
pas ; cette sagesse « qui vient d'en haut, qui descend
« du Père des lumières [1], » et qui fait marcher les hommes dans les sentiers de la justice. C'est elle dont la
prévoyance s'étend aux siècles futurs, et enferme dans
ses desseins l'éternité toute entière. Touché de ses immortels et invisibles attraits, il l'a recherchée avec ardeur,
selon le précepte du Sage. « La sagesse vous élèvera,
« dit Salomon, et vous donnera de la gloire quand vous
« l'aurez embrassée : » mais ce sera une gloire que le
sens humain ne peut comprendre. Comme ce sage et
puissant ministre aspirait à cette gloire, il l'a préférée
à celle dont il se voyait environné sur la terre. C'est
pourquoi sa modération l'a toujours mis au-dessus de
sa fortune. Incapable d'être ébloui des grandeurs humaines, comme il y paraît sans ostentation, il y est vu
sans envie ; et nous remarquons dans sa conduite ces
trois caractères de la véritable sagesse : qu'élevé sans
empressement aux premiers honneurs, il a vécu aussi
modeste que grand ; que dans ses importants emplois,
soit qu'il nous paraisse, comme chancelier, chargé de
la principale administration de la justice, ou que nous
le considérions dans les autres occupations d'un long
ministère, supérieur à ses intérêts, il n'a regardé que
le bien public ; et qu'enfin dans une heureuse vieillesse,
prêt à rendre avec sa grande âme le sacré dépôt de l'autorité, si bien confié à ses soins, il a vu disparaître
toute sa grandeur avec sa vie sans qu'il lui en ait coûté
un seul soupir ; tant il avait mis en lieu haut et inaccessible à la mort son cœur et ses espérances. De sorte qu'il

---

[1] *Sapientia desursum descendens.* (JAC., III, 15.)

nous paraît, selon la promesse du Sage, dans « une gloire
« immortelle, » pour s'être soumis aux lois de la véritable
sagesse, et pour avoir fait céder à la modestie l'éclat
ambitieux des grandeurs humaines, l'intérêt particulier
à l'amour du bien public, et la vie même au désir des
biens éternels. C'est la gloire qu'a remportée très-haut
et puissant seigneur messire MICHEL LE TELLIER, CHEVA-
LIER, CHANCELIER DE FRANCE.

Le grand cardinal de Richelieu achevait son glorieux
ministère, et finissait tout ensemble une vie pleine de merveilles. Sous sa ferme et prévoyante conduite, la puissance d'Autriche cessait d'être redoutée ; et la France,
sortie enfin des guerres civiles, commençait à donner le
branle [1] aux affaires de l'Europe. On avait une attention
particulière à celles d'Italie, et sans parler des autres
raisons, Louis XIII, de glorieuse et triomphante mémoire,
devait sa protection à la duchesse de Savoie sa sœur,
et à ses enfants. Jules Mazarin, dont le nom devait être
si grand dans notre histoire, employé par la cour de
Rome en diverses négociations, s'était donné à la France ;
et, propre par son génie et par ses correspondances à
ménager les esprits de sa nation, il avait fait prendre
un cours si heureux aux conseils du cardinal de Richelieu, que ce ministre se crut obligé de l'élever à la pourpre. Par-là il sembla montrer son successeur à la France ;

[1] Ce mot, qui est bas aujourd'hui, ne l'était nullement alors ; il était
employé en prose et en vers par les écrivains les plus élégants. Boileau
disoit, en parlant de la Fortune :

     On me verra dormir au branle de sa roue.

Ce mot est fréquent dans Massillon même, qui écrivit longtemps après
cette époque, et dans les vingt premières années du dix-huitième siècle.
Ce n'est que de nos jours que, dans le style noble, ce terme a été rem-
placé par celui de *mouvement*, qui, en lui-même, ne vaut pas mieux
pour la prose, et vaut beaucoup moins pour la poésie. (L. H.)

et le cardinal Mazarin s'avançait secrètement à la première place. En ces temps Michel Le Tellier, encore
maître des requêtes, était intendant de justice en Piémont. Mazarin, que ses négociations attiraient souvent
à Turin, fut ravi d'y trouver un homme d'une si grande
capacité, et d'une conduite si sûre dans les affaires :
car les ordres de la cour obligeaient l'ambassadeur à
concerter toutes choses avec l'intendant, à qui la divine
Providence faisait faire ce léger apprentissage des affaires
d'État. Il ne fallait qu'en ouvrir l'entrée à un génie si
perçant, pour l'introduire bien avant dans les secrets
de la politique. Mais son esprit modéré ne se perdait
pas dans ces vastes pensées; et renfermé, à l'exemple de
ses pères, dans les modestes emplois de la robe, il ne
jetait pas seulement les yeux sur les engagements éclatants, mais périlleux, de la cour. Ce n'est pas qu'il ne
parût toujours supérieur à ses emplois. Dès sa première
jeunesse tout cédait aux lumières de son esprit, aussi
pénétrant et aussi net qu'il était grave et sérieux. Poussé
par ses amis, il avait passé du grand conseil, sage compagnie où sa réputation vit encore, à l'importante charge
de procureur du roi. Cette grande ville se souvient de
l'avoir vu, quoique jeune, avec toutes les qualités d'un
grand magistrat, opposé non-seulement aux brigues et
aux partialités qui corrompent l'intégrité de la justice,
et aux préventions qui en obscurcissent les lumières,
mais encore aux voies irrégulières et extraordinaires,
où elle perd avec sa constance la véritable autorité de
ses jugements. On y vit enfin tout l'esprit et les maximes
d'un juge qui, attaché à la règle, ne porte pas[2] dans le
tribunal ses propres pensées, ni des adoucissements ou

[2] Var. *Première édition.* Ne porte pas ses propres pensées, ni des
adoucissements ou des rigueurs arbitraires, dans le tribunal; et qui
veut, etc.

des rigueurs arbitraires ; et qui veut que les lois gouvernent, et non pas les hommes. Telle est l'idée qu'il avait de la magistrature. Il apporta ce même esprit dans le conseil, où l'autorité du prince, qu'on y exerce avec un pouvoir plus absolu, semble ouvrir un champ plus libre à la justice ; et, toujours semblable à lui-même, il y suivit dès lors la même règle qu'il y a établie depuis, quand il en a été le chef.

Et certainement, messieurs, je puis dire avec confiance que l'amour de la justice était comme né avec ce grave magistrat, et qu'il croissait avec lui dès son enfance. C'est aussi de cette heureuse naissance que sa modestie se fit un rempart contre les louanges qu'on donnait à son intégrité ; et l'amour qu'il avait pour la justice ne lui parut pas mériter le nom de vertu, parce qu'il le portait, disait-il, en quelque manière dans le sang. Mais Dieu, qui l'avait prédestiné à être un exemple de justice dans un si beau règne, et dans la première charge d'un si grand royaume, lui avait fait regarder le devoir de juge, où il était appelé, comme le moyen particulier qu'il lui donnait pour accomplir l'œuvre de son salut. C'était la sainte pensée qu'il avait toujours dans le cœur ; c'était la belle parole qu'il avait toujours à la bouche ; et par là il faisait assez connaître combien il avait pris le goût véritable de la piété chrétienne. Saint Paul en a mis l'exercice, non pas dans ces pratiques particulières que chacun se fait à son gré, plus attaché à ces lois qu'à celles de Dieu ; mais à se sanctifier dans son état, et « chacun dans les emplois de sa vocation : » *Unusquisque in qua vocatione vocatus est*[1]. Mais si, selon la doctrine de ce grand apôtre, on trouve la sainteté dans les emplois les plus bas, et qu'un esclave s'élève à

[1] I, Cor., VII, 20.

la perfection dans le service d'un maître mortel, pourvu qu'il y sache regarder l'ordre de Dieu; à quelle perfection l'âme chrétienne ne peut-elle pas aspirer dans l'auguste et saint ministère de la justice, puisque, selon l'Écriture, « l'on y exerce le jugement, non des hommes, « mais du Seigneur même[1]? » Ouvrez les yeux, chrétiens; contemplez ces augustes tribunaux où la justice rend ses oracles; vous y verrez avec David, « les dieux de « la terre, qui meurent à la vérité comme des hommes[2], » mais qui cependant doivent juger comme des dieux, sans crainte, sans passion, sans intérêt; le Dieu des dieux à leur tête, comme le chante ce grand roi d'un ton si sublime dans ce divin psaume : « Dieu assiste, « dit-il[3], à l'assemblée des dieux, et au milieu il juge « les dieux. » O juges, quelle majesté de vos séances! quel président de vos assemblées! mais aussi quel censeur de vos jugements! Sous ces yeux redoutables, notre sage magistrat écoutait également le riche et le pauvre; d'autant plus pur et d'autant plus ferme dans l'administration de la justice, que sans porter ses regards sur les hautes places, dont tout le monde le jugeait digne, il mettait son élévation comme son étude à se rendre parfait dans son état. Non, non, ne le croyez pas, que la justice habite jamais dans les âmes où l'ambition domine. Toute âme inquiète et ambitieuse est incapable de règle. L'ambition a fait trouver ces dangereux expédients où, semblable à un sépulcre blanchi, un juge artificieux ne garde que les apparences de la justice. Ne parlons

---

[1] *Non enim hominis exercetis judicium, sed Domini.* (II, PARAL., XIX, 6.)

[2] *Ego dixi : Dii estis; vos autem sicut homines moriemini.* (Ps. LXXXI, 6, 7.)

[3] *Deus stetit in synagoga deorum : in medio autem deos dijudicat.* (Ibid., 1.)

pas des corruptions qu'on a honte d'avoir à se reprocher.
Parlons de la lâcheté ou de la licence d'une justice arbitraire qui, sans règle et sans maxime, se tourne au gré
de l'ami puissant. Parlons de la complaisance qui ne veut
jamais ni trouver le fil, ni arrêter le progrès d'une pro-
cédure malicieuse. Que dirai-je du dangereux artifice
qui fait prononcer à la justice, comme autrefois aux démons, des oracles ambigus et captieux? Que dirai-je des
difficultés qu'on suscite dans l'exécution, lorsqu'on n'a
pu refuser la justice à un droit trop clair ? « La loi est
« déchirée, comme disait le prophète[1], et le jugement
« n'arrive jamais à sa perfection. » *Non pervenit usque
ad finem judicium*. Lorsque le juge veut s'agrandir, et
qu'il change en une souplesse de cour le rigide et inexo-
rable ministère de la justice, il fait naufrage contre ces
écueils. On ne voit dans ses jugements qu'une justice
imparfaite, semblable, je ne craindrai pas de le dire,
à la justice de Pilate : justice qui fait semblant d'être
vigoureuse, à cause qu'elle résiste aux tentations médiocres, et peut-être aux clameurs d'un peuple irrité;
mais qui tombe et disparaît tout à coup, lorsqu'on allè-
gue, sans ordre même et mal à propos, le nom de César.
Que dis-je, le nom de César? Ces âmes prostituées à l'ambition ne se mettent pas à si haut prix : tout ce qui parle,
tout ce qui approche, ou les gagne, ou les intimide, et
la justice se retire d'avec elles. Que si elle s'est construit
un sanctuaire éternel et incorruptible dans le cœur du
sage MICHEL LE TELLIER, c'est que, libre des empressements de l'ambition, il se voit élevé aux plus grandes
places, non par ses propres efforts, mais par la douce
impulsion d'un vent favorable; ou plutôt, comme l'événement l'a justifié, par un choix particulier de la divine

---

[1] HABAC., 1, 4.

Providence. Le cardinal de Richelieu était mort, peu regretté de son maître qui craignit de lui devoir trop. Le gouvernement passé fut odieux : ainsi, de tous les ministres, le cardinal Mazarin, plus nécessaire et plus important, fut le seul dont le crédit se soutint; et le secrétaire d'État, chargé des ordres de la guerre, ou rebuté d'un traitement qui ne répondait pas à son attente, ou déçu par la douceur apparente du repos qu'il crut trouver dans la solitude, ou flatté d'une secrète espérance de se voir plus avantageusement rappelé par la nécessité de ses services, ou agité de ces je ne sais quelles inquiétudes dont les hommes ne savent pas se rendre raison à eux-mêmes, se résolut tout à coup à quitter cette grande charge. Le temps était arrivé que notre sage ministre devait être montré à son prince et à sa patrie. Son mérite le fit chercher à Turin sans qu'il y pensât. Le cardinal Mazarin, plus heureux[1], comme vous verrez, de l'avoir trouvé, qu'il ne le conçut alors, rappela au roi ses agréables services; et le rapide moment d'une conjoncture imprévue, loin de donner lieu aux sollicitations[2], n'en laissa pas même aux désirs. Louis XIII rendit au ciel son âme juste et pieuse; et il parut que notre ministre était réservé au roi son fils. Tel était l'ordre de la Providence, et je vois ici quelque chose de ce qu'on lit dans Isaïe. La sentence partit d'en haut, et il fut dit à Sobna, chargé d'un ministère principal : « Je t'ôterai de ton poste, et je te déposerai de ton mi- « nistère : » *Expellam te de statione tua, et de ministerio tuo deponam te.* « En ce temps j'appellerai mon servi-

____

[1] En 1651, le parti de Condé força Mazarin à quitter le royaume. En son absence, Le Tellier fut chargé des soins du ministère, que la situation des affaires rendait très-pénible.

[2] Var. *Première édition.* A la sollicitation,... au désir.

« teur Éliakim, et je le revêtirai de ta puissance [1]. » Mais
un plus grand honneur lui est destiné : le temps viendra que, par l'administration de la justice, « il sera le
« père des habitants de Jérusalem et de la maison de
« Juda : » *Erit pater habitantibus Jerusalem.* « La clef
« de la maison de David, c'est-à-dire de la maison ré-
« gnante, sera attachée à ses épaules; il ouvrira, et per-
« sonne ne pourra fermer; il fermera, et personne ne
« pourra ouvrir [2]; » il aura la souveraine dispensation
de la justice et des grâces.

Parmi ces glorieux emplois, notre ministre a fait voir
à toute la France que sa modération durant quarante
ans était le fruit d'une sagesse consommée. Dans les
fortunes médiocres, l'ambition encore tremblante se
tient si cachée, qu'à peine se connaît-elle elle-même. Lorsqu'on se voit tout d'un coup élevé aux places les plus
importantes, et que je ne sais quoi nous dit dans le cœur
qu'on mérite d'autant plus de si grands honneurs, qu'ils
sont venus à nous comme d'eux-mêmes, on ne se possède plus; et si vous me permettez de vous dire une
pensée de saint Chrysostome, c'est aux hommes vulgaires
un trop grand effort que celui de se refuser à cette éclatante beauté qui se donne à eux. Mais notre sage ministre
ne s'y laissa pas emporter. Quel autre parut d'abord plus
capable des grandes affaires? Qui connaissait mieux les
hommes et les temps? Qui prévoyait de plus loin, et qui
donnait des moyens plus sûrs pour éviter les inconvé-
nients dont les grandes entreprises sont environnées?
Mais, dans une si haute capacité et dans une si belle

---

[1] *Et erit in die illa : vocabo servum meum Eliacim, filium Helciæ. et
induam illum tunica tua ;... et potestatem tuam dabo in manu ejus.* (ISAI.,
XXII, 19, 20, 21.)

[2] *Et dabo clavem domus David super humerum ejus; et aperiet, et non
erit qui claudat; et claudet, et non erit qui aperiat.* (ISAI., XXII, 21, 22.)

réputation, qui jamais a remarqué ou sur son visage un
air dédaigneux, ou la moindre vanité dans ses paroles?
Toujours libre dans la conversation, toujours grave
dans les affaires, et toujours aussi modéré que fort et
insinuant dans ses discours, il prenait sur les esprits
un ascendant que la seule raison lui donnait. On voyait
et dans sa maison et dans sa conduite, avec des mœurs
sans reproche, tout également éloigné des extrémités,
tout enfin mesuré par la sagesse. S'il sut soutenir le
poids des affaires, il sut aussi les quitter, et reprendre
son premier repos. Poussé par la cabale, Chaville le vit
tranquille durant plusieurs mois, au milieu de l'agitation
de toute la France. La cour le rappelle en vain; il persiste
dans sa paisible retraite, tant que l'état des affaires le
put souffrir, encore qu'il n'ignorât pas ce qu'on machi-
nait contre lui durant son absence; et il ne parut pas
moins grand en demeurant sans action, qu'il l'avait
paru en se soutenant au milieu des mouvements les plus
hasardeux. Mais dans le plus grand calme de l'État,
aussitôt qu'il lui fut permis de se reposer des occupations de sa charge sur un fils[1] qu'il n'eût jamais donné
au roi, s'il ne l'eût senti capable de le bien servir; après
qu'il eut reconnu que le nouveau secrétaire d'État savait,
avec une ferme et continuelle action, suivre les desseins
et exécuter les ordres d'un maître si entendu dans l'art
de la guerre : ni la hauteur des entreprises ne surpassait sa capacité, ni les soins infinis de l'exécution n'étaient
au-dessus de sa vigilance; tout était prêt aux lieux destinés; l'ennemi également menacé dans toutes ses places; les troupes aussi vigoureuses que disciplinées n'attendaient que les derniers ordres du grand capitaine,
et l'ardeur que ses yeux inspirent; tout tombe sous ses

---

[1] Ce fils était le fameux Louvois.

coups, et il se voit l'arbitre du monde : alors le zélé
ministre, dans une entière vigueur d'esprit et de corps,
crut qu'il pouvait se permettre une vie plus douce[1]. L'é-
preuve en est hasardeuse pour un homme d'État; et la
retraite presque toujours a trompé ceux qu'elle flattait
de l'espérance du repos. Celui-ci fut d'un caractère plus
ferme. Les conseils où il assistait lui laissaient presque
tout son temps; et après cette grande foule d'hommes
et d'affaires qui l'environnait, il s'était lui-même réduit à une espèce d'oisiveté et de solitude : mais il la
sut soutenir. Les heures qu'il avait libres furent remplies de bonnes lectures, et ce qui passe toutes les lectures, de sérieuses réflexions sur les erreurs de la vie
humaine, et sur les vains travaux des politiques, dont
il avait tant d'expérience. L'éternité se présentait à ses
yeux, comme le digne objet du cœur de l'homme.
Parmi ces sages pensées, et renfermé dans un doux
commerce avec ses amis aussi modestes que lui, car il
savait les choisir de ce caractère, et il leur apprenait à
le conserver dans les emplois les plus importants et de
la plus haute confiance, il goûtait un véritable repos
dans la maison de ses pères, qu'il avait accommodée
peu à peu à sa fortune présente, sans lui faire perdre
les traces de l'ancienne simplicité, jouissant, en sujet
fidèle, des prospérités de l'État et de la gloire de son
maître. La charge de chancelier vaqua, et toute la
France la destinait à un ministre si zélé pour la justice.

---

[1] Cette longue phrase est remarquable par son irrégularité. Bossuet
s'y permet une hardiesse contre la syntaxe elle-même; il interrompt sa
remarque par un récit, puis il la reprend. Je ne prétends pas louer cette
espèce de licence plus qu'oratoire : mais je ferai observer que, dans ce
désordre, il ne s'embarrasse pas un moment; il court toujours, il mêle
le récit des grandes qualités du fils à l'opinion qu'en avait le père : puis,
se retrouvant tout d'un coup, il reprend la marche de sa phrase abandonnée, *alors le zélé ministre.* (V.)

Mais, comme dit le Sage[1] : « autant que le ciel s'élève, « et que la terre s'incline au-dessous de lui, autant le « cœur des rois est impénétrable. » Enfin le moment du prince n'était pas encore arrivé; et le tranquille ministre, qui connaissait les dangereuses jalousies des cours, et les sages tempéraments des conseils des rois, sut encore lever les yeux vers la divine Providence, dont les décrets éternels règlent tous ces mouvements. Lorsqu'après de longues années il se vit élevé à cette grande charge, encore qu'elle reçût un nouvel éclat en sa personne, où elle était jointe à la confiance du prince; sans s'en laisser éblouir, le modeste ministre disait seulement que le roi, pour couronner plutôt la longueur que l'utilité de ses services, voulait donner un titre à son tombeau, et un ornement à sa famille. Tout le reste de sa conduite répondit à de si beaux commencements. Notre siècle, qui n'avait point vu de chancelier si autorisé, vit en celui-ci autant de modération et de douceur, que de dignité et de force; pendant qu'il ne cessait de se regarder comme devant bientôt rendre compte à Dieu d'une si grande administration. Ses fréquentes maladies le mirent souvent aux prises avec la mort : exercé par tant de combats, il en sortait toujours plus fort et plus résigné à la volonté divine. La pensée de la mort ne rendit pas sa vieillesse moins tranquille ni moins agréable. Dans la même vivacité[2] on lui vit faire seulement de plus graves réflexions sur la caducité de son âge, et sur le désordre extrême que causerait dans l'État une si grande autorité dans des mains trop faibles. Ce qu'il avait vu arriver à tant de sages vieillards,

---

[1] *Cœlum sursum, et terra deorsum : et cor regum incrustabile.* (PROV., XXV, 3.)

[2] Cette expression ne peut pas être approuvée, et n'a pas même pour excuse d'être ancienne : c'est une négligence. (V.)

qui semblaient n'être plus rien que leur ombre propre,
le rendait continuellement attentif à lui-même. Souvent
il se disait en son cœur, que le plus malheureux effet
de cette faiblesse de l'âge était de se cacher à ses propres yeux; de sorte que tout à coup on se trouve plongé
dans l'abîme, sans avoir pu remarquer le fatal moment
d'un insensible déclin : et il conjurait ses enfants, par
toute la tendresse qu'il avait pour eux, et par toute leur
reconnaissance, qui faisait sa consolation dans ce court
reste de vie, de l'avertir de bonne heure, quand ils
verraient sa mémoire vaciller, ou son jugement s'affaiblir, afin que, par un reste de force, il pût garantir
le public et sa propre conscience des maux dont les menaçait l'infirmité de son âge. Et lors même qu'il sentait
son esprit entier, il prononçait la même sentence, si le
corps abattu n'y répondait pas; car c'était [1] la résolution
qu'il avait prise dans sa dernière maladie : et plutôt
que de voir languir les affaires avec lui, si ses forces
ne lui revenaient, il se condamnait, en rendant les
sceaux, à rentrer dans la vie privée, dont aussi jamais
il n'avait perdu le goût; au hasard de s'ensevelir tout
vivant, et de vivre peut-être assez pour se voir longtemps traversé par la dignité qu'il aurait quittée : tant
il était au-dessus de sa propre élévation et de toutes les
grandeurs humaines!

Mais ce qui rend sa modération plus digne de nos
louanges, c'est la force de son génie [2] né pour l'action,
et la vigueur qui durant cinq ans lui fit dévouer sa tête
aux fureurs civiles. Si aujourd'hui je me vois contraint

---

[1] Var. *Première édition :* c'est.

[2] Ce que dit madame de Motteville contredit ces éloges : « La reine
me parut persuadée que Le Tellier était un homme habile en sa charge,
homme de bien, assez à elle; mais peu capable de la première place. »

de retracer l'image de nos malheurs, je n'en ferai point
d'excuse à mon auditoire, où, de quelque côté que je
me tourne, tout ce qui frappe mes yeux me montre une
fidélité irréprochable, ou peut-être une courte erreur
réparée par de longs services[1]. Dans ces fatales conjonctures, il fallait à un ministre étranger un homme d'un
ferme génie et d'une égale sûreté, qui, nourri dans les
compagnies, connût les ordres du royaume et l'esprit de la
nation. Pendant que la magnanime et intrépide régente
était obligée à montrer le roi enfant aux provinces,
pour dissiper les troubles qu'on y excitait de toutes parts,
Paris et le cœur du royaume demandaient un homme
capable de profiter des moments, sans attendre de nouveaux ordres, et sans troubler le concert de l'État. Mais
le ministre lui-même, souvent éloigné de la cour, au
milieu de tant de conseils que l'obscurité des affaires,
l'incertitude des événements, et les différents intérêts
faisaient hasarder, n'avait-il pas besoin d'un homme
que la régente pût croire? enfin il fallait un homme qui,
pour ne pas irriter la haine publique déclarée contre
le ministère, sût se conserver de la créance dans tous
les partis, et ménager les restes de l'autorité. Cet homme
si nécessaire au jeune roi, à la régente, à l'État, aux
ministres, aux cabales mêmes, pour ne les précipiter
pas aux dernières extrémités par le désespoir; vous me
prévenez, messieurs, c'est celui dont nous parlons.
C'est donc ici qu'il parut comme un génie principal.
Alors nous le vîmes s'oublier lui-même; et, comme un
sage pilote, sans s'étonner ni des vagues, ni des orages,
ni de son propre péril, aller droit comme au terme

---

[1] Bossuet ayant à raconter ces événements singuliers dont les contemporains existaient encore, rien n'est plus admirable que la manière
franche et mesurée dont il entre dans son récit. (B.)

unique d'une si périlleuse navigation , à la conservation du corps de l'État, et au rétablissement de l'autorité royale. Pendant que la cour réduisait Bordeaux, et que Gaston , laissé à Paris pour le maintenir dans le devoir, était environné de mauvais conseils , LE TELLIER fut le Chusaï[1] qui les confondit, et qui assura la victoire à l'Oint du Seigneur. Fallut-il éventer les conseils d'Espagne , et découvrir le secret d'une paix trompeuse que l'on proposait , afin d'exciter la sédition pour peu qu'on l'eût différée? LE TELLIER en fit d'abord accepter les offres : notre plénipotentiaire partit, et l'archiduc, forcé d'avouer qu'il n'avait pas de pouvoir, fit connaître lui-même au peuple ému, si toutefois un peuple ému connaît quelque chose, qu'on ne faisait qu'abuser de sa crédulité. Mais s'il y eut jamais une conjoncture où il fallût montrer de la prévoyance et un courage intrépide , ce fut lorsqu'il s'agit d'assurer la garde des trois illustres captifs[2]. Quelle cause les fit arrêter : si ce fut ou des soupçons , ou des vérités , ou de vaines terreurs, ou de vrais périls ; et dans un pas si glissant, des précautions nécessaires : qui le pourra dire à la postérité? Quoi qu'il en soit, l'oncle du roi est persuadé; on croit pouvoir s'assurer des autres princes, et on en fait des coupables, en les traitant comme tels. Mais où garder des lions[3] toujours prêts à rompre leurs chaînes, pendant que chacun s'efforce de les avoir en sa main , pour les retenir ou les lâcher au gré de son ambition ou de

[1] Chusaï était ami de David. Ce fut par ses conseils que ce prince triompha de son fils Absalon. (II, REG., XVII.) (F.)

[2] Ils furent arrêtés le 16 janvier 1650, conduits à Vincennes, à Marcoussi , et ensuite au Havre, où ils restèrent treize mois enfermés.

[3] Il n'y avait qu'un lion, le prince de Condé. On connaît le mot de Monsieur sur l'arrestation des trois princes Condé, Conti et Longueville : « Voilà, dit-il, un beau coup de filet ; on vient de prendre un lion, un singe, et un renard. »

ses vengeances? Gaston, que la cour avait attiré dans ses sentiments, était-il inaccessible aux facticux? Ne vois-je pas, au contraire, autour de lui des âmes hautaines qui, pour faire servir les princes à leurs intérêts cachés, ne cessaient de lui inspirer qu'il devait s'en rendre le maître? De quelle importance, de quel éclat, de quelle réputation au dedans et au dehors, d'être le maître du sort du prince de Condé? Ne craignons point de le nommer, puisqu'enfin tout est surmonté par la gloire de son grand nom et de ses actions immortelles. L'avoir entre ses mains, c'était y avoir la victoire même qui le suit éternellement dans les combats. Mais il était juste que ce précieux dépôt de l'État demeurât entre les mains du roi, et il lui appartenait de garder une si noble partie de son sang. Pendant donc que notre ministre travaillait à ce glorieux ouvrage, où il y allait de la royauté et du salut de l'État, il fut seul en butte aux factieux. Lui seul, disaient-ils, savait dire et taire ce qu'il fallait. Seul il devait épancher et retenir son discours : impénétrable, il pénétrait tout; et pendant qu'il tirait le secret des cœurs, il ne disait, maître de lui-même, que ce qu'il voulait. Il perçait dans tous les secrets, démêlait toutes les intrigues, découvrait les entreprises les plus cachées et les plus sourdes machinations. C'était ce sage dont il est écrit : « Les conseils se recèlent dans le « cœur de l'homme à la manière d'un profond abîme, « sous une eau dormante : mais l'homme sage les « épuise; » il en découvre le fond : *Sicut aqua profunda, sic consilium in corde viri : vir sapiens exhauriet illud* [1]. Lui seul réunissait les gens de bien, rompait les liaisons des factieux, en déconcertait les desseins, et allait recueillir dans les égarés ce qu'il y restait quelquefois de

---

[1] Prov., xx, 5.

bonnes intentions. Gaston ne croyait que lui; et lui seul
savait profiter des heureux moments et des bonnes dispositions d'un si grand prince. « Venez, venez, faisons
« contre lui de secrètes menées : » *Venite, et cogitemus
adversus eum cogitationes.* Unissons-nous pour le discré-
diter; tous ensemble « frappons-le de notre langue, et
« ne souffrons plus qu'on écoute tous ses beaux discours : »
*Percutiamus eum lingua, neque attendamus ad universos
sermones ejus*[1]. Mais on faisait contre lui de plus funestes
complots. Combien reçut-il d'avis secrets, que sa vie
n'était pas en sûreté! Et il connaissait dans le parti de
ces fiers courages dont la force malheureuse et l'esprit
extrême ose tout, et sait trouver des exécuteurs. Mais sa
vie ne lui fut pas précieuse, pourvu qu'il fût fidèle à
son ministère. Pouvait-il faire à Dieu un plus beau sacrifice que de lui offrir une âme pure de l'iniquité de
son siècle[2], et dévouée à son prince et à sa patrie? Jésus nous en a montré l'exemple : les Juifs mêmes le reconnaissaient pour un si bon citoyen, qu'ils crurent ne
pouvoir donner auprès de lui une meilleure recomman-
dation à ce centenier, qu'en disant à notre Sauveur :
« Il aime notre nation[3]. » Jérémie a-t-il plus versé de
larmes que lui sur les ruines de la patrie? Que n'a pas
fait ce Sauveur miséricordieux pour prévenir les malheurs de ses citoyens? Fidèle au prince comme à son
pays, il n'a pas craint d'irriter l'envie des Pharisiens
en défendant les droits de César[4] : et lorsqu'il est mort
pour nous sur le Calvaire, victime de l'univers, il a
voulu que le plus chéri de ses évangélistes remarquât

---

[1] JEREM., XVIII, 18.

[2] Trait d'exagération. Le parallèle entre Le Tellier et Jesus-Christ a
justement provoqué les critiques de M. de Vauxcelles. (C.)

[3] *Diligit enim gentem nostram.* (LUC., VII, 5.)

[4] MATTH., XXII, 51.

qu'il mourait spécialement « pour sa nation : » *quia
moriturus erat pro gente*[1]. Si notre zélé ministre, touché
de ces vérités, exposa sa vie, craindrait-il de hasarder
sa fortune? Ne sait-on pas qu'il fallait souvent s'opposer
aux inclinations du cardinal son bienfaiteur? Deux fois,
en grand politique, ce judicieux favori sut céder au
temps, et s'éloigner de la cour. Mais il le faut dire;
toujours il y voulait revenir trop tôt. Le Tellier s'opposait à ses impatiences jusqu'à se rendre suspect; et
sans craindre ni ses envieux, ni les défiances d'un ministre également soupçonneux et ennuyé de son état,
il allait d'un pas intrépide où la raison d'État le déterminait. Il sut suivre ce qu'il conseillait. Quand l'éloignement de ce grand ministre eut attiré celui de ses
confidents; supérieur par cet endroit au ministre même,
dont il admirait d'ailleurs les profonds conseils, nous
l'avons vu retiré dans sa maison, où il conserva sa
tranquillité parmi les incertitudes des émotions populaires et d'une cour agitée; et résigné à la Providence, il
vit sans inquiétude frémir à l'entour les flots irrités. Et
parce qu'il souhaitait le rétablissement du ministre
comme un soutien nécessaire de la réputation et de l'autorité de la régence, et non pas, comme plusieurs autres, pour son intérêt, que le poste qu'il occupait lui
donnait assez de moyens de ménager d'ailleurs; aucun
mauvais traitement ne le rebutait. Un beau-frère[2], sacrifié malgré ses services, lui montrait ce qu'il pouvait

[1] Joan., xi, 51.

[2] Gabriel de Cassagnet, seigneur de Tilladet, qui avait épousé Made-
leine Le Tellier, sœur du chancelier. Étant capitaine aux gardes sous
Louis XIII, il fut disgracié en 1642, lors de la conspiration de Cinq-Mars.
Depuis, il devint lieutenant général et gouverneur de Bapaume. Ce que
dit ici Bossuet pourrait faire conjecturer qu'il essuya quelque nouvelle
disgrâce sous la régence d'Anne d'Autriche; on n'a rien pu découvrir à
ce sujet.

craindre. Il savait, crime irrémissible dans les cours,
qu'on écoutait des propositions contre lui-même, et
peut-être que sa place eût été donnée, si on eût pu la
remplir d'un homme aussi sûr : mais il n'en tenait pas
moins la balance droite. Les uns donnaient au ministre
des espérances trompeuses ; les autres lui inspiraient
de vaines terreurs ; et en s'empressant beaucoup, ils
faisaient les zélés et les importants. Le Tellier lui montrait la vérité, quoique souvent importune; et indus-
trieux à se cacher dans les actions éclatantes, il en
renvoyait la gloire au ministre, sans craindre, dans le
même temps, de se charger des refus que l'intérêt de
l'État rendait nécessaires. Et c'est de là qu'il est arrivé
qu'en méprisant par raison la haine de ceux dont il lui
fallait combattre les prétentions, il en acquérait l'estime,
et souvent même l'amitié et la confiance. L'histoire en
racontera de fameux exemples : je n'ai pas besoin de
les rapporter; et content de remarquer des actions de
vertu dont les sages auditeurs puissent profiter, ma voix
n'est pas destinée à satisfaire les politiques ni les curieux.
Mais puis-je oublier celui que je vois partout dans le
récit de nos malheurs? cet homme[1] si fidèle aux particuliers, si redoutable à l'État; d'un caractère si haut,
qu'on ne pouvait ni l'estimer, ni le craindre, ni l'aimer,
ni le haïr à demi; ferme génie que nous avons vu en
ébranlant l'univers s'attirer une dignité qu'à la fin il
voulut quitter comme trop chèrement achetée, ainsi
qu'il eut le courage de le reconnaître dans le lieu le
plus éminent de la chrétienté, et enfin comme peu capable de contenter ses désirs : tant il connut son erreur, et
le vide des grandeurs humaines. Mais pendant qu'il vou-

---

[1] Le cardinal de Retz. — Dans le portrait qu'il en donne, Bossuet
se montre égal, si ce n'est supérieur, a Tacite et à Salluste même. (B.)

lait acquérir ce qu'il devait un jour mépriser, il remua
tout par de secrets et puissants ressorts; et après que
tous les partis furent abattus, il sembla encore se soutenir seul, et seul encore menacer le favori victorieux,
de ses tristes et intrépides regards[1]. La religion s'inté-
resse dans ses infortunes; la ville royale s'émeut; et
Rome même menace. Quoi donc, n'est-ce pas assez que
nous soyons attaqués au dedans et au dehors par toutes
les puissances temporelles? Faut-il que la religion se
mêle dans nos malheurs, et qu'elle semble nous opposer
de près et de loin une autorité sacrée? Mais, par les
soins du sage MICHEL LE TELLIER, Rome n'eut point à reprocher au cardinal Mazarin d'avoir terni l'éclat de la
pourpre dont il était revêtu; les affaires ecclésiastiques
prirent une forme réglée : ainsi le calme fut rendu à
l'État; on revoit dans sa première vigueur l'autorité
affaiblie; Paris et tout le royaume, avec un fidèle et
admirable empressement, reconnaît son roi gardé par
la Providence, et réservé à ses grands ouvrages; le zèle
des compagnies, que de tristes expériences avaient éclai-
rées, est inébranlable; les pertes de l'État sont réparées;
le cardinal fait la paix avec avantage[2]. Au plus haut
point de sa gloire, sa joie est troublée par la triste ap-

---

[1] Il s'agit de la paix des Pyrénées, conclue en 1659.

[2] Ce dernier trait eût été envié de Tacite. On ne pouvait peindre avec
plus d'énergie et de vérité la haine implacable que le cardinal de Retz,
trop fier pour se réconcilier avec son ennemi premier ministre, manifesta
toujours contre Mazarin tout-puissant sur les marches du trône. C'est
ainsi qu'ayant à peindre un factieux sans objet, doué d'un génie remuant
et d'un grand caractère, Bossuet n'a besoin que de quelques lignes pour
le juger avec la sagacité d'un moraliste, la vertu d'un orateur, la profondeur d'un publiciste, et l'impartialité d'un historien. Je préfère de
beaucoup ce portrait à celui de Cromwell, et je ne connais rien de plus
parfait en ce genre parmi les anciens et parmi les modernes. (M.)

parition de la mort; intrépide, il domine jusqu'entre ses bras et au milieu de son ombre : il semble qu'il ait entrepris de montrer à toute l'Europe que sa faveur, attaquée par tant d'endroits, est si hautement rétablie que tout devient faible contre elle, jusqu'à une mort prochaine et lente. Il meurt avec cette triste consolation ; et nous voyons commencer ces belles années dont on ne peut assez admirer le cours glorieux. Cependant la grande et pieuse Anne d'Autriche rendait un perpétuel témoignage à l'inviolable fidélité de notre ministre, où, parmi tant de divers mouvements, elle n'avait jamais remarqué un pas douteux. Le roi, qui dès son enfance l'avait vu toujours attentif au bien de l'État, et tendrement attaché à sa personne sacrée, prenait confiance en ses conseils ; et le ministre conservait sa modération, soigneux surtout de cacher l'important service qu'il rendait continuellement à l'État, en faisant connaître les hommes capables de remplir les grandes places, et en leur rendant à propos des offices qu'ils ne savaient pas. Car que peut faire de plus utile un zélé ministre, puisque le prince, quelque grand qu'il soit, ne connaît sa force qu'à demi, s'il ne connaît les grands hommes que la Providence fait naître en son temps pour le seconder? Ne parlons pas des vivants dont les vertus non plus que les louanges ne sont jamais sûres dans le variable état de cette vie. Mais je veux ici nommer par honneur le sage, le docte et le pieux Lamoignon, que notre ministre proposait toujours comme digne de prononcer les oracles de la justice dans le plus majestueux de ses tribunaux. La justice, leur commune amie, les avait unis ; et maintenant ces deux âmes pieuses, touchées sur la terre du même désir de faire régner les lois, contemplent ensemble à découvert les lois éternelles d'où les nôtres sont dérivées; et si quelque légère trace de nos faibles distinctions paraît encore dans une si simple et si claire vision , elles adorent Dieu en qualité de justice et de règle[1].

Ecce in justitia regnabit rex , et principes in judicio præerunt[2] : « Le roi régnera selon la justice , et les « juges présideront en jugement[3]. » La justice passe du prince dans les magistrats, et du trône elle se répand sur les tribunaux. C'est dans le règne d'Ézéchias le modèle de nos jours. Un prince zélé pour la justice nomme un principal et universel magistrat capable de contenter ses désirs. L'infatigable ministre ouvre des yeux attentifs sur tous les tribunaux : animé des ordres du prince, il y établit la règle, la discipline, le concert, l'esprit de justice. Il sait que , si la prudence du souverain magistrat est obligée quelquefois, dans les cas extraordinaires, de suppléer à la prévoyance des lois, c'est toujours en prenant leur esprit ; et enfin qu'on ne doit sortir de la règle qu'en suivant un fil qui tienne, pour ainsi dire, à la règle même. Consulté de toutes parts , il

---

[1] On serait tenté de croire en général, sur la foi d'un vers charmant de La Fontaine, que

L'or se peut partager, mais non pas la louange.

L'évêque de Meaux prouve le contraire dans son fameux parallèle entre Turenne et le grand Condé, et peut-être encore mieux dans son *Oraison funèbre du chancelier Le Tellier*, au moment où il célèbre la liaison intime de ce chef de la magistrature, auquel l'histoire a fait deux diverses réputations, avec le premier président de Lamoignon, qui, heureusement pour sa gloire, n'en a jamais eu qu'une seule. (M.)

Chrétien-François de Lamoignon , fils de Guillaume de Lamoignon, premier président du parlement de Paris, mourut en 1706 , à soixante-quatre ans, et eut pour petit-fils le vertueux Malesherbes.

[2] ISAI., XXXII, 1.

[3] En admirant cette pensée si ingénieusement noble et élevée, on appliquerait volontiers à Bossuet ce que Virgile disait du prince des poëtes : qu'il serait plus difficile d'emprunter un vers d'Homère que de prendre à Hercule sa massue. (M.)

donne des réponses courtes, mais décisives, aussi pleines de sagesse que de dignité; et le langage des lois est dans son discours. Par toute l'étendue du royaume chacun peut faire ses plaintes, assuré de la protection du prince; et la justice ne fut jamais ni si éclairée ni si secourable. Vous voyez comme ce sage magistrat modère tout le corps de la justice. Voulez-vous voir ce qu'il fait dans la sphère où il est attaché, et qu'il doit mouvoir par lui-même? Combien de fois s'est-on plaint que les affaires n'avaient ni de règle ni de fin; que la force des choses jugées n'était presque plus connue; que la compagnie[1] où l'on renversait avec tant de facilité les jugements de toutes les autres ne respectait pas davantage les siens; enfin que le nom du prince était employé à rendre tout incertain, et que souvent l'iniquité sortait du lieu d'où elle devait être foudroyée? Sous le sage MICHEL LE TELLIER, le conseil fit sa véritable fonction; et l'autorité de ses arrêts, semblable à un juste contrepoids, tenait par tout le royaume la balance égale. Les juges que leurs coups hardis et leurs artifices faisaient redouter furent sans crédit : leur nom ne servit qu'à rendre la justice plus attentive. Au conseil comme au sceau, la multitude, la variété, la difficulté des affaires, n'étonnèrent jamais ce grand magistrat : il n'y avait rien de plus difficile, ni aussi de plus hasardeux, que de le surprendre; et, dès le commencement de son ministère, cette irrévocable sentence sortit de sa bouche, que le crime de le tromper serait le moins pardonnable. De quelque belle apparence que l'iniquité se couvrît, il en pénétrait les détours; et d'abord il savait connaître, même sous les fleurs, la marche tortueuse de ce serpent. Sans châtiment, sans rigueur, il couvrait l'injus-

____

[1] Le conseil d'État.

tice de confusion en lui faisant seulement sentir qu'il
la connaissait; et l'exemple de son inflexible régularité
fut l'inévitable censure de tous les mauvais desseins. Ce
fut donc par cet exemple admirable, plus encore que
par ses discours et par ses ordres, qu'il établit dans le
conseil une pureté et un zèle de la justice qui attire la
vénération des peuples, assure la fortune des particuliers, affermit l'ordre public, et fait la gloire de ce
règne.

Sa justice n'était pas moins prompte qu'elle était
exacte. Sans qu'il fallût le presser, les gémissements
des malheureux plaideurs, qu'il croyait entendre nuit
et jour, étaient pour lui une perpétuelle et vive sollicitation. Ne dites pas à ce zélé magistrat qu'il travaille
plus que son grand âge ne le peut souffrir : vous irrite-
rez le plus patient de tous les hommes. Est-on, disait-il,
dans les places pour se reposer et pour vivre? Ne doit-
on pas sa vie à Dieu, au prince et à l'État? Sacrés autels, vous m'êtes témoins que ce n'est pas aujourd'hui,
par ces artificieuses fictions de l'éloquence, que je lui
mets en la bouche ces fortes paroles! Sache la postérité,
si le nom d'un si grand ministre fait aller mon discours
jusqu'à elle, que j'ai moi-même souvent entendu ces
saintes réponses. Après de grandes maladies causées
par de grands travaux, on voyait revivre cét ardent désir de reprendre ses exercices ordinaires, au hasard de
retomber dans les mêmes maux; et, tout sensible qu'il
était aux tendresses de sa famille, il l'accoutumait à ces
courageux sentiments. C'est, comme nous l'avons dit,
qu'il faisait consister avec son salut le service particulier qu'il devait à Dieu dans une sainte administration
de la justice. Il en faisait son culte perpétuel, son sacrifice du matin et du soir, selon cette parole du sage :
« La justice vaut mieux devant Dieu que de lui offrir des

« victimes [1]. » Car quelle plus sainte hostie, quel encens plus doux, quelle prière plus agréable, que de faire entrer devant soi la cause de la veuve, que d'essuyer les larmes du pauvre oppressé, et de faire taire l'iniquité par toute la terre? Combien le pieux ministre était touché de ces vérités, ses paisibles audiences le faisaient paraître! Dans les audiences vulgaires, l'un, toujours précipité, vous trouble l'esprit; l'autre, avec un visage inquiet et des regards incertains, vous ferme le cœur : celui-là se présente à vous par coutume ou par bienséance, et il laisse vaguer ses pensées sans que vos discours arrêtent son esprit distrait; celui-ci, plus cruel encore, a les oreilles bouchées par ses préventions, et, incapable de donner entrée aux raisons des autres, il n'écoute que ce qu'il a dans son cœur. A la facile audience de ce sage magistrat, et par la tranquillité de son favorable visage, une âme agitée se calmait. C'est là qu'on trouvait « ces douces réponses qui apaisent la « colère [2], » et « ces paroles qu'on préfère aux dons. » *Verbum melius quam datum* [3]. Il connaissait les deux visages de la justice : l'un facile dans le premier abord ; l'autre sévère et impitoyable quand il faut conclure. Là elle veut plaire aux hommes, et également contenter les deux partis ; ici elle ne craint ni d'offenser le puissant, ni d'affliger le pauvre et le faible. Ce charitable magistrat était ravi d'avoir à commencer par la douceur, et dans toute l'administration de la justice il nous paraissait un homme que sa nature avait fait bienfaisant, et que la raison rendait inflexible. C'est par où il avait gagné les cœurs. Tout le royaume faisait des vœux

[1] *Facere misericordiam et judicium, magis placet Domino quam victimæ.* (Prov., xxi, 3.)

[2] *Responsio mollis frangit iram.* (Prov., xv, 1.)

[3] Eccles., xviii, 16.

pour la prolongation de ses jours : on se reposait sur sa prévoyance; ses longues expériences étaient pour l'État un trésor inépuisable de sages conseils, et sa justice, sa prudence, la facilité qu'il apportait aux affaires, lui méritaient la vénération et l'amour de tous les peuples. O Seigneur! vous avez fait, comme dit le sage[1], « l'œil « qui regarde, et l'oreille qui écoute. » Vous donc qui donnez aux juges ces regards benins, ces oreilles attentives, et ce cœur toujours ouvert à la vérité, écoutez-nous pour celui qui écoutait tout le monde; et vous, doctes interprètes des lois, fidèles dépositaires de leurs secrets, et implacables vengeurs de leur sainteté méprisée, suivez ce grand exemple de nos jours. Tout l'univers a les yeux sur vous : affranchis des intérêts et des passions, sans yeux comme sans mains, vous marchez sur la terre semblables aux esprits célestes; ou plutôt, images de Dieu, vous en imitez l'indépendance; comme lui, vous n'avez besoin ni des hommes ni de leurs présents; comme lui, vous faites justice à la veuve et au pupille; l'étranger n'implore pas en vain votre secours[2], et, assurés que vous exercez la puissance du juge de l'univers, vous n'épargnez personne dans vos jugements. Puisse-t-il avec ses lumières et avec son esprit de force vous donner cette patience, cette attention, et cette docilité toujours accessible à la raison, que Salomon lui demandait pour juger son peuple[3]!

Mais ce que cette chaire, ce que ces autels, ce que

[1] *Et aurem audientem, et oculum videntem, Dominus fecit utrumque.* (Prov., xx, 12.)

[2] *Dominus Deus vester ipse est Deus deorum, et Dominus dominantium : Deus magnus et potens, et terribilis, qui personam non accipit nec munera. Facit judicium pupillo et viduæ; amat peregrinum, et dat ei victum ac vestitum.* (Deut., x, 17, 18.).

[3] III, Reg., iii, 9.

l'Évangile que j'annonce, et l'exemple du grand ministre dont je célèbre les vertus, m'oblige à recomman-
der plus que toutes choses, c'est les droits sacrés de
l'Église. L'Église ramasse ensemble tous les titres par
où l'on peut espérer le secours de la justice. La justice
doit une assistance particulière aux faibles, aux orphelins, aux épouses délaissées, et aux étrangers. Qu'elle
est forte cette Église, et que redoutable est le glaive
que le Fils de Dieu lui a mis dans la main ! Mais c'est
un glaive spirituel, dont les superbes et les incrédules
ne ressentent pas le « double tranchant[1]. » Elle est fille
du Tout-Puissant : mais son père, qui la soutient au dedans, l'abandonne souvent aux persécuteurs ; et, à
l'exemple de Jésus-Christ, elle est obligée de crier dans
son agonie : « Mon Dieu, mon Dieu, pourquoi m'avez-
« vous délaissée[2] ? » Son époux est le plus puissant
comme le plus beau et le plus parfait de tous les enfants
des hommes[3] ; mais elle n'a entendu sa voix agréable,
elle n'a joui de sa douce et désirable présence, qu'un
moment[4] : tout d'un coup il a pris la fuite avec une
course rapide ; « et, plus vite qu'un faon de biche, il
« s'est élevé au-dessus des plus hautes montagnes[5]. »
Semblable à une épouse désolée, l'Église ne fait que
gémir, et le chant de la tourterelle délaissée[6] est dans sa

<hr>

[1] *De ore ejus gladius utraque parte acutus exibat.* (Apoc., 1, 16.) *Vivus est sermo Dei et efficax, et penetrabilior omni gladio ancipiti.* (Heb., IV, 12.)

[2] *Eli, Eli, lamma sabacthani : hoc est, Deus meus, Deus meus, ut quid dereliquisti me?* (Matth., XXVII, 46.)

[3] *Speciosus forma præ filiis hominum.* (Ps. XLIV, 3.)

[4] *Amicus sponsi, qui stat et audit eum, gaudio gaudet propter vocem sponsi.* (Joan., III, 29.)

[5] *Fuge, dilecte mi, et assimilare capreæ, hinnuloque cervorum super montes aromatum.* (Cant., VIII, 14.)

[6] *Vox turturis audita est in terra nostra.* (Ibid., II, 12.)

bouche. Enfin elle est étrangère et comme errante sur la terre, où elle vient recueillir les enfants de Dieu sous ses ailes; et le monde, qui s'efforce de les lui ravir, ne cesse de traverser son pèlerinage. Mère affligée, elle a souvent à se plaindre de ses enfants qui l'oppriment : on ne cesse d'entreprendre sur ses droits sacrés; sa puissance céleste est affaiblie, pour ne pas dire tout à fait éteinte. On se venge sur elle de quelques-uns de ses ministres, trop hardis usurpateurs des droits temporels : à son tour la puissance temporelle a semblé vouloir tenir l'Église captive, et se récompenser de ses pertes sur Jésus-Christ même : les tribunaux séculiers ne retentissent que des affaires ecclésiastiques : on ne songe pas au don particulier qu'a reçu l'ordre apostolique pour les décider; don céleste que nous ne recevons qu'une fois « par l'imposition des mains, » mais que saint Paul nous ordonne de ranimer[1], de renouveler, et de rallumer sans cesse en nous-mêmes comme un feu divin, afin que la vertu en soit immortelle[2]. Ce don nous est-il seulement accordé pour annoncer la sainte parole, ou pour sanctifier les âmes par les sacrements? N'est-ce pas aussi pour policer les églises, pour y établir la discipline, pour appliquer les canons inspirés de Dieu à nos saints prédécesseurs, et accomplir tous les devoirs du ministère ecclésiastique? Autrefois et les canons et les lois, et les évêques et les empereurs, concouraient ensemble à empêcher les ministres des autels de paraître, pour les affaires même temporelles, devant les juges de la terre : on voulait avoir des intercesseurs purs du commerce des hommes, et on craignait de les

[1] *Admoneo te ut ressuscites gratiam Dei quæ est in te per impositionem manuum mearum.* (II, TIM., I, 6.)

[2] VAR. *Première édition :* en soit immortelle dans l'ordre sacré. Ce don, etc.

rengager dans le siècle d'où ils avaient été séparés pour
être le partage du Seigneur. Maintenant c'est pour les
affaires ecclésiastiques qu'on les y voit entraînés : tant
le siècle a prévalu, tant l'Église est faible et impuissante! Il est vrai que l'on commence à l'écouter : l'auguste conseil et le premier parlement donnent du secours à son autorité blessée; les sources du droit sont
révélées; les saintes maximes revivent. Un roi zélé pour
l'Église, et toujours prêt à lui rendre davantage qu'on
ne l'accuse de lui ôter, opère ce changement heureux :
son sage et intelligent chancelier seconde ses désirs :
sous la conduite de ce ministre, nous avons comme un
nouveau code favorable à l'épiscopat; et nous vanterons
désormais, à l'exemple de nos pères, les lois unies aux
canons. Quand ce sage magistrat renvoie les affaires ecclésiastiques aux tribunaux séculiers, ses doctes arrêts
leur marquent la voie qu'ils doivent tenir, et le remède
qu'il pourra donner à leurs entreprises. Ainsi la sainte
clôture, protectrice de l'humilité et de l'innocence, est
établie; ainsi la puissance séculière ne donne plus ce
qu'elle n'a pas; et la sainte subordination des puissances ecclésiastiques, image des célestes hiérarchies et
lien de notre unité, est conservée; ainsi la cléricature
jouit par tout le royaume de son privilége; ainsi sur le
sacrifice des vœux, et sur « ce grand sacrement de »
l'indissoluble « union de Jésus-Christ avec son Église[1] »
les opinions sont plus saines dans le barreau éclairé et
parmi les magistrats intelligents que dans les livres de
quelques auteurs qui se disent ecclésiastiques et théologiens. Un grand prélat[2] a part à ces grands ouvrages;

---

[1] *Sacramentum hoc magnum est : ego autem dico in Christo et in
Ecclesia.* (Ephes., v, 32.)

[2] Charles-Maurice Le Tellier, archevêque de Reims, fils du chancelier.
C'est de lui que Boileau disait : « Monseigneur m'estime bien davantage

habile autant qu'agréable intercesseur auprès d'un
père porté par lui-même à favoriser l'Église, il sait ce
qu'il faut attendre de la piété éclairée d'un grand ministre, et il représente les droits de Dieu sans blesser
ceux de César. Après ces commencements, ne pourrons-
nous pas enfin espérer que les jaloux de la France n'auront pas éternellement à lui reprocher les libertés de
l'Église toujours employées contre elle-même? Ame
pieuse du sage MICHEL LE TELLIER, après avoir avancé
ce grand ouvrage, recevez devant ces autels ce témoignage sincère de votre foi et de notre reconnaissance,
de la bouche d'un évêque trop tôt obligé à changer en
sacrifices pour votre repos ceux qu'il offrait pour une
vie si précieuse. Et vous, saints évêques, interprètes du
ciel, juges de la terre, apôtres, docteurs, et serviteurs
des églises ; vous qui sanctifiez cette assemblée par votre présence, et vous qui, dispersés par tout l'univers,
entendrez le bruit d'un ministère si favorable à l'Église,
offrez à jamais de saints sacrifices pour cette âme pieuse.
Ainsi puisse la discipline ecclésiastique être entièrement
rétablie! ainsi puisse être rendue la majesté à vos tribunaux, l'autorité à vos jugements, la gravité et le poids
à vos censures! Puissiez-vous, souvent assemblés au
nom de Jésus-Christ, l'avoir au milieu de vous, et revoir la beauté des anciens jours! Qu'il me soit permis
du moins de faire des vœux devant ces autels, de sou-
pirer après les antiquités devant une compagnie si
éclairée, et d'annoncer la sagesse entre les parfaits[1]!
Mais, Seigneur, que ce ne soit pas seulement des vœux
inutiles! Que ne pouvons-nous obtenir de votre bonté, si,

depuis qu'il me croit riche. » Il mourut en 1710, à soixante-dix-huit
ans, laissant aux chanoines de Sainte-Geneviève sa bibliothèque, composée de cinquante mille volumes environ.

[1] *Sapientiam loquimur inter perfectos.* (I, COR., II, 6.)

comme nos prédécesseurs, nous faisons nos chastes délices de votre Écriture, notre principal exercice de la prédication de votre parole, et notre félicité de la sanctifi-
cation de votre peuple ; si, attachés à nos troupeaux par
un saint amour, nous craignons d'en être arrachés ; si
nous sommes soigneux de former des prêtres que Louis
puisse choisir pour remplir nos chaires ; si nous lui
donnons le moyen de décharger sa conscience de cette
partie la plus périlleuse de ses devoirs ; et que, par une
règle inviolable, ceux-là demeurent exclus de l'épiscopat qui ne veulent pas y arriver par des travaux apostoliques[1] ? Car aussi comment pourrons-nous sans ce secours incorporer tout à fait à l'Église de Jésus-Christ
tant de peuples nouvellement convertis, et porter avec
confiance un si grand accroissement de notre fardeau ?
Ah ! si nous ne sommes infatigables à instruire, à reprendre, à consoler, à donner le lait aux infirmes, et le
pain aux forts ; enfin à cultiver ces nouvelles plantes, et
à expliquer à ce nouveau peuple la sainte parole, dont,
hélas ! on s'est tant servi pour le séduire, « le fort armé
« chassé de sa demeure reviendra » plus furieux que
jamais, « avec sept esprits plus malins que lui, et notre
« état deviendra pire que le précédent[2] ! » Ne laissons
pas cependant de publier ce miracle de nos jours ; fai-
sons-en passer le récit aux siècles futurs. Prenez vos plu-
mes sacrées, vous qui composez les annales de l'Église ;
agiles instruments « d'un prompt écrivain et d'une
« main diligente[3], » hâtez-vous de mettre Louis avec

---

[1] Ces derniers mots ont rapport à la règle sollicitée par Bossuet, et
établie par le roi, de ne nommer aux évêchés que ceux qui auraient travaillé dans le ministère. (V.)

[2] *Tunc vadit, et assumit septem alios spiritus secum, nequiores se; et
ingressi habitant ibi : et fiunt novissima hominis illius pejora prioribus.*
(Luc., xi, 21, 24, 25, 26.)

[3] *Lingua mea calamus scribæ velociter scribentis.* (Ps. xliv, 1.)

les Constantins et les Théodoses. Ceux qui vous ont précédés dans ce beau travail racontent[1] « qu'avant « qu'il y eût eu des empereurs dont les lois eussent ôté « les assemblées aux hérétiques, les sectes demeuraient « unies, et s'entretenaient longtemps. Mais, poursuit « Sozomène, depuis que Dieu suscita des princes chré- « tiens, et qu'ils eurent défendu ces conventicules, la « loi ne permettait pas aux hérétiques de s'assembler en « public; et le clergé, qui veillait sur eux, les empêchait « de le faire en particulier. De cette sorte, la plus « grande partie se réunissait; et les opiniâtres mouraient « sans laisser de postérité, parce qu'ils ne pouvaient ni « communiquer entre eux ni enseigner librement leurs « dogmes. » Ainsi tombait l'hérésie avec son venin; et la discorde rentrait dans les enfers, d'où elle était sortie. Voilà, messieurs, ce que nos pères ont admiré dans les premiers siècles de l'Église. Mais nos pères n'avaient pas vu, comme nous, une hérésie invétérée tomber tout à coup; les troupeaux égarés revenir en foule, et nos églises trop étroites pour les recevoir; leurs faux pasteurs les abandonner sans même en attendre l'ordre, et heureux d'avoir à leur alléguer leur bannissement pour excuse; tout calme dans un si grand mouvement;

---

[1] *Nam superiorum imperatorum temporibus, quicumque Christum cole-
bant, licet opinionibus inter se dissentirent, a Gentilibus tamen pro iis-
dem habebantur... Quam ob causam singuli facile in unum convenientes,
separatim collectas celebrabant, et assidue secum mutuo colloquentes.
tametsi pauci numero essent, nequaquam dissipati sunt. Post hanc vero
legem nec publice collectas agere eis licuit, lege id prohibente ; nec
clanculo, cum singularum civitatum episcopi ac clerici eos sollicite obser-
varent. Unde factum est ut plerique eorum metu perculsi, Ecclesiæ catho-
licæ sese adjunxerint. Alii vero, licet in eadem sententia perseverarint,
nullis tamen opinionis suæ successoribus post se relictis, ex hac vita migra-
runt : quippe qui nec in unum coire permitterentur, nec opinionis suæ
consortes libere ac sine metu docere possent.* (SOZOM., *Hist.*, liber. II,
c.XXXII.)

l'univers étonné de voir dans un événement si nouveau la marque la plus assurée comme le plus bel usage de l'autorité, et le mérite du prince plus reconnu et plus révéré que son autorité même. Touchés de tant de merveilles, épanchons nos cœurs sur la piété de Louis ; poussons jusqu'au ciel nos acclamations ; et disons à ce nouveau Constantin, à ce nouveau Théodose, à ce nouveau Marcien, à ce nouveau Charlemagne, ce que les six cent trente Pères dirent autrefois dans le concile de Chalcédoine[1] : « Vous avez affermi la foi ; vous avez ex-« terminé les hérétiques : c'est le digne ouvrage de « votre règne : c'en est le propre caractère. Par vous « l'hérésie n'est plus. Dieu seul a pu faire cette merveille. « Roi du ciel, conservez le roi de la terre : c'est le vœu « des Églises ; c'est le vœu des évêques. »

Quand le sage chancelier reçut l'ordre de dresser ce pieux édit qui donne le dernier coup à l'hérésie, il avait déjà ressenti l'atteinte de la maladie dont il est mort. Mais un ministre si zélé pour la justice ne devait pas mourir avec le regret de ne l'avoir pas rendue à tous ceux dont les affaires étaient préparées. Malgré cette fatale faiblesse qu'il commençait de sentir, il écouta, il jugea, et il goûta le repos d'un homme heureusement dégagé, à qui ni l'Église, ni le monde, ni son prince, ni sa patrie, ni les particuliers, ni le public, n'avaient plus rien à demander. Seulement Dieu lui réservait l'accomplissement du grand ouvrage de la religion ; et il dit, en scellant la révocation du fameux édit de Nantes,

---

[1] *Hæc digna vestro imperio : hæc propria vestri regni... Per te ortho-doxa fides firmata est; per te hæresis non est. Cælestis rex, terrenum custodi. Per te firmata fides est... Unus Deus qui hoc fecit... Rex cælestis, Augustam custodi, dignam pacis... Hæc oratio Ecclesiarum ; hæc oratio pastorum.* (Concil. Chalced., Act. vi.)

qu'après ce triomphe de la foi, et un si beau monument de la piété du roi, il ne se souciait plus de finir ses jours. C'est la dernière parole qu'il ait prononcée dans la fonction de sa charge; parole digne de couronner un si glorieux ministère. En effet, la mort se déclare; on ne tente plus de remède contre ses funestes attaques; dix jours entiers il la considère avec un visage assuré; tranquille, toujours assis, comme son mal le demandait, on croit assister jusqu'à la fin ou à la paisible audience d'un ministre, ou à la douce conversation d'un ami commode. Souvent il s'entretient seul avec la mort : la mémoire, le raisonnement, la parole ferme, et aussi vivant par l'esprit qu'il était mourant par le corps[1], il semble lui demander d'où vient qu'on la nomme cruelle. Elle lui fut nuit et jour toujours présente; car il ne connaissait plus le sommeil, et la froide main de la mort pouvait seule lui clore les yeux. Jamais il ne fut si attentif : « Je suis, disait-il, en faction. » Car il me semble que je lui vois prononcer encore cette courageuse parole. Il n'est pas temps de se reposer : à chaque attaque il se tient prêt, et il attend le moment de sa délivrance. Ne croyez pas que cette constance ait pu naître tout à coup entre les bras de la mort : c'est le fruit des méditations que vous avez vues, et de la préparation de toute la vie. La mort révèle les secrets des cœurs. Vous, riches, vous qui vivez dans les joies du monde, si vous saviez avec quelle facilité vous vous laissez prendre aux richesses que vous croyez posséder; si vous saviez par combien d'imperceptibles liens elles s'attachent et pour ainsi dire elles s'incorporent à votre cœur, et combien sont forts et pernicieux ces liens que vous ne sentez pas,

[1] « Sa fermeté sert d'exemple, dit madame de Sévigné, à tous ceux « qui veulent mourir en grands hommes, et sa piété à ceux qui veulent « mourir chrétiennement. » (*Lettre* 889, *du 28 octobre* 1685.)

vous entendriez la vérité de cette parole du Sauveur [1] :
« Malheur à vous, riches ! » et « vous pousseriez,
« comme dit saint Jacques [2], des cris lamentables et des
« hurlements à la vue de vos misères. » Mais vous ne
sentez pas un attachement si déréglé. Le désir se fait
mieux sentir, parce qu'il a de l'agitation et du mouvement. Mais, dans la possession, on trouve, comme dans
un lit, un repos funeste ; et on s'endort dans l'amour
des biens de la terre, sans s'apercevoir de ce malheureux
engagement. C'est, mes frères, où tombe celui qui met
sa confiance dans les richesses ; je dis même dans les
richesses bien acquises. Mais l'excès de l'attachement,
que nous ne sentons pas dans la possession, se fait, dit
saint Augustin [3], sentir dans la perte. C'est là qu'on entend ce cri d'un roi malheureux, d'un Agag outré contre
la mort, qui lui vient ravir tout à coup, avec la vie, sa
grandeur et ses plaisirs : *Siccine separat amara mors* [4] ?
« Est-ce ainsi que la mort amère vient rompre tout à coup
« de si doux liens ? » Le cœur saigne ; dans la douleur
de la plaie, on sent combien ces richesses y tenaient ;
et le péché que l'on commettait par un attachement si
excessif se découvre tout entier : *Quantum amando de-
liquerint, perdendo senserunt.* Par une raison contraire,
un homme dont la fortune protégée du ciel ne connaît
pas les disgrâces ; qui, élevé sans envie aux plus grands
honneurs, heureux dans sa personne et dans sa famille,

---

[1] *Væ vobis divitibus!* (Luc., vi, 24.)

[2] *Agite nunc, divites, plorate ululantes in miseriis vestris, quæ adve-
nient vobis.* (Jac., v, 1.)

[3] *Illi autem infirmiores, qui terrenis his bonis, quamvis ea non præ-
ponerent Christo, aliquantula tamen cupiditate cohærebant, quantum
hæc amando peccaverint, perdendo senserunt. Tantum quippe doluerunt,
quantum se doloribus inseruerunt.* (Aug., *de Civit. Dei,* lib. I. c. X, n. 2.)

[4] I, Reg., xv, 32.

pendant qu'il voit disparaître une vie si fortunée, bénit
la mort, et aspire aux biens éternels, ne fait-il pas voir
qu'il n'avait pas mis « son cœur dans le trésor que les
« voleurs peuvent enlever[1], » et que, comme un autre
Abraham, il ne connaît de repos que « dans la cité per-
« manente[2] ? » Un fils, consacré à Dieu, s'acquitte cou-
rageusement de son devoir comme de toutes les autres
parties de son ministère, et il va porter la triste parole
à un père si tendre et si chéri : il trouve ce qu'il espérait,
un chrétien préparé à tout, qui attendait ce dernier
office de sa piété. L'Extrême-Onction, annoncée par la
même bouche à ce philosophe chrétien, excite autant
sa piété qu'avait fait le saint Viatique. Les saintes prières
des agonisants réveillent sa foi : son âme s'épanche
dans les célestes cantiques ; et vous diriez qu'il soit devenu un autre David, par l'application qu'il se fait à
lui-même de ses divins Psaumes. Jamais juste n'attendit
la grâce de Dieu avec une plus ferme confiance ; jamais
pécheur ne demanda un pardon plus humble, ni ne
s'en crut plus indigne. Qui me donnera le burin que
Job désirait, pour graver sur l'airain et sur le marbre
cette parole sortie de sa bouche en ces derniers jours,
que, depuis quarante-deux ans qu'il servait le roi, il
avait la consolation de ne lui avoir jamais donné de conseil que selon sa conscience, et, dans un si long ministère, de n'avoir jamais souffert une injustice qu'il pût
empêcher ? La justice demeure constante, et, pour
ainsi dire, toujours vierge et incorruptible parmi des
occasions si délicates, quelle merveille de la grâce !
Après ce témoignage de sa conscience, qu'avait-il besoin

---

[1] *Nolite thesaurizare vobis thesauros in terra,... ubi fures effodiunt et furantur. Thesaurizate autem vobis thesauros in cœlo.* (MATTH., VI, 19, 20, 21.)

[2] *Expectabat fundamenta habentem civitatem.* (HEB., XI, 10.)

de nos éloges? Vous étonnez-vous de sa tranquillité ?
Quelle maladie ou quelle mort peut troubler celui qui
porte au fond de son cœur un si grand calme ? Que
vois-je durant ce temps? des enfants percés de douleur ;
car ils veulent bien que je rende ce témoignage à leur
piété, et c'est la seule louange qu'ils peuvent écouter
sans peine. Que vois-je encore? une femme forte, pleine
d'aumônes et de bonnes œuvres, précédée, malgré ses
désirs, par celui que tant de fois elle avait cru devancer :
tantôt elle va offrir devant les autels cette plus chère et
plus précieuse partie d'elle-même; tantôt elle rentre
auprès du malade, non par faiblesse, mais, dit-elle,
« pour apprendre à mourir, et profiter de cet exemple. »
L'heureux vieillard jouit jusqu'à la fin des tendresses
de sa famille, où il ne voit rien de faible ; mais, pendant
qu'il en goûte la reconnaissance, comme un autre Abraham, il la sacrifie, et en l'invitant à s'éloigner : « Je
« veux, dit-il, m'arracher jusqu'aux moindres vestiges
« de l'humanité. » Reconnaissez-vous un chrétien qui
achève son sacrifice, qui fait le dernier effort afin de
rompre tous les liens de la chair et du sang, et ne tient plus
à la terre ? Ainsi, parmi les souffrances et dans les approches de la mort, s'épure, comme dans un feu, l'âme chrétienne ; ainsi elle se dépouille de ce qu'il y a de terrestre et de trop sensible, même dans les affections les plus
innocentes : telles sont les grâces qu'on trouve à la mort.
Mais qu'on ne s'y trompe pas, c'est quand on l'a souvent
méditée, quand on s'y est longtemps préparé par de
bonnes œuvres : autrement la mort porte en elle-même
ou l'insensibilité, ou un secret désespoir, ou, dans ses
justes frayeurs, l'image d'une pénitence trompeuse, et
enfin un trouble fatal à la piété. Mais voici, dans la perfection de la charité, la consommation de l'œuvre de
Dieu. Un peu après, parmi ses langueurs et percé de

douleurs aiguës, le courageux vieillard se lève, et les bras en haut, après avoir demandé la persévérance : « Je ne désire point, dit-il, la fin de mes peines ; mais « je désire de voir Dieu. » Que vois-je ici, chrétiens ? la foi véritable, qui, d'un côté, ne se lasse pas de souffrir ; vrai caractère d'un chrétien : et, de l'autre, ne cherche plus qu'à se développer de ses ténèbres, et, en dissipant le nuage, se changer en pure lumière et en claire vision. O moment heureux où nous sortirons des ombres et des énigmes [1] pour voir la vérité manifeste ! Courons-y, mes frères, avec ardeur ; hâtons-nous de « purifier notre « cœur, afin de voir Dieu, » selon la promesse de l'É-vangile [2]. Là est le terme du voyage ; là se finissent les gémissements ; là s'achève le travail de la foi, quand elle va, pour ainsi dire, enfanter la vue. Heureux moment encore une fois ! qui ne te désire pas n'est pas chrétien. Après que ce pieux désir est formé par le Saint-Esprit dans le cœur de ce vieillard plein de foi, que reste-t-il, chrétiens, sinon qu'il aille jouir de l'objet qu'il aime? Enfin, prêt à rendre l'âme : « Je rends grâces à Dieu, dit-il, « de voir défaillir mon corps devant mon esprit. » Touché d'un si grand bienfait, et ravi de pouvoir pousser ses reconnaissances jusques au dernier soupir, il commença l'hymne des divines miséricordes : *Misericordias Domini in æternum cantabo* [3]. « Je chanterai, dit-il, éter-« nellement les miséricordes du Seigneur. » Il expire en disant ces mots, et il continue avec les anges le sacré cantique [4].

---

[1] *Videmus nunc per speculum in ænigmate.* (I, COR., XIII, 12.)

[2] *Beati mundo corde, quoniam ipsi Deum videbunt.* (MATTH., V, 8.)

[3] Ps. LXXXVIII, 1.

[4] Image douce et touchante qui montre le ciel et tout ce qui l'habite attentif à recueillir les dernières paroles et les derniers soupirs du juste. (B.)

Reconnaissez maintenant que sa perpétuelle modération venait d'un cœur détaché de l'amour du monde ; et réjouissez-vous en Notre-Seigneur de ce que riche il a mérité les grâces et la récompense de la pauvreté. Quand je considère attentivement dans l'Évangile la parabole ou plutôt l'histoire du mauvais riche, et que je vois de quelle sorte Jésus-Christ y parle des fortunés de la terre, il me semble d'abord qu'il ne leur laisse aucune espérance au siècle futur. Lazare, pauvre et couvert d'ulcères, « est porté par les anges au sein d'Abraham [1], » pendant que le riche, toujours heureux dans cette vie, « est en- « seveli dans les enfers. » Voilà un traitement bien différent que Dieu fait à l'un et à l'autre. Mais comment est-ce que le Fils de Dieu nous en explique la cause ? « Le riche, dit-il [2], a reçu ses biens, et le pauvre ses « maux dans cette vie. » Et de là quelle conséquence ? Écoutez, riches, et tremblez : « Et maintenant, poursuit- « il, l'un reçoit sa consolation, et l'autre son juste sup- « plice. » Terrible distinction ! funeste partage pour les grands du monde ! Et toutefois ouvrez les yeux : c'est le riche Abraham qui reçoit le pauvre Lazare dans son sein ; et il vous montre, ô riches du siècle ! à quelle gloire vous pouvez aspirer, si, « pauvres en esprit [3] » et déta- chés de vos biens, vous vous tenez aussi prêts à les quit- ter qu'un voyageur empressé à déloger de la tente où il passe une courte nuit. Cette grâce, je le confesse, est rare dans le Nouveau Testament, où les afflictions et la pauvreté des enfants de Dieu doivent sans cesse représen-

---

[1] *Factum est autem ut moreretur mendicus, et portaretur ab angelis in sinum Abrahæ. Mortuus est autem et dives, et sepultus est in inferno.* (Luc., XVI, 22.)

[2] *Et dixit illi Abraham : Fili, recordare quia recepisti bona in vita tua; et Lazarus similiter mala. Nunc autem hic consolatur; tu vero cruciaris.* (Luc., XVI. 25.)

[3] *Beati pauperes spiritu.* (Matth., V, 3.)

ter à toute l'Église un Jésus-Christ sur la croix. Et cependant, chrétiens, Dieu nous donne quelquefois de pareils exemples, afin que nous entendions qu'on peut mépriser les charmes de la grandeur, même présente ; et que les pauvres apprennent à ne désirer pas avec tant d'ardeur ce qu'on peut quitter avec joie. Ce ministre si fortuné et si détaché tout ensemble leur doit inspirer ce sentiment. La mort a découvert le secret de ses affaires ; et le public, rigide censeur des hommes de cette fortune et de ce rang, n'y a rien vu que de modéré. On a vu ses biens accrus naturellement par un si long ministère et par une prévoyante économie ; et on ne fait qu'ajouter à la louange de grand magistrat et de sage ministre celle de sage et vigilant père de famille, qui n'a pas été jugée indigne des saints patriarches. Il a donc, à leur exemple, quitté sans peine ce qu'il avait acquis sans empressement : ses vrais biens ne lui sont pas ôtés, et sa justice demeure aux siècles des siècles. C'est d'elle que sont découlées tant de grâces et tant de vertus que sa dernière maladie a fait éclater. Ses aumônes, si bien cachées dans le sein du pauvre, ont prié pour lui[1] : sa main droite les cachait à sa main gauche ; et, à la réserve de quelque ami qui en a été le ministre ou le témoin nécessaire, ses plus intimes confidents les ont ignorées : mais « le Père, qui les a vues dans le secret, lui en a « rendu la récompense[2]. » Peuples, ne le pleurez plus ; et vous qui, éblouis de l'éclat du monde, admirez le tranquille cours d'une si longue et si belle vie, portez plus haut vos pensées. Quoi donc ! quatre-vingt-trois ans passés au milieu des prospérités, quand il n'en fau-

---

[1] *Conclude eleemosynam in corde pauperis : et hæc pro te exorabit.* (ECCL., XXIX, 15.)

[2] *Te faciente eleemosynam nesciat sinistra tua quid faciat dextera tua... Et Pater tuus, qui videt in abscondito, reddet tibi.* (MATTH., VI, 3, 4.)

drait retrancher ni l'enfance où l'homme ne se connaît
pas, ni les maladies où l'on ne vit point, ni tout le temps
dont on a toujours tant de sujet de se repentir, paraî-
tront-ils quelque chose à la vue de l'éternité où nous
avançons à si grands pas? Après cent trente ans de vie,
Jacob, amené au roi d'Égypte, lui raconte la courte
durée de son laborieux pèlerinage, qui n'égale pas les
jours de son père Isaac, ni de son aïeul Abraham[1]. Mais
les ans d'Abraham et d'Isaac, qui ont fait paraître si
courts ceux de Jacob, s'évanouissent auprès de la vie de
Sem, que celle d'Adam et de Noé efface. Que si le temps
comparé au temps, la mesure à la mesure, et le terme
au terme, se réduit à rien, que sera-ce si l'on compare
le temps à l'éternité, où il n'y a ni mesure ni terme?
Comptons donc comme très-court, chrétiens, ou plutôt
comptons comme un pur néant tout ce qui finit, puisque enfin, quand on aurait multiplié les années au delà
de tous les nombres connus, visiblement ce ne sera rien
quand nous serons arrivés au terme fatal. Mais peut-être
que, prêt à mourir, on comptera pour quelque chose
cette vie de réputation, ou cette imagination de revivre
dans sa famille, qu'on croira laisser solidement établie.
Qui ne voit, mes frères, combien vaines, mais combien
courtes et combien fragiles sont encore ces secondes vies,
que notre faiblesse nous fait inventer pour couvrir en
quelque sorte l'horreur de la mort? Dormez votre sommeil, riches de la terre[2], et demeurez dans votre poussière. Ah! si quelques générations, que dis-je? si quel-

---

[1] *Respondit (Jacob) : Dies peregrinationis meæ centum triginta anno-
rum sunt, parvi et mali; et non pervenerunt usque ad dies patrum meorum, quibus peregrinati sunt.* (GENES., XLVII, 9.)

[2] Bossuet traduit ici le roi prophète : *Dormierunt somnum suum; et
nihil invenerunt omnes viri divitiarum in manibus suis.* (PS. LXXV,
6.) (F.)

ques années après votre mort vous reveniez, hommes oubliés, au milieu du monde, vous vous hâteriez de rentrer dans vos tombeaux, pour ne voir pas votre nom terni, votre mémoire abolie, et votre prévoyance trompée dans vos amis, dans vos créatures, et plus encore dans vos héritiers et dans vos enfants. Est-ce là le fruit du travail dont vous vous êtes consumés sous le soleil, vous amassant un trésor de haine et de colère éternelle au juste jugement de Dieu? Surtout, mortels, désabusez-vous de la pensée dont vous vous flattez, qu'après une longue vie la mort vous sera plus douce et plus facile. Ce ne sont pas les années, c'est une longue préparation qui vous donnera de l'assurance. Autrement un philosophe vous dira en vain que vous devez être rassasiés d'années et de jours, et que vous avez assez vu les saisons se renouveler et le monde rouler autour de vous, ou plutôt que vous vous êtes assez vu rouler vous-même et passer avec le monde. La dernière heure n'en sera pas moins insupportable, et l'habitude de vivre ne fera qu'en accroître le désir. C'est de saintes méditations, c'est de bonnes œuvres, c'est ces véritables richesses, que vous enverrez devant vous au siècle futur, qui vous inspireront de la force; et c'est par ce moyen que vous affermirez votre courage. Le vertueux MICHEL LE TELLIER vous en a donné l'exemple : la sagesse, la fidélité, la justice, la modestie, la prévoyance, la piété, toute la troupe sacrée des vertus, qui veillaient pour ainsi dire autour de lui, en ont banni les frayeurs, et ont fait du jour de sa mort le plus beau, le plus triomphant, le plus heureux jour de sa vie.

ORAISON FUNÈBRE

DE

LOUIS DE BOURBON,

PRINCE DE CONDÉ,

PREMMIER PRINCE DU SANG,

Prononcée dans l'église de Notre-Dame de Paris,
le 10 mars 1687.

NOTICE

SUR LOUIS DE ROURBON,

PRINCE DE CONDÉ.

Louis de Bourbon, fils de Henri de Bourbon, prince de Condé, fut connu d'abord sous le titre de duc d'Enghien. Il naquit le 8 septembre 1621. Élevé sous les yeux de son père avec le plus grand soin, confié à des jésuites sages et habiles, il montra de bonne heure des dispositions pour l'étude, et s'y livra avec autant d'application que de succès. Il conserva toute sa vie ce goût honorable, et, dans les intervalles de ses travaux militaires, fit voir constamment que les plaisirs et les exercices de l'esprit n'étaient pas indignes d'un prince et d'un grand capitaine : mais le goût le plus décidé qu'il montra dès ses plus jeunes ans fut celui des armes. Il n'avait encore que dix-neuf ans qu'il voulut servir en qualité de volontaire, et se distingua comme tel au siége d'Arras, en 1640. A cette époque aussi, le cardinal de Richelieu, ambitionnant pour sa famille les plus nobles alliances, parvint, malgré la répugnance du duc d'Enghien lui-même, à faire conclure le mariage de celui-ci avec sa nièce, fille du maréchal de Brézé.

Richelieu mourut en 1642, et jusque-là le duc d'Enghien n'avait encore donné des marques de valeur qu'en servant comme volontaire. Mais le cardinal Mazarin, qui succéda à Richelieu, le fit nommer en 1643 pour commander en chef l'armée de Flandre. Le duc d'Enghien s'était déjà rendu à sa destination, lorsqu'il apprit la mort de Louis XIII; et loin d'obéir, dans cette circonstance, à des vues d'ambition et d'intérêt personnel, il ne songea qu'à l'intérêt public et à la gloire de sauver la France en la délivrant de ses ennemis. La célèbre et à jamais mémorable bataille de Rocroi fut l'effet de cette disposition, et couvrit de gloire le duc d'Enghien, qui montra dans cette brillante occasion autant de vrai courage que de tranquillité d'esprit. La veille de la bataille, après avoir arrêté son plan et ordonné tous les préparatifs, il s'était endormi profondément; et à la fin de cette fameuse journée il se mit à genoux sur le champ de bataille, ordonnant à tous les soldats d'en faire autant, et rendit grâces à Dieu de la bénédiction qu'il venait de donner à ses armes.

Le duc d'Enghien se distingua de nouveau dans les brillantes campagnes de 1644, 1645 et 1646, où il se montra aussi habile dans l'art d'assiéger les villes que dans celui de gagner des batailles. Devenu en 1646 héritier des titres et de la fortune de son père, il prit le nom de prince de Condé, et partit en 1647 pour de nouvelles expéditions, et en 1648 gagna sur les Espagnols la célèbre bataille de Lens.

Ce fut à cette malheureuse époque qu'éclatèrent à Paris ces troubles civils qui, jusqu'en 1653, ne cessèrent d'agiter la France. Le prince de Condé fut rappelé promptement à la cour à cette occasion ; et quoique déjà lui-même il eût à se plaindre d'elle, et n'eût pas déguisé ses mécontentements, quoiqu'il fût vivement sollicité d'embrasser le parti des frondeurs, qui se grossissait chaque jour, il se montra d'abord déterminé à défendre le roi et la reine régente contre toute attaque. Assurés de son appui, le roi, la reine régente et toute la cour sortirent de Paris pour se retirer à Saint-Germain-en-Laye ; et le prince de Condé, à la tête de huit mille hommes, fit le blocus de Paris, et força bientôt les frondeurs à demander la paix : elle fut signée en mars 1649.

Mais la scène changea bientôt. Le prince de Condé se laissa séduire par les conseils du prince de Conti son frère et de la duchesse de Longueville sa sœur, qui, tous deux, se montraient les plus entreprenants et les plus indisposés contre le cardinal. La cour, instruite de leurs secrètes menées, songea d'abord à en prévenir l'effet par un coup d'éclat, et, le 18 janvier 1650, fit arrêter et conduire au château de Vincennes le prince de Condé, le prince de Conti, et le duc de Longueville leur beau-frère. Ils furent transférés depuis au Havre de Grâce. Ce ne fut qu'au bout de treize mois que, sollicitée par le parlement, la cour se décida à les remettre en liberté ; mais le prince de Condé, qui, comme le rapporte Bossuet, déclara dans la suite au roi qu'il était entré innocent dans la prison, et qu'il en était sorti coupable, garda dans son cœur un ressentiment profond de cette injure, et ne fut pas longtemps sans le faire éclater. En septembre 1651 il se mit ouvertement à la tête des mécontents, fit un traité avec les ennemis extérieurs, et prit les armes contre son roi. Il arriva jusqu'aux portes de Paris, et, après deux ou trois mois passés en attaques partielles et infructueuses, la journée sanglante du faubourg Saint-Antoine, où le prince de Condé et le maréchal de Turenne, tant de fois unis et combattant pour la même cause, étaient alors opposés l'un à l'autre, et rivalisaient de valeur et d'habileté, mit fin à ces troubles funestes. Le parti des frondeurs 's'affaiblit insensiblement. Le cardinal Mazarin, qui s'était déjà une fois retiré, consentit de nouveau à quitter la cour; et le roi, rentré dans Paris le 21 octobre 1652, publia une amnistie générale.

Le prince de Condé, trop fidèle à l'espèce de prédiction qu'il avait faite lorsqu'il embrassa le parti des mécontents, « qu'il tirait l'épée « malgré lui, et qu'il serait peut-être le dernier à la remettre dans le « fourreau, » refusa de prendre part à l'amnistie, et se retira en Espagne, où il se vit bientôt à la tête de toutes les forces de cette monarchie. Mais il n'en désirait pas moins ardemment la paix ; et, malgré la protection puissante de la couronne d'Espagne, il ne voulait pas que les conditions qu'elle faisait avec la France pour le faire rétablir dans tous ses droits retardassent un instant la conclusion de la paix tant désirée. Par une déclaration formelle et signée de lui, il remit tous ses intérêts et tous les dons que le roi d'Espagne voulait lui faire au bon plaisir et à la discrétion du roi de France ; et Louis XIV, sensible à ce procédé, consentit à le recevoir, et à oublier tout à fait le passé.

Rendu ainsi à sa patrie, nous le verrons dorénavant plus appliqué que jamais à se signaler par de nouveaux services. Il combattit en Flandre, en Hollande, en Allemagne, et cueillit partout de nouveaux lauriers. Il gagna, le 11 août 1674, la célèbre bataille de Senef. En 1675 il fit lever le siége que le général Montecuculli avait mis devant Haguenau, après la mort de Turenne. Depuis cette campagne il ne parut plus à la tête des armées, soit à cause des incommodités auxquelles il commençait à devenir sujet, soit pour d'autres motifs. Il resta cependant à la cour, mais sans avoir presque aucune part aux affaires. Enfin la paix de Nimègue, conclue en 1679, lui fournit une occasion de demander au roi la permission de se retirer. Il vint se fixer à Chantilly. Ce fut dans cette magnifique retraite qu'il passa ses dernières années, livré sans distraction à des goûts paisibles, et partageant son temps entre la lecture, la société des gens instruits et des savants en tout genre dont il s'entourait, et surtout la pratique scrupuleuse et sévère de tous les exercices de la religion, pour la gloire et le maintien de laquelle il se montrait zélé. Vers le milieu de l'année 1686, qui fut la dernière de sa vie, il s'affaiblit d'une manière plus sensible; mais ayant appris alors que la duchesse de Bourbon, fille de Louis XIV et femme de son petit-fils, était attaquée de la petite vérole à Fontainebleau, il partit sur-le-champ pour se rendre auprès d'elle, et donna au roi une nouvelle marque d'attachement et de zèle lorsque, s'opposant respectueusement à son passage, il l'empêcha d'entrer dans la chambre de la princesse.

Il tomba malade lui-même à Fontainebleau. Ses maux augmentant chaque jour, il prévit dès lors sa fin prochaine, et s'y prépara avec courage et tranquillité. Il donna en cette occasion des marques d'une foi et d'une piété ferventes, mit ordre à toutes les affaires de sa maison, et, avant que de mourir, eut encore le bonheur de contribuer à faire rentrer dans les bonnes grâces du roi le prince de Conti son neveu, qui était exilé à Chantilly. Depuis son retour en France il n'avait cessé de faire preuve de fidélité et d'attachement au roi ; et, par une lettre qu'il lui écrivit dans ses derniers moments, il l'assura encore des mêmes sentiments. Il mourut dans les bras de son fils et de son neveu, le duc d'Enghien et le prince de Conti, le 11 décembre 1686 , âgé de soixante-cinq ans.

Nous allons entendre pour la dernière fois la voix de Bossuet gémir sur les tombeaux ; et c'est par un chef-d'œuvre qu'il va descendre de la chaire funèbre. Après le grand Condé, nul ne pouvait aspirer à un tel orateur.

Ce ne sont ni le respect, ni la reconnaissance, ni les égards dus au rang et au malheur, qui conduisent Bossuet au tombeau du grand Condé ; il cède à un sentiment plus puissant et plus exalté. Le grand Condé avait toujours été le héros de son cœur et de son imagination. Ce prince, encore bien jeune, avait deviné Bossuet, plus jeune encore. Ces deux hommes avaient tant de conformité par l'élévation du génie, la fierté de caractère, et l'espèce de domination qu'ils exerçaient sur l'opinion publique, que la distance des rangs et des conditions disparaissait, pour ne laisser apercevoir que les deux hommes les plus extraordinaires du beau siècle où ils s'étaient rencontrés. La reconnaissance avait d'abord attaché Bossuet au grand Condé, qui s'était toujours déclaré son protecteur ; mais l'amitié les unit ensuite par des liens plus touchants, et l'on vit s'établir entre eux une intimité dont on observe peu d'exemples entre les princes et de simples particuliers. Toute la vie de Bossuet fut un long et tendre dévouement aux intérêts de ce prince et de sa maison ; et cet intérêt survécut à celui qui en avait été le premier et le principal objet. On vit plus d'une fois Bossuet, longtemps après avoir cessé d'exercer les fonctions de précepteur du Dauphin, les reprendre auprès du petit-fils du grand Condé, présider à son éducation, diriger ses études pendant ses séjours à Versailles, et, un an seulement avant sa mort, assister encore aux leçons de ses maîtres.

Le grand Condé, que ses infirmités avaient éloigné du commandement des armées depuis la campagne de 1675, s'était entièrement fixé à Chantilly depuis 1680, peu de temps après la mort de la duchesse de Longueville, sa sœur. Il ne se montrait plus à Versailles que deux ou trois fois dans l'année, quoiqu'il eût toujours conservé sa place au conseil.

C'était dans cette noble retraite, embellie plus encore par son nom et par les glorieux souvenirs de tant de victoires que par les efforts et les merveilles de l'art, qu'il se plaisait à cultiver son esprit dans le commerce et l'entretien des hommes de génie qu'il y avait attirés, ou qui venaient l'y chercher. C'était dans le calme de ce doux loisir, dont on ne connaît jamais autant le charme que lorsqu'il succède aux agitations d'une vie que l'ambition, les passions et la gloire ont tourmentée, qu'il se livrait à la méditation de ces grandes vérités religieuses dont le tumulte des camps et le mouvement du monde lui avaient fait perdre la trace, sans les avoir entièrement effacées de son esprit.

Louis XIV parut sentir avec regret la perte de ce prince. Le grand Condé avait quitté subitement Chantilly le 6 novembre 1686. Malgré sa faiblesse et ses infirmités, il était accouru avec empressement à Fontainebleau, pour donner lui-même des soins à madame la duchesse de Bourbon, sa petite-fille, malade de la petite vérole. Ce fut là qu'il mourut le 11 décembre 1686, après avoir vu les approches de la mort avec le calme d'un sage et la piété d'un chrétien.

Louis XIV voulut honorer la mort d'un prince qui avait eu tant d'éclat pendant sa vie, par toute la magnificence dont une pompe funèbre est susceptible. Il ordonna un service public à Notre-Dame. Tous les évêques et toutes les compagnies souveraines eurent ordre d'y assister, et Bossuet fut choisi pour prononcer l'*Oraison funèbre*. Ce triste honneur lui appartenait à des titres encore plus chers et plus sacrés que ceux de la supériorité du génie et du talent.

L'*Oraison funèbre du grand Condé* excite encore, après plus d'un siècle, l'admiration de tous ceux qui la lisent. C'est la première leçon d'éloquence française par laquelle on essaie le goût et les dispositions des générations naissantes. Elle vient se graver d'elle-même dans la mémoire des jeunes gens aussitôt que leur oreille se montre sensible à l'harmonie; elle fait battre de jeunes cœurs étonnés d'une émotion qu'ils n'avaient point encore ressentie; elle fait couler les premières larmes que la puissance du génie arrache à des âmes encore neuves. A quelque âge que ce soit, quelque gloire qu'on ait acquise dans la carrière des armes, des lettres, de la magistrature, du barreau, de l'éloquence de la chaire, on se rappelle avec complaisance l'enthousiasme qu'on éprouva dans ses jeunes ans en lisant pour la première fois l'*Oraison funèbre du grand Condé*; et on aime à attribuer au sentiment naissant de tant de beautés l'attrait et le goût qui ont dirigé nos études dans la maturité de l'âge.

Ce que la religion a de plus auguste et de plus sacré, l'histoire de plus imposant, l'éloquence de plus noble et de plus majestueux, la poésie de plus sensible, se trouve réuni dans cette admirable composition; et il faut dire qu'elle est encore plus l'ouvrage du cœur de Bossuet que celui de son génie.

(Le cardinal DE BAUSSET, Histoire de Bossuet, liv. VIII.)

ORAISON FUNÈBRE

DE

LOUIS DE BOURBON

PRINCE DE CONDÉ.

Dominus tecum, virorum fortissime... Vade in hac fortitudine tua... Ego ero tecum.

Le Seigneur est avec vous, ô le plus courageux de tous les hommes ! Allez avec ce courage dont vous êtes rempli. Je serai avec vous. (*Aux Juges*, VI, 12, 14, 16.)

MONSEIGNEUR[1],

Au moment que j'ouvre la bouche pour célébrer la gloire immortelle de Louis de Bourbon, prince de Condé, je me sens également confondu, et par la grandeur du sujet, et, s'il m'est permis de l'avouer, par l'inutilité du travail. Quelle partie du monde habitable n'a pas ouï les victoires du prince de Condé, et les merveilles de sa vie? On les raconte partout : le Français qui les vante n'apprend rien à l'étranger ; et quoi que je puisse aujourd'hui vous en rapporter, toujours prévenu par vos pensées, j'aurai encore à répondre au secret reproche que vous me ferez d'être demeuré beaucoup au-dessous[2]. Nous ne pouvons rien, faibles orateurs, pour la gloire des âmes extraordinaires : le Sage a raison de dire que « leurs seules actions les peuvent louer[3] : »

[1] A M. le Prince, fils du défunt prince de Condé.

[2] Cet admirable exorde rappelle celui de Périclès dans sa harangue funèbre sur les Athéniens morts à Platée (Thucydid., l. II, § 35. Voir aussi Démosthène, *adv. Leptin.*, p. 450, 2. (A.-F. Didot.)

[3] *Laudent eam in portis opera ejus.* (Prov., XXXI, 31.)

toute autre louange languit auprès des grands noms; et
la seule simplicité d'un récit fidèle pourrait soutenir la
gloire du prince de Condé. Mais en attendant que l'histoire, qui doit ce récit aux siècles futurs, le fasse paraître, il faut satisfaire, comme nous pourrons, à la reconnaissance publique, et aux ordres du plus grand de
tous les rois. Que ne doit point le royaume à un prince
qui a honoré la maison de France, tout le nom français,
son siècle, et, pour ainsi dire, l'humanité tout entière!
Louis le Grand est entré lui-même dans ces sentiments.
Après avoir pleuré ce grand homme, et lui avoir donné
par ses larmes, au milieu de toute sa cour, le plus glorieux
éloge qu'il pût recevoir, il assemble dans un temple si
célèbre ce que son royaume a de plus auguste, pour y
rendre des devoirs publics à la mémoire de ce prince;
et il veut que ma faible voix anime toutes ces tristes représentations et tout cet appareil funèbre. Faisons donc
cet effort sur notre douleur. Ici un plus grand objet, et
plus digne de cette chaire, se présente à ma pensée.
C'est Dieu qui fait les guerriers et les conquérants.
« C'est vous, lui disait David[1], qui avez instruit mes
mains à combattre, et mes doigts à tenir l'épée. » S'il
inspire le courage, il ne donne pas moins les autres
grandes qualités naturelles et surnaturelles et du cœur
et de l'esprit. Tout part de sa puissante main; c'est lui
qui envoie du ciel les généreux sentiments, les sages
conseils, et toutes les bonnes pensées; mais il veut que
nous sachions distinguer entre les dons qu'il abandonne
à ses ennemis, et ceux qu'il réserve à ses serviteurs. Ce
qui distingue ses amis d'avec tous les autres, c'est la
piété; jusqu'à ce qu'on ait reçu ce don du ciel, tous les

---

[1] *Benedictus Dominus Deus meus, qui docet manus meas ad prœlium,
et digitos meos ad bellum.* (Ps. CXLIII, 1.)

autres non-seulement ne sont rien, mais encore tournent en ruine à ceux qui en sont ornés. Sans ce don inestimable de la piété, que serait-ce que le prince de Condé avec tout ce grand cœur et ce grand génie? Non, mes frères, si la piété n'avait comme consacré ses autres vertus, ni ces princes ne trouveraient aucun adoucissement à leur douleur, ni ce religieux pontife aucune confiance dans ses prières, ni moi-même aucun soutien aux louanges que je dois à un si grand homme. Poussons donc à bout la gloire humaine par cet exemple; détruisons l'idole des ambitieux; qu'elle tombe anéantie devant ses autels. Mettons ensemble[1] aujourd'hui, car nous le pouvons dans un si noble sujet, toutes les plus belles qualités d'une excellente nature; et, à la gloire de la vérité, montrons, dans un prince admiré de tout l'univers, que ce qui fait les héros, ce qui porte la gloire du monde jusqu'au comble, valeur, magnanimité, bonté naturelle, voilà pour le cœur; vivacité, pénétration, grandeur et sublimité de génie, voilà pour l'esprit, ne serait qu'une illusion, si la piété ne s'y était jointe; et enfin que la piété est le tout de l'homme. C'est, messieurs, ce que vous verrez dans la vie éternellement mémorable de très-haut et très-puissant prince LOUIS DE BOURBON, PRINCE DE CONDÉ, PREMIER PRINCE DU SANG.

Dieu nous a révélé que lui seul il fait les conquérants, et que seul il les fait servir à ses desseins. Quel autre a fait un Cyrus, si ce n'est Dieu qui l'avait nommé deux cents ans avant sa naissance, dans les oracles d'Isaïe? « Tu n'es pas encore, lui disait-il, mais je te vois, et « je t'ai nommé par ton nom : tu t'appelleras Cyrus. Je

---

[1] VAR. *Première édition* : Mettons-en un.

« marcherai devant toi dans les combats ; à ton appro-
« che je mettrai les rois en fuite ; je briserai les portes
« d'airain. C'est moi qui étends les cieux, qui soutiens
« la terre, qui nomme ce qui n'est pas comme ce qui
« est[1] : » c'est-à-dire, c'est moi qui fais tout, et moi qui
vois, dès l'éternité, tout ce que je fais. Quel autre a pu
former un Alexandre, si ce n'est ce même Dieu qui en
a fait voir de si loin, et par des figures si vives, l'ardeur indomptable à son prophète Daniel ? « Le voyez-
« vous, dit-il[2], ce conquérant ? avec quelle rapidité il
« s'élève de l'occident comme par bonds, et ne touche
« pas à terre ? » Semblable, dans ses sauts hardis et
dans sa légère démarche, à ces animaux vigoureux et
bondissants, il ne s'avance que par vives et impétueuses
saillies, et n'est arrêté ni par montagnes ni par précipices[3]. Déjà le roi de Perse est entre ses mains ; « à sa
« vue il s'est animé : *efferatus est in eum,* » dit le prophète[4] ; « il l'abat, il le foule aux pieds : nul ne le

[1] *Hæc dicit Dominus Christo meo Cyro, cujus apprehendi dexteram... Ego ante te ibo, et gloriosos terræ humiliabo : portas æreas conteram, et vectes ferreos confringam ;... ut scias quia ego Dominus, qui voco nomen tuum... Vocavi te nomine tuo... Accinxi te, et non cognovisti me... Ego Dominus, et non est alter, formans lucem, et creans tenebras, faciens pacem, et creans malum : ego Dominus, faciens omnia hæc, etc.* (ISAI., XLV, 1, 2, 3, 4, 7.)

[2] *Veniebat ab occidente super faciem totius terræ ; et non tangebat terram.* (DAN., VIII, 5.)

[3] Cette comparaison est d'une beauté poétique ; l'harmonie en est également brillante et brusque, et ce *ni par montagnes ni par précipices* a quelque chose de sauvage et d'âpre qui représente le terrain où bondit le chamois. La vivacité et la brièveté des phrases qui suivent répondent au choix de la comparaison, et tout à la fois à l'inévitable impétuosité du héros. Bossuet commence à peine, et déjà Condé est peint ; il est connu, ce ne peut être que lui. (V.)

[4] *Cucurrit ad eum in impetu fortitudinis suæ : cumque appropinquasset prope arietem, efferatus est in eum, et percussit arietem ;... cumque*

« peut défendre des coups qu'il lui porte, ni lui arra-
« cher sa proie. » A n'entendre que ces paroles de Daniel, qui croiriez-vous voir, messieurs, sous cette figure?
Alexandre, ou le prince de Condé? Dieu donc lui avait
donné cette indomptable valeur pour le salut de la
France, durant la minorité d'un roi de quatre ans.
Laissez-le croître ce roi chéri du ciel; tout cédera à ses
exploits : supérieur aux siens comme aux ennemis, il
saura tantôt se servir, tantôt se passer de ses plus fameux capitaines; et seul sous la main de Dieu, qui sera
continuellement à son secours, on le verra l'assuré
rempart de ses États. Mais Dieu avait choisi le duc d'Enghien pour le défendre dans son enfance. Aussi, vers
les premiers jours de son règne, à l'âge de vingt-deux
ans, le duc conçut un dessein où les vieillards expérimentés ne purent atteindre : mais la victoire le justifia
devant Rocroi [1]. L'armée ennemie est plus forte, il est
vrai; elle est composée de ces vieilles bandes valonnes,
italiennes et espagnoles, qu'on n'avait pu rompre jusqu'alors. Mais pour combien fallait-il compter le courage qu'inspirait à nos troupes le besoin pressant de
l'État [2], les avantages passés, et un jeune prince puissant qui portait la victoire dans ses yeux! Don Francisco
de Mellos l'attend de pied ferme; et, sans pouvoir reculer, les deux généraux et les deux armées semblent

---

*eum misisset in terram, conculcavit, et nemo quibat liberare arietem de
manu ejus.* (Ibid., 6, 7, 20)

[1] Il livra bataille aux Espagnols, contre l'avis de son conseil, le 19
mai 1643, dans la plaine de Rocroi (Ardennes). On a remarqué avec raison
que c'est dans une oraison funèbre que se trouve la description la plus
exacte de cette bataille mémorable, et que c'est l'évêque de Meaux qui
en a tracé le plus fidèle comme le plus éloquent tableau. (F.)

[2] On venait de perdre Louis XIII; et dans le trouble que causait sa
mort, au milieu des différents partis qui s'agitaient déjà, la France
pouvait tout craindre, si les Espagnols eussent triomphé. (C.)

avoir voulu se renfermer dans des bois et dans des marais, pour décider leur querelle, comme deux braves , en champ clos. Alors que ne vit-on pas ! Le jeune prince parut un autre homme. Touchée d'un si digne objet, sa grande âme se déclara tout entière : son courage croissait avec les périls, et ses lumières avec son ardeur. A la nuit, qu'il fallut passer en présence des ennemis, comme un vigilant capitaine, il reposa le dernier, mais jamais il ne reposa plus paisiblement. A la veille d'un si grand jour, et dès la première bataille, il est tranquille, tant il se trouve dans son naturel : et on sait que le lendemain, à l'heure marquée, il fallut réveiller d'un profond sommeil cet autre Alexandre. Le voyez-vous comme il vole, ou à la victoire, ou à la mort ? Aussitôt qu'il eut porté de rang en rang l'ardeur dont il était animé, on le vit presque en même temps pousser l'aile droite des ennemis, soutenir la nôtre ébranlée, rallier les Français à demi vaincus, mettre en fuite l'Espagnol victorieux, porter partout la terreur, et étonner de ses regards étincelants ceux qui échappaient à ses coups. Restait cette redoutable infanterie de l'armée d'Espagne, dont les gros bataillons serrés, semblables à autant de tours, mais à des tours qui sauraient réparer leurs brèches, demeuraient inébranlables au milieu de tout le reste en déroute, et lançaient des feux de toutes parts[1]. Trois fois le jeune vainqueur s'efforça de rompre ces intrépides combattants ; trois fois il fut repoussé par le valeureux comte de Fontaines, qu'on voyait porté dans sa chaise, et, malgré ses infirmités, montrer qu'une âme guerrière est maîtresse du corps qu'elle anime. Mais enfin il faut cé-

---

[1] Le vieux comte de Fontaines, qui commandait cette infanterie, mourut percé de coups. Condé, en l'apprenant, dit « qu'il voudrait être mort comme lui, s'il n'avait pas vaincu. »

der. C'est en vain qu'à travers des bois, avec sa cavalerie toute fraîche, Bek précipite sa marche pour tomber sur nos soldats épuisés : le prince l'a prévenu; les bataillons enfoncés demandent quartier; mais la victoire va devenir plus terrible pour le duc d'Enghien, que le combat. Pendant qu'avec un air assuré il s'avance pour recevoir la parole de ces braves gens, ceux-ci toujours en garde craignent la surprise de quelque nouvelle attaque; leur effroyable décharge met les nôtres en furie : on ne voit plus que carnage, le sang enivre le soldat; jusqu'à ce que le grand prince, qui ne put voir égorger ces lions comme de timides brebis, calma les courages émus, et joignit au plaisir de vaincre celui de pardonner. Quel fut alors l'étonnement[1] de ces vieilles troupes et de leurs braves officiers, lorsqu'ils virent qu'il n'y avait plus de salut pour eux qu'entre les bras du vainqueur! De quels yeux regardèrent-ils le jeune prince, dont la victoire avait relevé la haute contenance[2], à qui la clémence ajoutait de nouvelles grâces! Qu'il eût encore volontiers sauvé la vie au brave comte de Fontaines! mais il se trouva par terre, parmi des milliers de morts dont l'Espagne sent encore la perte. Elle ne savait pas que le prince qui lui fit perdre tant de ses vieux régiments à la journée de Rocroi en devait achever les restes dans les plaines de Lens[3]. Ainsi la première victoire fut le gage de beaucoup d'autres. Le

[1] Le prince, à peine victorieux, arrêta le carnage. Les officiers espagnols se jetaient à ses genoux pour trouver auprès de lui un asile contre la fureur du soldat vainqueur. Le duc d'Enghien eut autant de soin de les épargner qu'il en avait pris pour les vaincre. (C.)

[2] Le prince de Condé n'était pas grand, mais il était fort bien pris dans sa petite taille, et sa mine fière et hautaine avait quelque chose de majestueux dans son action.

[3] Cette victoire, remportée par le prince de Condé le 20 août 1643, décida la paix avec l'Allemagne.

prince fléchit le genou, et, dans le champ de bataille, il rend au Dieu des armées la gloire qu'il lui envoyait. Là on célébra Rocroi délivré, les menaces d'un redoutable ennemi tournées à sa honte, la régence affermie, la France en repos; et un règne, qui devait être si beau, commencé par un si heureux présage. L'armée commença l'action de grâces; toute la France suivit; on y élevait jusqu'au ciel le coup d'essai du duc d'Enghien : c'en serait assez pour illustrer une autre vie que la sienne; mais pour lui c'est le premier pas de sa course.

Dès cette première campagne, après la prise de Thionville[1], digne prix de la victoire de Rocroi, il passa pour un capitaine également redoutable dans les siéges[2] et dans les batailles. Mais voici, dans un jeune prince victorieux, quelque chose qui n'est pas moins beau que la victoire. La cour, qui lui préparait à son arrivée les applaudissements qu'il méritait, fut surprise de la manière dont il les reçut. La reine régente lui a témoigné que le roi était content de ses services. C'est dans la bouche du souverain la digne récompense de ses travaux. Si les autres osaient le louer, il repoussait leurs louanges comme des offenses; et indocile à la flatterie, il en craignait jusqu'à l'apparence. Telle était la délicatesse, ou plutôt telle était la solidité de ce prince. Aussi avait-il pour maxime : écoutez, c'est la maxime qui fait les grands hommes : Que dans les grandes actions il faut uniquement songer à bien faire, et laisser venir la gloire après la vertu. C'est ce qu'il inspirait aux autres ; c'est ce qu'il

[1] Le 8 août 1643, selon Voltaire; le 19 du même mois, selon le président Hénault.

[2] Gramont prétendait que M. le Prince entendait beaucoup mieux les siéges que le maréchal de Turenne. C'est ce que Bossuet a fait comprendre par ces mots : *redoutable dans les siéges.*

suivait lui-même. Ainsi la fausse gloire ne le tentait pas ;
tout tendait au vrai et au grand. De là vient qu'il mettait sa gloire dans le service du roi, et dans le bonheur
de l'État ; c'était là le fond de son cœur ; c'étaient ses
premières et ses plus chères inclinations. La cour ne le
retint guère, quoiqu'il en fût la merveille ; il fallait
montrer partout, et à l'Allemagne comme à la Flandre,
le défenseur intrépide que Dieu nous donnait. Arrêtez
ici vos regards. Il se prépare contre le prince quelque
chose de plus formidable qu'à Rocroi ; et, pour éprou-
ver sa vertu, la guerre va épuiser toutes ses inventions
et tous ses efforts. Quel objet se présente à mes yeux !
Ce n'est pas seulement des hommes à combattre ; c'est
des montagnes inaccessibles ; c'est des ravines et des
précipices, d'un côté ; c'est, de l'autre, un bois impénétrable, dont le fond est un marais ; et, derrière des
ruisseaux, de prodigieux retranchements : c'est partout des forts élevés, et des forêts abattues qui traver-
sent des chemins affreux : et au dedans, c'est Merci avec
ses braves Bavarois, enflés de tant de succès et de la
prise de Fribourg ; Merci, qu'on ne vit jamais reculer
dans les combats ; Merci, que le prince de Condé et le
vigilant Turenne n'ont jamais surpris dans un mouvement irrégulier, et à qui ils ont rendu ce grand témoignage, que jamais il n'avait perdu un seul moment favorable, ni manqué de prévenir leurs desseins, comme
s'il eût assisté à leurs conseils. Ici donc, durant huit jours,
et à quatre attaques différentes, on vit tout ce qu'on
peut soutenir et entreprendre à la guerre. Nos troupes
semblent rebutées, autant par la résistance des ennemis
que par l'effroyable disposition des lieux ; et le prince
se vit quelque temps comme abandonné. Mais, comme
un autre Machabée, « son bras ne l'abandonna pas, et
« son courage irrité par tant de périls vint à son se-

« cours[1]. » On ne l'eut pas plutôt vu pied à terre forcer le premier ces inaccessibles hauteurs, que son ardeur entraîna tout après elle. Merci voit sa perte assurée; ses meilleurs régiments sont défaits; la nuit sauve les restes de son armée. Mais que des pluies excessives s'y joignent encore, afin que nous ayons à la fois, avec tout le courage et tout l'art, toute la nature à combattre. Quelque avantage que prenne un ennemi habile autant que hardi, et dans quelque affreuse montagne qu'il se retranche de nouveau, poussé de tous côtés, il faut qu'il laisse en proie au duc d'Enghien, non-seulement son canon et son bagage, mais encore tous les environs du Rhin. Voyez comme tout s'ébranle. Philisbourg est aux abois en dix jours, malgré l'hiver qui approche; Philisbourg qui tint si longtemps le Rhin captif sous nos lois, et dont le plus grand des rois a si glorieusement réparé la perte[2]. Worms, Spire, Mayence, Landau, vingt autres places de nom ouvrent leurs portes. Merci ne les peut défendre, et ne paraît plus devant son vainqueur : ce n'est pas assez; il faut qu'il tombe à ses pieds, digne victime de sa valeur[3]. Nordlingue en verra la chute[4] :

[1] *Salvabit mihi brachium meum, et indignatio mea ipsa auxiliata est mihi.* (Is., LXIII, 5.)

[2] Les Impériaux s'étant une seconde fois emparés de Philisbourg, Louis XIV s'en vengea par la conquête d'un grand nombre d'autres places, dont il ouvrit la tranchée en personne. Bossuet fait allusion à cette circonstance. (C.)

[3] Ce général, regardé comme un des plus grands capitaines, fut enterré près du champ de bataille, et on grava sur sa tombe : *Sta, viator; heroem calcas.* « Arrête, voyageur; tu foules un héros. » Cette bataille mit le comble à la gloire de Condé, et fit celle de Turenne, qui eut l'honneur d'aider puissamment le prince à remporter une victoire dont il pouvait être humilié. (*Siècle de Louis XIV,* chap. III.) — Turenne avait été battu par Merci, quelques mois auparavant, à Mariendal.

[4] Dans cette bataille, Condé non-seulement eut l'honneur de vaincre Merci, mais encore de réparer l'échec essuyé par Turenne à Mariendal. (C.)

il y sera décidé qu'on ne tient non plus devant les Français en Allemagne qu'en Flandre , et on devra tous ces avantages au même prince. Dieu, protecteur de la France, et d'un roi qu'il a destiné à ses grands ouvrages, l'ordonne ainsi [1].

Par ces ordres , tout paraissait sûr sous la conduite du duc d'Enghien ; et sans vouloir ici achever le jour à vous marquer seulement ses autres exploits, vous savez, parmi tant de fortes places attaquées, qu'il n'y en eut qu'une seule qui put échapper de ses mains ; encore releva-t-elle la gloire du prince [2]. L'Europe, qui admirait la divine ardeur dont il était animé dans les combats, s'étonna qu'il en fût le maître ; et dès l'âge de vingt-six ans , aussi capable de ménager ses troupes que de les pousser dans les hasards , et de céder à la fortune que de la faire servir à ses desseins. Nous le vîmes partout ailleurs comme un de ces hommes extraordinaires qui forcent tous les obstacles. La promptitude de son action ne donnait pas le loisir de la traverser. C'est là le caractère des conquérants. Lorsque David , un si grand guerrier, déplora la mort de deux fameux capitaines qu'on venait de perdre, il leur donna cet éloge : « Plus vites « que les aigles , plus courageux que les lions [3]. » C'est l'image du prince que nous regrettons. Il paraît en un

[1] On remarquera que l'*indignatio auxiliata est* rappelle le *furor arma ministrat* de Virgile, et le *facit indignatio versum* du satirique. Assurément l'évêque de Meaux ne pensait pas à ces ressemblances. Mais lorsque après la chute de Philisbourg et de *vingt autres places de nom*, après celle de Merci lui-même , après que *Nordlingue en a vu la chute*, il s'écrie : *Dieu l'ordonne ainsi*, ne se souvient-il pas d'Homère et du *Jovis autem perficiebatur consilium ?* (V.)

[2] Condé fut obligé de lever le siége de Lerida, ce qui lui attira quelques couplets satiriques ; mais les *Mémoires* du temps, notamment ceux de Bussy-Rabutin , s'accordent avec Bossuet à le louer dans cette circonstance.

[3] *Aquilis velociores, leonibus fortiores.* (II, REG., 1, 23.)

moment comme un éclair dans les pays les plus éloignés ; on le voit en même temps à toutes les attaques, à tous les quartiers ; lorsque, occupé d'un côté, il envoie reconnaître l'autre, le diligent officier qui porte ses ordres s'étonne d'être prévenu, et trouve déjà tout ranimé par la présence du prince ; il semble qu'il se multiplie dans une action ; ni le fer ni le feu ne l'arrêtent. Il n'a pas besoin d'armer cette tête qu'il expose à tant de périls ; Dieu lui est une armure plus assurée ; les coups semblent perdre leur force en l'approchant, et laisser seulement sur lui des marques de son courage et de la protection du ciel [1]. Ne lui dites pas que la vie d'un premier prince du sang, si nécessaire à l'État, doit être épargnée ; il répond qu'un prince du sang, plus intéressé par sa naissance à la gloire du roi et de la couronne, doit dans le besoin de l'État être dévoué plus que tous les autres pour en relever l'éclat. Après avoir fait sentir aux ennemis, durant tant d'années, l'invincible puissance du roi, s'il fallut agir au dedans pour la soutenir, je dirai tout en un mot, il fit respecter la régente [2] :

[1] Au passage du Rhin, le jeune duc de Longueville, ayant la tête pleine de fumées de vin, tira un coup de pistolet sur les ennemis qui lui demandaient la vie à genoux, en leur criant : « Point de quartier pour cette canaille! » Il tua du coup un de leurs officiers. L'infanterie hollandaise, désespérée, reprit à l'instant ses armes, et fit une décharge dont le duc de Longueville fut tué. Un capitaine de cavalerie nommé Ossembroek, qui ne s'était point enfui avec les autres, court au prince de Condé, qui montait alors à cheval en sortant de la rivière, et lui appuie son pistolet à la tête. Le prince, par un mouvement, détourna le coup, qui lui fracassa le poignet. Condé ne reçut jamais que cette blessure dans toutes ses campagnes. (*Siècle de Louis XIV*, chap. x.)

[2] Il s'agit ici d'un arrêté du parlement relatif à ce qu'on appelait *la sûreté*, parce qu'il était question de borner l'exercice du pouvoir absolu sur la liberté des citoyens. Cette question fut agitée à l'égard de quelques détenus sans forme de procès. Le parlement demandait qu'il ne fût pas permis de les garder plus de vingt-quatre heures ; mais les princes s'op-

et puisqu'il faut une fois parler de ces choses dont je voudrais pouvoir me taire éternellement, jusqu'à cette fatale prison, il n'avait pas seulement songé qu'on pût rien attenter contre l'État; et dans son plus grand crédit, s'il souhaitait d'obtenir des grâces, il souhaitait encore plus de les mériter. C'est ce qui lui faisait dire : je puis bien ici répéter devant ces autels les paroles que j'ai recueillies de sa bouche, puisqu'elles marquent si bien le fond de son cœur; il disait donc, en parlant de cette prison malheureuse, qu'il y était entré le plus innocent de tous les hommes, et qu'il en était sorti le plus coupable. « Hélas ! poursuivait-il, je ne respirais que le ser- « vice du roi, et la grandeur de l'État ! » On ressentait dans ses paroles un regret sincère d'avoir été poussé si loin par ses malheurs. Mais, sans vouloir excuser ce qu'il a si hautement condamné lui-même, disons, pour n'en parler jamais, que comme dans la gloire éternelle les fautes des saints pénitents, couvertes de ce qu'ils ont fait pour les réparer, et de l'éclat infini de la divine miséricorde, ne paraissent plus; ainsi dans des fautes si sincèrement reconnues, et dans la suite si glorieusement réparées par de fidèles services, il ne faut plus regarder que l'humble reconnaissance du prince qui s'en repentit, et la clémence du grand roi qui les oublia.

Que s'il est enfin entraîné dans ces guerres infortunées, il y aura du moins cette gloire, de n'avoir pas laissé avilir la grandeur de sa maison chez les étrangers. Malgré

---

posaient à ce règlement. La reine demanda qu'on accordât trois jours, et, après bien des difficultés, on y consentit; mais elle voulait qu'on se contentât de la parole qu'elle donnait de ne faire arrêter personne pendant sa régence, sans le faire interroger dans les trois premiers jours de la détention. Le prince de Condé engagea le parlement à ne pas exiger davantage; c'est à quoi Bossuet fait allusion par ces mots : *il fit respecter la régente.* (C.)

la majesté de l'Empire, malgré la fierté d'Autriche et
les couronnes héréditaires attachées à cette maison,
même dans la branche qui domine en Allemagne, réfugié à Namur, soutenu de son seul courage et de sa
seule réputation, il porta si loin les avantages d'un prince
de France et de la première maison de l'univers, que
tout ce qu'on put obtenir de lui fut qu'il consentît de
traiter d'égal avec l'archiduc, quoique frère de l'empereur et fils de tant d'empereurs, à condition qu'en lieu
tiers ce prince ferait les honneurs des Pays-Bas. Le même
traitement fut assuré au duc d'Enghien, et la maison de
France garda son rang sur celle d'Autriche jusque dans
Bruxelles. Mais voyez ce que fait faire un vrai courage.
Pendant que le prince se soutenait si hautement avec
l'archiduc qui dominait, il rendait au roi d'Angleterre
et au duc d'York, maintenant un roi si fameux, malheureux alors, tous les honneurs qui leur étaient dus;
et il apprit enfin à l'Espagne trop dédaigneuse quelle
était cette majesté que la mauvaise fortune ne pouvait
ravir à de si grands princes. Le reste de sa conduite ne
fut pas moins grand. Parmi les difficultés que ses intérêts apportaient au traité des Pyrénées, écoutez quels
furent ses ordres; et voyez si jamais un particulier traita
si noblement ses intérêts. Il mande à ses agents dans
la conférence qu'il n'est pas juste que la paix de la
chrétienté soit retardée davantage à sa considération;
qu'on ait soin de ses amis; et pour lui, qu'on lui laisse
suivre sa fortune. Ah! quelle grande victime se sacrifie
au bien public! Mais, quand les choses changèrent, et
que l'Espagne lui voulut donner ou Cambrai et ses environs, ou le Luxembourg, en pleine souveraineté, il
déclara qu'il préférait à ces avantages, et à tout ce qu'on
pouvait jamais lui accorder de plus grand, quoi? son
devoir et les bonnes grâces du roi. C'est ce qu'il avait

toujours dans le cœur; c'est ce qu'il répétait sans cesse
au duc d'Enghien. Le voilà dans son naturel : la France
le vit alors accompli par ces derniers traits, et avec ce
je ne sais quoi d'achevé que les malheurs ajoutent aux
grandes vertus; elle le revit dévoué plus que jamais à
l'État et à son roi[1]. Mais, dans ses premières guerres, il
n'avait qu'une seule vie à lui offrir; maintenant il en a
une autre qui lui est plus chère que la sienne. Après avoir
à son exemple glorieusement achevé le cours de ses
études, le duc d'Enghien est prêt à le suivre dans les
combats. Non content de lui enseigner la guerre, comme
il a fait jusqu'à la fin par ses discours, le prince le mène
aux leçons vivantes et à la pratique. Laissons le passage
du Rhin, le prodige de notre siècle et de la vie de Louis
le Grand[2]. A la journée de Senef, le jeune duc, quoi-

[1] Bossuet avait un grand écueil à éviter dans l'éloge d'un prince qui
avait bravé l'autorité de son roi jusque dans sa capitale et dans sa cour,
qui avait porté les armes contre la France, et même commandé des
armées ennemies. Bossuet ne dissimule aucune des fautes du grand
Condé ; il a même la hardiesse de le montrer combattant, en présence du
roi, les troupes du roi sous les murs de la ville royale : mais il couvre
de tant de gloire ce grand attentat, qu'on ne voit plus que les prodiges
de la valeur, et qu'on oublie le prince rebelle. Par une adroite interver-
sion de l'ordre des événements, ce n'est qu'à la suite de cette journée
désastreuse qu'il place la victoire de Lens, *nom agréable à la France.*
Bossuet va jusqu'à intéresser la fierté de Louis XIV à s'enorgueillir des
fautes d'un prince *qui sut garder son rang à la maison d'Autriche* jusque
dans Bruxelles même. Enfin, pour achever l'expiation de toutes les erreurs dont l'histoire aurait pu conserver la trace, il montre *cette grande
victime se sacrifiant au bien public, et s'oubliant elle-même au traité des
Pyrénées, pour ne se ressouvenir que de ses amis.* C'est alors que Bossuet
ne craint plus de montrer à Louis XIV et à la France le grand Condé,
*un prince accompli avec ce je ne sais quoi d'achevé que le malheur ajoute
aux grandes vertus, et plus dévoué que jamais à l'État et à son roi.* (B.)
[2] Bossuet n'a garde de toucher au passage du Rhin, *au prodige de la
vie de Louis le Grand.* Il faut laisser à ce monarque sa gloire entière, car
il en est jaloux ; et, de plus, il ne faut pas mettre le héros dans une

qu'il commandât, comme il avait déjà fait en d'autres campagnes, vient dans les plus rudes épreuves apprendre la guerre aux côtés du prince son père. Au milieu de tant de périls il voit ce grand prince renversé dans un fossé, sous un cheval tout en sang. Pendant qu'il lui offre le sien, et s'occupe à relever le prince abattu, il est blessé entre les bras d'un père si tendre, sans interrompre ses soins, ravi de satisfaire à la fois à la piété et à la gloire. Que pouvait penser le prince, si ce n'est que, pour accomplir les plus grandes choses, rien ne manquerait à ce digne fils que les occasions? Et ses tendresses se redoublaient avec son estime.

Ce n'était pas seulement pour un fils ni pour sa famille qu'il avait des sentiments si tendres. Je l'ai vu, et ne croyez pas que j'use ici d'exagération, je l'ai vu vivement ému des périls de ses amis; je l'ai vu, simple et naturel, changer de visage au récit de leurs infortunes, entrer avec eux dans les moindres choses comme dans les plus importantes, dans les accommodements calmer les esprits aigris avec une patience et une douceur qu'on n'aurait jamais attendue d'une humeur si vive ni d'une si haute élévation. Loin de nous les héros sans humanité! Ils pourront bien forcer les respects et ravir l'admiration, comme font tous les objets extraordinaires; mais ils n'auront pas les cœurs. Lorsque Dieu forma le cœur et les entrailles de l'homme, il y mit première-

position où la politique veut qu'il paraisse le second, où une gloire *plus souveraine* semblerait tenir la sienne dans une ombre. L'enthousiasme de Bossuet ne lui fait point oublier la prudence. Il passe donc rapidement sur ce bel et délicat endroit de la vie de Condé; il court à Senef, et là, par un autre artifice très-ingénieux, c'est le jeune duc qu'il a soin de célébrer, pour le faire entrer en partage de la gloire de son père, et pour distraire l'auditeur du reproche que l'histoire fait à Condé d'avoir, dans ce jour fameux, trop peu ménagé la vie des hommes. (V.)

ment la bonté comme le propre caractère [1] de la nature
divine, et pour être comme la marque de cette main
bienfaisante dont nous sortons. La bonté devait donc
faire comme le fond de notre cœur, et devait être en
même temps le premier attrait que nous aurions en
nous-mêmes pour gagner les autres hommes. La grandeur qui vient par-dessus, loin d'affaiblir la bonté,
n'est faite que pour l'aider à se communiquer davantage, comme une fontaine publique qu'on élève pour
la répandre. Les cœurs sont à ce prix; et les grands
dont la bonté n'est pas le partage, par une juste punition de leur dédaigneuse insensibilité, demeureront
privés éternellement du plus grand bien de la vie humaine, c'est-à-dire des douceurs de la société. Jamais
homme ne les goûta mieux que le prince dont nous parlons; jamais homme ne craignit moins que la familiarité blessât le respect. Est-ce là celui qui forçait les
villes, et qui gagnait les batailles? Quoi! il semble
avoir oublié ce haut rang qu'on lui a vu si bien défendre [2]! Reconnaissez le héros qui, toujours égal à lui-
même, sans se hausser pour paraître grand, sans s'a-
baisser pour être civil et obligeant, se trouve naturellement tout ce qu'il doit être envers tous les hommes :
comme un fleuve majestueux et bienfaisant qui porte
paisiblement dans les villes l'abondance qu'il a répan-

[1] VAR. *Première édition* : comme son propre caractère, et pour
être, etc.

[2] Il le défendit contre Christine elle-même. Cette fille du grand Gustave, étant arrivée à Bruxelles après son abdication, témoigna le désir
de voir Condé; mais elle s'amusa à pointiller sur la manière dont elle
devait le recevoir. Le prince, qui craignait que la reine n'eût dessein de
faire quelque différence entre lui et l'archiduc, et n'ayant pas reçu la
réponse qu'il désirait, l'aborda *incognito;* mais, reconnu, il s'arrêta,
et se contenta de lui dire : « Madame, tout ou rien. » Il se retira de
suite, sans attendre sa réponse. (C.)

due dans les campagnes en les arrosant, qui se donne
à tout le monde, et ne s'élève et ne s'enfle que lorsque
avec violence on s'oppose à la douce pente qui le porte
à continuer son tranquille cours. Telle a été la douceur,
et telle a été la force du prince de Condé[1]. Avez-vous un
secret important? versez-le hardiment dans ce noble
cœur : votre affaire devient la sienne par la confiance.
Il n'y a rien de plus inviolable pour ce prince que les
droits sacrés de l'amitié. Lorsqu'on lui demande une
grâce, c'est lui qui paraît l'obligé; et jamais on ne vit
de joie ni si vive ni si naturelle que celle qu'il ressentait
à faire plaisir. Le premier argent qu'il reçut d'Espagne
avec la permission du roi, malgré les nécessités de sa
maison épuisée, fut donné à ses amis, encore qu'après
la paix il n'eût rien à espérer de leur secours; et quatre
cent mille écus distribués par ses ordres firent voir,
chose rare dans la vie humaine, la reconnaissance aussi
vive dans le prince de Condé que l'espérance d'engager
les hommes l'est dans les autres. Avec lui la vertu eut
toujours son prix. Il la louait jusque dans ses ennemis.
Toutes les fois qu'il avait à parler de ses actions, et
même dans les relations qu'il en envoyait à la cour, il
vantait les conseils de l'un, la hardiesse de l'autre :
chacun avait son rang dans ses discours; et, parmi ce
qu'il donnait à tout le monde, on ne savait où placer ce qu'il avait fait lui-même. Sans envie, sans faste,
sans ostentation, toujours grand dans l'action et dans le
repos, il parut à Chantilly comme à la tête des troupes.
Qu'il embellît cette magnifique et délicieuse maison, ou
bien qu'il munît un camp au milieu du pays ennemi,

[1] Bossuet nous montre son héros tel qu'il était, doux, aimable, attachant, séduisant dans le commerce habituel de la vie, bouillant et impétueux lorsque l'injustice et la violence irritaient un naturel prompt
à s'enflammer. (B.)

et qu'il fortifiât une place; qu'il marchât avec une armée parmi les périls, ou qu'il conduisît ses amis dans
ces superbes allées au bruit de tant de jets d'eau qui ne
se taisaient ni jour ni nuit, c'était toujours le même
homme, et sa gloire le suivait partout. Qu'il est beau,
après les combats et le tumulte des armes, de savoir
encore goûter ces vertus paisibles, et cette gloire tranquille qu'on n'a point à partager avec le soldat non plus
qu'avec la fortune; où tout charme, et rien n'éblouit;
qu'on regarde sans être étourdi ni par le son des trompettes, ni par le bruit des canons, ni par les cris des
blessés; où l'homme paraît tout seul aussi grand, aussi
respecté que lorsqu'il donne des ordres, et que tout
marche à sa parole!

Venons maintenant aux qualités de l'esprit; et puisque, pour notre malheur, ce qu'il y a de plus fatal à la
vie humaine, c'est-à-dire l'art militaire, est en même
temps ce qu'elle a de plus ingénieux et de plus habile,
considérons d'abord par cet endroit le grand génie de
notre prince. Et premièrement, quel général porta jamais plus loin sa prévoyance? C'était une de ses maximes,
qu'il fallait craindre les ennemis de loin, pour ne les
plus craindre de près et se réjouir à leur approche. Le
voyez-vous comme il considère tous les avantages qu'il
peut ou donner ou prendre? avec quelle vivacité il se
met dans l'esprit, en un moment, les temps, les lieux,
les personnes, et non-seulement leurs intérêts et leurs
talents, mais encore leurs humeurs et leurs caprices?
Le voyez-vous comme il compte la cavalerie et l'infanterie des ennemis par le naturel des pays ou des princes
confédérés? Rien n'échappe à sa prévoyance. Avec cette
prodigieuse compréhension de tout le détail et du plan
universel de la guerre, on le voit toujours attentif à ce

qui survient : il tire d'un déserteur, d'un transfuge , d'un prisonnier, d'un passant, ce qu'il veut dire , ce qu'il veut taire, ce qu'il sait, et pour ainsi dire ce qu'il ne sait pas : tant il est sûr dans ses conséquences. Ses partis lui rapportent jusqu'aux moindres choses : on l'éveille à chaque moment; car il tenait encore pour maxime , qu'un habile capitaine peut bien être vaincu , mais qu'il ne lui est pas permis d'être surpris. Aussi lui devons-nous cette louange, qu'il ne l'a jamais été. A quelque heure et de quelque côté que viennent les ennemis, ils le trouvent toujours sur ses gardes, toujours prêt à fondre sur eux et à prendre ses avantages : comme une aigle qu'on voit toujours, soit qu'elle vole au milieu des airs, soit qu'elle se pose sur le haut de quelque rocher, porter de tous côtés des regards perçants, et tomber si sûrement sur sa proie, qu'on ne peut éviter ses ongles non plus que ses yeux. Aussi vifs étaient les regards , aussi vite et impétueuse était l'attaque, aussi fortes et inévitables étaient les mains du prince de Condé. En son camp on ne connaît point les vaines terreurs, qui fatiguent et rebutent plus que les véritables. Toutes les forces demeurent entières pour les vrais périls; tout est prêt au premier signal; et, comme dit le prophète[1], « toutes les flèches sont aigui- « sées, et tous les arcs sont tendus. » En attendant on repose d'un sommeil tranquille, comme on ferait sous son toit et dans son enclos. Que dis-je qu'on repose? A Piéton[2], près de ce corps redoutable que trois puissances réunies avaient assemblé, c'était dans nos troupes de

---

[1] *Sagittæ ejus acutæ, et omnes arcus ejus extenti.* (ISAÏ., v, 28.)

[2] Hauteur près de Charleroi. Le prince de Condé s'y était campé pour attendre les alliés, qui n'osèrent l'attaquer. Il les battit eux-mêmes à la sanglante journée de Senef, village voisin de ce campement, le 11 août 1674.

continuels divertissements : toute l'armée était en joie,
et jamais elle ne sentit qu'elle fût plus faible que celle
des ennemis. Le prince, par son campement, avait
mis en sûreté non-seulement toute notre frontière et
toutes nos places, mais encore tous nos soldats : il
veille, c'est assez. Enfin l'ennemi décampe ; c'est ce que
le prince attendait. Il part à ce premier mouvement.
Déjà l'armée hollandaise, avec ses superbes étendards,
ne lui échappera pas : tout nage dans le sang ; tout est
en proie : mais Dieu sait donner des bornes aux plus
beaux desseins. Cependant les ennemis sont poussés
partout. Oudenarde est délivrée de leurs mains : pour
les tirer eux-mêmes de celles du prince, le ciel les
couvre d'un brouillard épais : la terreur et la désertion
se mettent dans leurs troupes ; on ne sait plus ce qu'est
devenue cette formidable armée. Ce fut alors que Louis,
qui, après avoir achevé le rude siége de Besançon et
avoir encore une fois réduit la Franche-Comté avec une
rapidité inouïe, était revenu tout brillant de gloire
pour profiter de l'action de ses armées de Flandre et
d'Allemagne, commanda ce détachement qui fit en Al-
sace les merveilles que vous savez, et parut le plus grand
de tous les hommes tant par les prodiges qu'il avait faits
en personne que par ceux qu'il fit faire à ses généraux.

Quoique une heureuse naissance eût apporté de si
grands dons à notre prince, il ne cessait de l'enrichir
par ses réflexions. Les campements de César firent son
étude. Je me souviens qu'il nous ravissait en nous racontant comme en Catalogne, dans les lieux où ce fameux
capitaine, par l'avantage des postes, contraignit cinq
légions romaines et deux chefs expérimentés à poser les
armes sans combat[1], lui-même il avait été reconnaître

____

[1] *De Bello civili*, lib. 1.

les rivières et les montagnes qui servirent à ce grand
dessein ; et jamais un si digne maître n'avait expliqué
par de si doctes leçons les Commentaires de César. Les
capitaines des siècles futurs lui rendront un honneur
semblable. On viendra étudier sur les lieux ce que
l'histoire racontera du campement de Piéton, et des
merveilles dont il fut suivi. On remarquera dans celui
de Chatenoy l'éminence qu'occupa ce grand capitaine,
et le ruisseau dont il se couvrit sous le canon du retranchement de Schelestadt. Là, on lui verra mépriser
l'Allemagne conjurée, suivre à son tour les ennemis,
quoique plus forts, rendre leurs projets inutiles, et
leur faire lever le siége de Saverne, comme il avait
fait un peu auparavant celui de Haguenau. C'est par
de semblables coups, dont sa vie est pleine, qu'il a
porté si haut sa réputation, que ce sera dans nos jours
s'être fait un nom parmi les hommes, et s'être acquis
un mérite dans les troupes, d'avoir servi sous le prince
de Condé ; et comme un titre pour commander, de
l'avoir vu faire.

· Mais si jamais il parut un homme extraordinaire, s'il
parut être éclairé et voir tranquillement toutes choses,
c'est dans ces rapides moments d'où dépendent les victoires, et dans l'ardeur du combat. Partout ailleurs il
délibère ; docile, il prête l'oreille à tous les conseils :
ici tout se présente à la fois ; la multitude des objets ne
le confond pas ; à l'instant le parti est pris ; il commande
et il agit tout ensemble, et tout marche en concours et
en sûreté. Le dirai-je ? mais pourquoi craindre que la
gloire d'un si grand homme puisse être diminuée par
cet aveu ? Ce n'est plus ces promptes saillies qu'il savait
si vite et si agréablement réparer, mais enfin qu'on lui
voyait quelquefois dans les occasions ordinaires : vous
diriez qu'il y a en lui un autre homme, à qui sa grande

âme abandonne de moindres ouvrages, où elle ne daigne se mêler. Dans le feu, dans le choc, dans l'ébranlement, on voit naître tout à coup je ne sais quoi de si net, de si posé, de si vif, de si ardent, de si doux, de si agréable pour les siens, de si hautain et de si menaçant pour les ennemis, qu'on ne sait d'où lui peut venir ce mélange de qualités si contraires. Dans cette terrible journée[1] où, aux portes de la ville et à la vue de ses citoyens, le ciel sembla vouloir décider du sort de ce prince; où, avec l'élite des troupes, il avait en tête un général si pressant; où il se vit plus que jamais exposé aux caprices de la fortune, pendant que les coups venaient de tous côtés, ceux qui combattaient auprès de lui nous ont dit souvent que, si l'on avait à traiter quelque grande affaire avec ce prince, on eût pu choisir de ces moments où tout était en feu autour de lui : tant son esprit s'élevait alors, tant son âme leur paraissait éclairée comme d'en haut en ces terribles rencontres; semblable à ces hautes montagnes dont la cime au-dessus des nues et des tempêtes trouve la sérénité dans sa hauteur, et ne perd aucun rayon de la lumière qui l'environne. Ainsi, dans les plaines de Lens, nom agréable à la France, l'archiduc, contre son dessein, tiré d'un poste invincible par l'appât d'un succès trompeur, par un soudain mouvement du prince, qui lui oppose des troupes fraîches à la place des troupes fatiguées, est contraint à prendre la fuite. Ses vieilles troupes périssent; son canon, où il avait mis sa confiance, est entre nos mains; et Bek, qui l'avait flatté

---

[1] Bossuet rappelle le combat livré dans la rue Saint-Antoine, contre l'armée du roi. Il ne l'eût pas osé il y a quelques pages, avant d'avoir réintégré Condé dans toute sa gloire. Il l'ose maintenant; cependant, afin de marquer la différence des succès légitimes, il a soin de préférer la bataille de Lens, *Lens, nom agréable à la France.* Il faut observer ces traits de prudence du grand orateur. (V.)

d'une victoire assurée, pris et blessé dans le combat, vient rendre en mourant un triste hommage à son vainqueur par son désespoir. S'agit-il ou de secourir ou de forcer une ville? le prince saura profiter de tous les moments. Ainsi, au premier avis que le hasard lui porta d'un siége important, il traverse trop promptement tout un grand pays, et, d'une première vue, il découvre un passage assuré pour le secours aux endroits qu'un ennemi vigilant n'a pu encore assez munir. Assiége-t-il quelque place? il invente tous les jours de nouveaux moyens d'en avancer la conquête. On croit qu'il expose les troupes : il les ménage en abrégeant le temps des périls par la vigueur des attaques. Parmi tant de coups surprenants, les gouverneurs les plus courageux ne tiennent pas les promesses qu'ils ont faites à leurs généraux. Dunkerque est pris en treize jours au milieu des pluies de l'automne; et ses barques, si redoutées de nos alliés, paraissent tout à coup dans tout l'Océan avec nos étendards.

Mais ce qu'un sage général doit le mieux connaître, c'est ses soldats et ses chefs : car de là vient ce parfait concert qui fait agir les armées comme un seul corps, ou, pour parler avec l'Écriture, « comme un seul « homme : » *Egressus est Israël tanquam vir unus*[1]. Pourquoi comme un seul homme? parce que sous un même chef, qui connaît et les soldats et les chefs comme ses bras et ses mains, tout est également vif et mesuré. C'est ce qui donne la victoire; et j'ai ouï dire à notre grand prince, qu'à la journée de Nordlingue, ce qui l'assurait du succès, c'est qu'il connaissait M. de Turenne, dont l'habileté consommée n'avait besoin d'aucun ordre pour faire tout ce qu'il fallait. Celui-ci publiait de son côté qu'il agissait sans inquiétude, parce qu'il connaissait le

---

[1] I, Reg., xi, 7.

prince, et ses ordres toujours sûrs. C'est ainsi qu'ils se donnaient mutuellement un repos qui les appliquait chacun tout entier à son action : ainsi finit heureusement la bataille la plus hasardeuse et la plus disputée qui fut jamais.

Ç'a été dans notre siècle un grand spectacle, de voir dans le même temps et dans les mêmes campagnes, ces deux hommes, que la voix commune de toute l'Europe égalait aux plus grands capitaines des siècles passés; tantôt à la tête de corps séparés; tantôt unis, plus encore par le concours des mêmes pensées, que par les ordres que l'inférieur recevait de l'autre [1]; tantôt opposés front à front [2], et redoublant l'un dans l'autre l'activité et la vigilance : comme si Dieu, dont souvent, selon l'Écriture, la sagesse se joue dans l'univers, eût voulu nous les montrer en toutes les formes, et nous montrer ensemble tout ce qu'il peut faire des hommes. Que de campements, que de belles marches, que de hardiesses, que de précautions, que de périls, que de ressources! Vit-on jamais en deux hommes les mêmes vertus, avec des caractères si divers, pour ne pas dire si contraires [3]? L'un paraît agir par des réflexions profondes, et l'autre par de soudaines illuminations : ce-

[1] Lors de la campagne de Hollande, Louis XIV commandait en personne; ensuite venait le prince : Turenne recevait les ordres de Condé, Luxembourg de Turenne, etc., etc.

[2] Comme au combat de Saint-Antoine. L'abbé Raguenet prétend qu'ils se chargèrent souvent, l'épée à la main, dans la mêlée. (C.)

[3] On a toujours admiré le magnifique parallèle que Bossuet a fait de Turenne et du grand Condé. C'est précisément cet heureux contraste qui offre à Bossuet le moyen d'être juste envers Turenne, et de l'élever au plus haut degré de gloire, en conservant au grand Condé une sorte d'éclat qui le laisse au premier rang, sans que l'ombre de Turenne puisse s'en offenser. Car, malgré l'exacte impartialité que Bossuet a voulu observer, on s'aperçoit aisément que son cœur et son imagination sont pour

lui-ci par conséquent plus vif, mais sans que son feu eût rien de précipité; celui-là, d'un air plus froid, sans jamais rien avoir de lent, plus hardi à faire qu'à parler, résolu et déterminé au dedans, lors même qu'il paraissait embarrassé au dehors. L'un, dès qu'il parut dans les armées, donne une haute idée de sa valeur, et fait attendre quelque chose d'extraordinaire; mais toutefois s'avance par ordre, et vient comme par degrés aux prodiges qui ont fini le cours de sa vie : l'autre, comme un homme inspiré, dès sa première bataille s'égale aux maîtres les plus consommés. L'un, par de vifs et continuels efforts, emporte l'admiration du genre humain, et fait taire l'envie : l'autre jette d'abord une si vive lumière, qu'elle n'osait l'attaquer. L'un enfin, par la profondeur de son génie et les incroyables ressources de son courage, s'élève au-dessus des plus grands périls, et sait même profiter de toutes les infidélités de la fortune[1] : l'autre, et par l'avantage d'une si haute naissance, et par ces grandes pensées que le ciel envoie, et par une espèce d'instinct admirable dont les hommes ne connaissent pas le secret, semble né pour entraîner la fortune dans ses desseins, et forcer les destinées. Et afin que l'on vît toujours dans ces deux hommes de grands caractères, mais divers, l'un emporté d'un coup soudain, meurt pour son pays, comme un Judas le Machabée; l'armée le pleure comme son père, et la cour et tout le peuple gémit; sa piété est louée comme son courage[2], et sa mémoire ne se flétrit point par le temps :

le grand Condé, et qu'il lui laisse une sorte de prééminence qu'il craint de s'avouer à lui-même. (B.)

[1] On vit Turenne s'emparer d'une ville (La Capelle) après la perte d'une bataille : chose inouïe jusqu'alors.

[2] Allusion délicate à l'exorde de l'*Oraison funèbre de Turenne*, par Fléchier.

l'autre, élevé par les armes au comble de la gloire comme un David, comme lui meurt dans son lit en publiant les louanges de Dieu, et instruisant sa famille, et laisse tous les cœurs remplis tant de l'éclat de sa vie, que de la douceur de sa mort. Quel spectacle de voir et d'étudier ces deux hommes, et d'apprendre de chacun d'eux toute l'estime que méritait l'autre ! C'est ce qu'a vu notre siècle : et ce qui est encore plus grand, il a vu un roi se servir de ces deux grands chefs, et profiter du secours du ciel ; et après qu'il en est privé par la mort de l'un et les maladies de l'autre, concevoir de plus grands desseins, exécuter de plus grandes choses, s'élever au-dessus de lui-même, surpasser et l'espérance des siens, et l'attente de l'univers : tant est haut son courage, tant est vaste son intelligence, tant ses destinées sont glorieuses.

Voilà, messieurs, les spectacles que Dieu donne à l'univers, et les hommes qu'il y envoie quand il y veut faire éclater, tantôt dans une nation, tantôt dans une autre, selon ses conseils éternels, sa puissance ou sa sagesse ; car ces [1] divins attributs paraissent-ils mieux dans les cieux qu'il a formés de ses doigts, que dans ces rares talents qu'il distribue comme il lui plaît aux hommes extraordinaires ? Quel astre brille davantage dans le firmament, que le prince de Condé n'a fait dans l'Europe ? Ce n'était pas seulement la guerre qui lui donnait de l'éclat : son grand génie embrassait tout ; l'antique comme le moderne, l'histoire, la philosophie, la théologie la plus sublime, et les arts avec les sciences. Il n'y avait livre qu'il ne lût, il n'y avait homme excellent, ou dans quelque spéculation, ou dans quelque ouvrage,

---

[1] Et non *ses*, qu'on lit dans les éditions vulgaires : nous suivons l'original.

qu'il n'entretînt; tous sortaient plus éclairés d'avec lui,
et rectifiaient leurs pensées, ou par ses pénétrantes
questions, ou par ses réflexions judicieuses. Aussi sa
conversation était un charme, parce qu'il savait parler
à chacun selon ses talents; et non-seulement aux gens
de guerre de leurs entreprises, aux courtisans de leurs
intérêts, aux politiques de leurs négociations, mais encore aux voyageurs curieux, de ce qu'ils avaient découvert, ou dans la nature, ou dans le gouvernement, ou
dans le commerce; à l'artisan, de ses inventions; et
enfin aux savants de toutes les sortes, de ce qu'ils
avaient trouvé de plus merveilleux. C'est de Dieu que
viennent ces dons : qui en doute? Ces dons sont admirables : qui ne le voit pas ? Mais pour confondre l'esprit humain, qui s'enorgueillit de tels dons, Dieu ne
craint point d'en faire part à ses ennemis. Saint Augustin considère parmi les païens tant de sages, tant de
conquérants, tant de graves législateurs, tant d'excellents citoyens, un Socrate, un Marc-Aurèle, un Scipion,
un César, un Alexandre, tous privés de la connaissance
de Dieu, et exclus de son royaume éternel. N'est-ce
donc pas Dieu qui les a faits? Mais quel autre les pouvait faire, si ce n'est celui qui fait tout dans le ciel et
dans la terre? Mais pourquoi les a-t-il faits? et quels
étaient les desseins particuliers de cette sagesse profonde, qui jamais ne fait rien en vain? Écoutez la réponse de saint Augustin. « Il les a faits, nous dit-il [1],
« pour orner le siècle présent; » *ut ordinem sæculi præ-
sentis ornaret.* Il a fait dans les grands hommes ces rares
qualités, comme il a fait le soleil. Qui n'admire ce bel
astre? qui n'est ravi de l'éclat de son midi, et de la superbe parure de son lever et de son coucher? Mais puis-

----

[1] *Cont. Julian.*, l. v, n. 14; tom. x, col. 636.

que Dieu le fait luire sur les bons et sur les mauvais,
ce n'est pas un si bel objet qui nous rend heureux :
Dieu l'a fait pour embellir et pour éclairer ce grand
théâtre du monde. De même, quand il a fait dans ses
ennemis aussi bien que dans ses serviteurs ces belles
lumières d'esprit, ces rayons de son intelligence, ces
images de sa bonté; ce n'est pas pour les rendre heureux qu'il leur a fait ces riches présents; c'est une décoration de l'univers, c'est un ornement du siècle présent. Et voyez la malheureuse destinée de ces hommes
qu'il a choisis pour être les ornements de leur siècle.
Qu'ont-ils voulu, ces hommes rares, sinon des louanges et la gloire que les hommes donnent? Peut-être que,
pour les confondre, Dieu refusera cette gloire à leurs
vains désirs? Non, il les confond mieux en la leur donnant, et même au delà de leur attente. Cet Alexandre,
qui ne voulait que faire du bruit dans le monde, y en
a fait plus qu'il n'aurait osé espérer. Il faut encore qu'il
se trouve dans tous nos panégyriques; et il semble, par
une espèce de fatalité glorieuse à ce conquérant, qu'aucun prince ne puisse recevoir de louanges qu'il ne les
partage. S'il a fallu quelque récompense à ces grandes
actions des Romains, Dieu leur en a su trouver une convenable à leurs mérites comme à leurs désirs. Il leur
donne pour récompense l'empire du monde, comme
un présent de nul prix. O rois, confondez-vous dans
votre grandeur : conquérants, ne vantez pas vos victoires. Il leur donne pour récompense la gloire des
hommes; récompense qui ne vient pas jusqu'à eux; qui
s'efforce de s'attacher, quoi? peut-être à leurs médail-
les, ou à leurs statues déterrées, restes des ans et des
barbares; aux ruines de leurs monuments et de leurs
ouvrages qui disputent avec le temps; ou plutôt à leur
idée, à leur ombre, à ce qu'on appelle leur nom. Voilà

le digne prix de tant de travaux, et dans le comble de
leurs vœux la conviction de leur erreur. Venez, rassa-
siez-vous, grands de la terre; saisissez-vous, si vous
pouvez, de ce fantôme de gloire, à l'exemple de ces
grands hommes que vous admirez. Dieu, qui punit leur
orgueil dans les enfers, ne leur a pas envié, dit saint
Augustin, cette gloire tant désirée; et « vains, ils ont
« reçu une récompense aussi vaine que leurs désirs : »
Receperunt mercedem suam, vani vanam[1].

Il n'en sera pas ainsi de notre grand prince[2] : l'heure
de Dieu est venue, heure attendue, heure désirée, heure
de miséricorde et de grâce. Sans être averti par la maladie, sans être pressé par le temps, il exécute ce qu'il
méditait. Un sage religieux, qu'il appelle exprès, règle les affaires de sa conscience : il obéit, humble chrétien, à sa décision; et nul n'a jamais douté de sa bonne
foi. Dès lors aussi on le vit toujours sérieusement occupé
du soin de se vaincre soi-même, de rendre vaines toutes
les attaques de ses insupportables douleurs, d'en faire
par sa soumission un continuel sacrifice. Dieu, qu'il
invoquait avec foi, lui donna le goût de son Écriture,
et dans ce livre divin, la solide nourriture de la piété.
Ses conseils se réglaient plus que jamais par la justice :
on y soulageait la veuve et l'orphelin; et le pauvre en
approchait avec confiance. Sérieux autant qu'agréable
père de famille, dans les douceurs qu'il goûtait avec

---

[1] *In Psalm.* cxviii, Serm. xii, n. 2; tom. iv, col. 1306.
[2] Sans rabaisser la grandeur des héros de l'antiquité, Bossuet montre
la supériorité des héros éclairés de la lumière du christianisme; il fait
plus, il donne encore plus de gloire à Alexandre et aux Romains que ne
leur en ont jamais donné leurs historiens; et, par un prodige de l'art, il
fait servir leurs trophées mêmes à orner le char de triomphe du grand
Condé. (B.)

ses enfants, il ne cessait de leur inspirer les sentiments
de la véritable vertu; et ce jeune prince son petit-fils se
sentira éternellement d'avoir été cultivé par de telles
mains. Toute sa maison profitait de son exemple. Plusieurs de ses domestiques avaient été malheureusement
nourris dans l'erreur, que la France tolérait alors :
combien de fois l'a-t-on vu inquiété de leur salut, affligé
de leur résistance, consolé par leur conversion? Avec
quelle incomparable netteté d'esprit leur faisait-il voir
l'antiquité et la vérité de la religion catholique? Ce n'é-
tait plus cet ardent vainqueur, qui semblait vouloir tout
emporter; c'était une douceur, une patience, une charité qui songeait à gagner les cœurs, et à guérir des
esprits malades. Ce sont[1], messieurs, ces choses simples, gouverner sa famille, édifier ses domestiques,
faire justice et miséricorde, accomplir le bien que Dieu
veut, et souffrir les maux qu'il envoie; ce sont ces communes pratiques de la vie chrétienne, que Jésus-Christ
louera au dernier jour devant ses saints anges, et devant son Père céleste. Les histoires seront abolies avec
les empires, et il ne se parlera plus de tous ces faits
éclatants dont elles sont pleines. Pendant qu'il passait
sa vie dans ces occupations, et qu'il portait au-dessus
de ses actions les plus renommées la gloire d'une si belle
et si pieuse retraite, la nouvelle de la maladie de la
duchesse de Bourbon vint à Chantilly comme un coup
de foudre. Qui ne fut frappé de la crainte de voir éteindre cette lumière naissante? On appréhenda qu'elle
n'eût le sort des choses avancées. Quels furent les sentiments du prince de Condé, lorsqu'il se vit menacé de
perdre ce nouveau lien de sa famille avec la personne du

---

[1] VAR. *Première édition :* C'est, messieurs... c'est ces communes pratiques.

roi [1]? C'est donc dans cette occasion que devait mourir ce héros! Celui que tant de siéges et tant de batailles n'ont pu emporter, va périr par sa tendresse! Pénétré de toutes les inquiétudes que donne un mal affreux, son cœur, qui le soutient seul depuis si longtemps, achève à ce coup de l'accabler; les forces qu'il lui fait trouver l'épuisent. S'il oublie toute sa faiblesse à la vue du roi qui approche de la princesse malade; si, transporté de son zèle, et sans avoir besoin de secours à cette fois, il accourt pour l'avertir de tous les périls que ce grand roi ne craignait pas, et qu'il l'empêche enfin d'avancer, il va tomber évanoui à quatre pas; et on admire cette nouvelle manière de s'exposer pour son roi. Quoique la duchesse d'Enghien, princesse dont la vertu ne craignit jamais que de manquer à sa famille et à ses devoirs, eût obtenu de demeurer auprès de lui pour le soulager, la vigilance de cette princesse ne calme pas les soins qui le travaillent; et après que la jeune princesse est hors de péril, la maladie du roi va bien causer d'autres troubles à notre prince. Puis-je ne m'arrêter pas en cet endroit? A voir la sérénité qui reluisait sur ce front auguste, eût-on soupçonné que ce grand roi, en retournant à Versailles, allât s'exposer à ces cruelles douleurs [2], où l'univers a connu sa piété, sa constance, et tout l'amour de ses peuples? De quels yeux le regardions-nous, lorsqu'aux dépens d'une santé qui nous est si chère, il voulait bien adoucir nos cruelles inquiétudes par la consolation de le voir; et que, maître de sa douleur comme de tout le reste des choses, nous le voyions tous les jours non-seulement régler ses affaires selon sa coutume, mais encore entretenir sa cour atten-

---

[1] Louise-Françoise, dite *mademoiselle de Nantes*, fille légitimée de Louis XIV. Elle avait épousé le duc de Bourbon en juillet 1685.

[2] Louis XIV subit, le 6 novembre 1686, l'opération de la fistule.

drie, avec la même tranquillité qu'il lui fait paraître
dans ses jardins enchantés! Béni soit-il de Dieu et des
hommes, d'unir ainsi toujours la bonté à toutes les autres qualités que nous admirons! Parmi toutes ses douleurs, il s'informait avec soin de l'état du prince de Condé;
et il marquait pour la santé de ce prince une inquiétude
qu'il n'avait pas pour la sienne. Il s'affaiblissait ce grand
prince; mais la mort cachait ses approches. Lorsqu'on
le crut en meilleur état, et que le duc d'Enghien, toujours partagé entre les devoirs de fils et de sujet, était
retourné par son ordre auprès du roi, tout change en
un moment, et on déclare au prince sa mort prochaine.
Chrétiens, soyez attentifs, et venez apprendre à mourir; ou plutôt venez apprendre à n'attendre pas la dernière heure pour commencer à bien vivre. Quoi! attendre à commencer une vie nouvelle lorsque, entre les
mains de la mort, glacés sous ses froides mains, vous
ne saurez si vous êtes avec les morts ou encore avec les
vivants! Ah! prévenez par la pénitence cette heure de
troubles et de ténèbres. Par-là, sans être étonné de cette
dernière sentence qu'on lui prononça, le prince demeure
un moment dans le silence; et tout à coup : « O mon
« Dieu! dit-il, vous le voulez; votre volonté soit faite :
« je me jette entre vos bras; donnez-moi la grâce de bien
« mourir. » Que désirez-vous davantage? Dans cette
courte prière vous voyez la soumission aux ordres de
Dieu, l'abandon à sa providence, la confiance en sa
grâce, et toute la piété. Dès lors aussi, tel qu'on l'a-
vait vu dans tous ses combats, résolu, paisible, occupé
sans inquiétude de ce qu'il fallait faire pour les soutenir, tel fut-il à ce dernier choc; et la mort ne lui parut
pas plus affreuse, pâle et languissante, que lorsqu'elle
se présente au milieu du feu sous l'éclat de la victoire,
qu'elle montre seule. Pendant que les sanglots éclataient

de toutes parts, comme si un autre que lui en eût été
le sujet, il continuait à donner ses ordres ; et, s'il défendait les pleurs, ce n'était pas comme un objet dont il
fût troublé, mais comme un empêchement qui le retar-
dait[1]. A ce moment, il étend ses soins jusqu'aux moindres de ses domestiques. Avec une libéralité digne de sa
naissance et de leurs services, il les laisse comblés de
ses dons, mais encore plus honorés des marques de
son souvenir. Comme il donnait des ordres particuliers
et de la plus haute importance, puisqu'il y allait de sa
conscience et de son salut éternel, averti qu'il fallait
écrire et ordonner dans les formes : quand je devrais,
Monseigneur, renouveler vos douleurs et rouvrir toutes les plaies de votre cœur, je ne tairai pas ces paroles
qu'il répéta si souvent, qu'il vous connaissait ; qu'il n'y
avait, sans formalités, qu'à vous dire ses intentions ; que
vous iriez encore au delà, et suppléeriez de vous-même
à tout ce qu'il pourrait avoir oublié. Qu'un père vous
ait aimé, je ne m'en étonne pas ; c'est un sentiment que
la nature inspire : mais qu'un père si éclairé vous ait
témoigné cette confiance jusqu'au dernier soupir ; qu'il
se soit reposé sur vous de choses si importantes, et qu'il
meure tranquillement sur cette assurance, c'est le plus
beau témoignage que votre vertu pouvait remporter ; et,
malgré tout votre mérite, votre altesse n'aura de moi
aujourd'hui que cette louange[2].

[1] C'est ainsi que Justin nous peint Alexandre sur son lit de mort :
*Quum lacrymarent omnes, ipse non sine lacrymis tantum, verum etiam
sine ullo tristioris mentis argumento fuit : adeo sicuti in hostem, ita et
in mortem invictus animus fuit.* (XII, 15.) (F.)

[2] Qui n'est frappé tout à la fois et de la moralité de cette pensée et de
la noble singularité de ce langage? Bossuet seul s'exprime ainsi. Il vante
cette mort, *à cause que rien n'y est remarquable que de ne l'être pas.* Les
expressions suivantes, *exposé à tout l'univers ne donne rien aux spectateurs,* sont propres à Bossuet ; c'est sa langue. Voyez immédiatement

Ce que le prince commença ensuite pour s'acquitter
des devoirs de la religion mériterait d'être raconté à
toute la terre, non à cause qu'il est remarquable, mais
à cause, pour ainsi dire, qu'il ne l'est pas[1], et qu'un
prince si exposé à tout l'univers ne donne rien aux
spectateurs. N'attendez donc pas, messieurs, de ces magnifiques paroles qui ne servent qu'à faire connaître,
sinon un orgueil caché, du moins les efforts d'une âme
agitée qui combat ou qui dissimule son trouble secret.
Le prince de Condé ne sait ce que c'est que de prononcer
de ces pompeuses sentences ; et dans la mort, comme
dans la vie, la vérité fit toujours toute sa grandeur. Sa
confession fut humble, pleine de componction et de
confiance. Il ne lui fallut pas longtemps pour la préparer : la meilleure préparation pour celle des derniers
temps, c'est de ne les attendre pas. Mais, messieurs,
prêtez l'oreille à ce qui va suivre. A la vue du saint viatique qu'il avait tant désiré, voyez comme il s'arrête
sur ce doux objet. Alors il se souvint des irrévérences
dont, hélas! on déshonore ce divin mystère. Les chrétiens ne connaissent plus la sainte frayeur dont on était
saisi autrefois à la vue du sacrifice. On dirait qu'il eût
cessé d'être terrible, comme l'appelaient les saints
Pères ; et que le sang de notre victime n'y coule pas
encore aussi véritablement que sur le Calvaire. Loin de

après ce qu'il pense de *ces magnifiques paroles de quelques mourants* ;
voyez comme il poursuit l'ostentation humaine! N'est-ce pas le cas de dire,
avec madame de Sévigné, qu'il a avec la vanité *un combat à mort?* (V.)

[1] M. le cardinal Maury, après avoir remarqué que Bossuet est ennemi
de la flatterie, ajoute : « M. le duc de Bourbon conduisait le deuil à cette
pompe funèbre, qui fut célébrée dans l'église de Paris ; et le sujet que
traite Bossuet semble lui coûter un effort et même un excès d'indiscrétion, pour faire en quelque sorte malgré lui un éloge sublime du fils,
en racontant les détails de l'agonie et de la mort du père. Ce compliment
est amené avec un naturel, c'est-à-dire avec un art inimitable. »

trembler devant les autels, on y méprise Jésus-Christ présent, et, dans un temps où tout un royaume se remue pour la conversion des hérétiques, on ne craint point d'en autoriser les blasphèmes. Gens du monde , vous ne pensez pas à ces horribles profanations; à la mort, vous y penserez avec confusion et saisissement. Le prince se ressouvint de toutes les fautes qu'il avait commises, et, trop faible pour expliquer avec force ce qu'il en sentait , il emprunta la voix de son confesseur pour en demander pardon au monde, à ses domestiques, et à ses amis. On lui répondit par des sanglots: ah! répondez-lui maintenant en profitant de cet exemple. Les autres devoirs de la religion furent accomplis avec la même piété et la même présence d'esprit. Avec quelle foi et combien de fois pria-t-il le Sauveur des âmes, en baisant sa croix, que son sang répandu pour lui ne le fût pas inutilement! C'est ce qui justifie le pécheur; c'est ce qui soutient le juste; c'est ce qui rassure le chrétien. Que dirai-je des saintes prières des agonisants, où, dans les efforts que fait l'Église , on entend ses vœux les plus empressés, et comme les derniers cris par où cette sainte mère achève de nous enfanter à la vie céleste[1]? Il se les fit répéter trois fois, et il y trouva toujours de nouvelles consolations. En remerciant ses médecins : « Voilà, dit-il, maintenant mes vrais médecins : » il montrait les ecclésiastiques dont il écoutait les avis, dont il continuait les prières, les psaumes toujours à la bouche, la confiance toujours dans le cœur. S'il se

[1] Cette description des prières des agonisants est de la plus grande beauté; la piété et l'éloquence se sont plu souvent à la citer. Ces expressions nobles et touchantes : *les derniers cris par où cette sainte mère achève de nous enfanter à la vie céleste*, rappellent ce beau vers d'un poëte moderne, qui dit que la mort

N'est qu'un enfantement à l'immortalité. (F.)

plaignit, c'était seulement d'avoir si peu à souffrir pour
expier ses péchés : sensible jusques à la fin à la tendresse
des siens, il ne s'y laissa jamais vaincre ; et au contraire,
il craignait toujours de trop donner à la nature. Que
dirai-je de ses derniers entretiens avec le duc d'Enghien ?
Quelles couleurs assez vives pourraient vous représenter
et la constance du père et les extrêmes douleurs du
fils ? D'abord, le visage en pleurs, avec plus de sanglots
que de paroles, tantôt la bouche collée sur ces mains
victorieuses et maintenant défaillantes, tantôt se jetant
entre ces bras et dans ce sein paternel, il semble par
tant d'efforts vouloir retenir ce cher objet de ses respects et de ses tendresses. Les forces lui manquent ; il
tombe à ses pieds. Le prince, sans s'émouvoir, lui laisse
reprendre ses esprits ; puis, appelant la duchesse sa
belle-fille, qu'il voyait aussi sans parole et presque sans
vie, avec une tendresse qui n'eut rien de faible, il leur
donne ses derniers ordres, où tout respirait la piété. Il
les finit en les bénissant avec cette foi et avec ces vœux
que Dieu exauce, et en bénissant avec eux, ainsi qu'un
autre Jacob, chacun de leurs enfants en particulier ;
et on vit de part et d'autre tout ce qu'on affaiblit en le
répétant. Je ne vous oublierai pas, ô prince son cher neveu[1] et comme son second fils ! ni le glorieux témoignage qu'il a rendu constamment à votre mérite, ni ses

---

[1] François-Louis de Bourbon, prince de Conti, mort le 22 février 1709,
à l'âge de quarante-cinq ans. Il avait encouru la disgrâce de Louis XIV
à cause d'un voyage en Hongrie fait sans la permission du roi, et
d'une correspondance secrète qu'il entretint pendant ce voyage, et qui
fut interceptée. La lettre du grand Condé, dont parle Bossuet, contribua à remettre le prince en grâce avec le monarque, mais non pas aussi
parfaitement qu'auparavant, puisqu'on ne le vit plus désormais à la
tête des armées. Ce fut la mort de ce prince qui inspira à Rousseau sa
belle ode :

Peuples, dont la douleur aux larmes obstinée, etc.

tendres empressements, et la lettre qu'il écrivit en mourant, pour vous rétablir dans les bonnes grâces du roi, le plus cher objet de vos vœux, ni tant de belles qualités qui vous ont fait juger digne d'avoir si vivement occupé les dernières heures d'une si belle vie. Je n'oublierai pas non plus les bontés du roi, qui prévinrent les désirs du prince mourant ; ni les généreux soins du duc d'Enghien, qui ménagea cette grâce ; ni le gré que lui sut le prince d'avoir été si soigneux, en lui donnant cette joie, d'obliger un si cher parent. Pendant que son cœur s'épanche, et que sa voix se ranime en louant le roi, le prince de Conti arrive pénétré de reconnaissance et de douleur. Les tendresses se renouvellent : les deux princes ouvrent ensemble ce qui ne sortira jamais de leur cœur ; et le prince conclut en leur confirmant qu'ils ne seraient jamais ni grands hommes, ni grands princes, ni honnêtes gens, qu'autant qu'ils seraient gens de bien, fidèles à Dieu et au roi. C'est la dernière parole qu'il laissa gravée dans leur mémoire ; c'est, avec la dernière marque de sa tendresse, l'abrégé de leurs devoirs. Tout retentissait de cris, tout fondait en larmes ; le prince seul n'était pas ému, et le trouble n'arrivait pas dans l'asile où il s'était mis[1]. O Dieu! vous étiez sa force, son inébranlable refuge, et, comme disait David[2], ce ferme rocher où s'appuyait sa constance. Puis-je taire

---

[1] Quel magnifique tableau Bossuet nous trace du calme que la religion répandit sur les derniers moments du prince de Condé, avec une simplicité et une sobriété d'expressions qui pouvaient seules rendre la vérité et la sublimité d'une pareille image! « Tout retentissait de cris, tout « fondait en larmes ; le prince seul n'était pas ému, et le trouble n'arri- « vait pas dans l'asile où il s'était mis. » J'augurerais avantageusement du goût d'un jeune candidat de la chaire qui sentirait et développerait de lui-même tout ce qu'il y a d'admirable dans ce contraste d'émotion et de sérénité. (M.)

[2] II, Reg., XXII, 2, 3.

durant ce temps ce qui se faisait à la cour et en la présence du roi? Lorsqu'il y fit lire la dernière lettre que lui écrivit ce grand homme, et qu'on y vit, dans les trois temps que marquait le prince, ses services qu'il y passait si légèrement au commencement et à la fin de sa vie, et dans le milieu ses fautes dont il faisait une si sincère reconnaissance, il n'y eut cœur qui ne s'attendrît à l'entendre parler de lui-même avec tant de modestie; et cette lecture, suivie des larmes du roi, fit voir ce que les héros sentent les uns pour les autres. Mais, lorsqu'on vint à l'endroit du remercîment, où le prince marquait qu'il mourait content et trop heureux d'avoir encore assez de vie pour témoigner au roi sa reconnaissance, son dévouement, et, s'il l'osait dire, sa tendresse, tout le monde rendit témoignage à la vérité de ses sentiments; et ceux qui l'avaient ouï parler si souvent de ce grand roi dans ses entretiens familiers pouvaient assurer que jamais ils n'avaient rien entendu ni de plus respectueux et de plus tendre pour sa personne sacrée, ni de plus fort pour célébrer ses vertus royales, sa piété, son courage, son grand génie, principalement à la guerre, que ce qu'en disait ce grand prince avec aussi peu d'exagération que de flatterie. Pendant qu'on lui rendait ce beau témoignage, ce grand homme n'était plus. Tranquille entre les bras de son Dieu, où il s'était une fois jeté, il attendait sa miséricorde et implorait son secours jusqu'à ce qu'il cessa enfin de respirer et de vivre. C'est ici qu'il faudrait laisser éclater ses justes douleurs à la perte d'un si grand homme : mais, pour l'amour de la vérité et à la honte de ceux qui la méconnaissent, écoutez encore ce beau témoignage qu'il lui rendit en mourant. Averti par son confesseur que, si notre cœur n'était pas encore entièrement selon Dieu, il fallait, en s'adressant à Dieu même, obtenir qu'il nous fît un cœur comme il le voulait, et lui dire avec David ces tendres paroles : « O Dieu ! créez en moi un cœur « pur[1], » à ces mots le prince s'arrête comme occupé de quelque grande pensée; puis, appelant le saint religieux qui lui avait inspiré ce beau sentiment : « Je n'ai « jamais douté, dit-il, des mystères de la religion, « quoi qu'on ait dit. » Chrétiens, vous l'en devez croire; et dans l'état où il est, il ne doit plus rien au monde que la vérité. « Mais, poursuit-il, j'en doute moins que « jamais. Que ces vérités, continuait-il avec une douceur « ravissante, se démêlent et s'éclaircissent dans mon « esprit ! Oui, dit-il, nous verrons Dieu comme il est; « face à face. » Il répétait en latin, avec un goût merveilleux, ces grands mots : *Sicuti est, facie ad faciem*[2]; et on ne se lassait point de le voir dans ce doux transport. Que se faisait-il dans cette âme? quelle nouvelle lumière lui apparaissait ? quel soudain rayon perçait la nue, et faisait comme évanouir en ce moment, avec toutes les ignorances des sens, les ténèbres mêmes, si je l'ose dire, et les saintes obscurités de la foi? Que devinrent alors ces beaux titres dont notre orgueil est flatté? Dans l'approche d'un si beau jour et dès la première atteinte d'une si vive lumière, combien promptement disparaissent tous les fantômes du monde? Que l'éclat de la plus belle victoire paraît sombre ! qu'on en méprise la gloire, et qu'on veut de mal à ces faibles yeux qui s'y sont laissé éblouir !

Venez, peuples, venez maintenant; mais venez plutôt, princes et seigneurs; et vous qui jugez la terre, et vous qui ouvrez aux hommes les portes du ciel; et vous, plus que tous les autres, princes et princesses, nobles

---

[1] *Cor mundum crea in me, Deus.* (Ps. L, 12.)
[2] I, JOAN., III, 2; I, COR., XIII, 12.

rejetons de tant de rois, lumières de la France, mais
aujourd'hui obscurcies et couvertes de votre douleur
comme d'un nuage; venez voir le peu qui nous reste
d'une si auguste naissance, de tant de grandeur, de
tant de gloire. Jetez les yeux de toutes parts : voilà tout
ce qu'a pu faire la magnificence et la piété pour honorer
un héros; des titres, des inscriptions, vaines marques
de ce qui n'est plus; des figures qui semblent pleurer
autour d'un tombeau, et des fragiles images d'une douleur que le temps emporte avec tout le reste; des co-
lonnes qui semblent vouloir porter jusqu'au ciel le magnifique témoignage de notre néant : et rien enfin ne
manque dans tous ces honneurs que celui à qui on les
rend. Pleurez donc sur ces faibles restes de la vie humaine; pleurez sur cette triste immortalité que nous
donnons aux héros. Mais approchez en particulier, ô
vous qui courez avec tant d'ardeur dans la carrière de
la gloire, âmes guerrières et intrépides! Quel autre fut
plus digne de vous commander? mais dans quel autre
avez-vous trouvé le commandement plus honnête?
Pleurez donc ce grand capitaine, et dites en gémissant :
Voilà celui qui nous menait dans les hasards; sous lui
se sont formés tant de renommés capitaines, que ses
exemples ont élevés aux premiers honneurs de la
guerre : son ombre eût pu encore gagner des batailles;
et voilà que, dans son silence, son nom même nous
anime; et ensemble il nous avertit que, pour trouver à
la mort quelque reste de nos travaux et n'arriver pas
sans ressource à notre éternelle demeure, avec le roi de
la terre il faut encore servir le roi du ciel. Servez donc
ce roi immortel et si plein de miséricorde, qui vous
comptera un soupir et un verre d'eau donné en son
nom plus que tous les autres ne feront jamais tout votre

sang répandu[1] ; et commencez à compter le temps de vos utiles services du jour que vous vous serez donnés à un maître si bienfaisant. Et vous, ne viendrez-vous pas à ce triste monument, vous, dis-je, qu'il a bien voulu mettre au rang de ses amis? Tous ensemble, en quelque degré de sa confiance qu'il vous ait reçus, environnez ce tombeau; versez des larmes avec des prières; et, admirant dans un si grand prince une amitié si commode et un commerce si doux, conservez le souvenir d'un héros dont la bonté avait égalé le courage[2]. Ainsi puisse-t-il toujours vous être un cher entretien! ainsi puissiez-vous profiter de ses vertus! Et que sa mort, que vous déplorez, vous serve à la fois de consolation et d'exemple! Pour moi, s'il m'est permis après tous les autres de venir rendre les derniers devoirs à ce tombeau, ô prince, le digne sujet de nos louanges et de nos regrets! vous vivrez éternellement dans ma mémoire[3] :

[1] Sans m'arrêter à toutes les beautés de cette sublime péroraison, je ne puis m'empêcher du moins d'en observer une qui peut-être n'est pas très-frappante par elle-même, mais qui pourtant me paraît digne de remarque par la place où elle est : c'est, je l'avouerai, ce *verre d'eau donné* au pauvre, mis en opposition avec toute la gloire du grand Condé. Jamais, ce me semble, un homme ordinaire n'eût osé risquer, même en chaire, ce contraste hasardeux; mais Bossuet a senti que cette citation, toute vulgaire qu'elle pouvait être, était non-seulement autorisée par l'Évangile, mais encore ennoblie par l'humanité, à qui l'on ne pouvait rendre un plus bel hommage que de la mettre au-dessus de toute la grandeur de Condé. (L. H.)

[2] Dans l'*Éloge funébre de saint Basile*, Grégoire de Nazianze, par un mouvement dont s'est souvenu Bossuet, invoque la présence de tous ceux qui connurent le grand homme qui n'est plus, et environne sa tombe de tous les témoins de ses vertus: « Réunissez-vous ici, vous tous, compagnons de Basile, ministres des autels, serviteurs du temple, et les citoyens et les étrangers ; secourez-moi pour achever son éloge. » (M. VILLEMAIN.) ‡

[3] La réunion touchante et sublime que présente ce tableau pénètre

votre image y sera tracée non point avec cette audace
qui promettait la victoire; non, je ne veux rien voir
en vous de ce que la mort y efface[1]. Vous aurez dans
cette image des traits immortels : je vous y verrai tel que
vous étiez à ce dernier jour sous la main de Dieu, lorsque sa gloire sembla commencer à vous apparaître. C'est
là que je vous verrai plus triomphant qu'à Fribourg et
à Rocroi; et, ravi d'un si beau triomphe, je dirai en action de grâces ces belles paroles du bien-aimé disciple :
Et hæc est victoria quæ vincit mundum, fides nostra[2] :
« La véritable victoire, celle qui met sous nos pieds le
« monde entier, c'est notre foi. » Jouissez, prince, de
cette victoire; jouissez-en éternellement par l'immortelle
vertu de ce sacrifice. Agréez ces derniers efforts d'une
voix qui vous fut connue[3]. Vous mettrez fin à tous ces

l'âme d'une mélancolie douce et profonde, en lui faisant envisager avec
douleur l'éclat si vain et si fugitif des talents et de la renommée, le
malheur de la condition humaine, et celui de s'attacher à une vie si triste
et si courte. (D'ALEMBERT.) — Dans cette péroraison touchante, on aime
à voir l'orateur paraître et se mêler lui-même sur la scène. L'idée impo-
sante d'un vieillard qui célèbre un grand homme; ces cheveux blancs,
cette voix affaiblie, ce retour sur le passé, ce coup d'œil ferme et triste
sur l'avenir, les idées de vertus et de talents, après les idées de grandeur et de gloire; enfin la mort de l'orateur, jetée par lui-même dans
le lointain, et comme aperçue par tous les spectateurs; tout cela forme
dans l'âme un sentiment profond qui a quelque chose de doux, d'élevé,
de mélancolique et de tendre. Il n'y a pas jusqu'à l'harmonie de ce morceau qui n'ajoute au sentiment, et n'invite l'âme à se recueillir et à se
reposer sur sa douleur. (THOMAS, *Essai sur les éloges*, chap. XXIV.)

[1] Qui n'a relu avec charme, dans Homère, les funérailles de Patrocle
et d'Hector; dans Virgile, celles de Pallas; et dans Fénelon, celles d'Hip-
pias? Bossuet s'est emparé de ce même genre de beautés dans cette péroraison, qui représente vraiment une pompe funèbre, une marche en
cérémonie vers un tombeau, les pleurs et les offrandes qu'on y verse.
(V.)

[2] I, JOAN., v, 4.

[3] Bossuet a encore emprunté cette touchante expression à la belle

discours. Au lieu de déplorer la mort des autres, grand prince, dorénavant je veux apprendre de vous à rendre la mienne sainte : heureux si, averti par ces cheveux blancs du compte que je dois rendre de mon administration, je réserve au troupeau que je dois nourrir de la parole de vie les restes d'une voix qui tombe, et d'une ardeur qui s'éteint!

péroraison de l'*Éloge de saint Basile* par Grégoire de Nazianze : « Reçois cet hommage d'une voix qui te fut chère. » (F.)

FIN DES ORAISONS FUNÈBRES.

PANÉGYRIQUES.

PANÉGYRIQUE

DE

SAINT PIERRE NOLASQUE.

Avec quel zèle saint Pierre Nolasque, pour imiter et honorer la charité du divin Sauveur, a consacré au soulagement et à la délivrance de ses frères captifs, ses soins, sa personne, et ses disciples.

Dedit semetipsum pro nobis.
Il s'est donné lui-même pour nous.
Tit. ii, 14.

C'est un plus grand bonheur, dit le Fils de Dieu, de donner que de recevoir. Cette parole était digne de celui qui a tout donné jusqu'à son sang, et qui se serait épuisé lui-même, si ses trésors n'étaient infinis aussi bien que ses largesses. Saint Paul, qui a recueilli ce beau sentiment de la bouche de notre Sauveur, le propose à tous les fidèles, pour servir de loi à leur charité. Souvenez-vous, leur dit-il, de cette parole du Seigneur Jésus, « qu'il vaut mieux donner que de recevoir [1] ; » parce que le bien que vous recevez est une consolation de votre indigence, et celui que vous répandez est la marque d'une plénitude qui s'étend à soulager les besoins des autres.

Jamais il n'y a eu sur la terre un homme plus libéral que le grand saint Pierre Nolasque, fondateur de l'ordre sacré de Notre-Dame de la Merci, dont nous honorons

[1] Act., XX, 35.

aujourd'hui la bienheureuse mémoire : car il ne s'est rien proposé de moins que l'immense profusion d'un Dieu, qui s'est prodigué lui-même ; et de là il a conçu le dessein de dévouer sa personne, et de consacrer tout son ordre aux nécessités des misérables.

Tous les fidèles serviteurs de Dieu ont imité quelques traits du Sauveur des âmes : celui-ci a cette grâce particulière, de l'avoir fidèlement copié dans le caractère par lequel il est établi notre rédempteur. Pour entendre un si grand dessein, et imiter un si grand exemple, demandons l'assistance, etc. *Ave.*

La manière la plus excellente d'honorer les choses divines, c'est, messieurs, de les imiter ; Dieu nous ayant fait cet honneur, de nous former à sa ressemblance, le plus grand hommage que nous puissions rendre à la souveraine vérité de Dieu, c'est de nous conformer à ce qu'il est : car alors nous célébrons ses grandeurs, non point par nos paroles, ni par nos pensées, ni par quelques sentiments de notre cœur ; mais, ce qui est bien plus relevé, par toute la suite de nos actions, et par tout l'état de notre personne.

Nous pouvons donc honorer en deux façons les mystères de Jésus-Christ, ou par des actes particuliers de nos volontés, ou par tout l'éclat de notre vie. Nous les honorons par des actes, en les adorant par foi, en les ressentant par reconnaissance, en nous y attachant par amour. Mais voici que je vous montre avec l'apôtre une voie bien plus excellente : *Excellentiorem viam vobis demonstro*[1]. C'est d'honorer ces divins mystères par quelque chose de plus profond, en nous dévouant saintement à Dieu, non-seulement pour les aimer et

[1] I, Cor. XII, 30.

pour les connaître, mais encore pour les imiter, pour
en porter sur nous-mêmes l'impression et le caractère, pour en recevoir en nous-mêmes la bénédiction et
la grâce.

C'est en cette sorte, mes frères, que saint Pierre
Nolasque a été choisi pour honorer le mystère de la
rédemption. Il l'a honoré véritablement, entrant dans
les devoirs, dans la gratitude, dans toutes les dépendances d'une créature rachetée. Mais, afin qu'il fût lié
plus intimement à la grâce de ce mystère, il a plu au
Saint-Esprit qu'il se dévouât volontairement à l'imitation de cette immense charité, par laquelle « Jésus-
Christ a « donné son âme, pour être, comme il le dit
« lui-même[1], la rédemption de plusieurs. »

S'il y a quelque chose au monde, quelque servitude
capable de représenter à nos yeux la misère extrême
de la captivité horrible de l'homme sous la tyrannie des
démons, c'est l'état d'un chrétien captif, sous la tyrannie des mahométans. Car et le corps et l'esprit y souffrent une égale violence, et l'on n'est pas moins en
péril de son salut que de sa vie. C'est donc au soulagement de cet état misérable qu'est appliqué saint Pierre
Nolasque, pour honorer les bontés de Jésus délivrant
les hommes de la tyrannie de Satan. Il se donne de
tout son cœur à ces malheureux esclaves, et il s'y donne
dans le même esprit que Jésus s'est donné aux hommes
captifs, pour les affranchir de leur servitude : *Dedit se-
met ipsum pro nobis.*

Jésus-Christ a donné aux hommes et à l'œuvre de la
rédemption, premièrement ses soins parternels; secondement, sa propre personne; troisièmement, ses disciples. Il nous a donné ses soins, parce qu'il a toujours

[1] MATTH., XX, 28.

eu l'esprit occupé de la pensée de notre salut : il nous
a donné sa propre personne, parce qu'il s'est immolé
pour nous : il nous a donné ses disciples qui, étant la
plus noble partie du peuple qu'il a racheté, est appliquée par lui-même, et entièrement dévouée à coopérer
par sa charité à la délivrance de tous les autres.

C'est ainsi que le Fils de Dieu a consommé l'œuvre de
notre rédemption, et c'est par les mêmes voies que le
saint que nous révérons a imité son amour et honoré
son mystère. Fidèle imitateur du Sauveur des âmes, il
a été touché, aussi bien que lui, des cruelles extrémités
où sont réduits les captifs ; il leur a donné, aussi bien
que lui, premièrement, tous ses soins ; secondement,
toute sa personne ; troisièmement, tous ses disciples, et
l'ordre religieux qu'il a établi dans l'Église. C'est ce
que nous aurons à considérer dans les trois points de ce
discours.

PREMIER POINT.

L'une des raisons principales qui a rendu les infidèles
si fort incrédules au mystère du Verbe incarné, c'est
qu'ils n'ont pu se persuader que Dieu eût tant d'amour
pour le genre humain, que les chrétiens le publiaient.
Celse, dans cet écrit si envenimé qu'il a fait contre l'É-
vangile, auquel le docte Origène a si fortement répon-
du [1], se moque des chrétiens, de ce qu'ils osaient pré-
sumer que Dieu même était descendu du ciel pour venir
à leur secours. Ils trouvaient indigne de Dieu d'avoir
un soin si particulier des choses humaines ; et c'est pourquoi l'Écriture sainte, pour établir dans les cœurs la
croyance d'un si grand mystère, ne cesse de publier la
bonté de Dieu et son amour pour les hommes. C'est

----

[1] *Orig. cont. Cels.* lib. V, t. I.

aussi ce qui a obligé l'apôtre saint Jean à confesser en ces termes la foi de la rédemption : « Pour nous, nous « croyons, dit-il[1], à la charité que Dieu a eue pour les « hommes. » Voilà une belle profession de foi, et conçue d'une façon bien singulière; mais absolument nécessaire pour combattre et déraciner l'incrédulité. Car c'est de même que s'il disait : Les Juifs et les Gentils ne veulent pas croire que Dieu ait si fort aimé la nature humaine, que de s'en revêtir pour la racheter. Mais pour nous, dit ce saint apôtre, nous n'ignorons pas ses bontés; et connaissant, comme nous faisons, ses miséricordes et ses entrailles paternelles, nous croyons facilement cet amour immense qu'il a témoigné aux hommes, en se livrant lui-même pour eux : *Et nos cognovimus et credidimus caritati quam habet Deus in nobis.*

Élevons donc nos voix, mes frères, et confessons hautement que nous croyons à la charité que le Fils de Dieu a eue pour nous. Nous croyons qu'il s'est fait homme pour notre salut; nous croyons qu'il n'a vécu sur la terre que pour travailler à ce grand ouvrage. Il nous a toujours portés dans son cœur, dans sa naissance et dans sa mort, dans son travail et dans son repos, dans ses conversations et dans ses retraites, dans les villes et dans le désert, dans la gloire et dans les opprobres, dans ses humiliations et dans ses miracles. Il n'a rien fait que pour nous durant tout le cours de sa vie mortelle; et maintenant qu'il est dans le ciel à la droite de la majesté de Dieu, son père, dans les lieux très-hauts[2], il ne nous a pas oubliés. Au contraire, dit le saint apôtre, il y est monté pour y être notre avocat, notre ambassadeur et notre pontife : il traite nos affaires auprès de son Père; « toujours vivant, dit le même apôtre,

« afin d'intercéder pour nous , » *Semper vivens , ad interpellandum pro nobis*[1] : comme s'il n'avait ni de vie , ni de félicité , ni de gloire , que pour l'avantage et le bien des hommes.

Ce n'est pas assez, chrétiens : si nous croyons véritablement que Dieu nous a aimés avec tant d'excès, il faut qu'un si grand amour, qui s'est étendu sur nous avec tant de profusion, nous fasse aussi dilater nos cœurs sur les besoins de nos frères. « Si Dieu, dit saint Jean [2], « nous a tant aimés, nous devons nous aimer les uns les « autres; » nous devons reconnaître ses soins paternels en nous revêtant, à son exemple, de soins charitables; et nous ne pouvons mieux confesser la miséricorde que nous recevons, qu'en l'exerçant sur les autres en simplicité de cœur : *Estote misericordes*[3].

Le saint que nous honorons était pénétré de ces sentiments. Il avait toujours devant les yeux les charités infinies d'un Dieu rédempteur; et, pour se rendre semblable à lui, il se laissait percer par les mêmes traits, il avait sucé cet esprit dans les plaies de Jésus-Christ, dans la source même des miséricordes. Il pouvait dire, avec Job [4], que « la tendresse, la compassion, la miséricorde « était crûe avec lui dès son enfance ; » et c'était par de telles victimes qu'il croyait devoir honorer les bontés inexprimables d'un Dieu rédempteur.

Et en effet, chrétiens, pour rendre le souverain culte à la souveraine majesté de Dieu, il me semble que nous lui devons deux sortes de sacrifices. Je remarque , dans les Écritures, qu'il y a un sacrifice qui tue, et un sacrifice qui donne la vie. Le sacrifice qui tue est assez connu; témoin le sang de tant de victimes et le massacre de tant

---

[1] *Hebr.* VII, 25. — [2] I. *Joan.*, IV, 11. — [3] *Luc.*, VI, 36. — [4] *Job*, XXXI, 18.

d'animaux. Mais, outre ce sacrifice qui détruit, je vois dans les saintes Lettres un sacrifice qui sauve : car, comme dit le sage Ecclésiastique, « celui-là offre un sa-« crifice, qui exerce la miséricorde : » *Qui facit miseri-cordiam, offert sacrificium*[1]. D'où vient cette différence, si ce n'est que l'un des sacrifices a été divinement établi pour honorer la bonté de Dieu, et l'autre pour apaiser sa sainte justice? La justice divine poursuit les pécheurs à main armée, elle lave ses mains dans leur sang, elle les perd et les extermine; elle veut qu'ils soient dissipés devant sa face, comme la cire fondue devant le feu : *Pereant peccatores a facie Dei*[2]. Au contraire, la miséricorde, toujours douce, toujours bienfaisante, ne veut pas que personne périsse : elle attend les pécheurs avec patience ; elle pense, dit l'Écriture, des pensées de paix, et non des pensées d'affliction : *Ego cogito cogitationes pacis, et non afflictionis*[3].

Voilà une grande opposition : aussi honore-t-on ces deux attributs par des sacrifices bien opposés. A cette justice rigoureuse qui tonne, qui fulmine, qui rompt et qui brise, qui renverse les montagnes et arrache les cèdres du Liban, c'est-à-dire qui extermine les pécheurs superbes, il lui faut des sacrifices sanglants et des victimes égorgées, pour marquer la peine qui est due au crime. Mais pour cette miséricorde toujours bienfaisante, qui guérit ce qui est blessé, qui affermit ce qui est faible, qui vivifie ce qui est mort, il faut présenter en sacrifice non des victimes détruites, mais des victimes conservées; c'est-à-dire des pauvres soulagés, des infirmes soutenus, des morts ressuscités dans les pécheurs convertis. Telles sont les véritables hosties qui honorent la miséricorde divine.

---

[1] *Ecc.*, XXXV, 4. — [2] *Psal.* LXVII, 3. — [3] *Jerem.*, XXIX, 11.

Ainsi saint Pierre Nolasque étant toujours occupé des soins, des compassions, des bontés de Jésus pour le genre humain, et sentant son cœur empressé dans le désir de les reconnaître, il s'écrie avec le Psalmiste : *Quid retribuam Domino pro omnibus quæ retribuit mihi*[1]? « Que « rendrai-je au Seigneur pour tous les biens qu'il m'a « faits, » et à toute la nature humaine? Quelle victime, quel sacrifice lui offrirai-je en actions de grâces? Ah! poursuit-il avec le prophète, *Calicem salutaris accipiam*[2] : « Je prendrai le calice du Sauveur, » je boirai le même breuvage que Jésus a bu ; c'est-à-dire, je me remplirai, je m'enivrerai de sa charité, par laquelle il a tant aimé la nature humaine. Je dilaterai mon cœur, comme il a dilaté le sien; j'offrirai à ce Dieu amateur et conservateur des hommes, des victimes qui lui plaisent, des hommes sauvés et délivrés.

Il cherche donc dans toute l'Église tous les infirmes , tous les malheureux, résolu de leur consacrer ses affections et ses soins. Dieu lui fait arrêter les yeux sur ces misérables captifs qui gémissent sous la tyrannie des mahométans. Il voit leur corps dans l'oppression, leur esprit dans l'angoisse, leur cœur dans le désespoir, leur foi même dans un péril évident. Il offre à Dieu leurs cris, leurs gémissements, les larmes de leurs amis , la désolation de leur famille. Peut-être ne le font-ils pas , peut-être sont-ils de ceux qui s'élèvent contre Dieu même , sous les coups de sa main puissante ; serviteurs rebelles et opiniâtres, châtiés et non corrigés, frappés et non convertis, abattus et non humiliés, atterrés, comme dit David, sans être touchés de componction : *Dissipati sunt, non compuncti*[3]. C'est ce qui afflige son cœur. Quoiqu'il pense toujours à eux avec un empresse-

---

[1] *Psal.* CXV, 3. — [2] *Ibid.*, 4. — [3] *Ibid.*, XXXIV, 16.

ment charitable, néanmoins, deux fois le jour et deux fois la nuit, il se présente pour eux devant la face de Dieu, et cherche auprès d'un père si tendre les moyens de soulager ses enfants captifs.

Mes frères, cet objet lugubre d'un chrétien captif dans les prisons des mahométans me jette dans une profonde considération des grands et épouvantables progrès de cette religion monstrueuse. O Dieu! que le genre humain est crédule aux impostures de Satan! O que l'esprit de séduction et d'erreur a d'ascendant sur notre raison. Que nous portons en nous-mêmes, au fond de nos cœurs, une étrange opposition à la vérité, dans nos aveuglements, dans nos ignorances, dans nos préoccupations opiniâtres! Voyez comme l'ennemi du genre humain n'a rien oublié pour nous perdre, et pour nous faire embrasser des erreurs damnables. Avant la venue du Sauveur, il se faisait adorer par toute la terre, sous les noms de ces fameuses idoles devant lesquelles tremblaient tous les peuples; il travaillait de toute sa force à étouffer le nom du vrai Dieu. Jésus-Christ et ses martyrs l'ont fait retentir si haut, depuis le levant jusqu'au couchant, qu'il n'y a plus moyen de l'éteindre ni de l'obscurcir. Les peuples qui ne le connaissaient pas, y sont attirés en foule par la croix de Jésus-Christ; et voici que cet ancien imposteur, qui dès l'origine du monde est en possession de tromper les hommes, ne pouvant plus abolir le saint nom de Dieu, frémissant contre Jésus-Christ, qui l'a fait connaître à tout l'univers, tourne toute sa furie contre lui et contre son Évangile : et trouvant encore le nom de Jésus trop bien établi dans le monde par tant de martyrs et tant de miracles, il lui déclare la guerre en faisant semblant de le révérer, et il inspire à Mahomet, en l'appelant un prophète, de faire passer sa doctrine pour une imposture; et cette religion mons-

trueuse, qui se dément elle-même, a pour toute raison
son ignorance, pour toute persuasion sa violence et sa
tyrannie, pour tout miracle ses armes redoutables et
victorieuses, qui font trembler le monde et rétablissent
par force l'empire de Satan dans tout l'univers.

O Jésus! Seigneur des seigneurs, arbitre de tous les
empires, et Prince des rois de la terre, jusqu'à quand
endurerez-vous que votre ennemi déclaré, assis sur le
trône du grand Constantin, soutienne avec tant d'armées les blasphèmes de son Mahomet, abatte votre croix
sous son croissant, et diminue tous les jours la chrétienté par des armes si fortunées? Est-ce que vous réser-
vez cette redoutable puissance pour faire souffrir à votre
Église cette dernière et effroyable persécution que vous
lui avez dénoncée? Est-ce que, pour entretenir votre
Eglise dans le mépris des grandeurs, comme elle y a été
élevée, en même temps que vous lui donnez la gloire
d'avoir des rois pour enfants, vous abandonnez, d'un
autre côté, à votre ennemi capital, comme un présent
de peu d'importance, le plus redoutable empire qui
soit éclairé par le soleil? Ou bien est-ce qu'il ne vous
plaît pas que votre Église, nourrie dans les alarmes,
fortifiée par les persécutions et par les terreurs, jouisse
dans la paix même d'une tranquillité assurée? Et c'est
pour cette raison que vous lui mettez, comme sur sa
tête, cette puissance redoutable qui ne cesse de la menacer de la dernière désolation.

En effet, chrétiens, ç'a été le conseil de Dieu que l'É-
glise fût établie au milieu des flots, qui frémissent impé-
tueusement autour d'elle, et menacent de l'engloutir.
C'est pourquoi saint Augustin, expliquant ces paroles du
sacré Psalmiste, *Lœtentur insulæ multæ*[1], dit que ces îles

____
[1] *In Psal.* xcvi, n° 4, t. IV.

vraiment fortunées, qui doivent se réjouir du règne de
Dieu, sont les Églises chrétiennes, environnées de toutes
parts d'une mer irritée, qui menace de les engloutir et
de les couvrir sous ses ondes. Tel est le conseil de Dieu;
et je regarde la puissance mahométane comme un océan
indomptable, toujours prêt à inonder toute l'Église, sa
furie n'étant arrêtée que par des digues entr'ouvertes;
ce sont les puissances chrétiennes, toujours cruellement
divisées. Et n'étaient-ce pas ces divisions qui avaient
ouvert autrefois aux sultans, successeurs de Mahomet,
une entrée si large, que, du temps de Pierre Nolasque,
les Espagnes même étaient entièrement inondées?

  C'est ce qui lui perce le cœur. Il est nuit et jour persécuté des cris des captifs; il faut qu'il coure à leur délivrance. Ne lui dites pas que la noblesse de son extrac-
tion et le crédit qu'il a auprès du roi d'Aragon, dont
il a été précepteur, l'appelle à des emplois plus illustres : il court après ces captifs. Il fallait qu'il descendît
de bien haut à l'humiliation d'un emploi si bas, selon
l'estime du monde, pour mieux imiter celui qui est
descendu du ciel en la terre : imiter un Dieu rédempteur, c'est toute la gloire qu'il se propose. Par mille
traverses, par mille périls, il va délivrer ses frères :
content de tout donner, de tout sacrifier, pourvu qu'il
leur procure la liberté, ou du moins quelque soulagement à leurs maux, pour les leur rendre plus suppor-
tables. Et pourrais-je vous exprimer les empressements
de sa sollicitude pour subvenir à leurs besoins, les at-
tendrissements de sa charité à la vue de leur état, tous
les efforts de son zèle en faveur de ces infortunés captifs? Il sent toutes leurs peines, il est pénétré de leurs
dangers; et plus prisonnier qu'eux tous, par ces chaînes
invisibles dont la charité le serre, il porte tout le poids
de la misère de chacun de ses frères, il s'en voit con-

tinuellement pressé, il n'est occupé qu'à y apporter quelques remèdes. Qui souffre dans ces noirs cachots, sans qu'il souffre avec lui? Qui est faible au milieu de tant d'épreuves, sans qu'il s'efforce de le soutenir? Qui est scandalisé, sans que son cœur brûle du désir de le relever[1] ?

Tels sont les sentiments que la charité forme dans l'âme de Pierre Nolasque, telle est la conduite qu'elle lui inspire. Et que ne produirait-elle pas en vous, si vous étiez animés du même esprit? « Revêtez-vous donc « comme des élus de Dieu, saints et bien-aimés, d'en- « trailles de miséricorde, de bonté, d'humilité, de dou- « ceur, de patience, » afin de vous secourir mutuellement avec tout l'épanchement d'une tendresse vraiment chrétienne : *Induite vos ergo sicut electi Dei, sancti et dilecti, viscera misericordiæ, benignitatem, humilitatem, modestiam, patientiam*[2].

Dieu commence, pour vous donner l'exemple; imitez sa charité si prévenante, si bienfaisante : qu'il se fasse comme un combat entre nous et la miséricorde divine; et soyons jaloux de ne pas nous laisser vaincre en munificence. Dieu commence par nous enrichir de ses biens, imitez-le en vous prodiguant à sa gloire et au salut de vos frères. « Soyez miséricordieux, comme « votre Père céleste est miséricordieux : » *Estote misericordes, sicut Pater vester cœlestis misericors est*[3]. C'est alors que vous recevrez au centuple tout ce que vous aurez généreusement donné. Car Dieu revient à la charge, et il nous imite à son tour : « Bienheureux ceux « qui sont miséricordieux, parce qu'ils obtiendront « eux-mêmes miséricorde : » *Beati misericordes, quoniam ipsi misericordiam consequentur*[4]. Par là il se fait

---

[1] II. Cor., XI, 29. — [2] Coloss., III, 12. — [3] Luc., VI, 36. — [4] Matth., V 7,

un flux et reflux de miséricorde : Dieu, qui aime un
tel sacrifice, multiplie ses dons. Allant ainsi en augmentant, après avoir donné vos soins, vous donnerez
à la fin votre propre personne, comme saint Pierre Nolasque.

SECOND POINT.

Ce fut, messieurs, un grand spectacle lorsqu'on vit
sur le Calvaire le Fils uniquement agréable se mettre
en la place des ennemis; l'innocent, le juste, la sainteté
même, se donner en échange pour les malfaiteurs; celui qui était infiniment riche, se constituer caution, et
se livrer tout entier pour les insolvables.

Vous savez assez, chrétiens, quelle dette le genre
humain avait contractée envers Dieu et envers sa sainte
justice. Nous sommes naturellement débiteurs à ses lois
suprêmes. Et qu'est-ce que nous leur devons? une obéissance fidèle. Mais lorsque nous manquons volontairement à lui payer cette dette, nous entrons dans une
autre obligation : nous devons notre tête à ses vengeances, nous ne pouvons plus le payer que par notre mort
et notre supplice.

En vain les hommes, effrayés par le sentiment de
leurs crimes, cherchent des victimes et des holocaustes
pour les subroger en leur place. Dussent-ils massacrer
tous leurs troupeaux, et les immoler à Dieu devant ses
autels, il n'est pas possible que la vie des bêtes paye
pour la vie des hommes. La compensation n'est pas suffisante : *Impossibile enim est sanguine taurorum et hir-
corum auferri peccata*[1]. De sorte que ceux qui offraient
de tels sacrifices faisaient bien, à la vérité, une reconnaissance publique de ce qu'ils devaient à la justice

---

[1] *Hebr.*, x, 4.

divine; mais ils n'avaient pas pour cela le payement de leurs dettes. Il fallait qu'un homme payât pour les hommes ; et c'est pour cela qu'un Dieu s'est fait homme.

Ce Dieu-Homme, avide de nous racheter, livre à l'abandon sa propre personne à la justice de Dieu, à l'injustice des hommes, à la furie des démons. Dieu, les hommes, les démons exercent sur lui toute leur puissance. Il s'engage, il se prodigue de tous côtés ; et il ne lui importe pas comment il se donne, pourvu qu'il paye notre prix, et qu'il nous rende notre liberté et notre franchise.

. Je ne puis vous dire, mes frères, dans quels excès nous doit jeter la contemplation de ce mystère. Jésus-Christ se donnant pour moi, et devenant ma rançon, m'apprend deux choses contraires. Il m'apprend à m'estimer, il m'apprend à me mépriser, l'un et l'autre jusqu'à l'infini. Mon cœur, incertain et irrésolu, ne sait à quoi se déterminer, au milieu de telles contraintes. M'estimerai-je, me mépriserai-je, ou joindrai-je l'un et l'autre ensemble, puisque mon Sauveur m'apprend l'un et l'autre?

Oui, chrétiens, mon Sauveur m'apprend à m'estimer jusqu'à l'infini. Car la règle d'estimer les choses, c'est de connaître le prix qu'elles coûtent. Écoutez maintenant l'apôtre[1], qui vous dit que vous avez été rachetés. non par or, ni par argent, ni par des richesses corruptibles ; mais par le sang d'un Dieu, par la personne d'un Dieu immolé pour vous. O âme! dit saint Augustin[2], apprends à t'estimer par cette rançon ; voilà le prix que tu vaux : *O anima! erige te, tanti vales.* O homme, celui qui t'a fait s'est livré pour toi ; celui dont la sagesse infinie sait donner si justement la valeur aux choses,

----

[1] *Petr.*, 1, 18, 19. — [2] *In Psal.* CII, n° 6.

a mis ton âme à ce prix. Qu'est-ce donc que la terre,
qu'est-ce que le ciel, qu'est-ce que toute la nature ensemble, en comparaison de ma dignité?

Mais ce qui m'apprend à m'estimer m'apprend à me
mépriser jusqu'à l'excès. Car quand je vois un Dieu qui
se ravilit jusqu'à vouloir se donner lui-même pour racheter ses esclaves : que dis-je, ses esclaves? cette qualité est trop honorable, les esclaves du démon et du
péché; il me semble qu'il se rabaisse, non plus jusqu'au
néant, mais infiniment au-dessous. Et en effet, chrétiens, se rendre semblable aux hommes, c'est se ravaler jusqu'au néant; mais se livrer pour les hommes,
mourir pour les hommes, créature si vile par son extrac-
tion et si ravilie par son crime, c'est plus que s'anéantir; puisque c'est mettre le néant au-dessus de soi, c'est
se mépriser pour le néant même.

Après l'exemple d'un Dieu, à qui l'excès de sa charité rend sa propre vie méprisable, pourvu qu'il puisse
à ce prix racheter les âmes, y a-t-il quelque esclave
assez malheureux pour lequel nous devions craindre de
nous prodiguer? Saint Paul aussi ne sait plus que faire :
« Je donnerai volontiers pour vous tout ce que j'ai : »
Ego autem impendam. Ce n'est pas assez, il faut inventer
un terme nouveau pour exprimer une ardeur nouvelle :
et superimpendar ipse pro animabus vestris[1] *:* « et je me
« donnerai encore moi-même pour le salut de vos âmes. »
Un martyre, c'est la privation du martyre, le vrai néant.
C'est ce qui touche saint Pierre Nolasque; sa personne
ne lui est plus rien, quand il voit un Dieu se donner
lui-même : il n'y a point de cachots dans lesquels il
n'aille chercher de pauvres captifs, pour leur rendre
leur liberté aux dépens de sa propre vie.

[1] II. *Cor.*, xii, 15.

Le voyez-vous, messieurs, traitant avec ce barbare de la délivrance de ce chrétien ? S'il manque quelque chose au prix, il offre un supplément admirable : il est prêt à donner sa propre personne ; il consent d'entrer dans la même prison, de se charger des mêmes fers, de subir les mêmes travaux, et de rendre les mêmes services. O grâce de la rédemption ! que vous opérez dans son âme ! Il a un cœur de Jésus, qui n'a ni de vie ni de liberté que pour la rédemption de ses frères. C'est l'esprit d'un Dieu rédempteur qui le rend capable de ces sentiments : car admirez la suite de cette action. Prisonnier entre les mains des pirates, pour ses frères qu'il a délivrés, il préfère son cachot à tous les palais, et ses chaînes à tous les trésors. Il n'y a rien qui puisse égaler sa joie ; et je ne m'en étonne pas. La liberté plaît à la nature ; la captivité, à la grâce ; et saint Pierre Nolasque goûte l'une et l'autre, portant en lui-même la captivité, et possédant la liberté dans ses frères, qu'il a heureusement affranchis d'une misérable servitude. Il est satisfait, puisque ses frères le sont ; et pour ce qui regarde sa liberté propre, il la méprise si fort, qu'il est toujours prêt de l'abandonner pour le moindre des chrétiens captifs, ne désirant d'être libre que pour s'engager de nouveau en faveur des autres esclaves. Voyez ce que lui apprend un Dieu rédempteur. On veut l'engager à la cour, dans les liens de la fortune : il le refuse, et il court pour se charger d'autres liens ; ce sont les liens de Jésus-Christ.

Je ne sais si je pourrai vous faire comprendre ce que Dieu me met dans l'esprit, pour exprimer les transports de la charité de ce grand homme. Il me semble, en vérité, chrétiens, qu'il goûte mieux dans les autres la douceur de la liberté, qu'il ne le ferait en lui-même. Car le plaisir d'être libre, quand il s'attache à nous-mêmes, étant un fruit de notre amour-propre, le chrétien doit craindre de s'abandonner à cette douceur trop sensible. Quand est-ce donc un homme de Dieu goûtera le plaisir de la liberté dans toute son étendue? Quand il ne la goûtera que dans ses frères affranchis. Telles sont les délices de Pierre Nolasque. Pendant qu'il est dans les fers, il ressent tout le plaisir et toute la joie de ceux qu'il a délivrés; et il le ressent d'autant plus, que cette joie ne le flatte qu'en le dépouillant de lui-même, pour lui faire trouver son repos dans le repos de ses frères.

Telle est la joie du Dieu rédempteur. Écoutez le divin apôtre : *Praposito sibi gaudio sustinuit crucem* [1] : « Il « a enduré la croix, s'étant proposé une grande joie. » Quelle joie pouvait goûter ce divin Sauveur dans cette langueur, dans cette tristesse, dans cet ennui accablant dans lequel sa sainte âme était abîmée? Quelle joie, dis-je, pouvait-il goûter, qui ait fait dire à l'apôtre : *Proposito sibi gaudio?* Joie divine, joie toute céleste et digne d'un Dieu Sauveur, la joie d'affranchir les hommes captifs, en donnant son âme pour eux.

Pour tirer quelque utilité d'un si grand exemple, faisons cette observation, que nous devons honorer la charité d'un Dieu rédempteur en deux manières différentes. Nous la devons honorer par une généreuse indépendance, nous la devons honorer par une extrême sujétion. Car, ainsi que nous avons dit, un Dieu se prodiguant pour les âmes, nous apprend également à nous estimer et à nous mépriser nous-mêmes. L'estime que nous devons avoir de nous-mêmes nous rend libres et indépendants; le mépris que nous devons faire de nous-mêmes nous doit rendre esclaves volontaires, pour honorer la charité

[1] *Hebr.*, XII, 2.

de celui qui, étant libre et indépendant, s'est assujetti pour notre salut à des extrémités si cruelles.

Saint Paul parle ainsi aux fidèles : « Vous avez été « achetés d'un prix infini, ne vous rendez pas esclaves « des hommes[1]. » Rachetés d'une si grande rançon, ne ravilissez pas votre dignité : vous qu'un Dieu a daigné payer au prix de son sang, ne soyez pas dépendants des hommes mortels ; ne prodiguez pas une liberté qui a tant coûté à votre Sauveur. Tel est le précepte de l'apôtre ; et il semble que Pierre Nolasque agit au contraire ; et je vois que, pour imiter un Dieu rédempteur, il se rend esclave des hommes, et des hommes ennemis de Dieu. **Entendons le sens de l'apôtre : « Vous qui êtes rachetés par** « un si grand prix, ne vous rendez pas, dit-il, servi- « teurs des hommes. » Ne vous rendez pas les esclaves de leurs vanités ; mais rendez-vous esclaves de leurs besoins. Ne vous rendez pas leurs esclaves en adhérant à leurs erreurs, mais leurs esclaves en soulageant leurs nécessités. Ne vous rendez pas leurs esclaves par une vaine complaisance ; mais rendez-vous leurs esclaves par une charité sincère et compatissante : *Per charitatem servite invicem*[2]. Entrons dans le détail de cette morale. Un de vos amis vous aborde, un de ces amis mondains qui vous aiment pour le siècle et les vanités : il vous veut donner un sage conseil. Comme il vous honore et qu'il vous estime, il désire votre avancement : c'est pourquoi il vous exhorte de vous embarquer dans cette intrigue, peut-être malicieuse ; d'engager ce grand dans vos intérêts, peut-être au préjudice de votre conscience. Prenez garde soigneusement, et ne vous rendez pas esclaves des hommes. Entrez en considération de ce que vous êtes, pensez ce qu'un Dieu a donné pour vous.

_____

[1] I. *Cor.*, vii, 23. — [2] *Galat.*, v, 13.

Quand on vous représente ce que vous valez, pour
vous engager dans des desseins ambitieux : Vous ne me
connaissez pas tout entier, je vaux infiniment davantage : ne vous mettez pas tout seul dans la balance,
pesez-vous, dit saint Augustin, avec votre prix : *Appende
te cum pretio tuo* [1] ; et si vous savez estimer votre âme,
vous verrez qu'aucune chose n'est digne de vous, qui
ne soit digne premièrement de Jésus-Christ même. Vous
êtes digne de cet emploi, vous dit-on : mais est-il digne
de ce que je suis ? devez-vous répondre. Ne soyons donc
pas si vils à nous-mêmes, nous qui sommes si précieux
au Dieu rédempteur, que nous nous rendions esclaves
des complaisances mondaines. C'est ainsi que nous devons estimer notre âme, pour laquelle Jésus-Christ a
donné la sienne.

Mais apprenons aussi à nous mépriser, et à dire avec
l'apôtre : « Mon âme ne m'est pas précieuse [2]. » Si nos
frères ont besoin de notre secours, quelque indignes
qu'ils nous paraissent de cette assistance, ne craignons
pas de nous prodiguer pour les secourir. Car Jésus n'a
pas dédaigné de prodiguer et sa vie, et sa divine personne, pour le salut des pécheurs. Méprisons donc saintement notre âme, ayons-la toujours en nos mains pour
la prodiguer au premier venu : *Anima mea in manibus meis semper* [3]. O sainte charité ! rendez-moi captif
des nécessités des misérables ; disposez en leur faveur,
non-seulement de mes biens, mais de ma vie et de ma
personne. C'est ici qu'il faut pratiquer toutes ces contrariétés évangéliques, de perdre son âme pour la conserver, de la gagner en la prodiguant, de la rendre
estimable par le mépris même.

[1] *Enar.* II, *in Psal.* XXXII, n° 4, t. IV. — [2] *Act.*, XX, 24. — [3] *Ps.*
CXVIII, 109.

Car en effet, chrétiens, quelle gloire, quelle grandeur, quelle dignité dans ce mépris! Saint Pierre Nolasque ne s'estime rien; il s'appelle un vrai néant, et préfère la liberté du moindre esclave à la sienne. Et vous voyez qu'en se méprisant, il participe à la dignité du Sauveur des âmes, qui s'est montré non-seulement le Sauveur, mais encore le maître et le Dieu de tous, en se donnant volontairement pour tous.

Ah! le zèle de Dieu me presse. Je ne veux plus que mon âme soit à moi-même. Venez, pauvres; venez, misérables, faites de moi ce qu'il vous plaira, je suis à vous, je suis votre esclave. Ce n'est pas moi, messieurs, en particulier qui vous parle ainsi; mais je vous exprime, comme je peux, les sentiments d'un vrai chrétien. O Dieu! qui nous donnera que des âmes de cette sorte, libres par leur servitude, dégagées et indépendantes par leur dépendance, travaillent au salut des hommes? l'Église aurait bientôt conquis tout le monde. Car telle est la règle de l'Évangile : il faut que nous nous donnions à ceux que nous voulons gagner à Jésus-Christ. Voulons-nous les assujettir, il faut nous assujettir à leur service; et nous devons, pour ainsi dire, être leur conquête, pour les rendre capables d'être la nôtre. Pourquoi est-ce qu'un Paul, un Céphas, un Apollo, et tant d'autres ouvriers fidèles, ont conquis tant d'âmes à notre Sauveur? C'est à cause qu'ils se donnaient sans retenue aux âmes : *Omnia vestra sunt:* « Tout est à vous, dit l'apô-« tre[1], et Paul, et Céphas, et Apollo; » tout est à vous, encore une fois. C'est pourquoi tout était à eux, parce qu'ils étaient à tous sans réserve.

Dieu nous a fait connaître, en la vie de notre grand saint, l'efficace de cette charité si bienfaisante. On a vu

[1] I. *Cor.*, III, 22.

un mahométan, astrologue, médecin, parent du roi
maure d'Andalousie ; c'est-à-dire, si nous l'entendons,
un homme dans lequel tout combattait contre l'Évangile, la religion, la science, la curiosité, la fortune,
qui baissa néanmoins la tête sous le joug aimable de
Jésus-Christ, convaincu par le seul miracle de la charité
de saint Pierre Nolasque. Il voyait un homme qui se
donnait pour des inconnus ; l'image du mystère de la
rédemption lui fit adorer l'original : il crut à la charité
que Dieu a eue pour les hommes, en voyant celle que
ce même Dieu inspirait aux hommes pour leurs semblables. Il n'eut point de peine à comprendre que ce grand
œuvre de la rédemption, que les chrétiens vantaient
avec tant de force, était réel et véritable, puisque l'esprit endurait encore, et se déclarait à ses yeux avec une
telle efficace dans cet illustre disciple de la croix. Il se
jette donc entre ses bras ; et non content de recevoir de
lui le baptême, il lui demande l'habit de son ordre,
avide de pratiquer ce qui l'avait gagné à l'Église : *Si
comprehendam in quo et comprehensus sum a Christo
Jesu*[1]. Ha ! si l'on voyait reluire en l'Église cette charité
désintéressée, toute la terre se convertirait. Car qu'y
aurait-il de plus efficace, pour faire adorer un Dieu
se livrant pour tous, que d'imiter son exemple ? *Hoc
enim sentite in vobis quod et in Christo Jesu*[2] : « Soyez
« dans la même disposition où a été Jésus-Christ. » Re-
nonçons donc à nous-mêmes, pour gagner nos frères ;
c'est à quoi nous invite saint Pierre Nolasque. Il y invite
les autres ; mais, mes pères, il vous y a dévoués : c'est
le sujet de ma troisième partie.

[1] *Philipp.*, III, 12. — [2] *Ibid.* II, 5.

TROISIÈME POINT.

C'est un précepte de l'apôtre, de ne point considérer ce qui nous touche, mais ce qui touche les autres : *Non quæ sua sunt singuli considerantes, sed ea quæ aliorum* [1]. C'est la perfection de la charité, et c'est par là que nous nous montrons les véritables disciples de celui qui a méprisé son honneur, qui a oublié sa propre personne, qui a donné enfin son âme pour nous.

Ce précepte de saint Paul prend son origine de celui de Jésus-Christ même. Car écoutez comme il parle à ses saints disciples la veille de sa passion douloureuse : « Je « vous donne, dit-il, un nouveau commandement, qui « est que vous vous aimiez les uns les autres comme je « vous ai aimés. » *Mandatum novum do vobis, ut diligatis invicem sicut dilexi vos* [2]. La force de ce précepte est dans ces paroles, « Comme je vous ai aimés : » et par là il faut que nous entendions que, comme il nous a aimés jusqu'à s'oublier soi-même pour notre salut, ainsi pour aimer nos frères dans la perfection qu'il désire, nous devons regarder, avec saint Paul, non ce qui nous touche en particulier, mais ce qui touche les autres.

N'est-ce pas pour cette raison qu'il nous a donné son saint corps, mémorial éternel de la charité infinie par laquelle il s'est donné pour notre salut? Il ne nous donne son corps que pour nous donner son esprit; car c'est lui qui nous a dit que « c'est l'esprit qui vivifie, et que la « chair par elle-même ne profite pas [3]. » Il nous donne son corps, afin de nous donner son esprit : et quel est l'esprit de Jésus, sinon cet esprit de charité pure, toujours prête à renoncer à soi-même, pour servir aux utilités et au salut du prochain? Ainsi ce divin Sauveur, non con-

---

[1] *Philipp.* ii, 4. — [2] *Joan.*, xiii, 34. — [3] *Joan.*, vi, 64.

tent d'avoir pratiqué cette charité excellente, de se donner pour ses amis, nous a laissé son esprit, afin que nous ne soyons plus à nous-mêmes, mais à ceux qu'il a faits nos frères, et non-seulement nos frères, mais nos propres membres.

C'est ici, mes révérends pères, que votre saint patriarche a imité parfaitement son divin modèle. Car après avoir pratiqué dans une si haute perfection cette grande charité du Sauveur des âmes, il en a fait votre loi, et la règle de tout son ordre; et il vous a obligés, non-seulement à exposer votre liberté, mais encore à l'engager effectivement pour délivrer vos frères captifs. Il a voulu par là vous conduire au point le plus éminent de la vie régulière et religieuse.

En effet, qu'ont prétendu les auteurs de ces saintes institutions, sinon de conduire leurs disciples à l'entière abnégation de soi-même? On le peut faire de deux sortes. On renonce premièrement à soi-même, en mortifiant ses désirs par l'exercice de la pénitence. Mais on y renonce secondement, et d'une manière beaucoup plus parfaite, par la pratique de la charité fraternelle. Votre bienheureux instituteur n'a pas dédaigné la première voie : la vie qu'il vous a prescrite est une vie pénitente et mortifiée. Mais il a eu encore un dessein plus noble, et il a cru qu'il n'y avait rien de plus efficace pour vous détacher de vous-mêmes, que de vous nourrir dans cet esprit vraiment saint et vraiment chrétien, qui fait que votre vie, votre liberté, vos personnes même, sont entièrement dévouées au service et au salut du prochain.

Voilà une méthode admirable de surmonter l'amour-propre; car la nature de l'amour-propre, c'est de se borner en soi-même, de se nourrir de soi-même, de vivre entièrement pour soi-même. Voilà un amour captif, qui ne sort ni ne se répand au dehors. Voulez-vous vous af-

22.

franchir de sa tyrannie? Dilatez-vous : *Dilatamini et vos* [1]. Laissez sortir ce captif, laissez couler sur le prochain cet amour que vous avez pour vous-mêmes; aimez vos frères comme vous-mêmes, selon le précepte de l'Évangile [2]. Ne voyez-vous pas, chrétiens, que l'amour, auparavant trop captif, commence à s'affranchir en se dilatant? Ce n'est plus un amour-propre, qui n'aime rien que soi-même; c'est un amour de société, qui aime le prochain comme soi-même : et s'il peut aller à ce point que de l'aimer plus que soi-même, le préférer à soi-même, procurer son bien et son avantage aux dépens de sa liberté et de sa propre personne, comme saint Pierre Nolasque l'a pratiqué, et comme il l'a ordonné à ses religieux, amour-propre, tu es détruit jusqu'à la racine; un amour divin et céleste a succédé en ta place, qui, nous arrachant à nous-mêmes, fait que nous nous retrouvons plus parfaitement dans l'amour de Jésus-Christ notre Sauveur, et dans l'unité de ses membres.

[1] II. *Cor.*, VI, 13. — [2] *Marc.*, XII, 31.

PANÉGYRIQUE

DE

SAINT VICTOR,

PRONONCÉ A PARIS, DANS L'ABBAYE DE CE NOM, EN 1657.

Mépris des idoles, conversion de ses propres gardes, effusion de son sang ; trois manières dont saint Victor fait triompher Jésus-Christ. Comment nous devons l'imiter.

> *Hæc est victoria quæ vincit mundum, fides nostra.*
>
> La victoire qui surmonte le monde, c'est notre foi.
>
> I. Joan., v, 4.

Quand je considère, messieurs, tant de sortes de cruautés qu'on a exercées sur les chrétiens, pendant l'espace de quatre cents ans, avec une fureur implacable, je médite souvent en moi-même pour quelle cause il a plu à Dieu, qui pouvait choisir des moyens plus doux, qu'il en ait coûté tant de sang pour établir son Église. En effet, si nous consultons la faiblesse humaine, il est malaisé de comprendre comment il a pu se résoudre à souffrir qu'on lui immolât tant de martyrs, lui qui avait rejeté dans sa nouvelle alliance les sacrifices sanglants ; et après avoir épargné le sang des taureaux et des boucs, il y a sujet de s'étonner qu'il se soit plu, durant tant de siècles à voir verser celui des hommes, et encore celui de ses serviteurs, par tant d'étranges supplices. Et toutefois, chrétiens, tel a été le conseil de sa providence ; et je ne crains point de vous assurer que c'est un conseil de miséricorde. Dieu ne se plaît pas dans le sang ; mais il se plaît dans le spectacle de la patience. Dieu n'aime pas

la cruauté, mais il aime une vertu éprouvée; et s'il la
fait passer par un examen laborieux, c'est qu'il sait qu'il
a le pouvoir de la récompenser selon ses mérites. Si saint
Victor avait moins souffert, sa foi n'aurait pas montré
toute sa vigueur; et si les tyrans l'avaient épargné, ils
lui auraient envié ses couronnes. Dieu nous propose le
ciel comme une place qu'il veut qu'on lui enlève et qu'on
emporte de force; afin que, non contents du salut, nous
aspirions encore à la gloire, et qu'étant non-seulement
échappés des mains de nos ennemis, mais encore ayant
surmonté toute leur puissance, nous puissions dire avec
l'apôtre : *Hæc est victoria quæ vincit mundum, fides
nostra.*

Pour prendre ces sentiments généreux s'il ne fallait
que de grands exemples, j'espérerais quelque effet extraordinaire de celui de l'invincible Victor, dont la constance s'est signalée par un martyre si mémorable : mais
comme ces nobles désirs ne naissent pas de nous-mêmes,
recourons à celui qui les inspire, et demandons-lui son
Esprit par l'intercession de la sainte Vierge. *Ave.*

Comme c'est le dessein du Fils de Dieu de n'avoir dans
sa compagnie que des esprits courageux, il ne leur propose aussi que de grands objets et des espérances glorieuses; il ne leur parle que de victoires, partout il ne
leur promet que des couronnes, et toujours il les entretient de fortes pensées. Entre tous les fidèles de Jésus-
Christ, ceux qui se sont le plus remplis de ces sentiments,
ce sont les bienheureux martyrs, que nous pouvons appeler les vrais conquérants et les vrais triomphateurs de
l'Église. Encore que leurs victoires aient des circonstances sans nombre qui en relèvent l'éclat, néanmoins la
gloire qu'ils se sont acquise dépend principalement de
trois choses, dont la première est la cause de leur mar-

tyre, la seconde le fruit, la troisième la perfection. La
cause de leur martyre, ç'a été le mépris des idoles. Le
fruit de leurs souffrances et de leur martyre, ç'a été la
conversion des peuples; et enfin ce qui en fait la perfection, c'est qu'ils ne se sont pas épargnés eux-mêmes, et
qu'ils ont signalé leur fidélité par l'effusion de leur
sang. Voilà ce que j'appelle la perfection, suivant cette
parole de l'Évangile : « Il n'y a point de charité plus
grande « que de donner sa vie pour ceux qu'on aime : »
*Majorem charitatem nemo habet, ut animam suam ponat
quis pro amicis suis* [1].

C'est, ce me semble, de ces trois chefs que se doit tirer
principalement la gloire des saints martyrs, et c'est aussi
sur ce fondement que je prétends appuyer, messieurs,
celle de l'invincible Victor, patron de cette célèbre abbaye. Il fut produit devant les idoles par l'ordre des juges
romains, afin qu'il leur offrît de l'encens; et non content de le refuser avec une fermeté inébranlable, d'un
coup de pied qu'il leur donne, il les renverse par terre.
C'est pour cette cause qu'il a enduré de si cruels supplices. Mais c'est peu pour le Dieu vivant qu'on ait fait
tomber à ses pieds des idoles muettes et inanimées; c'est
une trop faible victoire : ce qui le touche le plus, c'est
que les hommes, ses vives images, sur lesquels il a em-
preint les traits de sa face, adorent ces images mortes,
par lesquelles une ignorance grossière a entrepris de
figurer sa divinité. Victor généreux, Victor, après avoir détruit ces vains simulacres, travaille à lui gagner les hommes, ses vivantes images; Victor s'y applique de toute sa
force; et j'apprends de l'historien de sa vie que, pendant
qu'il a été prisonnier, il a heureusement converti ses
gardes, il a fidèlement confirmé ses frères. Peut-il mieux

---

[1]. *Joan.*, XV, 13.

servir Dieu, et avec plus de fruit, que de travailler si
utilement à retenir ses troupes dans la discipline, et
même à les fortifier de nouveaux soldats pendant que la
puissance ennemie tâche de les dissiper par la crainte?
C'est le fruit de cet illustre martyre; mais ce qui en a
fait la perfection, c'est que l'invincible Victor, non content d'avoir si bien conduit au combat la milice du Fils
de Dieu, a encore payé de sa personne, en mourant
pour l'amour de lui dans des tourments sans exemple,
et lui a sacrifié sa vie. C'est ainsi qu'il a surmonté le
monde; et ce qu'il prétend par cette victoire, c'est de
faire triompher Jésus-Christ.

En effet vous triomphez, ô Jésus! et Victor fait éclater
aujourd'hui votre souveraine puissance sur les fausses
divinités, sur vos élus, sur lui-même : sur les fausses
divinités, en les détruisant devant vous; sur ceux que
vous avez choisis, en les affermissant dans votre service; et enfin sur lui-même, en s'immolant tout entier à
votre gloire. C'est ce qu'a fait le grand saint Victor, c'est
ce qui doit aujourd'hui vous servir d'exemple; et Dieu
veuille que je vous propose avec tant de force les victoires de ce saint martyr, que vous soyez enflammés de
la même ardeur de vaincre le monde!

PREMIER POINT.

Quel est ce concours de peuple que je vois fondre de
toutes parts en la place publique de Marseille? quel
spectacle les y attire? quelle nouveauté les y mène? Mais
quel est cet homme intrépide que je vois devant cette
idole, et que l'on presse, par tant de menaces, de lui
présenter de l'encens, sans pouvoir fléchir sa constance
ni ébranler sa résolution? Sans doute c'est cet illustre
Victor, la fleur de la noblesse de Marseille, qui, étant

pressé de se déclarer sur le sujet de la religion, a confessé hautement la foi chrétienne en présence de toute l'armée, dans laquelle il avait servi avec tant de gloire, et a renoncé volontairement à l'épée, au baudrier et aux autres marques de la milice, si considérables par tout l'empire, si convenables à sa condition, pour porter les caractères de Jésus-Christ, c'est-à-dire des chaînes aux pieds et aux mains, et des blessures dans tout le corps, déchiré cruellement par mille supplices. Car depuis ce jour glorieux, auquel notre invincible martyr préféra les opprobres de Jésus-Christ aux honneurs de la milice romaine, on n'a cessé de le tourmenter par des cruautés inouïes, sans lui donner aucun relâche, et on lui préparé encore de plus grands tourments.

Mais avant que de l'exposer aux nouvelles peines qu'une fureur inventive a imaginées, les magistrats résolurent de lui présenter publiquement la statue de leur Jupiter. Ils espéraient, messieurs, que son corps étant épuisé par les souffrances passées, et son esprit troublé par la crainte des maux à venir, dont l'on exposait à ses yeux le grand et terrible appareil, la faiblesse humaine abattue, pour détourner l'effort de cette tempête, laisserait enfin échapper quelque petit signe d'adoration. C'en était assez pour les satisfaire; et ils avaient raison de se contenter des plus légères grimaces, sachant bien qu'un homme qui peut se résoudre à n'être chrétien qu'à demi cesse entièrement de l'être, et que le cœur ne se pouvant partager entre la vérité et l'erreur, toute la foi est renversée par la moindre démonstration d'infidélité.

Voilà donc notre saint martyr devant l'idole de ce Jupiter, père prétendu des dieux et des hommes. Tout le peuple se prosterne à terre; et cette multitude aveugle, qui ne craint pas les coups de la main de Dieu,

tremble devant l'ouvrage de la main des hommes.
Grand et admirable Victor, quelles furent alors vos
pensées? Telles que le Saint-Esprit nous les représente
dans le cœur du divin apôtre : *Incitabatur spiritus ejus
in ipso, videns idololatriæ deditam civitatem* [1] : « Son es-
« prit était pressé et violenté en lui-même, voyant cette
« multitude idolâtre : » ce spectacle lui était plus dur
que tous ses supplices. Tantôt il levait les yeux au ciel,
tantôt il les jetait sur ce peuple avec une tendre compassion de son aveuglement déplorable. Sont-ce là, disait-il, ô Dieu vivant! sont-ce là les dieux que l'on vous
oppose? Quoi! est-il possible qu'on se persuade que je
puisse abaisser devant cette idole ce corps qui est destiné
pour être votre victime, et que vous avez déjà consacré
par tant de souffrances? Là, plein de zèle et de jalousie
pour la gloire du Dieu des armées, et saintement indi-
gné qu'on le crût capable d'une lâcheté si honteuse, il
tourne sur cette idole un regard sévère, et d'un coup de
pied il la renverse devant tout ce peuple qui se proster-
nait à ses pieds : il la brise, il la foule aux pieds, et il
surmonte le monde en détruisant les divinités qu'il
élève contre le vrai Dieu, qui a fait le ciel et la terre. Une
voix retentit de toutes parts : Qu'on venge l'injure des
dieux immortels! Mais pendant que les juges irrités
exercent leur esprit cruel à inventer de nouveaux supplices, et que Victor attend d'un visage égal la fin de
leurs délibérations tragiques, rentrons en nous-mêmes,
messieurs, et tirons quelque instruction de cet acte de
piété héroïque.

Ne nous persuadons pas que l'idolâtrie soit détruite,
sous prétexte que nous ne voyons plus parmi nous ces
idoles grossières et matérielles que l'antiquité aveugle

[1] *Act.*, XVII, 16.

adorait. Il y a une idolâtrie spirituelle qui règne encore
par toute la terre. Il y a des idoles cachées que nous
adorons en secret au fond de nos cœurs; et ce que saint
Paul a dit de l'avarice[1], que c'était un culte d'idoles,
se doit dire de la même sorte de tous les autres péchés
qui nous captivent sous leur tyrannie. De là vient ce
beau mot de Tertullien, que « le crime de l'idolâtrie
« est tout le sujet du jugement : » *Tota causa judicii ido-*
lolatria[2]. Quoi donc! est-il véritable que Dieu ne jugera
que les idolâtres, et tous les autres pécheurs jouiront-ils
de l'impunité? Chrétiens, ne le croyez pas, ce n'est pas
le dessein de ce grand homme, d'autoriser tous les autres crimes; mais c'est qu'il prétend qu'en l'idolâtrie
tous les autres sont condamnés; mais c'est qu'il estime
que l'idolâtrie se trouve dans tous les crimes; qu'elle est
comme un crime universel, dont tous les autres ne sont
que des dépendances. Il est ainsi, chrétiens : nous sommes des idolâtres lorsque nous servons à nos convoitises.
Humilions-nous devant notre Dieu d'être coupables de
ce crime énorme; et afin de bien comprendre cette
vérité, qui nous doit couvrir de confusion, faisons une
réflexion sérieuse sur les causes et sur les effets de l'idolâtrie : par là nous reconnaîtrons aisément qu'il y en
a bien peu parmi nous qui soient tout à fait exempts de
ce crime.

Le principe de l'idolâtrie, ce qui l'a fait régner dans
le genre humain, c'est que nous nous sommes éloignés
de Dieu, et attachés à nous-mêmes; et si nous savons
entendre aujourd'hui ce que fait en nous cet éloignement, et ce qu'y produit cette attache, nous aurons découvert la cause évidente de tous les égarements des idolâtres. Quand je dis que nous nous sommes éloignés de

---

[1] *Ephes.*, v, 5. — [2] *De Idolol.*, n° 1.

Dieu, je ne prétends pas, chrétiens, que nous en ayons
perdu toute idée. Il est vrai que si l'homme avait pu
éteindre toute la connaissance de Dieu, la malignité de
son cœur l'aurait porté à cet excès. Mais Dieu ne l'a pas
permis : il se montre à nos esprits par trop d'endroits, il
se grave en trop de manières dans nos cœurs : *Non sine
testimonio semetipsum reliquit* [1]. L'homme qui ne veut
pas le connaître, ne peut le méconnaître entièrement ;
et cet étrange combat de Dieu qui s'approche de l'homme,
de l'homme qui s'éloigne de Dieu, a produit ce monstrueux assemblage que nous remarquons dans l'idolâtrie. C'est Dieu, et ce n'est pas Dieu qu'on adore : c'est
le nom de Dieu qu'on emploie, mais on en détruit la
grandeur, « en communiquant à la créature ce nom in-
« communicable, » *incommunicabile nomen* [2]; mais on
én perd toute l'énergie, en répandant sur plusieurs ce
qui n'a de majesté qu'en l'unité seule.

D'où est venu ce dessein à l'homme, sinon de l'instinct
du serpent trompeur, qui a dit à nos premiers pères :
« Vous serez comme des dieux [3] ? » Saint Basile de Sé-
leusie dit que, proférant ces paroles, il jetait dès l'origine du monde les fondements de l'idolâtrie [4]. Car dès
lors il commençait d'inspirer à l'homme le désir d'attribuer à d'autres sujets ce qui était incommunicable, et
l'audace de multiplier ce qui devait être toujours unique. *Vous serez*, voilà cette injuste communication ; *des
dieux*, voilà cette multiplication injurieuse : tout cela pour
avilir la Divinité. Car comme nul autre que Dieu ne peut
soutenir ce grand nom, le communiquer, c'est le détruire : et comme toute sa force est dans l'unité, le multiplier, c'est l'anéantir. C'est à quoi tendait l'impiété par
tant de divisions et tant de partages, de tourner enfin

---

[1] *Act.*, XIV, 16. — [2] *Sap.*, XIV, 21. — [3] *Gen.*, III, 5. — [4] *Orat.* III,
Biblioth. Patr. Lugd.

le nom de Dieu en dérision, ce nom auguste, si redoutable. C'est pourquoi, après avoir divisé la Divinité, premièrement par ses attributs, secondement par ses fonctions, ensuite par les éléments et les autres parties du monde, dont l'on a fait un partage entre les aînés et les cadets, comme d'une terre ou d'un héritage, on est venu à la fin à une multiplication sans ordre et sans bornes, jusqu'à reléguer plusieurs dieux aux foyers et aux cuisines ; on en a mis trois à la seule porte. Aussi saint Augustin reproche-t-il aux païens, « qu'au lieu qu'il n'y a « qu'un portier dans une maison, et qu'il suffit parce « que c'est un homme ; les hommes ont voulu qu'il y « eût trois dieux : » *Unum quisque domui suæ ponit ostiarium, et quia homo est, omnino sufficit : tres deos isti posuerunt* [1]. A quel dessein tant de dieux, sinon pour dégrader ce grand nom, et en avilir la majesté ? Ainsi vous voyez, chrétiens, que l'homme s'étant éloigné de Dieu, ce qu'il n'a pu entièrement abolir, je veux dire son nom et sa connaissance, il l'a obscurci par l'erreur, il l'a corrompu par le mélange, il l'a anéanti par le partage.

Mais passons encore plus loin, et remarquons maintenant que ce qui l'a poussé à ces erreurs, c'est un désir caché qu'il a dans le cœur de se déifier soi-même. Car depuis qu'il eut avalé ce poison subtil de la flatterie infernale, « Vous serez comme des dieux, » s'il avait pu ouvertement se déclarer Dieu, son orgueil se serait emporté jusqu'à cet excès. Mais se dire Dieu, chrétiens, et cependant se sentir mortel, l'arrogance la plus aveugle en aurait eu honte. Et de là vient, messieurs, je vous prie d'observer ceci en passant, que nous lisons dans l'histoire sainte [2] que le roi Nabuchodonosor, exigeant de son peuple les honneurs divins, n'osa les demander

[1] *De Civit. Dei*, lib. IV, cap. vii. — [2] *Dan.*, iii, 5.

pour sa personne, et demanda qu'on les rendît à sa statue. Quel privilége avait cette image, pour mériter l'adoration plutôt que l'original? Nul sans doute ; mais il agissait ainsi par un certain sentiment que cette présence d'un homme mortel, incapable de soutenir les honneurs divins, démentirait trop visiblement sa prétention extravagante. L'homme donc étant empêché par sa misérable mortalité, conviction trop manifeste de sa faiblesse, de se porter lui-même pour Dieu, et tâchant néanmoins, autant qu'il pouvait, d'attacher la Divinité à soi-même, il lui a donné premièrement une forme humaine ; ensuite il a adoré ses propres ouvrages ; après il a fait des dieux de ses passions ; il en a fait même de ses vices. Enfin ne pouvant s'égaler à Dieu, il a voulu mettre Dieu au-dessous de lui, il a prodigué le nom de Dieu, jusqu'à le donner aux animaux et aux plus indignes reptiles. Et cela pour quelle raison, sinon pour secouer le joug de son souverain ; afin que la majesté de Dieu étant si étrangement avilie, et l'homme n'ayant plus devant les yeux ni l'autorité de son nom, ni les conduites de sa providence, ni la crainte de ses jugements, n'eût plus d'autre règle que sa volonté, plus d'autres guides que ses passions, et enfin plus d'autre Dieu que lui-même ? c'est à quoi aboutissaient à la fin toutes les inventions de l'idolâtrie.

C'est ce qui a porté le grand saint Victor à renverser avec tant de zèle les idoles, par lesquelles les hommes ingrats tâchaient de renverser le trône de Dieu pour n'adorer que leurs fantaisies. Mais revenez, illustre martyr : d'autres idoles se sont élevées, d'autres idolâtres remplissent la terre ; et sous la profession du christianisme, ils présentent de l'encens dans leur conscience à de fausses divinités. Et certainement, chrétiens, s'il est vrai, comme je l'ai dit, que l'aliénation d'avec Dieu et

l'attachement à nous-mêmes sont la cause de l'idolâtrie ;
si d'ailleurs nous reconnaissons en nous ces deux vices,
et si fortement enracinés, comment pouvons-nous nous
persuader que nous soyons exempts de ce crime, dont
nous portons la source en nous-mêmes? Non, non, mes
frères, ne le croyons pas : l'idolâtrie n'est pas renversée ; elle n'a fait que changer de forme, elle a pris seulement un autre visage.

Cœur humain, abîme infini, qui dans tes profondes
retraites caches tant de pensées différentes, qui s'é-
chappent souvent à tes propres yeux, si tu veux savoir
ce que tu adores et à qui tu présentes de l'encens, regarde seulement où vont tes désirs : car c'est là l'encens
que Dieu veut, c'est le seul parfum qui lui plaît. Où vont-
ils donc ces désirs? de quel côté prennent-ils leur cours?
où se tourne leur mouvement? Tu le sais, je n'ose le dire ;
mais de quelque côté qu'ils se portent, sache que c'est
là ta divinité : Dieu n'a plus que le nom de Dieu ; cette
créature en reçoit l'hommage, puisqu'elle emporte l'a-
mour que Dieu demande. Mais comme nous avons vu
dans l'idolâtrie, que l'homme, s'étant une fois donné
la licence de se faire des dieux à sa mode, les a multi-
pliés sans aucune mesure, il nous en arrive tous les jours
de même : car quiconque s'éloigne de Dieu, l'indigence
de la créature l'obligeant à partager sans fin ses affections, il ne se contente pas d'une seule idole. Où l'on a
trouvé le plaisir, on n'y trouve pas la fortune ; ce qui
satisfait l'avarice ne contente pas la vanité : l'homme a
des besoins infinis ; et chaque créature étant bornée, ce
que l'une ne donne pas, il faut nécessairement l'emprunter de l'autre. Autant d'appuis que nous y cherchons, autant nous faisons-nous de maîtres ; et ces maîtres que nous mettons sur nos têtes, craindrons-nous
de les appeler nos divinités? Et ne sont-ils pas plus que

nos dieux, si je puis parler de la sorte, puisque nous les préférons à Dieu même?

Mais pour nous convaincre, messieurs, d'une idolâtrie plus criminelle, considérons, je vous prie, quelle idée nous avons de Dieu. Qui de nous ne lui donne pas une forme et une nature étrangère, lorsqu'ayant le cœur éloigné de lui, nous croyons néanmoins l'honorer par certaines prières réglées que nous faisons passer sur le bord des lèvres par un murmure inutile? et celui qui croit l'apaiser en lui présentant par aumônes quelque partie de ses rapines; et celui qui, observant dans sa sainte loi ce qu'il trouve de plus conforme à son humeur, croit par là s'acquérir impunément tout le reste; et celui qui, multipliant tous les jours ses crimes, sans prendre aucun soin de se convertir, ne parle que de pardon, et ne prêche que miséricorde : en vérité, messieurs, se figure-t-il Dieu tel qu'il est? Eh quoi! le Dieu des chrétiens est-ce un Dieu qui se paie de vaines grimaces, ou qui se laisse corrompre par les présents, ou qui souffre qu'on se partage entre lui et le monde, ou qui se dépouille de sa justice pour laisser gouverner le monde par une bonté insensible et déraisonnable, sous laquelle les péchés seraient impunis? Est-ce là le Dieu des chrétiens? N'est-ce pas plutôt une idole formée à plaisir, et au gré de nos passions?

Et d'où est né en nous ce dessein, de faire Dieu à notre mode; sinon de ce vieux levain de l'idolâtrie, qui faisait crier autrefois à ce peuple : « Faites-nous, faites« nous des dieux, » *Fac nobis deos*[1]? Et pourquoi voulons-nous faire des dieux à plaisir, sinon pour dépouiller la Divinité des attributs qui nous choquent, qui contraignent la liberté ou plutôt la licence immodérée que

____

[1] *Exod.*, XXXII, 1.

nous donnons à nos passions; si bien que nous ne dé-
figurons la Divinité, qu'afin que le péché triomphe à
son aise, et que nous ne connaissions plus d'autres dieux
que nos vices, et nos fantaisies, et nos inclinations cor-
rompües? Dans un aveuglement si étrange, combien
faudra-t-il de Victors pour briser toutes les idoles par
lesquelles nous excitons Dieu à la jalousie? Chrétiens,
que chacun détruise les siennes : soit que ce soit Vénus
ou l'impureté, soit que ce soit Mammone et l'avarice,
donnons-leur un coup de pied généreux qui les abatte
devant Jésus-Christ; car à quoi nous aurait servi de baiser ce pied vénérable, sacré dépôt de cette maison?

O pied de l'illustre Victor, c'est par vos coups puissants que l'idole est tombée par terre; ce tyran, qui vous
a coupé, a cru vous immoler à son Jupiter; mais il vous
a consacré à Jésus-Christ, et n'a fait que signaler votre
victoire! C'est l'honneur de saint Victor, qu'il lui ait
coûté du sang pour faire triompher Jésus-Christ; et il
fallait pour sa gloire qu'en renversant un faux dieu, il
offrit un sacrifice au véritable. Mes frères, imitons cet
exemple; mais portons encore plus loin notre zèle; et,
après avoir appris de Victor à détruire les ennemis de
Jésus-Christ, apprenons encore du même martyr à lui
conserver ses serviteurs. Il a fait l'un et l'autre avec courage : il a renversé par terre les ennemis du Fils de
Dieu. Voyons maintenant comment il travaille à lui conserver ses serviteurs : c'est ma deuxième partie.

SECOND POINT.

C'est un secret de Dieu, de savoir joindre ensemble
l'affranchissement et la servitude, et saint Paul nous l'a
expliqué, en la première épître aux Corinthiens, lorsqu'il a dit ces belles paroles : « Le fidèle qui est libre

« est serviteur de Jésus-Christ : » *Qui in Domino vocatus est servus, libertus est Domini; similiter qui liber vocatus est, servus est Christi*[1]. Ce tempérament merveilleux, qu'apporte le saint apôtre à la liberté par la contrainte, à la contrainte par la liberté, est plein d'une sage conduite, et digne de l'esprit de Dieu. Celui qui est libre, messieurs, a besoin qu'on le modère et qu'on le réprime; et celui qui est dans la servitude a besoin qu'on le soutienne et qu'on le relève. Saint Paul a fait l'un et l'autre en disant à l'affranchi, qu'il est serviteur; et au serviteur, qu'il est affranchi. Par la première de ces paroles il donne comme un contre-poids à la liberté, de peur qu'elle ne s'emporte : il semble, par la seconde, qu'il lâche la main à la contrainte, de peur qu'elle ne se laisse accabler; et il nous apprend par toutes les deux cette vérité importante, que le chrétien doit mêler dans toutes ses actions et la liberté et la contrainte. Jamais tant de liberté, que nous n'y donnions toujours quelques bornes qui nous contraignent; et jamais tant de contrainte, que nous ne nous sachions toujours conserver une sainte liberté d'esprit, et joindre par ce moyen la liberté et la servitude.

Mais cette liberté et cette contrainte, qui se trouvent jointes selon l'esprit dans tous les véritables enfants de Dieu, il a plu à la Providence qu'elles fussent unies en notre martyr, même selon le corps, et en le prenant à la lettre. Son historien nous apprend une particularité remarquable : c'est qu'ayant été arrêté par ordre de l'empereur pour la cause de l'Évangile, il demeurait captif durant tout le jour, et qu'un ange le délivrait toutes les nuits; tellement que nous pouvons dire qu'il était prisonnier et libre. Mais ce qui fait le plus à notre

[1] I. *Cor.*, VII, 22.

sujet, c'est que, dans l'un et l'autre de ces deux états,
il travaillait toujours au salut des âmes; puisqu'ainsi
que nous lisons dans la même histoire, étant renfermé
dans la prison, il convertissait ses propres gardes, et
qu'il « n'usait de sa liberté que pour affermir en Jésus-
« Christ l'esprit de ses frères, » *ut christianorum paven-
tia corda confirmaret.*

Durant le temps des persécutions, deux spectacles de
piété édifiaient les hommes et les anges; les chrétiens
en prison, et les chrétiens en liberté, qui semblaient en
quelque sorte disputer ensemble à qui glorifierait le
mieux Jésus-Christ, quoique par des voies différentes;
et il faut que je vous donne en peu de paroles une description de leurs exercices : mon sujet en sera éclairci,
et votre piété édifiée. Faisons donc, avant toutes choses,
la peinture d'un chrétien en prison. O Dieu, que son
visage est égal et que son action est hardie! mais que
cette hardiesse est modeste, mais que cette modestie
est généreuse! et qu'il est aisé de le distinguer de ceux
que leurs crimes ont mis dans les fers! qu'il sent bien
qu'il souffre pour la bonne cause, et que la sérénité de
ses regards rend un illustre témoignage à son innocence! Bien loin de se plaindre de sa prison, il regarde
le monde, au contraire, comme une prison véritable.
Non, il n'en connaît point de plus obscure, puisque tant
de sortes d'erreurs y éteignent la lumière de la vérité;
ni qui contienne plus de criminels, puisqu'il y en a
presque autant que d'hommes; ni de fers plus durs
que les siens, puisque les âmes mêmes en sont enchaî-
nées; ni de cachot plus rempli d'ordures, par l'infection
de tant de péchés. Persuadé de cette pensée, « il croit
« que ceux qui l'arrachent du milieu du monde, en
« pensant le rendre captif, le tirent d'une captivité plus
« insupportable, et ne le jettent pas tant en prison

« qu'ils ne l'en délivrent réellement : » *Si recogitemus ipsum magis mundum carcerem esse, exisse vos e carcere, quam in carcerem introisse intelligemus*[1].

Ainsi dans ces prisons bienheureuses dans lesquelles les saints martyrs étaient renfermés, ni les plaintes, ni les murmures, ni l'impatience, n'y paraissaient pas : elles devenaient des temples sacrés, qui résonnaient nuit et jour de pieux cantiques. Leurs gardes en étaient émus; et il arrivait, pour l'ordinaire, qu'en gardant les martyrs ils devenaient chrétiens. Celui qui gardait saint Paul et Silas fut baptisé par l'apôtre[2] : les gardes de notre saint se donnèrent à Jésus-Christ par son entremise. C'est ainsi que ces bienheureux prisonniers avaient accoutumé de gagner leurs gardes; et à peine en pouvait-on trouver d'assez durs pour être à l'épreuve de cette corruption innocente. Mais s'ils travaillaient à gagner leurs gardes, ce n'était pas pour forcer leurs prisons; ils ne tâchaient, au contraire, de les attirer, que pour les rendre prisonniers avec eux, et en faire des compagnons de leurs chaînes. Longin, Alexandre et Félicien, qui étaient les gardes de saint Victor, les portèrent avec lui, et sont arrivés devant lui à la couronne du martyre. O gloire de nos prisonniers, qui, tout chargés qu'ils étaient de fers, se rendaient maîtres de leurs propres gardes, pour en faire des victimes de Jésus-Christ ! Voilà, messieurs, en peu de paroles la première partie du tableau; tels étaient les chrétiens en prison.

Mais jetez maintenant les yeux sur ceux que la fureur publique avait épargnés : voici quels étaient leurs sentiments. Ils avaient honte de leur liberté, et se la reprochaient à eux-mêmes; mais ils entraient fortement dans cette pensée, que Dieu ne les ayant pas jugés dignes de la

----

[1] *Tertul. ad Mart.*, n° 2. — [2] *Act.*, XVI, 33.

glorieuse qualité de ses prisonniers, il ne leur laissait leur liberté que pour servir ses martyrs. Prenez, mes frères, ces sentiments que doit vous inspirer l'esprit du christianisme, et faites avec moi cette réflexion importante : Dieu fait un partage dans son Église ; quelques-uns de ses fidèles sont dans les souffrances ; les autres par sa volonté vivent à leur aise. Ce partage n'est pas sans raison, et voici sans doute le dessein de Dieu. Vous qu'il exerce par les afflictions, c'est qu'il veut vous faire porter ses marques ; vous qu'il laisse dans l'abondance, c'est qu'il vous réserve pour servir les autres. Donc, ô riches, ô puissants du siècle, tirez cette conséquence, que si, selon l'ordre des lois du monde, les pauvres semblent n'être nés que pour vous servir ; selon les lois du christianisme, vous êtes nés pour servir les pauvres et soulager leurs nécessités.

C'est ce que croyaient nos ancêtres, ces premiers fidèles ; et c'est pourquoi, comme j'ai dit, ceux qui étaient libres pensaient n'avoir cette liberté que pour servir leurs frères captifs, et ils leur en consacraient tout l'usage. C'est pourquoi, messieurs, les prisons publiques étaient le commun rendez-vous de tous les fidèles ; nul obstacle, nulle appréhension, nulle raison humaine ne les arrêtait : ils y venaient admirer ces braves soldats, l'élite de l'armée chrétienne ; et, les regardant avec foi comme destinés au martyre, *martyres designati*[1], ils les voyaient tout resplendissants de l'éclat de cette couronne qui pendait déjà sur leurs têtes, et qui allait bientôt y être appliquée. Ils les servaient humblement dans cette pensée, ils les encourageaient avec respect ; ils pourvoyaient à tous leurs besoins avec une telle profusion, que souvent même les infidèles, chose que vous ju-

---

[1] *Tertul. ad Mart.*, n° 1.

gerez incroyable, et néanmoins très-bien avérée; souvent, dis-je, les infidèles se mêlaient avec les martyrs, pour pouvoir goûter avec eux les fruits de la charité chrétienne : tant la charité était abondante, qu'elle faisait trouver des délices même dans l'horreur des prisons.

Voilà, mes frères, les saints emplois qui partageaient les fidèles durant le temps des persécutions. Que vous étiez heureuse, ô sainte Église, de voir deux si beaux spectacles : les uns souffraient pour la foi, les autres compatissaient par la charité; les uns exerçaient la patience, et les autres la miséricorde; dignes certainement les uns et les autres d'une louange immortelle! Car à qui donnerons-nous l'avantage? le travail des uns est plus glorieux, la fonction des autres est plus étendue; ceux-là combattent les ennemis, ceux-ci soutiennent les combattants mêmes. Mais que sert de prononcer ici sur ce doute, puisque ces deux emplois différents que Dieu partage entre ses élus, il lui a plu de les réunir en la personne de notre martyr? Il est prisonnier et libre, et il plaît à notre Sauveur qu'il remporte la gloire de ces deux états. Victor désire ardemment de porter les marques de Jésus-Christ. Voilà des chaînes, voilà des cachots, voilà une sombre prison : c'est de quoi imprimer sur son corps les caractères du Fils de Dieu, et les livrées de sa glorieuse servitude. Mais Victor, accablé de fers, ne peut avoir la gloire d'animer ses frères. Allez, anges du Seigneur, et délivrez-le toutes les nuits, pour exercer cette fonction qu'il a coutume de remplir avec tant de fruit; faites tomber ces fers de ses mains; ôtez-lui ces chaînes pesantes, qu'il se tient heureux de porter pour la gloire de l'Évangile. Ah! qu'il les quitte à regret, ces chaînes chéries et bien-aimées! Mais c'est pour les reprendre bientôt. Mais c'est trop de les perdre un moment; n'importe, Victor obéit. Quoiqu'il chérisse sa prison, il est prêt de la quitter au premier ordre ; il n'a d'attachement qu'à la volonté de son Maître : il est ce chrétien généreux dont parle Tertullien[1] : *Christianus etiam extra carcerem sæculo renunciavit, in carcere etiam carceri :* « Le chrétien, même hors de la prison, renonce au « siècle; et en prison, il renonce à la prison même. »

Vous jugerez peut-être que ce n'est pas une grande épreuve de renoncer à une prison? mais les saints martyrs ont d'autres pensées; et ils trouvent si honorable d'être prisonniers de Jésus-Christ, qu'ils ne se peuvent dépouiller sans peine de cette marque de leur servitude. Ce qui console Victor, c'est qu'il ne sort de ses fers que pour consoler les infidèles, pour rassurer leurs esprits flottants, pour les animer au martyre. C'est à quoi il passe les nuits avec une ardeur infatigable; et après un si utile travail, il vient avec joie reprendre ses chaînes, il vient se reposer dans sa prison, et il se charge de nouveau de ce poids aimable que la foi de Jésus-Christ lui impose.

Mes frères, voilà notre exemple, telle doit être la liberté du christianisme. Qui nous donnera, ô Jésus, que nous nous rendions nous-mêmes captifs par l'amour de la sainte retraite, et que jamais nous ne soyons libres que pour courir aux offices de la charité? Heureux mille et mille fois celui qui ne trouve l'usage de sa liberté que lorsque la charité l'appelle! Mais si nous voulons garder de la liberté pour les affaires du monde, gardons-en aussi pour celles de Dieu, et n'en perdons pas un si saint usage. O mains engourdies de l'avare, que ne rompez-vous ces liens de l'avarice qui vous empêchent de vous ouvrir sur les misères du pauvre! que ne brisez-vous ces liens qui ne vous permettent pas d'aller au secours

[1] *Ad Mart.*, n° 2.

ou de l'innocent qu'on opprime, qu'une seule de vos paroles pourrait soutenir; ou du prisonnier qui languit, et que vos soins pourraient délivrer; ou de cette pauvre famille qui se désespère, et qui subsisterait largement du moindre retranchement de votre luxe! Employez, messieurs, votre liberté dans ces usages chrétiens, consacrez-la au service des pauvres membres de Jésus-Christ. Ainsi, en prenant part à la croix des autres, vous vous élèverez à la fin à cette grande perfection du christianisme, qui consiste à s'immoler soi-même : c'est ce qui nous reste à considérer dans le martyre de saint Victor.

TROISIÈME POINT.

Pour tirer de l'utilité de cette dernière partie, où je dois vous représenter le martyre de saint Victor, je vous demande, mes frères, que vous n'arrêtiez pas seulement la vue sur tant de peines qu'il a endurées; mais que, remontant en esprit à ces premiers temps où la foi s'établissait par tant de martyres, vous vous mettiez vous-mêmes à l'épreuve touchant l'amour de la croix, qui est la marque essentielle du chrétien. Trois circonstances principales rendaient la persécution épouvantable. Premièrement, on méprisait les chrétiens; secondement, on les haïssait : *Eritis odio omnibus*[1]; enfin la haine passait jusqu'à la fureur : parce qu'on les méprisait, on les condamnait sans procédures; parce qu'on les haïssait, on les faisait souffrir sans modération; parce que la haine allait jusqu'à la fureur, on poussait la violence jusqu'au delà de la mort. Ainsi, la vengeance publique n'ayant ni formalité dans son exercice, ni mesure dans sa cruauté, ni borne dans sa durée, nos pères en étaient réduits aux dernières extrémités. Mais pesons

---

[1] *Matth.*, x, 22.

plus exactement ces trois circonstances pour la gloire de notre martyr et la conviction de notre lâcheté.

J'ai dit premièrement, chrétiens, qu'on ne gardait avec nos ancêtres aucune formalité de justice parce qu'on les tenait pour des personnes viles, dont le sang n'était d'aucun prix : « c'était la balayure du monde, » *omnium peripsema*[1]; ce qui a fait dire à Tertullien : *Christiani, destinatum morti genus*[2]. Savez-vous ce que c'est que les chrétiens ? C'est, dit-il, « un genre d'hommes « destiné à la mort. » Remarquez qu'il ne dit pas condamné, mais destiné à la mort; parce qu'on ne les condamnait pas par les formes, mais plutôt qu'on les regardait comme dévoués au dernier supplice par le seul préjugé d'un nom odieux : *oves occisionis*, comme dit l'apôtre[3], « des brebis de sacrifices, des agneaux de « boucherie, » dont on versait le sang sans façon et sans procédures. Si le Tibre s'était débordé, si la pluie cessait d'arroser la terre, si les barbares avaient ravagé quelque partie de l'empire, les chrétiens en répondaient de leurs têtes ; il avait passé en proverbe : *Cœlum stetit, causa christiani*[4]. Pauvres chrétiens innocents, on ne sait que vous imputer, parce que vous ne vous mêlez de rien dans le monde, et on vous accuse de renverser tous les éléments et de troubler tout l'ordre de la nature ; et sur cela on vous expose aux bêtes farouches, parce qu'il a plu au peuple romain de crier dans l'amphithéâtre : « *Christianos ad leones!* « Qu'on donne les chrétiens aux « lions! » Il fallait cette victime aux dieux immortels, et ce divertissement au peuple irrité, peut-être pour le délasser des sanglants spectacles des gladiateurs par quelque objet plus agréable. Quoi donc, sans formalité

---

[1] I. *Cor.*, IV, 13. — [2] *De Spectac.*, n° 1. — [3] *Rom.*, VIII, 36. — [4] *Apolog.*, n° 40. — [5] *Ibid.*

immoler une si grande multitude ! De quoi parlez-vous, de formalité ? cela est bon pour les voleurs et les meurtriers ; mais il n'en faut pas pour les chrétiens, âmes viles et méprisables, dont on ne peut assez prodiguer le sang.

Victor, généreux Victor, quoi ! ce sang illustre qui coule en vos veines sera-t-il donc répandu avec moins de forme que celui du dernier esclave ? Oui, messieurs, pour professer le christianisme, il fallait avaler toute cette honte ; mais voici quelque chose de bien plus terrible. Ordinairement, ceux que l'on méprise, on ne les juge pas dignes de colère ; et ce foudre de l'indignation ne frappe que sur les lieux élevés. C'est pourquoi David disait à Saül : « Qui poursuivez-vous, ô roi d'Is- « raël ? contre qui vous irritez-vous ? Quoi ! un si grand « roi contre un ver de terre ! » *Canem mortuum perseque- ris, et pulicem unum*[1]. Il ne trouve rien de plus efficace pour se mettre à couvert de la colère de ce prince, que de se représenter comme un objet tout à fait méprisable ; et, en effet, on se défend de la fureur des grands par la bassesse de sa condition. Les chrétiens toutefois, bien qu'ils soient le rebut du monde, n'en sont pas moins le sujet non-seulement de la haine, mais encore de l'indignation publique ; et malgré ce mépris qu'on a pour eux, ils ne peuvent obtenir qu'on les néglige. Tout le monde est armé contre leur faiblesse ; et voici un effet étrange de cette colère furieuse. Dans les crimes les plus atroces, les lois ont ordonné de la qualité du supplice ; il n'est pas permis de passer outre : elles ont bien voulu donner des bornes même à la justice, de peur de lâcher la bride à la cruauté. Il n'y avait que les chrétiens sur lesquels on n'appréhendait point de faillir, si ce n'est

---

[1] I. *Reg.*, XXIV, 15.

en les épargnant : « il leur fallait arracher la vie par « toutes les inventions d'une cruauté raffinée, » *per atrociora genera pœnarum*, dit le grave Tertullien[1].

Car considérez, je vous prie, ce qu'on n'a pas inventé contre saint Victor. On a soigneusement ramassé contre lui seul tout ce qu'il y a de force dans les hommes, dans les animaux, dans les machines les plus violentes. Qu'on l'attache sur le chevalet, et qu'il lasse durant trois jours des bourreaux qui s'épuisent en le flagellant, qu'un cheval fougueux et indompté le traîne à sa queue par toute la ville ou dans les revues de l'armée, au milieu de laquelle il a paru si souvent avec tant d'éclat; qu'il laisse par toutes les rues non-seulement des ruisseaux de sang, mais même des lambeaux de sa chair: encore n'est-ce pas assez pour assouvir la haine de ses tyrans. Que veut-on faire de cette meule? quel monstre veut-on écraser et réduire en poudre? Quoi! c'est l'innocent Victor qu'on veut accabler de ce poids, qu'on veut mettre en pièces par ce mouvement! Eh! il ne faut pas tant de force contre un corps humain, que la nature a fait si tendre et si aisé à dissoudre. Mais la haine aveugle des infidèles ne pouvait rien inventer d'assez horrible; et la foi ardente des chrétiens ne pouvait rien trouver d'assez dur. Invente encore, s'il est possible, quelque machine inconnue, ô cruauté ingénieuse! si tu ne peux abattre Victor par la violence, tâche de l'étonner par l'horreur de tes supplices. Il est prêt à en supporter tout l'effort; sa patience surmontera toutes tes attaques. « Il ne reçoit aucune blessure, qu'il ne « couvre par une couronne; il ne verse pas une goutte « de sang, qui ne lui mérite de nouvelles palmes; il « remporte plus de victoires qu'il ne souffre de vio-

____
[1] *De Resur. Carn.*, n° 8.

« lences : » *Corona premit vulnera, palma sanguinem obscurat, plus victoriarum est quam injuriarum* [1]. Mais enfin la matière manque : quoique le courage ne diminue pas, il faut que le corps tombe sous les derniers coups. Que fera la rage des persécuteurs ? Ce qu'elle a fait aux autres martyrs, dont elle poursuivait les corps mutilés jusque dans le sein de la mort, jusque dans l'asile de la sépulture. Elle en use de même contre notre saint ; et lui enviant jusqu'à un tombeau, elle le fait jeter au fond de la mer : mais, par l'ordre du Tout-Puissant, la mer officieuse rend ce dépôt à la terre, et la terre nous a conservé ses os, afin qu'en baisant ces saintes reliques, nous y pussions puiser l'amour des souffrances : car c'est ce qu'il faut apprendre des saints martyrs ; c'est le fruit qu'il faut remporter des discours que l'on consacre à leur gloire.

Mais, ô croix, ô tourments, ô souffrances ! les chrétiens prêchent et publient que vous faites toute la gloire du christianisme : les chrétiens vous révèrent dans les saints martyrs, les chrétiens vous louent dans les autres ; et, par une lâcheté sans égale, aucun ne vous veut pour soi-même : et toutefois il est véritable que les souffrances font les chrétiens, et qu'on les reconnaît à cette épreuve. N'alléguons pas ici l'Écriture sainte, dont presque toutes les lignes nous enseignent cette doctrine ; laissons tant de raisons excellentes que les saints Pères nous en ont données : convainquons-nous par expérience de cette vérité fondamentale. Quand est-ce que l'Église a eu des enfants dignes d'elle, et a porté des chrétiens dignes de ce nom ? C'est lorsqu'elle était persécutée ; c'est lorsqu'elle lisait à tous les poteaux des sentences épouvantables, prononcées contre elle ; qu'elle voyait dans tous

____

[1] *Tertul. Scorp.*, n. 6.

les gibets, et dans toutes les places publiques, de ses enfants immolés pour la gloire de l'Évangile.

Durant ce temps, messieurs, il y avait des chrétiens sur la terre, il y avait de ces hommes forts qui, étant nourris dans les proscriptions et dans les alarmes continuelles, s'étaient fait une glorieuse habitude de souffrir pour l'amour de Dieu. Ils croyaient que c'était trop de délicatesse, que de rechercher le plaisir et en ce monde et en l'autre : regardant la terre comme un exil, ils jugeaient qu'ils n'y avaient point de plus grande affaire que d'en sortir au plus tôt. Alors la piété était sincère, parce qu'elle n'était pas encore devenue un art : elle n'avait pas encore appris le secret de s'accommoder au monde, et de servir au négoce des ténèbres. Simple et innocente qu'elle était, elle ne regardait que le ciel, auquel elle prouvait sa fidélité par une longue patience. Tels étaient les chrétiens de ces premiers temps; les voilà dans leur pureté, tels que les engendrait le sang des martyrs, tels que les formaient les persécutions. Maintenant la paix est venue, et la discipline s'est relâchée : le nombre des fidèles s'est augmenté, et l'ardeur de la foi s'est ralentie; et, comme disait éloquemment un ancien, « l'on t'a vue, ô Église catholique, affaiblie « par ta fécondité, diminuée par ton accroissement, et « presque abattue par tes propres forces : » *Factaque es, Ecclesia, profectu tuæ fæcunditatis infirmior, atque accessu relabens, et quasi viribus minus valida*[1]. D'où vient cet abattement des courages? C'est qu'ils ne sont plus exercés par les persécutions. Le monde est entré dans l'Église, on a voulu joindre Jésus-Christ avec Bélial; et de cet indigne mélange, quelle race enfin nous est née ? Une race mêlée et corrompue, des demi-chrétiens, des

---

[1] *Salvian. adv. Avar.*, lib. I, p. 218.

chrétiens mondains et séculiers, une piété bâtarde et falsifiée, qui est toute dans les discours et dans un extérieur contrefait.

O piété à la mode, que je me moque de tes vanteries et des discours étudiés que tu débites à ton aise pendant que le monde te rit! Viens, que je te mette à l'épreuve. Voici une tempête qui s'élève, voici une perte de biens, une insulte, une contrariété, une maladie : tu te laisses aller au murmure, pauvre piété déconcertée; tu ne peux plus te soutenir, piété sans force et sans fondement. Va, tu n'étais qu'un vain simulacre de la piété chrétienne; tu n'étais qu'un faux or qui brille au soleil, mais qui ne dure pas dans le feu, mais qui s'évanouit dans le creuset. La vertu chrétienne n'est pas faite de la sorte : *Aruit tanquam testa virtus mea* [1]. Elle ressemble à la terre d'argile, qui est toujours molle et sans consistance jusqu'à ce que le feu la cuise et la rende ferme : *Aruit tanquam testa virtus mea*. Et s'il est ainsi, chrétiens; si les souffrances sont nécessaires pour soutenir l'esprit du christianisme, Seigneur, rendez-nous les tyrans, rendez-nous les Domitiens et les Nérons.

Mais modérons notre zèle, et ne faisons point de vœux indiscrets; n'envions pas à nos princes le bonheur d'être chrétiens, et ne demandons pas des persécutions que notre lâcheté ne pourrait souffrir. Sans ramener les roues et les chevalets, sur lesquels on étendait nos ancêtres, la matière ne manquera pas à la patience. La nature a assez d'infirmités, le monde a assez d'injustice, sa faveur assez d'inconstance, il y a assez de bizarrerie dans le jugement des hommes, et assez d'inégalité dans leurs humeurs contrariantes. Apprenons à goûter ces amertumes; et quelque sorte d'afflictions que Dieu

---

[1] *Ps.* XXI, 16.

nous envoie, profitons de ces occasions précieuses, et ménageons-en avec soin tous les moments.

Le ferons-nous, mes frères, le ferons-nous? nous réjouirons-nous dans les opprobres? nous plairons-nous dans les contrariétés? Ah! nous sommes trop délicats, et notre courage est trop mou. Nous aimerons toujours les plaisirs, nous ne pouvons durer un moment avec Jésus-Christ sur la croix. Mais, mes frères, s'il est ainsi, pourquoi baisons-nous les os des martyrs? pourquoi célébrons-nous leur naissance? pourquoi écoutons-nous leurs éloges? Quoi! serons-nous seulement spectateurs oisifs? quoi! verrons-nous le grand saint Victor boire à longs traits ce calice amer de sa passion, que le Fils de Dieu lui a mis en main; et nous croirons que cet exemple ne nous regarde point, et nous n'en avalerons pas une seule goutte : comme si nous n'étions pas enfants de la croix! Ah! mes frères, gardez-vous d'une si grande insensibilité. Montrez que vous croyez ces paroles : « Bienheureux ceux qui souffrent persécution[1]! » et ces autres non moins convaincantes : « Celui qui ne se hait « pas soi-même, et qui ne porte pas sa croix tous les « jours, n'est pas digne de moi[2]. »

Ah! nous les croyons, ô Sauveur Jésus : c'est vous qui les avez proférées. Mais si vous les croyez, nous dit-il, prouvez-le-moi par vos œuvres. Ce sont les souffrances, ce sont les combats, c'est la peine, c'est le grand travail, qui justifient la sincérité de la foi. Seigneur, tout ce que vous exigez de nous est l'équité même : donnez-nous la grâce de l'accomplir; car en vain entreprendrions-nous par nos propres forces de l'exécuter : bientôt nos efforts impuissants ne nous laisseraient que la confusion de notre superbe témérité. Soutenez donc, ô Dieu

[1] *Matth.*, v, 10. — [2] *Ibid.*, x, 38.

tout-puissant, notre faiblesse par votre Esprit-Saint! Faites-nous des chrétiens véritables, c'est-à-dire des chrétiens amis de la croix : accordez-nous cette grâce par les exemples et par les prières de Victor votre serviteur, dont nous honorons la mémoire; afin que l'imitation de sa patience nous mène à la participation de sa couronne. *Amen.*

PANÉGYRIQUE

DE

L'APOTRE SAINT PAUL.

Comment le grand apôtre, dans ses prédications, dans ses combats, dans le gouvernement ecclésiastique, est-il toujours faible, et triomphe-t-il de tous les obstacles par ses faiblesses mêmes.

Placeo mihi in infirmitatibus meis : cum enim infirmor, tunc potens sum.

Je ne me plais que dans mes faiblesses ; car lorsque je me sens faible, c'est alors que je suis puissant.

II. *Cor.*, XII, 40.

Dans le dessein que je me propose de faire aujourd'hui le panégyrique du plus illustre des prédicateurs, et du plus zélé des apôtres, je ne puis vous dissimuler que je me sens moi-même étonné de la grandeur de mon entreprise. Quand je rappelle à mon souvenir tant de peuples que Paul a conquis, tant de travaux qu'il a surmontés, tant de mystères qu'il a découverts, tant d'exemples qu'il nous a laissés d'une charité consommée, ce sujet me paraît si vaste, si relevé, si majestueux, que mon esprit, se trouvant surpris, ne sait ni où s'arrêter dans cette étendue, ni que tenter dans cette hauteur, ni que choisir dans cette abondance ; et j'ose bien me persuader qu'un ange même ne suffirait pas pour louer cet homme du troisième ciel.

Mais ce qui m'étonne le plus, c'est que cet amour mêlé de respect que je sens pour le divin Paul, et duquel j'espérais de nouvelles forces dans un ouvrage qui tend à sa gloire, s'est tourné ici contre moi et a confondu longtemps mes pensées, parce que, dans la haute idée que j'avais conçue de l'apôtre, je ne pouvais rien dire qui lui fût égal, et il ne me permettait rien qui fût au-dessous.

Que me reste-t-il donc, chrétiens, après vous avoir confessé ma faiblesse et mon impuissance, sinon de recourir à celui qui a inspiré à saint Paul les paroles que j'ai rapportées : *Cum infirmor, tunc potens sum*, « Je « suis puissant, lorsque je suis faible ? » Après ces beaux mots de mon grand apôtre, il ne m'est plus permis de me plaindre ; et je ne crains pas de dire avec lui, que « je me plais dans cette faiblesse, » qui me promet un secours divin : *Placeo mihi in infirmitatibus*. Mais, pour obtenir cette grâce, il nous faut encore recourir à celle dans laquelle le mystère ne s'est accompli qu'après qu'elle a reconnu qu'il passait ses forces ; c'est la bienheureuse Marie, que nous saluerons en disant : *Ave*.

Parmi tant d'actions glorieuses et tant de choses extraordinaires qui se présentent ensemble à ma vue, quand je considère l'histoire de l'incomparable docteur des gentils, ne vous étonnez pas, chrétiens, si, laissant à part ses miracles et ses hautes révélations, et cette sagesse toute divine et vraiment digne du troisième ciel, qui paraît dans ses écrits admirables, et tant d'autres sujets illustres qui rempliraient d'abord vos esprits de nobles et magnifiques idées, je me réduis à vous faire voir les infirmités de ce grand apôtre, et si c'est sur ce seul objet que je vous prie d'arrêter vos yeux. Ce qui m'a porté à ce choix, c'est que, devant vous prêcher saint Paul, je me suis senti obligé d'entrer dans l'esprit de saint Paul lui-même, et de prendre ses sentiments. C'est pourquoi, l'ayant entendu nous prêcher avec tant de zèle qu'il ne se glorifie que dans ses faiblesses, et

que ses infirmités·font sa force : *Cum enim infirmor,
tunc potens sum*, je suis les mouvements qu'il m'inspire,
et je médite son panégyrique, en tâchant de vous faire
voir ces faiblesses toutes-puissantes, par lesquelles il a
établi l'Église, renversé la sagesse humaine, et captivé
tout entendement sous l'obéissance de Jésus-Christ.

Entrons·donc, avant toutes choses, dans le sens de
cette parole, et examinons les raisons pour lesquelles
le divin Paul ne se croit fort que dans sa faiblesse : c'est
ce qu'il m'est aisé de vous faire entendre. Il se souve-
nait, chrétiens, de son Dieu anéanti pour l'amour des
hommes; il savait que si, ce grand monde, et ce qu'il
enferme en son vaste sein, est l'ouvrage de sa puissance,
il avait fait un monde nouveau, un monde racheté par
son sang, et régénéré par sa mort, c'est-à-dire, sa sainte
Église, qui est l'œuvre de sa faiblesse. C'est ce que regarde saint Paul; et après ces grandes pensées, il jette
aussitôt les yeux sur lui-même. C'est là qu'il admire
sa vocation : il se voit choisi, dès l'éternité, pour être
le prédicateur des gentils; et comme l'Église doit être
formée de ces nations infidèles, dont il est ordonné
l'apôtre, il s'ensuit manifestement qu'il est le principal
coopérateur de la grâce de Jésus-Christ dans l'établissement de l'Église.

Quels seront ses sentiments, chrétiens, dans une entreprise si haute, où la Providence l'appelle? l'exécutera-t-il par la force? Mais, outre que la sienne n'y peut
pas suffire, le Saint-Esprit lui a fait connaître que la
volonté du Père céleste, c'est que cet ouvrage divin soit
soutenu par l'infirmité : « Dieu, dit-il[1], a choisi ce qui
« est infirme, pour détruire ce qui est puissant. » Par
conséquent, que lui reste-t-il, sinon de consacrer au

---

[1] I. *Cor.*, I, 27.

Sauveur une faiblesse soumise et obéissante, et de confesser son infirmité, afin d'être le digne ministre de ce Dieu qui, étant si fort par nature, s'est fait infirme pour notre salut? Voilà donc la raison solide pour laquelle il se considère comme un instrument inutile, qui n'a de vertu ni de force qu'à cause de la main qui l'emploie ; et c'est pour cela, chrétiens, qu'il triomphe dans son impuissance, et qu'en avouant qu'il est faible, il ose dire qu'il est tout-puissant : *Cum enim infirmor, tunc potens sum.*

Mais pour nous convaincre par expérience de la vérité qu'il nous prêche, il faut voir ce grand homme dans trois fonctions importantes du ministère qui lui est commis. Car ce n'est pas mon dessein, messieurs, de considérer aujourd'hui saint Paul dans sa vie particulière : je me propose de le regarder dans les emplois de l'apostolat, et je les réduis à trois chefs : la prédication, les combats, le gouvernement ecclésiastique.

Entendez ceci, chrétiens, et voyez la liaison nécessaire de ces trois obligations dont le charge son apostolat. Car il fallait premièrement établir l'Église, et c'est ce qu'a fait la prédication : mais d'autant que cette Église naissante devait être dès son berceau attaquée par toute la terre, en même temps qu'on l'établissait, il fallait se préparer à combattre ; et parce qu'un si grand établissement se dissiperait de lui-même, si les esprits n'étaient bien conduits, après avoir si bien soutenu l'Église contre ceux qui l'attaquaient au dehors, il fallait la maintenir au dedans par le bon ordre de la discipline. De sorte que la prédication devait précéder, parce que la foi commence par l'ouïe : après, les combats devaient suivre ; car aussitôt que l'Évangile parut, les persécutions s'élevèrent : enfin le gouvernement ecclésiastique devait assurer les conquêtes, en tenant les peuples conquis dans l'obéissance par une police toute divine.

C'est, mes frères, à ces trois choses que se rapportent tous les travaux de l'apôtre; et nous le pouvons aisément connaître par le récit qu'il én fait lui-même dans ce merveilleux chapitre onzième de la seconde aux Corinthiens. Il raconte premièrement ses fatigues et ses voyages laborieux; et n'est-ce pas la prédication qui les lui faisait entreprendre, pour porter par toute la terre l'Évangile du Fils de Dieu? Il raconte aussi ses périls, et tant de cruelles persécutions qui ont éprouvé sa constance; et voilà quels sont ses combats. Enfin, il ajoute à toutes ses peines les inquiétudes qui le travaillaient dans le soin de conduire toutes les Églises : *Sollicitudo omnium Ecclesiarum*[1]; et c'est ce qui regarde le gouvernement.

Ainsi vous voyez en peu de paroles tout ce qui occupe l'esprit de saint Paul : il prêche, il combat, il gouverne; et, messieurs, le pourrez-vous croire? il est faible dans tous ces emplois. Et premièrement, il est assuré que saint Paul est faible en prêchant, puisque sa prédication n'est pas appuyée, ni sur la force de l'éloquence, ni sur ces doctes raisonnements que la philosophie a rendus plausibles : *Non in persuasibilibus humanæ sapientiæ verbis*[2]. Secondement, il n'est pas moins clair qu'il est faible dans les combats, puisque lorsque tout le monde l'attaque, il ne résiste à ses ennemis qu'en s'abandonnant à leur violence : *Facti sumus sicut oves occisionis*[3] : il est donc faible en ces deux états. Mais peut-être que parmi ses frères, où la grâce de l'apostolat et l'autorité du gouvernement lui donnent un rang si considérable, ce grand homme paraîtra plus fort? Non, fidèles, ne le croyez pas : c'est là que vous le verrez plus infirme. Il se souvient qu'il est le disciple de celui qui a dit dans

---

[1] II. *Cor.*, XI, 28. — [2] I. *Cor.*, II, 4. — [3] *Rom.*, VIII, 36.

son Évangile, qu'il n'est pas venu pour être servi, mais afin de servir lui-même[1] : c'est pourquoi il ne gouverne pas les fidèles en leur faisant supporter le joug d'une autorité superbe et impérieuse ; mais il les gouverne par la charité, en se faisant infirme avec eux, *Factus sum infirmis infirmus*, et se rendant serviteur de tous, *Omnium me servum feci*[2]. Il est donc infirme partout, soit qu'il prêche, soit qu'il combatte, soit qu'il gouverne le peuple de Dieu, par l'autorité de l'apostolat ; et, ce qui est le plus admirable, c'est qu'au milieu de tant de faiblesse, il nous dit d'un ton de victorieux, qu'il est fort, qu'il est puissant, qu'il est invicible : *Cum enim infirmor, tunc potens sum*.

Ah ! mes frères, ne voyez-vous pas la raison qui lui donne cette hardiesse? C'est qu'il sent qu'il est le ministre de ce Dieu qui, se faisant faible, n'a pas perdu sa toute-puissance. Plein de cette haute pensée, il voit sa faiblesse au-dessus de tout. Il croit que ses prédications persuaderont, parce qu'elles n'ont point de force pour persuader ; il croit qu'il surmontera dans tous les combats, parce qu'il n'a point d'armes pour se défendre ; il croit qu'il pourra tout sur ses frères dans l'ordre du gouvernement ecclésiastique, parce qu'il s'abaissera à leurs pieds, et se rendra l'esclave de tous par la servitude de la charité. Tant il est vrai que dans toutes choses il est puissant en ce qu'il est faible, puisqu'il met la force de persuader dans la simplicité du discours, puisqu'il n'espère vaincre qu'en souffrant, puisqu'il fonde sur sa servitude toute l'autorité de son ministère. Voilà, messieurs, trois infirmités, dans lesquelles je prétends montrer la puissance du divin apôtre : soyez, s'il vous plaît, attentifs, et considérez dans ce

[1] *Matth.*, XX, 28. — [2] I. *Cor.*, IX 19, 22.

premier point la faiblesse victorieuse de ses prédications
toutes simples.

PREMIER POINT.

Je ne puis assez exprimer combien grand, combien
admirable est le spectacle que je vous prépare dans
cette première partie. Car ce que les plus grands hommes de l'antiquité ont souvent désiré de voir, c'est ce
que je dois vous représenter : saint Paul prêchant Jésus-
Christ au monde, et convertissant les cœurs endurcis
par ses divines prédications. Mais n'attendez pas, chrétiens, de ce céleste prédicateur, ni la pompe ni les ornements dont se pare l'éloquence humaine. Il est trop
grave et trop sérieux pour rechercher ces délicatesses ;
ou, pour dire quelque chose de plus chrétien et de plus
digne du grand apôtre, il est trop passionnément amou-
reux des glorieuses bassesses du christianisme, pour
vouloir corrompre par les vanités de l'éloquence séculière la vénérable simplicité de l'Évangile de Jésus-
Christ. Mais afin que vous compreniez quel est donc ce
prédicateur, destiné par la Providence pour confondre
la sagesse humaine, écoutez la description que j'en ai
tirée de lui-même dans la première aux Corinthiens.

Trois choses contribuent ordinairement à rendre un
orateur agréable efficace : la personne de celui qui
parle, la beauté des choses qu'il traite, la manière ingénieuse dont il les explique. Et la raison en est évidente ; car l'estime de l'orateur prépare une attention
favorable, les belles choses nourrissent l'esprit, et l'a-
dresse de les expliquer d'une manière qui plaise les
fait doucement entrer dans le cœur. Mais de la manière
que se représente le prédicateur dont je parle, il est
bien aisé de juger qu'il n'a aucun de ces avantages.

Et premièrement, chrétiens, si vous regardez son

extérieur, il avoue lui-même que sa mine n'est point relevée : *Præsentia corporis infirma*[1]; et si vous considérez sa condition, il est pauvre, il est méprisable, et réduit à gagner sa vie par l'exercice d'un art mécanique. De là vient qu'il dit aux Corinthiens : « J'ai été au mi- « lieu de vous avec beaucoup de craintes et d'infirmi- « tés[2] : » d'où il est aisé de comprendre combien sa personne était méprisable. Chrétiens, quel prédicateur pour convertir tant de nations!

Mais peut-être que sa doctrine sera si plausible et si belle, qu'elle donnera du crédit à cet homme si méprisé. Non, il n'en est pas de la sorte : « Il ne sait, dit-il, « autre chose que son maître crucifié : » *Non judicavi me scire aliquid inter vos, nisi Jesum Christum et hunc crucifixum*[3] ; c'est-à-dire, qu'il ne sait rien que ce qui choque, que ce qui scandalise, que ce qui paraît folie et extravagance. Comment donc peut-il espérer que ses auditeurs soient persuadés? Mais, grand Paul, si la doctrine que vous annoncez est si étrange et si difficile, cherchez du moins des termes polis, couvrez des fleurs de la rhétorique cette face hideuse de votre Évangile, et adoucissez son austérité par les charmes de votre éloquence. A Dieu ne plaise, répond ce grand homme, que je mêle la sagesse humaine à la sagesse du Fils de Dieu ! c'est la volonté de mon Maître que mes paroles ne soient pas moins rudes que ma doctrine paraît incroyable : *Non in persuasibilibus humanæ sapientiæ verbis*[4]. C'est ici qu'il nous faut entendre les secrets de la Providence. Élevons nos esprits, messieurs, et considérons les raisons pour lesquelles le Père céleste a choisi ce prédicateur sans éloquence et sans agrément, pour porter par toute la terre, aux Romains, aux Grecs, aux

---

[1] II. *Cor.*, x, 10. — [2] I. *Cor.*, ii, 3. — [3] I. *Cor.*, ii, 2. — [4] I. *Cor.*, ii, 4

barbares, aux petits, aux grands, aux rois même, l'É-
vangile de Jésus-Christ.

Pour pénétrer un si grand mystère, écoutez le grand
Paul lui-même, qui, ayant représenté aux Corinthiens
combien ses prédications avaient été simples, en rend
cette raison admirable : « C'est, dit-il, que nous vous
« prêchons une sagesse qui est cachée, que les princes
« de ce monde n'ont pas reconnue : » *Sapientiam quœ
abscondita est*[1]. Quelle est cette sagesse cachée? Chrétiens, c'est Jésus-Christ même. Il est la sagesse du Père ;
mais il est une sagesse incarnée, qui, s'étant couverte
volontairement de l'infirmité de la chair, s'est cachée
aux grands de la terre par l'obscurité de ce voile. C'est
donc une sagesse cachée ; et c'est sur cela que s'appuie
le raisonnement de l'apôtre. « Ne vous étonnez pas, nous
dit-il, si, prêchant une sagesse cachée, mes discours
ne sont point ornés des lumières de l'éloquence. Cette
merveilleuse faiblesse qui accompagne la prédication
est une suite de l'abaissement par lequel mon Sauveur
s'est anéanti; et comme il a été humble en sa personne,
il veut l'être encore dans son Évangile. »

Admirable pensée de l'apôtre, et digne certainement
d'être méditée. Mettons-la donc dans un plus grand
jour, et supposons avant toutes choses que le Fils éternel
de Dieu avait résolu de paraître aux hommes en deux
différentes manières. Premièrement, il devait paraître
dans la vérité de sa chair ; secondement, il devait paraître dans la vérité de sa parole. Car, comme il était le
Sauveur de tous, il devait se montrer à tous. Par conséquent, il ne suffit pas qu'il paraisse en un coin du
monde : il faut qu'il se montre par tous les endroits où
la volonté de son Père lui a préparé des fidèles : si bien

[1] I. *Cor.*, II, 7.

que ce même Jésus qui n'a paru que dans la Judée par la vérité de sa chair, sera porté par toute la terre par la vérité de sa parole.

C'est pourquoi le grand Origène n'a pas craint de nous assurer que la parole de l'Évangile est une espèce de second corps que le Sauveur a pris pour notre salut. *Panis quem Dominus corpus suum esse dicit, verbum est nutritorium animarum*[1]. Qu'est-ce à dire ceci, chrétiens? et quelle ressemblance a-t-il pu trouver entre le corps de notre Sauveur et la parole de son Évangile? Voici le fond de cette pensée : c'est que la sagesse éternelle, qui est engendrée dans le sein du Père, s'est rendue sensible en deux sortes. Elle s'est rendue sensible en la chair qu'elle a prise au sein de Marie, et elle se rend encore sensible par les Écritures divines et par la parole de l'Évangile : tellement que nous pouvons dire que cette parole et ces Écritures sont comme un second corps qu'elle prend pour paraître encore à nos yeux. C'est là en effet que nous la voyons : ce Jésus, qui a conversé avec les apôtres, vit encore pour nous dans son Évangile; et il y répand encore, pour notre salut, la parole de vie éternelle.

Après cette belle doctrine, il est bien aisé de comprendre que la prédication des apôtres, soit qu'elle sorte toute vivante de la bouche de ces grands hommes, soit qu'elle coule dans leurs écrits, pour y être portée aux âges suivants, ne doit rien avoir qui éclate. Car, mes frères, n'entendez-vous pas, selon la pensée de saint Paul, que ce Jésus qui nous doit paraître et dans sa chair et dans sa parole, veut être humble dans l'une et dans l'autre?

De là ce rapport admirable entre la personne de Jésus-

---

[1] *In Matth. Comm.*, n° 85.

Christ et la parole qu'il a inspirée. *Lac est credentibus*, *cibus est intelligentibus*. La chair qu'il a prise a été infirme, la parole qui le prêche est simple : nous adorons en notre Sauveur la bassesse mêlée avec la grandeur. Il en est ainsi de son Écriture ; tout y est grand, et tout y est bas ; tout y est riche, et tout y est pauvre ; et en l'Évangile, comme en Jésus-Christ, ce que l'on voit est faible et ce que l'on croit est divin. Il y a des lumières dans l'un et dans l'autre ; mais ces lumières dans l'un et dans l'autre sont enveloppées de nuages : en Jésus, par l'infirmité de la chair, et en l'Écriture divine, par la simplicité de la lettre. C'est ainsi que Jésus veut être prêché, et il dédaigne pour sa parole, aussi bien que pour sa personne, tout ce que les hommes admirent.

N'attendez donc pas de l'apôtre, ni qu'il vienne flatter les oreilles par des cadences harmonieuses, ni qu'il veuille charmer les esprits par de vaines curiosités. Écoutez ce qu'il dit lui-même : « Nous prêchons une sagesse cachée ; nous prêchons un Dieu crucifié. » Ne cherchons pas de vains ornements à ce Dieu, qui rejette tout l'éclat du monde. Si notre simplicité déplaît aux superbes, qu'ils sachent que nous voulons leur déplaire, que Jésus-Christ dédaigne leur faste insolent, et qu'il ne veut être connu que des humbles. Abaissons-nous donc à ces humbles ; faisons-leur des prédications dont la bassesse tienne quelque chose de l'humiliation de la croix, et qui soient dignes de ce Dieu qui ne veut vaincre que par la faiblesse.

C'est pour ces solides raisons que saint Paul rejette tous les artifices de la rhétorique. Son discours, bien loin de couler avec cette douceur agréable, avec cette égalité tempérée que nous admirons dans les orateurs, paraît inégal et sans suite à ceux qui ne l'ont pas assez pénétré ; et les délicats de la terre, qui ont, disent-ils, les oreilles fines, sont offensés de la dureté de son style irrégulier. Mais, mes frères, n'en rougissons pas. Le discours de l'apôtre est simple; mais ses pensées sont toutes divines. S'il ignore la rhétorique, s'il méprise la philosophie, Jésus-Christ lui tient lieu de tout; et son nom, qu'il a toujours à la bouche, ses mystères, qu'il traite si divinement, rendront sa simplicité toute-puissante. Il ira, cet ignorant dans l'art de bien dire, avec cette locution rude, avec cette phrase qui sent l'étranger, il ira en cette Grèce polie, la mère des philosophes et des orateurs; et malgré la résistance du monde, il y établira plus d'églises que Platon n'y a gagné de disciples par cette éloquence qu'on a crue divine. Il prêchera Jésus dans Athènes, et le plus savant de ses sénateurs passera de l'Aréopage en l'école de ce barbare. Il poussera encore plus loin ses conquêtes, il abattra aux pieds du Sauveur la majesté des faisceaux romains en la personne d'un proconsul, et il fera trembler dans leurs tribunaux les juges devant lesquels on le cite. Rome même entendra sa voix; et un jour cette ville maîtresse se tiendra bien plus honorée d'une lettre du style de Paul, adressée à ses citoyens, que de tant de fameuses harangues qu'elle a entendues de son Cicéron.

Et d'où vient cela, chrétiens? C'est que Paul a des moyens pour persuader que la Grèce n'enseigne pas, et que Rome n'a pas appris. Une puissance surnaturelle, qui se plaît de relever ce que les superbes méprisent, s'est répandue et mêlée dans l'auguste simplicité de ses paroles. De là vient que nous admirons dans ses admirables Épîtres une certaine vertu plus qu'humaine, qui persuade contre les règles, ou plutôt qui ne persuade pas tant qu'elle captive les entendements; qui ne flatte pas les oreilles, mais qui porte ses coups droit au cœur. De même qu'on voit un grand fleuve qui retient encore, coulant dans la plaine, cette force violente et impétueuse qu'il avait acquise aux montagnes d'où il tire son origine ; ainsi cette vertu céleste, qui est contenue dans les écrits de saint Paul, même dans cette simplicité de style, conserve toute la vigueur qu'elle apporte du ciel, d'où elle descend.

C'est par cette vertu divine que la simplicité de l'apôtre a assujetti toutes choses. Elle a renversé les idoles, établi la croix de Jésus, persuadé à un million d'hommes de mourir pour en défendre la gloire ; enfin, dans ses admirables Épîtres, elle a expliqué de si grands secrets, qu'on a vu les plus sublimes esprits, après s'être exercés longtemps dans les plus hautes spéculations où pouvait aller la philosophie, descendre de cette vaine hauteur où ils se croyaient élevés, pour apprendre à bégayer humblement dans l'école de Jésus-Christ, sous la discipline de Paul.

Aimons donc, aimons, chrétiens, la simplicité de Jésus ; aimons l'Évangile avec sa bassesse, aimons Paul dans son style rude, et profitons d'un si grand exemple. Ne regardons pas les prédications comme un divertissement de l'esprit ; n'exigeons pas des prédicateurs les agréments de la rhétorique, mais la doctrine des Écritures. Que si notre délicatesse, si notre dégoût les contraint à chercher des ornements étrangers pour nous attirer par quelque moyen à l'Évangile du Sauveur Jésus, distinguons l'assaisonnement de la nourriture solide. Au milieu des discours qui plaisent, ne jugeons rien de digne de nous que les enseignements qui édifient ; et accoutumons-nous tellement à aimer Jésus-Christ tout seul dans la pureté naturelle de ses vérités toutes saintes, que nous voyions encore régner dans l'Église cette première simplicité qui a fait dire au divin apôtre : *Cum infirmor, tunc potens sum* : « Je suis puissant, parce que je suis faible; » mes discours sont forts, parce qu'ils sont simples; c'est leur simplicité innocente qui a confondu la sagesse humaine. Mais, grand Paul, ce n'est pas assez : la puissance vient au secours de la fausse sagesse; je vois les persécuteurs qui s'élèvent. Après avoir fait des discours où votre simplicité persuade, il faut vous préparer aux combats où votre faiblesse triomphe; c'est ma seconde partie.

SECOND POINT.

C'est donc un décret de la Providence, que pour annoncer Jésus-Christ les paroles ne suffisent pas : il faut quelque chose de plus violent pour persuader le monde endurci. Il lui faut parler par des plaies, il faut l'émouvoir par du sang : et c'est à force de souffrir, c'est par les supplices, que la religion chrétienne doit vaincre sa dureté obstinée. C'est, messieurs, cette vérité, c'est cette force persuasive du sang épanché pour le Fils de Dieu, qu'il faut maintenant vous faire comprendre par l'exemple du divin apôtre; mais pour cela, remontons à la source.

Je suppose donc, chrétiens, qu'encore que la parole du Sauveur des âmes ait une efficace divine, toutefois sa force de persuader consiste principalement en son sang; et vous le pouvez aisément comprendre par l'histoire de son Évangile. Car qui ne sait que le Fils de Dieu, tant qu'il a prêché sur la terre, a toujours eu peu de sectateurs, et que ce n'est que depuis sa mort que les peuples ont couru à ce divin Maître? Quel est, messieurs, ce nouveau miracle? Méprisé et abandonné pendant tout le cours de sa vie, il commence à régner après qu'il est mort. Ses paroles toutes divines, qui devaient lui attirer les respects des hommes, le font attacher à un bois infâme; et l'ignominie de ce bois, qui devait couvrir ses disciples d'une confusion éternelle, fait adorer par tout l'univers les vérités de son Évangile. N'est-ce pas pour nous faire entendre que sa croix, et non ses paroles, devait émouvoir les cœurs endurcis, et que sa force de persuader était en son sang répandu et dans ses cruelles blessures?

La raison d'un si grand mystère mériterait bien d'être pénétrée, si le sujet que j'ai à traiter me laissait assez de loisir pour la mettre ici dans son jour. Disons seulement, en peu de paroles, que le Fils de Dieu s'était incarné afin de porter sa parole en deux endroits différents : il devait parler à la terre, et il devait encore parler au ciel. Il devait parler à la terre par ses divines prédications; mais il avait aussi à parler au ciel par l'effusion de son sang, qui devait fléchir sa rigueur en expiant les péchés du monde. C'est pourquoi l'apôtre saint Paul dit que « le sang du Sauveur Jésus crie bien mieux « que celui d'Abel : » *Melius clamantem quam Abel* [1]; parce que le sang d'Abel demande vengeance, et le sang de notre Sauveur fait descendre la miséricorde. Jésus-Christ devait donc parler à son Père aussi bien qu'aux hommes, au ciel aussi bien qu'à la terre.

Mais il faut remarquer ici un secret de la Providence : c'est que c'était au ciel qu'il fallait parler, afin que la terre fût persuadée. Et cela, pour quelle raison? c'est que la grâce divine, qui devait amollir les cœurs, devait être envoyée du ciel. Par exemple, vous avez beau semer votre grain sur cette terre toute desséchée, vous récueillerez peu de fruit, si la pluie du ciel ne la rend féconde. Il en est à peu près de même dans la vérité que je vous explique. Lorsque mon Sauveur a parlé aux

---

[1] *Hebr.*, XII, 24.

hommes, il a seulement semé sur la terre, et cette terre
ingrate et stérile lui a donné peu de sectateurs : il faut
donc maintenant qu'il parle à son Père ; il faut que, se
tournant du côté du ciel, il y porte la voix de son sang.
C'est alors, messieurs, c'est alors que la grâce tombant
avec abondance, notre terre donnera son fruit ; alors le
ciel, apaisé, persuadera aisément les hommes, et la parole qu'il a semée fructifiera par tout l'univers. De là
vient qu'il a dit lui-même : Quand j'aurai été élevé de
terre, quand j'aurai été mis en croix, quand j'aurai répandu mon sang, je tirerai à moi toutes choses : *Omnia
traham ad meipsum* [1] ; nous montrant, par cette parole,
que sa force était en sa croix, et que son sang lui devait
attirer le monde.

Cette vérité étant supposée, je ne m'étonne pas, chrétiens, que l'Église soit établie par le moyen des persécutions. Donnez du sang, bienheureux apôtres ; votre
Maître lui donnera une voix capable d'émouvoir le ciel
et la terre. Puisqu'il vous a enseigné que sa force consiste en sa croix, portez-la par toute la terre, cette croix
victorieuse et toute-puissante ; mais ne la portez pas imprimée sur des marbres inanimés, ni sur des métaux
insensibles ; portez-la sur votre corps même, et aban-
donnez-le aux tyrans, afin que leur fureur y puisse graver une image vive et naturelle de Jésus-Christ crucifié.

C'est ce qu'il va bientôt entreprendre : il ira par toute
la terre. Chrétiens, pour quelle raison ? c'est afin, nous
dit-il lui-même, « c'est afin de porter partout la mort et
« la croix de Jésus, imprimée en son propre corps : »
Mortificationem Jesus in corpore nostro circumferentes [2] ;
et c'est peut-être pour cette raison qu'il a dit ces belles
paroles, écrivant aux Colossiens : *Adimpleo ea quæ de-*

[1] *Joan.*, XII, 32. — [2] II. *Cor.*, IV, 10.

sunt passionum Christi [1] : « Je veux, dit-il, accomplir ce
« qui manque aux souffrances de Jésus-Christ. » Que
nous dites-vous, ô grand Paul? Peut-il donc manquer
quelque chose au prix et à la valeur infinie des souffrances de votre Maître? Non, ce n'est pas là sa pensée.
Ce grand homme n'ignore pas que rien ne manque à
leur dignité; mais ce qui leur manque, dit-il, c'est que
Jésus n'a souffert qu'en Jérusalem ; et comme sa force
est toute en sa croix, il faut qu'il souffre par tout le
monde, afin d'attirer tout le monde. C'est ce que l'apôtre
voulait accomplir. Les Juifs ont vu la croix de son
Maître; il la veut montrer aux gentils, dont il est le
prédicateur. Il va donc, dans cette pensée, du levant
jusqu'au couchant, de Jérusalem jusqu'à Rome, portant partout sur lui-même la croix de Jésus, et accom-
plissant ses souffrances; trouvant partout de nouveaux
supplices, faisant partout de nouveaux fidèles, et rem-
plissant tant de nations de son sang et de l'Évangile.

Mais je ne croirais pas, chrétiens, m'être acquitté de
ce que je dois à la gloire de ce grand apôtre, si, parmi
tant de grands exemples que nous donne sa belle vie, je
ne choisissais quelque action illustre, où vous puissiez
voir en particulier combien ses souffrances sont persua-
sives. Considérez donc ce grand homme fouetté à Philippes par main de bourreau [2], pour y avoir prêché Jésus-Christ; puis jeté dans l'obscurité d'un cachot, ayant
les pieds serrés dans du bois qui était entr'ouvert par
force et les pressait ensuite avec violence; qui cependant,
triomphant de joie de sentir si vivement en lui-même
la sanglante impression de la croix, avec Silas son cher
compagnon, rompait le silence de la nuit en offrant à
Dieu, d'une âme contente, des louanges pour ses sup-

---

[1] *Colos.*, 1, 24. — [2] *Act.*, XVI, 23 et seqq.

plices, des actions de grâces pour ses blessures. Voilà comme il porte la croix du Sauveur ; et aussi, dans ce même temps, le Sauveur lui veut faire voir une merveilleuse représentation de ce qui s'est fait à la sienne. Là du sang, et ici du sang ; là, messieurs, « la terre a « tremblé [1], » et ici elle tremble encore : *Terræ motus factus est magnus [2]* : là les tombeaux ont été ouverts, qui sont comme les prisons des morts, et des morts sont ressuscités [3] ; ici les prisons sont ouvertes, qui sont les tombeaux obscurs des hommes vivants : *Aperta sunt omnia ostia [4]* : et pour achever cette ressemblance, là celui qui garde la croix du Sauveur le reconnaît pour le Fils de Dieu, *Vere Filius Dei erat iste [5]* ; et ici celui qui garde saint Paul se jette aussitôt à ses pieds : *Procidit ad pedes [6]*, et se soumet à son Évangile. Que ferai-je, dit-il, pour être sauvé? *Quid me oportet facere, ut salvus fiam [7]* ? Il lave premièrement les plaies de l'apôtre : l'apôtre après lavera les siennes par la grâce du saint baptême, et ce bienheureux geôlier se prépare à cette eau céleste en essuyant le sang de l'apôtre, qui lui inspire l'amour de la croix et l'esprit du christianisme.

Vous voyez déjà, chrétiens, ce que peut la croix de Jésus, imprimée sur le corps de Paul ; mais renouvelez vos attentions pour voir la suite de cette aventure, qui vous le montrera d'une manière bien plus admirable. Que fera le divin apôtre, sortant des prisons de Philippes? Qu'il vous le dise de sa propre bouche, dans une lettre qu'il a écrite aux habitants de Thessalonique : « Vous savez, leur dit-il, mes frères, quelle a été notre « entrée chez vous, et qu'elle n'a pas été inutile : » *Quia non inanis fuit [8]*. Pour quelle raison, chrétiens, son

---

[1] *Matth.*, XXVII, 51. — [2] *Act.*, XVI, 26. — [3] *Matth.*, XXVII, 52. [4] *Act.*, XVI, 26. — [5] *Matth.*, XXVII, 54. — [6] *Act.*, XVI, 29. — [7] *Ibid.*, 30. [8] I. *Thess.*, II, 1.

abord à Thessalonique n'a-t-il pas été inutile? Vous serez surpris de l'apprendre : « C'est, dit-il, qu'ayant été
« tourmentés et traités indignement à Philippes, cela
« nous a donné l'assurance de vous annoncer l'Évan-
« gile : » *Sed ante passi, et contumeliis affecti, sicut
scitis, in Philippis, fiduciam habuimus in Deo nostro,
loqui ad vos Evangelium Dei* [1].

Quand je considère, messieurs, ces paroles du divin
apôtre, j'avoue que je ne suis plus à moi-même, et je
ne puis assez admirer l'esprit céleste qui le possédait.
Car quel est le victorieux dont le cœur puisse être autant excité par l'image glorieuse et tranquille de la victoire tout nouvellement remportée, que le grand Paul
est encouragé par le souvenir des souffrances dont il
porte encore les marques, dont il sent encore les vives
atteintes? Son entrée sera fructueuse, parce qu'elle est
précédée par de grands tourments; il prêchera avec
confiance, parce qu'il a beaucoup enduré; et si nous savons pénétrer tout le sens de cette parole, nous devons
croire que le grand apôtre, sortant des prisons de Philippes, exhortait par cette pensée les compagnons de
son ministère : « Allons, mes frères, à Thessalonique;
notre entrée n'y sera pas inutile, puisque nous avons
déjà tant souffert; nous avons assez répandu de sang,
pour oser entreprendre quelque grand dessein. Allons
donc en cette ville célèbre; faisons-y profiter ce sang
répandu; portons-y la croix de Jésus, récemment imprimée sur nous par nos plaies encore toutes fraîches;
et que ces nouvelles blessures donnent au Sauveur de
nouveaux disciples. » Il y vole dans cette espérance,
et son attente n'est pas frustrée.

Mais pourquoi m'arrêter, messieurs, à vous raconter

---

[1] I. *Thess.*, II, 2.

le fruit qu'il a fait dans la ville de Thessalonique? Il en
est de même de toutes les autres qu'il éclaire par sa doctrine, et qu'il attire par ses souffrances. Il court ainsi
par toute la terre, portant partout la croix de Jésus;
toujours menacé, toujours poursuivi avec une fureur
implacable, sans repos durant trente années, il passe
d'un travail à un autre, et trouve partout de nouveaux
périls; des naufrages dans ses voyages de mer, des embûches dans ceux de terre, de la haine parmi les gentils, de la rage parmi les Juifs; des calomniateurs dans
tous les tribunaux, des supplices dans toutes les villes;
dans l'Église même et dans sa maison, des faux frères
qui le trahissent : tantôt lapidé et laissé pour mort, tantôt battu outrageusement et presque déchiré par le
peuple; il meurt tous les jours pour le Fils de Dieu,
Quotidie morior [1], et il marque l'ordre de ses voyages
par les traces du sang qu'il répand, et par les peuples
qu'il convertit; car il joint toujours l'un et l'autre : si
bien que nous lui pouvons appliquer ces beaux mots de
Tertullien : « Ses blessures font ses conquêtes; il ne re-
« çoit pas plutôt une plaie, qu'il la couvre par une cou-
« ronne; aussitôt qu'il verse du sang, il acquiert de
« nouvelles palmes; il remporte plus de victoires qu'il
« ne souffre de violences : » *Corona premit vulnera,
palma sanguinem obscurat, plus victoriarum est quam
injuriarum* [2].

C'est pourquoi le Sauveur Jésus voulant encore abattre
à ses pieds l'impérieuse majesté de Rome, il y conduit
enfin le divin apôtre, comme le plus illustre de ses capitaines. Mais, mes frères, il faut plus de sang pour
fonder cette illustre Église, qui doit être la mère des
autres : saint Paul y donnera tout le sien; aussi y trou-

___

[1] *I. Cor.*, xv, 31. — [2] *Scorp.*, n° 4.

vera-t-il un persécuteur qui ne le sait pas répandre à
demi, je veux dire le cruel Néron, qui ajoutera le comble à ses crimes, en faisant mourir cet apôtre.

Vous raconterai-je, messieurs, combien son sang se
multipliera, quelle suite de chrétiens sa fécondité fera
naître, combien il animera de martyrs, et avec quelle
force il affermira cet empire spirituel, qui se doit établir à Rome, plus illustre que celui des Césars? Mais
quand est-ce que j'achèverai, si j'entreprends de vous
rapporter toutes les grandeurs de l'apôtre? J'en ai dit
assez, chrétiens, pour nous inspirer l'amour de la croix,
si notre extrême délicatesse ne nous la rendait odieuse.
O croix! qui donnez la victoire à Paul, et dont la faiblesse le rend tout-puissant, notre siècle délicieux ne
peut souffrir votre dureté! Personne ne veut dire avec
l'apôtre : « Je ne me plais que dans mes souffrances, et
« je ne suis fort que dans mes faiblesses. » Nous voulons
être puissants dans le monde, c'est pourquoi nous sommes faibles selon Jésus-Christ; et l'amour de la croix de
Jésus étant éteint parmi les fidèles, toute la force chrétienne s'est évanouie. Mais, mes frères, je ne puis vous
dire ce que je pense sur ce beau sujet. Le grand Paul me
rappelle encore : après avoir vu les faiblesses que la croix
lui a fait sentir, il faut achever ce discours, en considérant les infirmités que la charité lui inspire dans le gouvernement ecclésiastique.

TROISIÈME POINT.

Le pourrez-vous croire, messieurs, que l'Église de Jésus-Christ se gouverne par la faiblesse; que l'autorité
des pasteurs soit appuyée sur l'infirmité; que le grand
apôtre saint Paul, qui commande avec tant d'empire,
qui menace si hautement les opiniâtres, qui juge souve-

rainement les pécheurs, enfin qui fait valoir avec tant de force la dignité de son ministère, soit infirme parmi les fidèles, et que ce soit une divine faiblesse qui le rende puissant dans l'Église? Cela vous paraît peut-être incroyable; cependant c'est une doctrine que lui-même nous a enseignée, et qu'il faut vous expliquer en peu de paroles.

Pour cela vous devez entendre que l'empire spirituel, que le Fils de Dieu donne à son Église, n'est pas semblable à celui des rois. Il n'a pas cette majesté terrible; il n'a pas ce faste dédaigneux, ni ce superbe esprit de grandeur dont sont enflés les princes du monde. « Les « rois des nations les dominent, dit le Fils de Dieu dans « son Évangile[1]; mais il n'en est pas ainsi parmi vous, « où le plus grand doit être le moindre, et où le premier « est le serviteur. »

Le fondement de cette doctrine, c'est que cet empire divin est fondé sur la charité. Car, mes frères, cette charité peut prendre toutes sortes de formes. C'est elle qui commande dans les pasteurs, c'est elle qui obéit dans les peuples; mais soit qu'elle commande, soit qu'elle obéisse, elle retient toujours ses qualités propres, elle demeure toujours charité, toujours douce, toujours patiente, toujours tendre et compatissante, jamais fière ni ambitieuse.

Le gouvernement ecclésiastique, qui est appuyé sur la charité, n'a donc rien d'altier ni de violent : son commandement est modeste, son autorité est douce et paisible. Ce n'est pas une domination qu'elle exerce : *Dominantur, vos autem non sic;* c'est un ministère dont elle s'acquitte, c'est une économie qu'elle ménage par la sage dispensation de la charité fraternelle.

---

[1] *Luc.*, XXII, 25, 26.

Mais cette charité ecclésiastique, qui conduit le peuple de Dieu, passe encore beaucoup plus loin. Au lieu de s'élever orgueilleusement pour faire valoir son autorité, elle croit que, pour gouverner, il faut qu'elle s'abaisse, qu'elle s'affaiblisse, qu'elle se rende infirme elle-même, afin de porter les infirmes. Car Jésus-Christ, son original, en venant régner sur les hommes a voulu prendre leurs infirmités : ainsi les apôtres, ainsi les pasteurs doivent se revêtir des faiblesses des troupeaux commis à leur vigilance; afin que de même que le Fils de Dieu est un pontife compatissant, qui ressent nos infirmités, ainsi les pasteurs du peuple fidèle sentent les faiblesses de leurs frères, et portent leurs infirmités en les partageant. C'est pourquoi le divin apôtre, plein de cet esprit ecclésiastique, croit établir son autorité en se faisant infirme aux infirmes, et se rendant serviteur de tous[1].

Mais voulez-vous voir, chrétiens, dans un exemple particulier, jusqu'à quel point cet homme admirable ressent les infirmités de ses frères? représentez-vous ses fatigues, ses voyages, ses inquiétudes, ses peines pour résister à tant d'ennemis, ses soins pour enseigner tant de peuples, ses veilles pour gouverner tant d'Églises : cependant, accablé de tous ces travaux, il s'impose encore lui-même la nécessité de gagner sa vie à la sueur de son corps, *operantes manibus nostris*[2].

Que l'ancienne Rome ne me vante plus ses dictateurs pris à la charrue, qui ne quittaient leur commandement que pour retourner à leur labourage : je vois quelque chose de plus merveilleux en la personne de mon grand apôtre, qui même au milieu de ses fonctions, non moins augustes que laborieuses, renonce volontairement aux

---

[1] I. *Cor.*, IX, 22. — [2] *Ibid.*, IV, 12.

droits de sa charge, et, refusant de tous les fidèles la paie honorable qui était si bien due à son ministère, ne veut tirer que de ses propres mains ce qui est nécessaire pour sa subsistance.

Cela, mes frères, venait d'un esprit infiniment au-dessus du monde; mais vous l'admirerez beaucoup davantage, si vous pénétrez le motif de cette action glorieuse. Écoutez donc ces belles paroles de l'admirable saint Augustin, par lesquelles il entre si bien dans les sentiments du grand Paul : *Infirmorum periculis, ne falsis suspicionibus agitati odissent quasi venale Evangelium, tanquam paternis maternisque visceribus tremefactus hoc fecit*[1]. Qui vous oblige, ô divin apôtre! à travailler ainsi de vos mains? « C'est à cause, dit saint Augustin, « qu'ayant une tendresse plus que maternelle pour « les peuples qui lui sont commis, il tremble pour les « périls des infirmes, qui, agités par de faux soupçons, « pourraient peut-être haïr l'Évangile, en s'imaginant « que l'apôtre le prêchait pour son intérêt. » Quelle charité de saint Paul! Ce qu'il craint, ce n'est qu'un soupçon, et un soupçon mal fondé, et un soupçon qu'il eût démenti par toute la suite de sa vie céleste, si épurée des sentiments de la terre : toutefois ce soupçon fait trembler l'apôtre, il déchire ses entrailles plus que maternelles; ce grand homme, pour éviter ce soupçon, veut bien veiller nuit et jour, et ajouter le travail des mains à toutes ses autres fatigues.

Qui pourrait donc assez expliquer combien vivement il sentait toutes les infirmités des fidèles? Celui qui tremblait pour un seul soupçon, et qu'une ombre de mal épouvantait, en quel état était-il, mes frères, quelle était son inquiétude, quand il voyait des maux véritables,

---

[1] *De opere Monach.*, n° 13.

des scandales parmi les fidèles, des péchés publics ou
particuliers? Que ne puis-je entrer dans ce cœur tout
ardent des flammes de la charité fraternelle, pour y
voir de quel sentiment le grand Paul disait ces beaux
mots : « Qui est infirme parmi les fidèles, sans que je
« sois infirme avec lui? et qui peut les scandaliser, sans
« que je sois moi-même brûlé de douleur? » *Quis infir-*
matur, et ego non infirmor? Quis scandalizatur, et ego
non uror [1]?

Arrêtons ici, chrétiens, et que la méditation d'un si
grand exemple fasse le fruit de tout ce discours. Car
quelle âme de fer et de bronze ne se sentirait attendrie
par les saintes infirmités que la charité inspire à l'apôtre? Voyait-il un membre affligé, il ressentait toute sa
douleur. Voyait-il des simples et des ignorants, il
descendait du troisième ciel pour leur donner un lait
maternel, et bégayer avec ces enfants. Voyait-il des pécheurs touchés, le saint apôtre pleurait avec eux pour
participer à leur pénitence : en voyait-il d'endurcis, il
pleurait encore leur aveuglement. Partout où l'on frap-
pait un fidèle, il se sentait aussitôt frappé ; et la douleur passant jusqu'à lui par la sainte correspondance
de la charité fraternelle, il s'écriait aussitôt, comme
blessé et ensanglanté : *Quis infirmatur, et ego non infir-*
mor? « Qui est infirme, sans que je le sois? Je suis
« brûlé intérieurement, quand quelqu'un est scanda-
« lisé. » Si bien qu'en considérant ce saint homme,
répandant ses lumières par toute l'Église, recevant de
tous côtés des atteintes de tous les membres affligés, je
me le représente souvent comme le cœur de ce corps
mystique : et de même que tous les membres, comme
ils tirent du cœur toute leur vertu, lui font aussi promp-

[1] II. *Cor.*, XI, 29.

tement sentir, par une secrète communication, tous les maux dont ils sont attaqués, comme s'ils voulaient l'avertir de l'assistance dont ils ont besoin; ainsi tous les maux qui sont dans l'Église se réfléchissent sur le saint apôtre, pour solliciter sa charité attendrie d'aller au secours des infirmes : *Quis infirmatur, et ego non infirmor?*

Mais je passe encore plus loin, et j'apprends de saint Chrysostome, qu'il n'est pas seulement le cœur de l'Église, « mais qu'il s'afflige pour tous les membres, « comme si lui seul était toute l'Église : » *Tanquam ipse universa orbis Ecclesia esset, sic pro membris singulis discruciabatur*[1]. Que ne me reste-t-il assez de loisir pour entrer au fond de cette pensée, et pour vous montrer, chrétiens, cette étendue de la charité, qui ne permet pas à saint Paul de se resserrer en lui-même, qui le répand dans toute l'Église, qui le mêle avec tous les membres, qui fait qu'il vit et qu'il souffre en eux : *Tanquam ipse universa orbis Ecclesia esset, sic pro membris singulis discruciabatur.* C'est là, c'est là, si nous l'entendons, le comble des infirmités de l'apôtre.

Grand Paul, permettez-moi de le dire, j'ai médité toute votre vie, j'ai considéré vos infirmités au milieu des persécutions; mais je ne craindrai pas d'assurer qu'elles ne sont pas comparables à celles qui sont attirées sur vous par la charité fraternelle. Dans vos persécutions, vous ne portiez que vos propres faiblesses; ici vous êtes chargé de celles des autres : dans vos persécutions, vous souffriez par vos ennemis; ici vous souffrez par vos frères, dont tous les besoins et tous les périls ne vous laissent pas respirer : dans vos persécutions, votre charité vous fortifiait et vous soutenait

---

[1] *In Epist. II ad Cor., Hom.* XXV, n° 2.

contre les attaques; ici c'est votre charité qui vous accable : dans vos persécutions, vous ne pouviez être combattu que d'un seul endroit dans un même temps; ici tout le monde ensemble vient fondre sur vous, et vous devez en soutenir le faix.

C'est donc ici l'accomplissement de toutes ces divines faiblesses dont l'apôtre se glorifie, et c'est ici qu'il s'écrie avec plus de joie : *Cum infirmor, tunc potens sum* : « Je ne suis puissant que dans ma faiblesse. » Car quelle est la force de Paul, qui se fait infirme volontairement, afin de porter les infirmes; qui partage avec eux leurs infirmités, afin de les aider à les soutenir; qui s'abaisse jusqu'à terre par la charité, pour les mettre sur ses épaules et les élever avec lui au ciel; qui se fait esclave d'eux tous, pour les gagner tous à son maître? N'est-ce pas là gouverner l'Église d'une manière digne d'un apôtre? n'est-ce pas imiter Jésus-Christ lui-même, dont le trouble nous affermit, et dont les infirmités nous guérissent?

Ne voulez-vous pas, chrétiens, imiter un si grand exemple? Que d'infirmes à supporter, que d'ignorants à instruire, que de pauvres à soulager dans l'Église! Mon frère, excitez votre zèle : cet homme qui vous hait depuis tant d'années, c'est un infirme qu'il vous faut guérir. Mais sa haine est invétérée : donc son infirmité est plus dangereuse. Mais il vous a, dites-vous, maltraité souvent par des injures et par des outrages : soutenez son infirmité, tout le mal est tombé sur lui; ayez pitié du mal qu'il s'est fait, et oubliez celui qu'il a voulu vous faire. Courez à ce pécheur endurci, réchauffez et rallumez sa charité éteinte; tendez-lui les bras, ouvrez-lui le cœur, tâchez de gagner votre frère.

Mais jetez encore les yeux sur les nécessités temporelles de tant de pauvres qui crient après vous. Ne semble-t-il pas que la Providence ait voulu les unir ensemble dans cet hôpital merveilleux, afin que leur voix fût plus forte, et qu'ils pussent plus aisément émouvoir vos cœurs? Ne voulez-vous pas les entendre, et vous joindre à tant d'âmes saintes qui, conduites par vos pasteurs, courent au soulagement de ces misérables? Allez à ces infirmes, mes frères; faites-vous infirmes avec eux, sentez en vous-mêmes leurs infirmités; et participez à leur misère. Souffrez premièrement avec eux; et ensuite soulagez-vous avec eux, en répandant abondamment vos aumônes. Portez ces faibles et ces impuissants; et ces faibles et ces impuissants vous porteront après jusqu'au ciel. *Amen.*

PANÉGYRIQUE

DE

SAINTE CATHERINE [*].

Abus que les hommes font de la science. La bonne vie, l'édification des âmes, le triomphe de la vérité, fin à laquelle doit être rapportée toute la science du christianisme.

> *Dedit illi scientiam sanctorum.*
> Il lui a donné la science des saints.
> *Sap.*, X, 10.

Encore que l'ennemi de notre salut ne se désiste jamais de la folle et téméraire entreprise de renverser l'Église de Dieu, toutefois nous voyons par les Écritures qu'il n'agit pas toujours par la force ouverte. Souvent il paraît en tyran, il persécute les fidèles ; mais souvent, dit saint Augustin[1], il fait le docteur, et il se mêle de les enseigner : de sorte qu'il ne suffit pas que Dieu ait opposé à ses violences la victorieuse armée des martyrs, dont le courage invincible a épuisé la cruauté de tous les supplices ; mais il est également nécessaire qu'il éclaire aussi des docteurs, pour combattre les dangereuses maximes par lesquelles son ennemi tâche de corrompre la simplicité de la foi, et de détruire la vérité de son Évangile.

C'est un grand miracle, messieurs, qu'une fille de

---

[*] Quoique la légende de sainte Catherine, qu'a suivie Bossuet dans ce discours, n'ait point d'authenticité, comme les critiques en conviennent, cela ne nuit en rien à la solidité des instructions que le prédicateur en a tirées. (*Édit. de Versailles.*)

[1] *Enar. in Psal.* XXXIX, n° 1.

dix-huit ans ait osé marcher sous les étendards de cette
armée laborieuse et entreprenante, dont la discipline
est si dure, qu'elle ne doit l'emporter sur ses ennemis
qu'en les lassant par sa patience ; mais je ne crains point
d'assurer que c'est quelque chose encore de plus admirable, qu'elle tienne rang parmi les docteurs ; et que
Dieu, unissant en elle, si je puis parler de la sorte,
toute la force de son Saint-Esprit, elle ait été aussi
éclairée pour annoncer la vérité, qu'elle a paru déter-
minée à mourir pour elle. Un tel prodige, messieurs,
n'est pas proposé en vain à l'Église ; et nous en tirerons
de grandes lumières pour la conduite de notre vie,
si Dieu, fléchi par la sainte Vierge, dont nous implo-
rons le secours, daigne diriger nos pensées, et bénir
nos intentions. Disons donc avant toutes choses, *Ave.*

Je n'ignore pas, chrétiens, que la science ne soit
un présent du ciel, et qu'elle n'apporte au monde de
grands avantages : je sais qu'elle est la lumière de l'entendement, le guide de la volonté, la nourrice de la
vertu, l'âme de la vérité, la compagne de la sagesse, la
mère des bons conseils ; en un mot, l'âme de l'esprit, et
la maîtresse de la vie humaine. Mais comme il est naturel
à l'homme de corrompre les meilleures choses, cette
science, qui a mérité de si grands éloges, se gâte le plus
souvent en nos mains par l'usage que nous en faisons.
C'est elle qui s'est élevée contre la science de Dieu ; c'est
elle qui, promettant de nous éclaircir, nous aveugle
plutôt par l'orgueil ; c'est elle qui nous fait adorer nos
propres pensées sous le nom auguste de la vérité ; qui,
sous prétexte de nourrir l'esprit, étouffe les bonnes affections, et enfin qui fait succéder à la recherche du
bien véritable, une curiosité vague et infinie, source
inépuisable d'erreurs et d'égarements très-pernicieux.

Mais je n'aurais jamais fait, messieurs, si je voulais raconter les maux que fait naître l'amour des sciences, et vous dire tous les périls dans lesquels il engage les enfants d'Adam, qu'un aveugle désir de savoir a rendus avec sa race, justement maudite, le jouet de la vanité, aussi bien que le théâtre de la misère. Un docteur inspiré de Dieu, et qui a puisé sa science dans l'oraison, en réduit tous les abus à trois chefs. Trois sortes d'hommes, dit saint Bernard [1], recherchent la science désordonnément. « Il y en a qui veulent savoir, mais « seulement pour savoir; et c'est une mauvaise curio- « sité : » *Quidam scire volunt, ut sciant; et turpis curiositas est.* « Il y en a qui veulent savoir, mais qui se pro- « posent pour but de leurs grandes et vastes connaissan- « ces, de se faire connaître eux-mêmes, et de se rendre « célèbres; et c'est une vanité dangereuse : » *Quidam scire volunt, ut sciantur ipsi; et turpis vanitas est.* « Enfin « il y en a qui veulent savoir, mais qui ne désirent avoir « de science que pour en faire trafic, et pour amasser « des richesses : et c'est une honteuse avarice : » *Quidam scire volunt, ut scientiam suam vendant; et turpis questus est.* Il y en a donc, comme vous voyez, à qui la science ne sert que d'un vain spectacle; d'autres à qui elle sert pour la montre et pour l'appareil; d'autres à qui elle ne sert que pour le trafic, si je puis parler de la sorte. Tous trois corrompent la science, tous trois sont corrompus par la science. La science étant regardée en ces trois manières, qu'est-ce autre chose, mes frères, « qu'une très-mauvaise occupation qui travaille « les enfants des hommes? » comme parle l'Ecclésiaste : *Pessimam hanc occupationem dedit Deus filiis hominum, ut occuparentur in ea* [2].

<hr>

[1] *In Cant., Serm.* XXVI, n° 3. — [2] *Eccles.*, I, 13.

Curieux, qui vous repaissez d'une spéculation stérile
et oisive, sachez que cette vive lumière qui vous charme
dans la science ne lui est pas donnée seulement pour
réjouir votre vue, mais pour conduire vos pas et régler
vos volontés. Esprits vains, qui faites trophée de votre
doctrine avec tant de pompe, pour attirer des louanges,
sachez que ce talent glorieux ne vous a pas été confié
pour vous faire valoir vous-mêmes, mais pour faire
triompher la vérité. Ames lâches et intéressées, qui
n'employez la science que pour gagner les biens de la
terre, méditez sérieusement qu'un trésor si divin n'est
pas fait pour cet indigne trafic, et que s'il entre dans le
commerce, c'est d'une manière plus haute, et pour une
fin plus sublime, c'est-à-dire pour négocier le salut des
âmes.

PREMIER POINT.

C'est donc une maxime infaillible, que la science du
christianisme tend à la pratique et l'action, et qu'elle
n'illumine que pour échauffer la connaissance, que
pour exciter les affections. Mais nous l'entendrons beaucoup mieux, si nous réduisons les choses au premier
principe et à la source de cette science. Cette source, ce
premier principe de la science des saints, c'est la foi, de
laquelle il nous importe aujourd'hui de bien entendre
la nature, afin de connaître aussi son usage, et celui
de toutes les connaissances qui en dépendent.

Pour cela nous remarquerons que toute la vie chrétienne nous étant représentée dans les Écritures comme
un édifice spirituel, ces mêmes Écritures nous disent
aussi que la foi en est le fondement. Saint Pierre ne paraît dans l'Évangile comme le fondement de l'Église,
qu'à cause qu'en reconnaissant Jésus-Christ, il a posé la
première pierre, et établi le fondement de la foi. L'a-

pôtre enseigne aux Colossiens, que « nous sommes fon-
« dés sur la foi, et que c'est la fermeté de ce fondement
« qui nous rend immobiles et inébranlables dans l'es-
« pérance de l'Évangile : » *In fide fundati, et stabiles,
et immobiles a spe Evangelii*[1]. Et ensuite le même saint
Paul définit la foi, « l'appui et le fondement des choses
« qu'il faut espérer[2]. » C'est pourquoi le saint concile de
Trente, suivant les traces de cette doctrine, nous décrit
aussi la foi en ces termes : *Humanæ salutis initium, fundamentum et radix totius justificationis*[3] : « Le commen-
« cement du salut de l'homme, la racine et le fondement
« de toute la justice chrétienne. »

Cette qualité de fondement, attribuée à la foi par le
Saint-Esprit, met, ce me semble, dans un grand jour
la vérité que j'annonce ; et il est maintenant bien aisé
d'entendre que la foi n'est pas destinée pour attirer des
regards curieux, mais pour fonder une conduite constante et réglée. Car qui ne sait, chrétiens, qu'on ne
cherche pas la curiosité dans le fondement que l'on
cache en terre, mais la solidité et la consistance ? Ainsi la
foi chrétienne n'est pas un spectacle pour les yeux, mais
un appui pour les mœurs. Ce fondement est mis dans
l'obscurité ; mais ce fondement est établi avec certitude.
Telle est la nature de la foi, laquelle, comme vous voyez,
ne pouvant avoir l'évidence qui satisfait la curiosité,
mais seulement la fermeté et la certitude capable de
soutenir la conduite, il est aisé de comprendre qu'elle
déploie toute sa vertu à nous appliquer à l'action, et
non à nous arrêter à la connaissance.

Sainte Catherine, messieurs, surmontant par la
grandeur de son génie la faiblesse ordinaire de son sexe,
avait appris, dès sa tendre enfance, toutes les sciences

[1] *Col.*, I, 23. — [2] *Heb.*, XI, 1. — [3] *Sess.* VI, cap. 8.

curieuses qui peuvent ou égayer, ou polir, ou enfin illuminer un esprit bien fait. Mais le maître qui l'enseignait au dedans avait rempli son esprit de connaissances bien plus pénétrantes. Aussi le chaste amour qu'elle avait pour elles l'avait tellement touchée, que, méprisant tout le reste, elle rappelait de toutes parts ses autres pensées pour les réduire à la foi, pour les appuyer sur ce fondement, pour ensuite les appliquer de toute sa force aux saintes et bienheureuses pratiques de la piété chrétienne.

Si je ne me trompe, messieurs, souvent elle méditait le raisonnement, et je ne me trompe pas ; car quiconque est rempli de l'esprit de Dieu, s'il ne le fait pas dans la même forme que j'ai dessein de le proposer, il ne laisse pas toutefois d'être persuadé de son efficace. Voici donc le raisonnement de la sainte que nous honorons, ou plutôt le raisonnement du vrai chrétien, que chacun de nous doit faire en soi-même : J'ai cru à la parole du Fils de Dieu ; j'ai reçu la doctrine de son Évangile ; j'ai posé par ce moyen un bon fondement assuré et inébranlable, contre lequel les portes de l'enfer ne prévaudront pas : c'est le fondement de la foi, capable de soutenir immuablement la conduite de la vie présente et l'espérance de la vie future. Mais qui dit fondement, dit le commencement de quelque édifice ; et qui dit fondement, dit le soutien de quelque chose. Que si la foi n'est encore qu'un commencement, il faut donc achever l'ouvrage ; et si la foi doit être un soutien, c'est une nécessité de bâtir dessus. Notre sainte voit si clairement dans une lumière céleste cette conséquence importante, qu'elle n'a point de repos jusqu'à ce qu'elle ait bâti sur la foi, et réduit sa connaissance en pratique. Mais un commencement aussi beau qu'est celui de la foi en Notre-Seigneur, demande, pour y répondre, un bâtiment magnifique ; et

un soutien aussi ferme, aussi solide, attend quelque
structure hardie, et quelque miracle d'architecture, si
je puis parler de la sorte. Remplie de cette pensée, elle
ne médite plus rien qui soit ordinaire ; elle n'a plus dans
l'esprit que des choses qui surpassent toute la nature ;
le martyre, la virginité : celui-là capable de nous faire
vaincre toute la fureur des démons, de nous élever au-
dessus de la violence des hommes ; celle-ci donnée pour
nous égaler à la pureté des esprits célestes.

Et plût à Dieu, chrétiens, que nous eussions aujour-
d'hui compris, à l'exemple de cette sainte, que quelque
grande que soit la foi, quelque lumineuse que soit la
science qui est appuyée sur ces principes, tout cela
n'est encore qu'un commencement de l'œuvre qui se prépare ! Peut-être que nous rougirions de nous arrêter dès
le premier pas, et que nous craindrions de nous attirer
ce reproche de l'Évangile : *Hic homo cœpit ædificare*[1] ;
voilà cet homme inconsidéré, ce fou, cet insensé, qui
fait un grand amas de matériaux, et qui, ayant posé
tous les fondements d'un édifice superbe et royal, tout
d'un coup a quitté l'ouvrage, et laissé tous ses desseins
imparfaits. Quelle légèreté, ou quelle imprudence !

Mais pensons à nous, chrétiens : c'est nous-mêmes
qui sommes cet homme insensé. Nous avons commencé
un grand bâtiment, nous avons déjà établi la foi, qui
en est le fondement immuable, qui rend présentes les
choses qu'on espère : *Sperandarum substantia rerum*,
dit l'apôtre[2]. Pour poser ce fondement de la foi, quel
effort a-t-il fallu faire ? Le fond destiné pour le bâtiment
était plus mouvant que le sable : car est-il rien de moins
fixe que l'esprit humain, toujours variable en ses pensées, vague en ses désirs, chancelant dans ses résolu-

[1] *Luc.*, xiv, 30. — [2] *Hebr.*, xi 1.

tions? Il a fallu l'affermir : que de miracles, que de souffrances, que de prophéties, que d'enseignements, que d'inspirations, que de grâces ont été nécessaires pour servir d'appui! Il y avait d'un côté des hauteurs superbes qui s'élevaient contre Dieu, l'opiniâtreté et la présomption ; il a fallu les abattre et les aplanir : de l'autre, des précipices affreux, l'erreur, l'ignorance, l'irrésolution qui menaçait de ruine ; il a fallu les combler. Enfin, que n'a-t-il pas fallu entreprendre, pour poser ce fondement de la foi? Et après de si grands efforts et tant de préparatifs extraordinaires, on abandonne toute l'entreprise, et on met des fondements sur lesquels on ne bâtit rien : peut-on voir une pareille folie? Insensés, ne voyons-nous pas que ce fondement attend l'édifice, que ce commencement de la foi demande sa perfection par la bonne vie, et que ces murailles à demi élevées, qui se ruinent parce qu'on néglige de les achever, rendent hautement témoignage contre notre folle et téméraire conduite? *Hic homo cœpit ædificare, et non potuit consummare.*

Mais poussons encore plus loin, et par le même principe disons, insistons toujours : Quelles choses devons-nous bâtir sur ce fondement de la foi? Quelles autres choses? Messieurs, il est bien aisé de l'entendre : des choses proportionnées au fondement même, des œuvres dignes de la foi que nous professons. Car un architecte avisé, qui conduit son entreprise avec art, proportionne de telle sorte le fondement avec l'édifice, qu'on mesure et qu'on découvre déjà l'étendue, l'ordre, les hauteurs de tout le palais, en voyant la profondeur, les alignements, la solidité des fondations. Ne doutez pas qu'il n'en soit de même, messieurs, de l'édifice dont nous parlons, qui est la vie chrétienne et spirituelle. Que cet édifice est bien entendu! Que l'architecte est habile,

qui en a posé le fondement! Mais, de peur que vous en
doutiez, écoutez l'apôtre saint Paul : « J'ai, dit-il, établi
« le fondement, ainsi qu'un sage architecte : » *Ut sapiens
architectus fundamentum posui*[1]. Mais peut-être s'est-il
trompé. A Dieu ne plaise, messieurs! car il n'agit pas,
dit-il, de lui-même : « il agit selon la grâce qui lui est
« donnée; » il bâtit suivant les lumières qu'il a reçues :
Secundum gratiam quæ data est mihi. Il a donc gardé
toutes les mesures; et il ne pouvait se tromper, parce
qu'il ne faisait que suivre le plan qui lui avait été envoyé d'en haut. *Secundum gratiam quæ data est mihi.* Que
s'il a conduit toute l'entreprise suivant les instructions
et les règles d'une architecture céleste, qui doute qu'il
n'ait gardé toutes les mesures, et ainsi que le bâtiment
et l'ordre de l'édifice ne doivent répondre au fondement
qu'a posé ce sage entrepreneur?

C'est pour cela, chrétiens, qu'il n'y a rien de plus
grand, ni de plus magnifique que cet édifice, parce qu'il
n'y a rien de plus précieux, ni de plus solide que ce
fondement. Car, dites-nous, ô grand Paul! quel fondement avez-vous posé? N'entendez-vous pas sa réponse?
« On ne peut point, dit-il, poser d'autre fondement,
« sinon celui que j'ai mis, qui est Jésus-Christ : » *Fundamentum aliud nemo potest ponere, præter id quod positum
est, quod est Christus Jesus*[2]. O le merveilleux fondement, qui est établi en nous par la foi! et que saint
Paul a raison de nous avertir de prendre garde avec
soin à ce que nous aurons à bâtir dessus! *Unusquisque
videat quomodo superædificet*[3]. Certainement, chrétiens,
sur un fondement si divin, il ne faut rien élever qui ne
soit auguste : si bien que toute la science des saints consiste à connaître ce fondement, et toute la pratique de

---

[1] *I. Cor.*, III, 10. — [2] *I. Cor.*, III, 11. — [3] *I. Cor.*, III, 10.

la sainteté à savoir ériger dessus des choses qui lui conviennent, des œuvres qui sentent son esprit, des mœurs tirées sur ses exemples, une vie toute formée sur ses préceptes, sur sa doctrine.

Ainsi sainte Catherine ayant établi ce fondement, plus elle en connaissait la dignité par la science des saints, plus elle s'étudiait à bâtir dessus un édifice proportionné ; et il est aisé de l'entendre. Un Dieu s'est humilié et anéanti ; voilà, messieurs, le fondement. Qu'est-ce que notre sainte a bâti dessus ? Un mépris de son rang et de sa noblesse, pour se couvrir tout entière des opprobres de Jésus-Christ, et de la glorieuse infamie de son Évangile. Un Dieu est né d'une vierge : voilà le fondement du christianisme ; et Catherine érige dessus, quoi ? l'amour immortel et incorruptible de la pureté virginale. Un Dieu a comparu, dit le saint apôtre[1], devant le tribunal de Ponce-Pilate, pour y rendre un témoignage fidèle : voilà le fondement de la foi, et je vois sainte Catherine, qui, pour bâtir sur ce fondement, marche au trône des empereurs, pour y rendre un témoignage semblable, et y soutient invinciblement la vérité de l'Évangile. Si Jésus est étendu sur la croix, Catherine se présente aussi pour être étendue sur une roue : si Jésus donne tout son sang, Catherine lui rend tout le sien : et enfin, en toute manière, il n'y a rien de plus convenable que ce fondement et cet édifice.

Chrétiens, il est véritable : le même fondement est posé en nous par la grâce du saint baptême, et par la profession du christianisme. Mais que l'édifice est différent ! que le reste de la structure est dissemblable ! Est-ce vous, ô divin Jésus, qui êtes le fondement de notre foi ? Pourquoi donc ce mélange indigne de nos

----

[1] I. *Tim.*, VI, 13.

désirs criminels avec ce divin fondement? O foi et science
des chrétiens ! ô vie et pratique des chrétiens ! Est-il rien
de plus opposé, ni de plus discordant que vous êtes?
Voyez la bizarrerie. Un fondement d'or et de pierres
précieuses : un bâtiment de bois et de paille. Je parle
avec l'apôtre[1], qui nous représente par là les péchés,
matière vraiment combustible, et propre à exciter et
entretenir le feu de la vengeance divine. O foi, que vous
êtes pure! ô vie, que vous êtes corrompue ! Quels yeux
ne seraient pas choqués d'une si haute inégalité, si on
la regardait avec attention? et faut-il autre chose que
la sainteté de ce fondement, pour convaincre l'extravagance criminelle de ceux qui ont élevé cet édifice?

Éveillons-nous donc, chrétiens; et que ce mélange
prodigieux de Jésus-Christ et du monde, commençant
à offenser notre vue, nous presse à nous accorder avec
nos propres connaissances. Car comment nous pouvons-
nous supporter nous-mêmes, en croyant de si grands
mystères, et les déshonorant tout ensemble par un mépris si outrageux? « Ne porterons-nous donc le nom de
« chrétiens, que pour déshonorer Jésus-Christ? » *Dicun-
tur christiani ad contumeliam Christi*[2]. Quelle crainte vous
peut empêcher de bâtir sur ces fondements? Ce qu'on
vous prêche est grand, je le sais : se haïr soi-même,
dompter ses passions, se contraindre, se mortifier,
vaincre ses plaisirs, mépriser non-seulement ses biens,
mais sa vie, pour la gloire de Jésus-Christ; j'avoue que
l'entreprise est hardie; mais voyez aussi, chrétiens,
combien ce fondement est inébranlable. Quoi! vous
n'appuyez dessus qu'en tremblant, comme s'il était
douteux et mal affermi : vous marchez dessus d'un pas
incertain, vous n'osez y mettre qu'un pied, et tenez

---

[1] I. Cor., III, 12. — [2] *Salv.*, *de Gub. Dei*, lib. VIII, n° 2.

l'autre posé sur la terre, comme si elle était plus ferme! Et pourquoi chancelez-vous si longtemps entre Jésus-Christ et le monde? Que vous sert de connaître les vérités saintes, si vous n'allez point après la lumière qu'elles allument devant vos yeux?

O Jésus! ô divin Jésus! nous allons changer aujourd'hui par votre grâce une conduite si déréglée; nous ne voulons plus de lumières que pour les réduire en pratique. Nous ne désirons de croître en science, que pour nous affermir dans la piété : nous ferons céder au désir de faire, la curiosité de connaître; et nous fortifierons notre volonté par la modération de notre esprit. Ainsi ayant appris saintement à profiter au dedans de notre science, nous pourrons la produire ensuite dans le même esprit que notre sainte, pour glorifier la vérité par un témoignage fidèle : c'est ma seconde partie.

SECOND POINT.

La vérité est un bien commun : quiconque la possède la doit à ses frères, selon les occasions que Dieu lui présente : et « quiconque se veut rendre propre « ce bien public de la nature raisonnable, mérite bien « de le perdre, et d'être réduit, dit saint Augustin, « à ce qui est véritablement le propre de l'esprit de « l'homme, c'est-à-dire, le mensonge et l'erreur : » *Quisquis suum vult esse quod omnium est, a communi propellitur ad sua, id est, a veritate ad mendacium*[1].

Par ce principe, messieurs, celui que Dieu a honoré du don de science est obligé d'éclairer les autres. Mais comme en faisant connaître la vérité, il se fait paraître lui-même, et que ceux qui sont instruits par son entre-

---

[1] *Confess.*, lib. XII, cap. xxv.

mise lui rendent ordinairement des louanges, comme une juste reconnaissance d'un si grand bienfait, il est à craindre qu'il ne se corrompe par les marques de la faveur publique, et qu'il ne perde sa récompense par un désir empressé de la recevoir.

Que si les têtes les plus fortes sont souvent émues d'un encens si délicat et si pénétrant, combien plus celle d'une jeune fille, en qui l'opinion de science est d'autant plus applaudie, qu'elle est plus extraordinaire en son sexe ? C'est ici le miracle de la main de Dieu dans la sainte que nous honorons; et quoique ce soit un grand prodige de voir Catherine savante, c'est encore quelque chose de plus surprenant de voir Catherine modeste, et ne se servir de cette science que pour faire régner Jésus-Christ.

Les dames modestes et chrétiennes voudront bien entendre en ce lieu les vérités de leur sexe. Leur plus grand malheur, chrétiens, c'est qu'ordinairement le désir de plaire est leur passion dominante; et comme, pour le malheur des hommes, elles n'y réussissent que trop facilement, il ne faut pas s'étonner si leur vanité est souvent extrême, étant nourrie et fortifiée par une complaisance presque universelle. Qui ne voit avec quelle pompe elles étalent cette beauté qui ne fait que colorer la superficie ? Que si elles se sentent dans l'esprit quelques avantages plus considérables, combien les voit-on empressées à les faire éclater dans leurs entretiens? et quel paraît leur triomphe, lorsqu'elles s'imaginent charmer tout le monde ? C'est la raison principale pour laquelle, si je ne me trompe, on les exclut des sciences; parce que quand elles pourraient les acquérir, elles auraient trop de peine à les porter : de sorte que si on leur défend cette application, ce n'est pas tant, à mon avis, dans la crainte d'engager leur esprit à une entreprise trop haute, que dans celle d'exposer leur humilité à une épreuve trop dangereuse.

Pour guérir en elles cette maladie, l'Église leur propose sainte Catherine au milieu d'une assemblée de philosophes, également victorieuse de leurs flatteries et de leurs vaines subtilités, et se démêlant d'une même force des piéges qu'ils tendent à son esprit, et des embûches qu'ils dressent à sa modestie : *A laqueo linguæ iniquæ, et a labiis operantium mendacium*[1]. C'est qu'elle sait, chrétiens, que ce beau talent de science ne lui a pas été confié pour en tirer avantage ; et lors même que Dieu nous le donne, qu'il n'est pas à nous, pour deux raisons. Premièrement il n'est pas à nous, non plus que les autres dons de la grâce, parce qu'il nous est élargi d'en haut. Mais outre cette raison générale, qui est que ce don ne vient pas en nous de nous-mêmes, il a ceci de particulier, qu'il ne nous est pas donné pour nous-mêmes. Car la théologie n'ignore pas, et je le dirai en passant, que la science n'est pas de ces grâces qui nous rendent plus agréables à la divine majesté ; mais de cette autre espèce de grâces qui sont communiquées pour le bien des autres, tel qu'est, comme chacun sait, le don des miracles. Comme donc nous ne sommes pas plus saints ni plus justes pour être éclairés par la science, je ne crains point de vous dire que ce n'est pas un avantage particulier : car c'est une espèce de trésor public, auquel ceux qui le possèdent peuvent bien prendre leur part pour leur instruction, comme les autres enfants de l'Église ; mais dont ils ne peuvent se donner la gloire, non plus que s'attribuer la propriété, sans une espèce de vol sacrilége. Car si l'on nous défend de nous glorifier de ce qui nous est donné pour nous-mêmes, combien moins le devons-

---

[1] *Eccl.*, II, 3.

nous faire de ce qui nous est donné pour les autres, pour
toute l'Église!

Ainsi la science chrétienne ne se doit jamais produire
au dehors, pour se faire admirer elle-même. Elle a un
plus digne office, dont elle se doit tenir assez glorieuse,
c'est de faire paraître Jésus-Christ; et la raison en est
évidente. Quand on présente au miroir quelque beau
visage, dites-le-moi, chrétiens, n'est-ce pas pour faire
paraître, non la glace, mais le visage? et tout l'honneur
du miroir, si je puis parler de la sorte, n'est que dans
une fidèle représentation. La science du christianisme,
qu'est-ce autre chose qu'un miroir fidèle et céleste, dans
lequel Jésus-Christ se représente? Quand Jésus-Christ
donne à ses fidèles la science de ses vérités, que fait-il
autre chose en eux, sinon de poser dans leur esprit un
miroir céleste de ses propres perfections? Ne vous per-
suadez pas, ô vous qui êtes ornés de cette science, que
vous deviez la faire paraître avec soin, mais seulement
Jésus-Christ, dont elle montre au naturel les perfections.
C'est pourquoi, dit le saint apôtre, nous ne nous prêchons pas nous-mêmes, mais Jésus-Christ Notre-Seigneur : nous ne montrons le miroir, que pour faire voir
le visage; nous ne produisons la science, que pour faire
connaître Jésus-Christ. Il est vrai qu'il a plu à Dieu de
répandre sur nous ses lumières : « le même Dieu qui a
« commandé que la lumière sortît des ténèbres, a fait
« luire sa clarté dans nos cœurs : » *Qui dixit de tenebris
lumen splendescere, ipse illuxit in cordibus nostris*[1]. Mais
ce n'est pas pour nous donner un vain éclat, à nous
qui n'étions que ténèbres; c'est qu'il a voulu imprimer
dans la science qu'il nous a donnée, comme dans une
glace unie, l'image de son Fils notre Sauveur, afin que

---

[1] II. *Cor.*, IV, 6.

tout le monde admirât sa face, et fût ravi de ses beautés immortelles : *Ipse illuxit in cordibus nostris, ad illuminationem scientiæ claritatis Dei in facie Christi Jesu.*

Catherine, voyant reluire en son âme l'image de la vérité dans celle de Jésus-Christ, la trouve si belle et si accomplie, qu'elle veut l'exposer dans le plus grand jour : elle n'emploie sa science que pour faire connaître la vérité; mais afin qu'elle paraisse comme triomphante, elle met à ses pieds la philosophie, qui est son ennemie capitale. Pour confondre la philosophie, elle s'était instruite de tous ses détours; et afin d'assurer le triomphe de la vérité sur cette rivale, elle fait deux choses admirables : elle la désarme et la dépouille. Elle la désarme, comment? Elle détruit les erreurs qu'elle a établies; c'est ainsi qu'elle la désarme. Elle la dépouille, en quelle manière? Elle lui ôte les vérités qu'elle a usurpées; c'est ainsi qu'elle la dépouille. Voici, messieurs, un beau combat, et qui mérite vos attentions.

Encore que les philosophes soient les protecteurs de l'erreur, toutefois ils ont découvert quelques rayons de la vérité. « Quelquefois, dit Tertullien, ils ont frappé à « sa porte : » *Veritatis fores pulsant*[1]. S'ils ne sont pas entrés dans son sanctuaire, s'ils n'ont pas eu le bonheur de la voir et de l'adorer dans son temple, ils se sont quelquefois présentés à ses portiques, et lui ont rendu de loin quelque hommage. Soit que dans ce grand débris des connaissances humaines, Dieu en ait voulu conserver quelque petit reste, comme des vestiges de notre première institution; soit, comme dit Tertullien, que « cette longue et terrible tempête d'opinions et d'erreurs « les ait quelquefois jetés au port par aventure et par « un heureux égarement : » *Nonnunquam et in procella*

---

[1] *De testim. anim.*, n 1.

confusis vestigiis cœli et freti, aliquis portus offenditur, prospero errore[1]; soit que la Providence divine ait voulu faire éclater sur eux quelque rayon de lumière pour la conviction de leurs erreurs : il est assuré, chrétiens, qu'au milieu de tant de ténèbres, ils ont entrevu quelque jour et reconnu confusément quelques vérités. Mais le grand Paul leur reproche qu'ils les ont injustement détenues captives [2]; et en voici la raison. C'est qu'ils voyaient le principe, et ils ne voulaient pas ouvrir les yeux pour en reconnaître les conséquences nécessaires. Par exemple, l'ordre visible du monde leur découvrait manifestement les invisibles perfections de son créateur; et quoique la suite de cette doctrine fût de lui rendre l'hommage qu'une telle majesté exige de nous, ils refusaient de servir celui qu'ils reconnaissaient pour leur souverain. Ainsi la vérité gémissait captive sous une telle contrainte, et souffrait violence en eux, parce qu'elle n'agissait pas dans toute sa force : de sorte qu'il la fallait délivrer du pouvoir de ces violents usurpateurs, et la remettre, comme une vierge honnête et pudique, entre les mains du christianisme, qui seul la conserve dans sa pureté.

C'est ce que fait aujourd'hui sainte Catherine : elle fait paraître Jésus-Christ avec tant d'éclat, que les erreurs que soutenait la philosophie sont dissipées par sa présence; et les vérités qu'elle avait enlevées violemment viennent se rendre à lui comme à leur maître, ou plutôt se réunir en lui comme dans leur centre : ainsi la philosophie est forcée de rendre les armes. Mais quoiqu'elle soit vaincue et persuadée, elle a peine à déposer son premier orgueil, et elle paraît encore étonnée d'être devenue chrétienne. Mais enfin les raisonnements de Ca-

[1] *De Anima*, n° 2. — [2] *Rom.*, I, 18.

therine l'amènent captive au pied de la croix : elle ne rougit plus de ses fers; au contraire, elle s'en trouve honorée, et il semble qu'elle prend plaisir de céder à une sagesse plus haute.

Apprenons d'un si saint exemple à rendre témoignage à la vérité, à la faire triompher du monde, à faire servir toutes nos lumières à un si juste devoir qu'elle nous impose. O sainte vérité! je vous dois trois sortes de témoignages : je vous dois le témoignage de ma parole; je vous dois le témoignage de ma vie; je vous dois le témoignage de mon sang. Je vous dois le témoignage de ma parole : ô vérité, vous étiez cachée dans le sein du Père éternel, et vous avez daigné, par miséricorde, vous manifester à nos yeux. Pour honorer cette charitable manifestation, je vous dois manifester au dehors par le témoignage de ma parole. Périssent tous mes discours, disait le prophète [1], et que ma langue soit éternellement attachée à mon palais, si je t'oublie jamais, ô vérité, et si je ne te rends témoignage!

Mais, chrétiens, il ne suffit pas de lui donner celui de la voix, qui n'est qu'un son inutile; et notre zèle est trop languissant, s'il ne consacre que des paroles à la vérité, qui ne peut être assez honorée que par des effets dignes d'elle. Car sa solidité immuable n'est pas suffisamment reconnue par nos discours, qui ne sont que des ombres de nos pensées; et il faut qu'elle soit gravée en nos mœurs par des marques effectives de notre affection. Ne donner que la parole à la vérité, c'est donner l'ombre pour le corps, et une image imparfaite pour l'original. Il faut honorer la vérité par la vérité, en la faisant paraître en nous-mêmes par des effets dignes d'elle.

[1] *Ps.* CXXXVI, 6.

Mais outre le témoignage des œuvres, nous devons
encore à la vérité le témoignage du sang. Car la vérité,
c'est Dieu même ! il lui faut un sacrifice complet pour
lui rendre tout le culte qui lui est dû, et pour honorer
dignement l'éternelle consistance de sa vérité. Nous devons nous préparer tous les jours à nous détruire pour
elle, si jamais elle exige de nous ce sacrifice. Ainsi a fait
Catherine, qui, étant remplie si abondamment de la
science des saints, pour en rendre ses actions de grâce
à la vérité, l'a glorifiée devant tout le monde par le témoignage de sa parole, qu'elle a soutenu par celui de sa
vie, et enfin scellé et confirmé par celui de son sang :
de sorte qu'il ne faut pas s'étonner si une science si
bien employée au service de la vérité a fait un si grand
profit dans ce commerce spirituel, et a gagné tant d'â-
mes à Jésus-Christ; c'est ce qui me reste à vous expliquer dans la troisième partie.

TROISIÈME POINT.

C'est un indigne spectacle que de voir les dons de
l'esprit servir aux intérêts temporels. Je ne vois rien de
plus servile que ces âmes basses qui regrettent toutes
leurs veilles, qui murmurent contre leur science, et
l'appellent stérile et infructueuse quand elle ne fait pas
leur fortune. Mais que les sciences humaines s'oublient
de leur dignité jusqu'à n'avoir plus d'usage que dans le
commerce; ce n'est pas à moi, chrétiens, de le déplorer
dans cette chaire. Faut-il, sainte fille du ciel, source
des conseils désintéressés, auguste science du christianisme, faut-il que je vous voie en nos jours si indignement ravilie, que de vous rendre esclave de l'avarice?
Un tel opprobre, messieurs, que font à Jésus-Christ et
à l'Évangile les ouvriers mercenaires, mérite bien, ce

me semble, que nous établissions ici des maximes fortes pour épurer les intentions ; et la science de notre sainte consacrée uniquement au salut des âmes, nous en donnera l'ouverture.

Vous croirez aisément, messieurs, que les lumières de son esprit et la vaste étendue de ses connaissances, soutenue de l'éclat d'une jeunesse florissante et de l'appui d'une race illustre dont elle était l'ornement, lui donnaient de grands avantages pour s'établir dans le monde. En effet, ses historiens nous apprennent que l'empereur et toute sa cour l'avaient regardée comme la merveille de son siècle. Mais elle n'a garde de rabaisser les lumières de l'esprit de Dieu jusqu'à les faire servir à la fortune, surtout dans une cour infidèle : elle fait valoir ce talent dans un commerce plus haut ; elle l'emploie à négocier le salut des âmes.

En effet, chrétiens, ce glorieux talent de science est destiné sans doute pour quelque commerce. Jésus-Christ, en le confiant à ses serviteurs : « Négociez, leur a-t-il « dit, jusqu'à ce que je vienne : » *Negotiamini donec venio*[1]. Mais c'est un commerce divin, où le monde ne peut avoir part, et deux raisons invincibles nous le persuadent. La première se tire de la dignité de ce céleste dépôt ; la seconde, de celui qui nous l'a commis, et qui s'en est toujours réservé le fonds. Mettons ces deux raisons dans un plus grand jour ; et premièrement, chrétiens, pour apprendre à n'avilir pas le talent de la science chrétienne, considérons sa valeur et sa dignité.

La matière dont est composée cette céleste monnaie, c'est l'Évangile et tous ses mystères. Mais quelle image admirable y vois-je empreinte ? *Cujus est imago hæc*[2] ? Je l'ai déjà dit, chrétiens, l'image qui est imprimée sur

---

[1] *Luc.* XIX, 13. — [2] *Matth.* XXII, 20.

notre science, c'est l'image de Jésus-Christ, roi des rois. O que la marque d'un si grand prince rehausse le prix de ce talent, et que sa valeur est inestimable!

Que faites-vous, âmes mercenaires, lorsque vous n'avez d'autre but que d'en trafiquer avec le monde pour acquérir des biens temporels? Le commerce se fait par échange; l'échange est fondé sur l'égalité : quelle égalité trouvez-vous entre la science de Dieu, qui comprend en elle-même les trésors célestes, et ces malheureux avantages dont la fortune dispose?

Le premier homme, messieurs, qui a osé mettre de l'égalité entre des choses aussi dissemblables que l'argent et les dons de Dieu, c'est cet infâme Simon le Magicien, qui a mérité pour ce crime la malédiction des apôtres, et ensuite est devenu l'exécration de tous les siècles suivants. Mais je ne crains point d'assurer que ceux qui ne s'étudient à la science ecclésiastique que pour entrer dans les bénéfices, ou pour ménager par quelque autre voie leurs intérêts temporels, marchent sur les pas de ce magicien, et attirent sur eux, comme un coup de foudre, cette imprécation apostolique : *Pecunia tecum sit in perditionem*[1]! « Que ton argent, malheureux, soit avec toi en perdition! »

Dirai-je ici ce que je pense? Ils s'accordent avec Simon, en égalant les choses divines aux biens périssables : mais il y a cette différence honteuse pour ceux dont je parle, que dans le marché de Simon, l'argent est le prix qu'il offre, la grâce du Saint-Esprit, le bien qu'il veut acquérir; et que ceux-ci renversent l'ordre du contrat, pour le rendre plus profane et plus mercenaire. Ils prodiguent et prostituent le présent du ciel, pour avoir les biens de la terre. Simon donnait son ar-

[1] *Act.*, VIII, 20.

gent pour le don de Dieu ; et ceux-ci dispensent le don de
Dieu pour mériter de l'argent. Quelle indignité ! Si bien
qu'au lieu que saint Pierre reproche à Simon, « qu'il
« avait voulu acquérir le don de Dieu par argent : »
Donum Dei existimasti pecunia possideri [1] ; nous pouvons
dire de ceux-ci, qu'ils veulent acquérir de l'argent par
le don de Dieu : en quoi ils seraient sans comparaison
plus lâches et plus criminels que Simon, n'était qu'il a
joint l'un et l'autre crime, et que les Pères ont sage-
ment remarqué [2] que sans doute il ne voulait acheter que
dans le dessein de vendre.

Certainement, chrétiens, ceux qui profanent ainsi la
science du christianisme n'en connaissent pas le mérite ;
autrement ils rougiraient de la ravilir par un usage si
bas : aussi voyons-nous ordinairement que ces ouvriers
mercenaires altèrent et falsifient par un mélange étranger cette divine monnaie. Ils ne débitent point ces maximes pures qui enseignent à mépriser, et non à ménager
les biens de la terre. La science qu'ils étudient n'est pas
la science de Dieu, victorieuse du siècle et de ses convoitises ; mais une science flatteuse et accommodante,
propre aux négoces du monde, et non au sacré commerce du ciel : *Et in avaritia fictis verbis de vobis nego-
tiabuntur* [3] : « L'avarice les portera à vous séduire par
« des paroles artificieuses, pour faire de vous une es-
« pèce de trafic. »

Que si nous méditons saintement la pure science du
christianisme, mettons-la aussi à son droit usage ; faisons notre gain du salut des âmes ; prenons un noble intérêt, et tâchons de profiter dans un commerce si honorable. Imitons sainte Catherine, qui fait valoir de telle
sorte ce divin talent, que les courtisans et les philoso-

---

[1] *Act.*, VIII, 20. — [2] *S. Aug. in Ps.* CXXX, n° 5. — [3] II. *Petr.*, II, 3.

phes, ses amis et ses ennemis, enfin tous ceux qui l'approchent, et même l'impératrice, sont poussés d'un désir ardent de se donner à Jésus-Christ.

C'est ainsi qu'il fallait user de cet admirable trésor, qui avait été commis à sa foi. Car pour venir, chrétiens, à la seconde raison que j'ai promis de vous proposer, et avec laquelle je m'en vais conclure, la science du christianisme est un bien qui n'est pas à nous. Jésus-Christ, en le mettant en nos mains, s'en est réservé le fonds : nous l'avons de lui par emprunt, ou plutôt il nous l'a confié, ainsi qu'un dépôt duquel nous devons un jour lui rendre raison : *Negotiamini dum venio :* « Négociez, je vous le permets; » mais sachez que je viendrai vous demander compte de toute votre administration, et de l'emploi que vous aurez fait de mon bien.

S'il est ainsi, chrétiens, ne disposons pas de ce bien comme si nous en étions les propriétaires. Il est, ce me semble, assez équitable que si nous employons le bien d'autrui, ce soit dans quelque commerce dans lequel le maître puisse prendre part. Et quelle part donnerez-vous au divin Sauveur dans ces terres, dans ces revenus, dans ces bénéfices que vous accumulez sans mesure? « Ne savez-vous pas qu'il est notre Dieu, et qu'il n'a pas « besoin de nos biens? *Deus meus es tu, quoniam bono-* « *rum meorum non eges*[1]. Mais s'il n'a pas besoin de nos biens, j'ose dire qu'il a besoin de nos âmes. C'est pour ces âmes chéries qu'il descendra bientôt du ciel sur la terre : pour trouver ces âmes perdues et égarées comme des brebis, il a couru tous les déserts; pour les réunir au troupeau sacré, il les a portées sur ses épaules; pour les laver de leurs taches, il a versé tout son sang; pour les guérir de leurs maladies, il a répandu l'onction de

____
[1] *Ps.* XV, 2.

son Saint-Esprit; pour les nourrir et les fortifier, il leur a donné son propre corps.

Par conséquent, mes frères, c'est dans ce commerce des âmes qu'il faut faire profiter ses dons; et quand viendra le temps de rendre les comptes, ce grand économe ne rougira pas de partager avec vous un profit si honorable. Il recevra de votre main ces âmes que vous lui aurez amenées; et de sa part, pour reconnaître un si beau travail: Venez, dira-t-il, serviteur fidèle, qui avez fait valoir mon dépôt en mon esprit et selon mes ordres; il est temps que vous receviez votre récompense[*].

Quelle sera la proportion de cette glorieuse récompense? Le prophète Daniel nous le fait entendre : *Qui docti fuerint, fulgebunt quasi splendor firmamenti ; et qui ad justitiam erudiunt multos, quasi stellæ in perpetuas æternitates*[2] : « Ceux, dit-il, qui auront appris des autres « la sainte doctrine, brilleront comme la splendeur du

---

[*] C'est pour ce négoce céleste que cette maison est établie : on leur apprend la science, non pour retentir dans un barreau ; c'est la science ecclésiastique, destinée pour négocier le salut des âmes. C'est pourquoi on les choisit dès cet âge tendre, pour prévenir le cours de la corruption du siècle, et donner, s'il se peut, aux autels des ministres innocents. O innocence, que tu aurais de vertu dans les fonctions sacerdotales! que de bénédictions et de grâces! Mais où te trouvera-t-on sur la terre? On travaille du moins en cette maison à te conserver des vaisseaux sans tache; ç'a toujours été l'esprit de l'Église. « On les doit retenir sous la dis- « cipline, les instruire par la doctrine ecclésiastique : » *Ut ecclesiasticis utilitatibus parçant* [1]. Quelles sont ces utilités ecclésiastiques? Ce n'est pas d'augmenter les fermes, ni d'accroître le revenu de l'Église; mais c'est afin de gagner les âmes. C'est dans ce dessein qu'on les élève comme de jeunes plantes, et qu'on les fait instruire dans cette maison. Que reste-t-il maintenant, messieurs, sinon que pendant que la science, comme un soleil, fera mûrir les fruits, vous arrosiez la racine? La science éclaire par en haut la partie qui regarde le ciel; il reste que vous donniez la nourriture à celle qui est engagée dans la terre. Cette eau salutaire de vos aumônes, en passant par ces plantes que l'on vous cultive, se tournera en fruits de vie, pour leur profit particulier, pour celui de toute l'Église au service de laquelle on les destine, et enfin, messieurs, pour le vôtre, en vous amassant dans le ciel des couronnes d'immortalité, que je vous souhaite. *Amen.*

On voit que ce morceau a été ajouté par le prédicateur, pour appliquer son discours à la circonstance d'un autre lieu où il devait le prêcher. (*Édit. de Déforis.*)

[1] *Concil. Aquisgr.*, cap. CXXXV; *apud Lab.* — [2] *Dan.*, XII, 3.

« firmament; et ceux qui l'auront enseignée, paraîtront
« comme des étoiles durant toute l'éternité. » Où vous
voyez, chrétiens, par quelle sage disposition de la justice divine, ceux qui ont reçu d'ailleurs leurs instructions, sont comparés au firmament qui luit seulement
par réflexion de la lumière des astres ; mais que ceux
qui ont éclairé l'Église par la doctrine de vérité, sont
eux-mêmes des astres brillants, et sources d'une lumière vive et immortelle.

Ainsi sainte Catherine réjouit par un double éclat la
céleste Jérusalem. Elle est toute lumineuse, pour avoir
appris humblement et fidèlement pratiqué ce qu'on enseigne de plus excellent dans l'école de Jésus-Christ :
mais cet éclat est relevé au centuple, parce qu'elle a
répandu bien loin les lumières de la science de Dieu, et
qu'elle a fait luire sur plusieurs âmes les vérités éternelles.

Ne croyez pas, chrétiens, que ceux qui ont reçu dans
l'Église le ministère d'enseigner les autres, soient les
seuls à prétendre à cette récompense, que même une
fille a pu mériter. Tous les fidèles de Jésus-Christ doivent
espérer cette gloire, parce que tous doivent travailler à
s'édifier mutuellement par de saintes instructions. C'est
pourquoi l'apôtre saint Paul avertit en général les enfants de Dieu, qu'ils doivent assaisonner leurs discours
du sel de la sagesse divine : *Sermo vester semper in gra-
tia sale sit conditus, ut sciatis quomodo oporteat vos uni-
cuique respondere*[1] : « Que votre entretien soit toujours
« édifiant et assaisonné du sel de la sagesse, en sorte que
« vous sachiez comment vous devez répondre à chaque
« personne. » O que ces conversations sont remplies de
grâce, et que ce sel a de force pour faire prendre goût

---

[1] *Coloss.*, IV, 6.

à la vérité! Lorsqu'on entend les prédicateurs, je ne sais quelle accoutumance malheureuse de recevoir par leur entremise la parole de l'Évangile fait qu'on l'écoute de leur bouche plus nonchalamment. On s'attend qu'ils reprendront les mauvaises mœurs, on dit qu'ils le font d'office; et l'esprit humain indocile y fait moins de réflexion. Mais quand un homme que l'on croit du monde, simplement et sans affectation, propose de bonne foi ce qu'il sent de Dieu en lui-même; quand il ferme la bouche à un libertin qui fait vanité du vice, ou qui raille impudemment des choses sacrées, encore une fois, chrétiens, qu'une telle conversation, assaisonnée de ce sel de grâce, a de force pour exciter l'appétit, et réveiller le goût des biens éternels!

Donc, mes frères, que tout le monde prêche l'Évangile dans sa famille, parmi ses amis, dans les conversations et les compagnies; que chacun emploie toutes ses lumières pour gagner les âmes que le monde engage, pour faire régner sur la terre la sainte vérité de Dieu, que le monde tâche de bannir par ses illusions. Si l'erreur, si l'impiété, si tous les vices ont leurs défenseurs; ô sainte vérité! serez-vous abandonnée de ceux qui vous servent? Quoi! ceux mêmes qui font profession d'être vos amis, n'oseront-ils parler pour votre gloire? Parlons, mes frères, parlons hautement pour une cause si juste; résistons à l'iniquité, qui, ne se contentant plus qu'on la souffre, ose encore exiger qu'on lui applaudisse. Parlons souvent de nos espérances, de la douce tranquillité d'une âme fidèle, des ennuis dévorants de la vie présente, de la paix qui nous attend en la vie future. Ainsi la vie éternelle, que nous aurons glorifiée par nos discours, nous glorifiera par ses récompenses, dans la sainte société que je vous souhaite aux siècles des siècles, avec le Père, le Fils et le Saint-Esprit. *Amen.*

PANÉGYRIQUE

DE

SAINT ANDRÉ, APOTRE,

PRÊCHÉ AUX CARMÉLITES DU FAUBOURG SAINT-JACQUES.

Conduite étonnante de Jésus-Christ dans la formation de son Église ; combien inconcevable et divine l'entreprise des apôtres. Triste état de la religion parmi nous ; misérables dispositions des chrétiens de nos temps.

Venite post me, et faciam vos fieri pis-catores hominum.

Venez après moi, et je vous ferai devenir des pêcheurs d'hommes.

Matth., IV, 19.

PREMIER POINT.

Jésus va commencer ses conquêtes : il a déjà prêché son Évangile ; déjà les troupes se pressent pour écouter sa parole. Personne ne s'est encore attaché à lui, et parmi tant d'écoutants, il n'a pas encore gagné un seul disciple : aussi ne reçoit-il pas indifféremment tous ceux qui se présentent pour le suivre. Il y en a qu'il rebute, il y en a qu'il éprouve, il y en a qu'il diffère. Il a ses temps destinés, il a ses personnes choisies. Il jette ses filets ; il tend ses rets sur cette mer du siècle, mer immense, mer profonde, mer orageuse et éternellement agitée. Il veut prendre des hommes dans le monde ; mais quoique cette eau soit trouble, il n'y pêche pas à

l'aveugle : il sait ceux qui sont à lui ; et il regarde, il
considère, il choisit. C'est aujourd'hui le choix d'importance ; car il va prendre ceux par qui il a résolu de
prendre les autres ; enfin il va choisir ses apôtres.

Les hommes jettent leurs filets de tous côtés, ils amas-
sent toutes sortes de poissons, bons et mauvais, dans
les filets de l'Église, selon la parole de l'Évangile. Jésus
choisit ; mais puisqu'il a le choix des personnes, peut-
être commencera-t-il ses conquêtes par quelque prince
de la synagogue, par quelque prêtre, par quelque pontife, ou par quelque célèbre docteur de la loi, pour
donner réputation à sa mission et à sa conduite. Nullement. Écoutez, mes frères : « Jésus marchait le long de
« la mer de Galilée. Il vit deux pêcheurs, Simon et An-
« dré son frère, et il leur dit : Venez après moi, et je
« vous ferai devenir des pêcheurs d'hommes. »

Voilà ceux qui doivent accomplir les prophéties, dis-
penser la grâce, annoncer la nouvelle alliance, faire
triompher la croix. Est-ce qu'il ne veut point des grands
de la terre, ni des riches, ni des nobles, ni des puissants, ni même des doctes, des orateurs et des philosophes ? Il n'en est pas ainsi. Voyez les âges suivants.
Les grands viendront en foule se joindre à l'humble
troupeau du Sauveur Jésus. Les empereurs et les rois
abaisseront leur tête superbe, pour porter le joug. On
verra les faisceaux romains abattus devant la croix de
Jésus. Les Juifs feront la loi aux Romains : ils recevront
dans leurs États des lois étrangères, qui y seront plus
fortes que les leurs propres : ils verront sans jalousie
un empire s'élever au milieu de leur empire, des lois
au-dessus des leurs ; un empire s'élever au-dessus du
leur, non pour le détruire, mais au contraire pour l'affermir. Les orateurs viendront, et on leur verra préférer
la simplicité de l'Évangile et ce langage mystique, à

cette magnificence de leurs discours vainement pompeux. Ces esprits polis de Rome et d'Athènes viendront apprendre à parler dans les écrits des barbares. Les philosophes se rendront aussi ; et après s'être longtemps débattus et tourmentés, ils donneront enfin dans les filets de nos célestes pêcheurs, où, étant pris heureusement, ils quitteront les rets de leurs vaines et dangereuses subtilités, où ils tâchaient de prendre les âmes ignorantes et curieuses. Ils apprendront, non à raisonner, mais à croire, et à trouver la lumière dans une intelligence captivée.

Jésus ne rebute donc point les grands, ni les puissants, ni les sages : il ne les rejette pas, « mais il les « diffère : » *Differantur isti superbi, aliqua soliditate sanandi sunt*[1]. Les grands veulent que leur puissance donne le branle aux affaires; les sages, que leurs raisonnements gagnent les esprits. Dieu veut déraciner leur orgueil, Dieu veut guérir leur enflure. Ils viendront en leur temps, quand tout sera accompli, quand l'Église sera établie, quand l'univers aura vu, et qu'il sera bien constant que l'ouvrage aura été achevé sans eux, quand ils auront appris à ne plus partager la gloire de Dieu, à descendre de cette hauteur, à quitter dans l'Église au pied de la croix cette primauté qu'ils affectent; quand ils se réputeront les derniers de tous; les premiers partout, mais les derniers dans l'Église; ceux que leur propre grandeur éloigne le plus du ciel, ceux que leurs périls et leurs tentations approchent le plus près de l'abîme. Êtes-vous ceux, ô grands, ô doctes, que la religion estime les plus heureux, dont elle estime l'état le meilleur? Non; mais, au contraire, ceux pour qui elle tremble, ceux qu'elle doit d'autant plus humilier pour les guérir

[1] *Aug.*, *Serm.* LXXXVII, n° 12.

et les sauver, que tout contribue davantage à les élever
et à les perdre. Ainsi votre besoin, et la gloire du Tout-
Puissant, exigent que vous soyez d'abord rebutés dans
l'exécution de ses hauts desseins, pour vous apprendre
à concevoir de vous-mêmes le juste mépris que vous
méritez.

En attendant, venez, ô pêcheurs ! venez, saint couple
de frères, André et Simon ! vous n'êtes rien, vous n'a-
vez rien : « Il n'y a rien en vous qui mérite d'être re-
« cherché, il y a seulement une vaste capacité à rem-
« plir : » *Nihil est quod in te expectatur, sed est quod in
te impleatur*[1]. Vous êtes vides de tout, et vous êtes principalement vides de vous-mêmes : « Venez recevoir, ve-
« nez vous remplir à cette source infinie : » *Tam largo
fonti vas inane admovendum est*. Les autres se réjouissent
d'avoir attiré à leur parti les grands et les doctes ; Jésus,
d'y avoir attiré les petits et les simples : *Confiteor tibi,
Pater, Domine cœli et terræ, quia abscondisti hæc a sa-
pientibus et prudentibus, et revelasti ea parvulis*[2]. « Je
« vous bénis, mon Père, Seigneur du ciel et de la terre,
« de ce que vous avez caché ces choses aux sages et aux
« prudents, et de ce que vous les avez révélées aux plus
« simples. »

Et quel a été le motif d'une conduite qui blesse si fort
nos idées ? C'est afin que le faste des hommes soit humilié, et que toute langue confesse que vraiment c'est Dieu
seul qui a fait l'ouvrage. Jésus, considérant ce grand
dessein de la sagesse de son Père, tressaillit de joie
par un mouvement du Saint-Esprit : *In ipsa hora exul-
tavit Spiritu sancto*[3]. C'est quelque chose de grand, que
ce qui a donné tant de joie au Seigneur Jésus. « Consi-

---

[1] *S. Aug., Serm.* LXXXVII, n° 12. — [2] *Matth.*, XI, 25. — [3] *Luc.,*
X, 21.

« dérez, mes frères, qui sont ceux d'entre vous qui ont
« été appelés à la foi ; et voyez qu'il y en a peu de sages
« selon la chair, peu de puissants et peu de nobles. Mais
« Dieu a choisi ce qu'il y a d'insensé selon le monde, pour
« confondre ce qu'il y a de fort. Il a choisi ce qu'il y a
« de vil et de méprisable selon le monde, et qui n'est
« rien, pour détruire ce qui est grand, afin que nul
« homme ne se glorifie devant lui[1]. »

Rien sans doute n'était plus propre à faire éclater la
grandeur de Dieu et son indépendance, qu'un pareil
choix. A lui seul il appartient de se choisir pour ses
œuvres des instruments qui, loin d'y paraître propres,
semblent n'être capables que d'en empêcher le succès ;
parce que c'est lui qui leur donne toute la vertu qui
peut les rendre efficaces. Il est bon, pour qu'on ne
puisse douter qu'il a fait tout lui seul, qu'il s'associe des
coopérateurs qui, en eux-mêmes, soient absolument
inaptes aux grands desseins qu'il veut accomplir par
leur ministère. Et comme autrefois, entre les mains des
soldats de Gédéon, de faibles vases d'argile cachaient
la lumière qui devait jeter l'épouvante dans le camp des
Madianites, ici de même ces trésors de sagesse, que Dieu
a voulu faire éclater dans le monde pour le salut des
uns et la confusion des autres, sont portés dans des
vaisseaux très-fragiles[2], afin que la grandeur de la puissance qui est en eux soit reconnue venir de Dieu, et non
de ces faibles instruments, et qu'ainsi tout concoure à
démontrer la vérité de l'Évangile.

Et d'abord admirez, mes frères, les circonstances frappantes que Dieu choisit pour former son Église. Comme
il avait différé jusqu'à la dernière extrémité l'exécution
du commencement de sa promesse, de même ici il en

[1] I. *Cor.*, 1, 26. — [2] II. *Cor.*, iv, 7.

prolonge le plein accomplissement jusqu'au moment où
tout doit paraître sans ressource. Abraham et Sara se
trouvent stériles, lorsque Dieu leur annonce qu'ils auront un fils : il attend la vieillesse décrépite, devenue
stérile par nature, épuisée par l'âge, pour leur découvrir ses desseins. C'est alors qu'il envoie son ange, qui
les assure de sa part que dans un certain temps Sara
concevra. Sara se prend à rire, tant elle est merveilleu-
sement surprise de la nouvelle qu'on lui déclare. Dieu,
par cette conduite, veut faire voir que cette race promise est son propre ouvrage. Il a suivi le même plan
dans l'établissement de son Église. Il laisse tout tomber,
jusqu'à l'espérance : *Sperabamus* [1] ; « Nous espérions, »
disent ses disciples depuis sa mort. Quand Dieu veut
faire voir qu'un ouvrage est tout de sa main, il réduit
tout à l'impuissance et au désespoir; puis il agit. *Sperabamus.* C'en est fait, notre espérance est tombée et en-
sevelie avec lui dans le tombeau. Après la mort de Jésus-
Christ, ils retournent à la pêche : jamais ils ne s'y étaient
livrés durant sa vie : ils espéraient toujours, *Sperabamus.* C'est Pierre qui en fait la proposition : *Vado pis-
cari; venimus, et nos tecum* [2] : Retournons aux poissons,
laissons les hommes. Voilà le fondement qui abandonne
l'édifice, le capitaine qui quitte l'armée : Pierre, le chef
des apôtres, va reprendre son premier métier, et les
filets et le bateau qu'il avait quittés. Évangile, que de-
viendrez-vous? Pêche spirituelle, vous ne serez plus.
Mais dans ce moment Jésus vient : il ranime la foi presque éteinte de ses disciples abattus; il leur commande
de reprendre le ministère qu'il leur a confié, et les rappelle au soin de ses brebis dispersées : *Pasce oves meas.*
C'en est assez pour leur rendre la paix et relever leur

---

[1] *Luc.*, XXIV, 21.— [2] *Joan.*, XX, 5.

courage. Rassurés désormais par sa parole, fortifiés par son esprit, rien ne les étonnera, rien ne sera capable de les troubler : ni le sentiment de leur faiblesse, ni la vue des obstacles, ni la grandeur du projet, ni le défaut des ressources humaines, rien ne saurait les ébranler dans la résolution d'exécuter tout ce que leur maître leur a prescrit. Armés d'une ferme confiance dans le secours qui leur est promis, loin d'hésiter, ils s'affermissent par les oppositions mêmes qu'ils éprouvent; loin de craindre, ils ressentent une joie indicible au milieu des menaces et des mauvais traitements, que la seule idée du dessein qu'ils ont formé leur attire; et déjà espérant contre toute espérance, ils se regardent comme assurés de la révolution qu'ils méditent. Quel étrange changement dans ces esprits grossiers! Quelle folle présomption, ou quelle sublime et céleste inspiration les anime!

En effet, considérez, je vous prie, l'entreprise de ces pêcheurs. Jamais prince, jamais empire, jamais république n'a conçu un dessein si haut. Sans aucune apparence de secours humain, ils partagent le monde entre eux pour le conquérir. Ils se sont mis dans l'esprit de changer par tout l'univers les religions établies, et les fausses et la véritable, et parmi les gentils et parmi les Juifs. Ils veulent établir un nouveau culte, un nouveau sacrifice, une loi nouvelle; parce que, disent-ils, un homme qu'on a crucifié en Jérusalem l'a enseigné de la sorte. Cet homme est ressuscité, il est monté aux cieux, où il est le Tout-Puissant. Nulle grâce que par ses mains, nul accès à Dieu qu'en son nom. En sa croix est établie la gloire de Dieu; en sa mort, le salut et la vie des hommes.

Mais voyons par quels artifices ils se concilieront les esprits. Venez, disent-ils, servir Jésus-Christ : quiconque se donne à lui sera heureux quand il sera mort ; en attendant, il faudra souffrir les dernières extrémités. Voilà leur doctrine et voilà leurs preuves ; voilà leurs fins, voilà leurs moyens.

Dans une si étrange entreprise, je ne dis pas avoir réussi comme ils ont fait, mais avoir osé espérer, c'est une marque invincible de la vérité. Il n'y a que la vérité ou la vraisemblance qui puisse faire espérer les hommes. Qu'un homme soit avisé, qu'il soit téméraire, s'il espère, il n'y a point de milieu : ou la vérité le presse, ou la vraisemblance le flatte ; ou la force de celle-là le convainc, ou l'apparence de celle-ci le trompe. Ici tout ce qui se voit, étonne ; tout ce qui se prévoit, est contraire ; tout ce qui est humain, est impossible. Donc, où il n'y a nulle vraisemblance, il faut conclure nécessairement que c'est la seule vérité qui soutient l'ouvrage. Que le monde se moque tant qu'il voudra : encore faut-il que la plus forte persuasion qui ait jamais paru sur la terre, et dans la chose la plus incroyable, et parmi les épreuves les plus difficiles, et dans les hommes les plus incrédules et les plus timides, dont le plus hardi a renié lâchement son maître, ait une cause apparente. La feinte ne va pas si loin, la surprise ne dure pas si longtemps, la folie n'est pas si réglée.

Car enfin, poussons à bout le raisonnement des incrédules et des libertins. Qu'est-ce qu'ils veulent penser de nos saints pêcheurs ? Quoi ? qu'ils avaient inventé une belle fable, qu'ils se plaisaient d'annoncer au monde ? mais ils l'auraient faite plus vraisemblable. Que c'étaient des insensés et des imbéciles, qui ne s'entendaient pas eux-mêmes ? mais leur vie, mais leurs écrits, mais leurs lois et la sainte discipline qu'ils ont établie, et enfin l'événement même, prouvent le contraire. C'est une chose inouïe, ou que la finesse invente si mal, ou que la folie exécute si heureusement : ni le projet n'annonce des hommes rusés ; ni le succès, des hommes dépourvus de sens. Ce ne sont pas ici des hommes prévenus qui meurent pour des sentiments qu'ils ont sucés avec le lait. Ce ne sont pas ici des spéculatifs et des curieux, qui ayant rêvé dans leur cabinet sur des choses imperceptibles, sur des mystères éloignés des sens, font leurs idoles de leurs opinions, et les défendent jusqu'à mourir. Ceux-ci ne nous disent pas : Nous avons pensé, nous avons médité, nous avons conclu. Leurs pensées pourraient être fausses, leurs méditations mal fondées, leurs conséquences mal prises et défectueuses. Ils nous disent : Nous avons vu, nous avons ouï, nous avons touché de nos mains, et souvent, et longtemps, et plusieurs ensemble, ce Jésus-Christ ressuscité des morts. S'ils disent la vérité, que reste-t-il à répondre ? S'ils inventent, que prétendent-ils ? Quel avantage, quelle récompense, quel prix de tous leurs travaux ? S'ils attendaient quelque chose, c'était ou dans cette vie, ou après leur mort. D'espérer pendant cette vie, ni la haine, ni la puissance, ni le nombre de leurs ennemis, ni leur propre faiblesse, ne le souffre pas. Les voilà donc réduits aux siècles futurs ; et alors, ou ils attendent de Dieu la félicité de leurs âmes, ou ils attendent des hommes la gloire et l'immortalité de leur nom. S'ils attendent la félicité que promet le Dieu véritable, il est clair qu'ils ne pensent pas à tromper le monde ; et si le monde veut s'imaginer que le désir de se signaler dans l'histoire ait été flatter ces esprits grossiers jusque dans leurs bateaux de pêcheurs, je dirai seulement ce mot : Si un Pierre, si un André, si un Jean, parmi tant d'opprobres et tant de persécutions, ont pu prévoir de si loin la gloire du christianisme, et celle que nous leur donnons, je ne veux rien de plus fort pour convaincre tous les esprits raisonnables que c'étaient des hommes divins, auxquels et l'Esprit de Dieu, et la force toujours invincible de la vérité, faisaient voir, dans l'extrémité de l'oppression, la victoire très-assurée de la bonne cause.

Voilà ce que fait voir la vocation des pêcheurs : elle montre que l'Église est un édifice tiré du néant, une création, l'œuvre d'une main toute-puissante. Voyez la structure, rien de plus grand : le fondement, c'est le néant même : *Vocat ea quæ non sunt*[1]. Si le néant y paraît, c'est donc une véritable création : on y voit quelques parties brutes, pour montrer ce que l'art a opéré. Si c'est Dieu, bâtissons dessus, ne craignons pas. Laissons-nous prendre ; et, tant de fois pris par les vanités, laissons-nous prendre une fois à ces pêcheurs d'hommes et aux filets de l'Évangile, « qui ne tuent point ce qu'ils « prennent, mais qui le conservent ; qui font passer à la « lumière ceux qu'ils tirent du fond de l'abîme, et trans-« portent de la terre au ciel ceux qui s'agitent dans cette « fange : » *Apostolica instrumenta piscandi retia sunt, quæ non captos perimunt, sed reservant ; et de profundo ad lumen extrahunt, fluctuantes de infimis ad superna traducunt*[2].

Laissons-nous tirer de cette mer, dont la face est toujours changeante, qui cède à tout vent, et qui est toujours agitée de quelque tempête. Écoutez ce grand bruit du monde, ce tumulte, ce trouble éternel ; voyez ce mouvement, cette agitation, ces flots vainement émus qui crèvent tout à coup, et ne laissent que de l'écume. Ces ondes impétueuses qui se roulent les unes contre les autres, qui s'entre-choquent avec grand éclat, et s'effacent mutuellement, sont une vive image du monde et des passions, qui causent toutes les agitations de la vie

[1] *Rom.*, IV, 17. — [2] *S. Ambr.*, lib. IV, *in Luc.*, n° 72.

humaine; « où les hommes, comme des poissons, se dé-
« vorent mutuellement : » *Ubi se invicem homines quasi
pisces devorant*[1]. Voyez encore ces grands poissons, ces
monstres marins, qui fendent les eaux avec grand tumulte : il ne reste à la fin aucun vestige de leur passage.
Ainsi passent dans le monde ces grandes puissances, qui
font si grand bruit, qui paraissent avec tant d'ostentation. Ont-elles passé, il n'y paraît plus, tout est effacé,
il n'en reste aucune apparence.

Il vaut donc beaucoup mieux être enfermé dans ces
rets qui nous conduiront au rivage, que de nager et se
perdre dans une eau si vaste, en se flattant d'une
fausse image de liberté. La parole est le rets qui prend
les âmes. Mais on travaille vainement si Jésus-Christ ne
parle pas : *In verbo tuo laxabo rete* : « Sur votre parole,
« Seigneur, je jetterai le filet. » C'est ce qui donne efficace.

Saintes filles, vous êtes renfermées dans ce filet : la
parole qui vous a prises, c'est cet oracle si touchant de
la vérité : *Quid prodest homini si mundum universum lu-
cretur, animæ vero suæ detrimentum patiatur*[2]? « Que sert
« à l'homme de gagner le monde entier, s'il perd son
« âme? » Dès lors pénétrées, par l'efficace de cette parole, du néant et des dangers d'un monde trompeur,
vous avez voulu donner toutes vos affections à ces biens
véritables, seuls dignes d'attirer vos cœurs; et pour vous
mettre plus en état de les acquérir, vous vous êtes empressées de vous séparer de tous les objets qui auraient
pu, par des illusions funestes, égarer vos désirs, et détourner votre application de cet unique nécessaire. Persévérez dans ces bienheureux filets qui vous ont mises à
couvert des périls de cette mer orageuse, et gardez-vous

[1] *Aug., Serm.* CCLII, n° 2. — [2] *Matth.*, XVI, 26.

d'imiter ceux qui, par les différentes ouvertures qu'ils
ont cherché dans leur inquiétude à faire aux rets salutaires qui les enserraient, n'ont travaillé qu'à se procurer une liberté plus déplorable que le plus honteux
esclavage.

SECOND POINT.

Saint André est un des plus illustres de ces divins pêcheurs, et l'un de ceux à qui Dieu a donné le plus grand
succès dans cette pêche mystérieuse. C'est lui qui a pris
son frère Simon, le prince de tous les pêcheurs spirituels : *Veni, et vide* [1]. C'est ce qui donne lieu à Hésychius,
prêtre de Jérusalem, de lui donner cet éloge [2] : André,
le premier-né des apôtres, la colonne premièrement
établie, Pierre devant Pierre, fondement du fondement
même, qui a appelé avant qu'on appelât, qui amène des
disciples à Jésus avant que d'y avoir été amené lui-même.
« Il rend ainsi au Verbe ceux qu'il prend par sa parole : »
Quos in verbo capit, Verbo reddit [3]. Car toute la gloire des
conquêtes des apôtres est due à Jésus-Christ : c'est en
s'appuyant sur ses promesses qu'ils les entreprennent :
In verbo tuo laxabo rete [4]. « Aussi ne sommes-nous pas
« appelés pétriens, mais chrétiens, » *Non petrianos,
sed christianos* : « et ce n'est pas Paul qui a été cruci-
« fié pour nous : » *Numquid Paulus crucifixus est pro
vobis* [5] ?

Bientôt André, rempli de ces sentiments, soumettra
à son maître, avec un zèle infatigable et un courage invincible, l'Épire, l'Achaïe, la Thrace, la Scythie, peuples barbares et presque sauvages, « libres par leur in-
« docile fierté, par leur humeur rustique et farouche, »

---

[1] *Joann.*, I, 46. — [2] *Bibl. Phot.*, Cod. 269. — [3] *S. Ambr. in Luc.*, lib.
IV, n. 78. — [4] *Luc*, V, 5. — [5] I. *Cor.*, I, 13.

omnes illæ ferocia liberæ gentes. Tous ces succès sont l'effet de l'ordre que Jésus-Christ leur a donné à tous : *Laxate retia :* « Jetez vos filets. » Dès que les apôtres se sont mis en devoir de l'exécuter, la foule des peuples et des nations convertis se trouve prise dans la parole.

Si nous voulons considérer avec attention toutes les circonstances de la pêche miraculeuse des apôtres, nous y verrons toute l'histoire de l'Église, figurée avec les traits les plus frappants. Il y entre des esprits inquiets et impatients; ils ne peuvent se donner de bornes, ni renfermer leur esprit dans l'obéissance : *Rumpebatur autem rete eorum* [1]. La curiosité les agite, l'inquiétude les pousse, l'orgueil les emporte; ils rompent les rets, ils échappent, ils font des schismes et des hérésies : ils s'égarent dans des questions infinies, ils se perdent dans l'abîme des opinions humaines. Toutes les hérésies, pour mettre la raison un peu plus au large, se font des ouvertures par des interprétations violentes : elles ne veulent rien qui captive. Dans les mystères, il faut souvent dire qu'on n'entend pas; il faut renoncer à la raison et au sens. L'esprit libre et curieux ne peut s'y résoudre; il veut tout entendre, l'Eucharistie, les paroles de l'Évangile. C'est un filet où l'esprit est arrêté. On force un passage, on cherche à s'échapper à travers les mauvaises défaites que suggère une orgueilleuse raison. Pour nous, demeurons dans l'Église, heureusement captivés dans ses liens. Il y en demeure des mauvais, mais il n'en sort aucun des bons.

Mais voici un autre inconvénient. « La multitude est « si grande, que la nacelle surchargée est prête à cou- « ler à fond : » *Impleverunt ambas naviculas, ita ut pene mergerentur* [2] : figure bien sensible de ce qui devait

_____

[1] *Luc.*, v, 6. — [2] *Luc.*, v, 7.

se passer dans l'Église, où le grand nombre de ceux qui entraient dans la nacelle a tant de fois fait craindre qu'elle ne fût submergée par son propre poids : *Sed mihi cumulus iste suspectus est, ne plenitudine sui naves pene mergantur*[1]. Mais ce n'est pas encore tout ; et ici le danger n'est pas moins redoutable que tous les périls déjà courus. « Pierre est agité d'une nouvelle sollicitude ; « sa proie même, qu'il a tirée à terre avec tant d'efforts, « lui devient suspecte ; et il a besoin d'un sage discer- « nement pour n'être pas trompé dans son abondance : » *Ecce alia sollicitudo Petri, cui jam sua prœda suspecta est*[2]. Image vive de la conduite que les pêcheurs spiri- tuels ont dû tenir à l'égard de tous ces poissons mysté- rieux qui tombaient dans leurs filets. Faute de cette sage défiance et de ces précautions salutaires, l'Église s'est accrue et la discipline s'est relâchée ; le nombre des fidèles s'est augmenté, et l'ardeur de la foi s'est ralentie : *Nescio quomodo pugnante contra temetipsam tua felicitate, quantum tibi auctum est populorum, tantum pene vitiorum ; quantum tibi copiœ accessit, tantum disci- plinœ recessit ;..... factaque es, Ecclesia, profectu tuœ fecunditatis infirmior, et quasi minus valida*[3]. Elle est déchue par son progrès, et abattue par ses propres forces.

L'Église n'est faite que pour les saints. Aussi les en- fants de Dieu y sont appelés, et y accourent de toutes parts. Tous ceux qui sont du nombre, y sont entrés : « mais combien en est-il entré par-dessus le nombre ! » *Multiplicati sunt super numerum*[4]. Combien parmi nous, qui néanmoins ne sont point des nôtres ! Les enfants d'iniquité qui l'accablent, la foule des méchants qui

---

[1] *S. Amb. in Luc.*, lib. IV, n° 77. — [2] *Ibib.*, 78. — [3] *Salviam. adv. Avar.*, lib. I. — [4] *Psal.* xxxix, 6.

l'opprime, ne sont dans l'Église que pour l'exercer. Les vices ont pénétré jusque dans le cœur de l'Église ; et ceux qui ne devaient pas même y être nommés, y paraissent hautement la tête levée : *Maledictum, et mendacium, et adulterium inundaverunt*[1]. Les scandales se sont élevés ; et l'iniquité étant entrée comme un torrent, elle a renversé la discipline. Il n'y a plus de correction, il n'y a plus de censure. On ne peut plus, dit saint Bernard[2], noter les méchants, tant le nombre en est immense ; on ne peut plus les éviter, tant leurs emplois sont nécessaires ; on ne peut plus les réprimer, ni les corriger, tant leur crédit et leur autorité est redoutable.

Dans cette foule, les bons sont cachés ; souvent ils habitent dans quelque coin écarté, dans quelque vallée déserte : ils soupirent en secret, et se livrent aux saints gémissements de la pénitence. Combien de saints pénitents ! Hélas ! « à peine dans un si grand amas de pailles « aperçoit-on quelques grains de froment : » *Vix ibi apparent grana frumenti in tam multo numero palearum*[3]. Les uns paraissent, les autres sont cachés, selon qu'il plaît au Père céleste, ou de les sanctifier par l'obscurité, ou de les produire pour le bon exemple.

Mais dans cette étrange confusion, et au milieu de tant de désordres, souvent la foi chancelle, les faibles se scandalisent, l'impiété triomphe ; et l'on est tenté de croire que la piété n'est qu'un nom, et la vertu chrétienne qu'une feinte de l'hypocrisie. Rassurez-vous cependant, et ne vous laissez pas ébranler par la multitude des mauvais exemples. Voulez-vous trouver des hommes sincèrement vertueux, et vraiment chrétiens, qui

____

[1] *Os*, iv, 2. — [2] *In Cant. Serm.* xxxiii, n° 16. — [3] *S. Aug., Serm.* cclii, n° 4.

vous consolent dans ce déréglement presque universel,
« soyez vous-mêmes ce que vous désireriez voir dans
« les autres; et vous en trouverez sûrement, ou qui
« vous ressembleront, ou qui vous imiteront : » *Estote
tales, et invenietis tales.*

TROISIÈME POINT.

L'Église parle à ses enfants : ils doivent l'écouter
avec un respect qui prouve leur soumission, et lui obéir
avec une promptitude qui témoigne leur fidélité et leur
confiance. Dieu parle aussi, et à sa parole tout se fait
dans la nature comme il l'ordonne. Si les créatures inanimées, ou sans raison, lui obéissent avec tant de dépendance, nous, qui sommes doués d'intelligence, lui
devons-nous moins de docilité quand il parle? Et, en
effet, la liberté ne nous est pas donnée pour hésiter,
ni pour disputer contre lui : elle nous donne le volontaire, pour distinguer notre obéissance de celle des
créatures inanimées ou sans raison; mais quel que soit
notre avantage sur elles, ce n'est pas pour nous dis-
penser de rendre à Dieu la déférence qui lui est due.
Le même droit qu'il a sur les autres êtres, subsiste à
notre égard; et il nous impose la même obligation de
lui obéir ponctuellement et dans l'instant même. S'il
nous laisse notre choix, c'est non pour affaiblir son
empire, mais pour rendre notre sujétion plus honorable.

Ceux qui sont accoutumés au commandement, sentent
mieux que les autres combien cette obéissance est juste
et légitime, combien elle est douce et aimable. Que sert
donc de la refuser ou de la contester? Les hommes peuvent bien trouver moyen de se soustraire à l'empire de
leurs semblables; mais Dieu a cela par nature, que rien
ne lui résiste. Si la volonté rebelle prétend échapper à

sa domination, en s'en retirant d'un côté elle y retombe d'un autre avec toute l'impétuosité des efforts qu'elle avait faits pour s'en affranchir. Ainsi tout invite, tout presse l'homme de se soumettre à son Dieu, et de lui obéir sans contradiction et sans délai.

Quand on hésite, ou qu'on diffère, il se tient pour méprisé ou refusé tout à fait. Lorsque la vocation est claire et certaine, qui est capable d'hésiter un moment, est capable de manquer tout à fait; qui peut retarder un jour, peut passer toute sa vie : nos passions et nos affaires ne nous demandent jamais qu'un délai. C'est pour Dieu une insupportable lenteur que d'aller seulement dire adieu aux siens, que d'aller rendre à son propre père les honneurs de la sépulture. Il faudra voir le testament, l'exécuter, le contester : d'une affaire il en naît une autre, et un moment de remise attire quelquefois la vie tout entière; c'est pourquoi il faut tout quitter en entrant au service de Dieu [1]. Puisqu'il faudra nécessairement couper quelque part, coupez dès l'abord, tranchez au commencement, afin d'être plus tôt à celui à qui vous voulez être pour toujours.

Et combien n'est-on pas dédommagé de ces sacrifices! et quelle confiance ne donnent-ils pas aux âmes, pour oser tout espérer de la bonté d'un Dieu si généreux et si magnifique! Voyez les apôtres, ils n'ont quitté qu'un art méprisable : Pierre en dit-il avec moins de force : « Nous avons tout quitté, » *Reliquimus omnia* [2]? Des filets : voilà le présent qu'ils suspendent à ses autels; voilà les armes, voilà le trophée qu'ils érigent à sa victoire. Qu'il y a plaisir de servir celui qui fait justice au cœur, et qui pèse l'affection : qui veut à la vérité nous faire acheter son royaume, mais aussi qui a la bonté de

---

[1] *S. Chrysost. in Matth. Homil.* XXVII. — [2] *Matth.*, XIX, 27.

se contenter de ce que nous avons entre les mains ! Car il met son royaume à tout prix, et il le donne pour tout ce que nous pouvons lui offrir : *Tantum valet quantum habes.* « Rien qui soit à plus vil prix, quand on l'achète ; « rien qui soit plus précieux, quand on le possède : » *Quid vilius, cum emitur ; quid carius, cum possidetur* [1] ?

Mais ce n'est pas assez de tout quitter, parents, amis, bien, repos, liberté : il faut encore suivre Jésus-Christ, porter sa croix après lui en marchant sur ses traces, en imitant ses exemples, et se renoncer ainsi soi-même tous les jours de sa vie. Cependant qu'il est difficile, quand tout est heureux, quand tout nous favorise, de résister à ces attraits séduisants d'un monde qui nous amollit et nous corrompt en nous flattant ! A qui persuadera-t-on de fuir la gloire, de mépriser les honneurs ; de redouter les richesses, lorsqu'ils semblent se présenter comme d'eux-mêmes, et venir pour ainsi dire nous chercher dans notre obscurité ? Qui peut comprendre qu'il faille se mortifier dans le sein de l'abondance ; faire violence à ses désirs, lorsque tout concourt à les satisfaire ; devenir à soi-même son propre bourreau, si les contradictions du dehors ne nous en tiennent lieu ; et savoir se livrer à tous les genres de souffrances, pour mener une vie vraiment pénitente et crucifiée ? Et toutefois y a-t-il une autre manière de se rendre semblable à Jésus-Christ, et de porter fidèlement sa croix avec lui ?

« O croix aimable, ô croix si ardemment désirée, et « enfin trouvée si heureusement ! puissé-je ne jamais « te quitter, te demeurer tendrement et constamment « attaché, afin que celui qui, en mourant entre tes bras, « par toi m'a racheté, par toi aussi me reçoive, et me

[1] *S. Gregor. in Ev. Hom.* v, n° 2, 3.

« possède éternellement dans son amour : » *Ut per te me recipiat, qui per te moriens me redemit!* Tels sont les sentiments dont doivent être animés tous ceux qui veulent sincèrement appartenir à Jésus-Christ : point d'autre moyen de se montrer ses véritables disciples.

Quand est-ce que l'Église a vu des chrétiens dignes de ce nom? C'est lorsqu'elle était persécutée, lorsqu'elle lisait à tous les poteaux des sentences épouvantables contre ses enfants, et qu'elle les voyait à tous les gibets, et dans toutes les places publiques, immolés pour la gloire de l'Évangile. Durant ce temps, mes sœurs, il y avait des chrétiens sur la terre; il y avait de ces hommes forts, qui, nourris dans les proscriptions et dans les alarmes continuelles, s'étaient fait une glorieuse habitude de souffrir pour l'amour de Dieu. Ils croyaient que c'était trop de délicatesse à des disciples de la croix, que de rechercher le plaisir et en ce monde et en l'autre. Comme la terre leur était un exil, ils n'estimaient rien de meilleur pour eux que d'en sortir au plus tôt. Alors la piété était sincère, parce qu'elle n'était pas encore devenue un art : elle n'avait pas encore appris le secret de s'accommoder au monde, ni de servir au négoce des ténèbres. Simple et innocente qu'elle était, elle ne regardait que le ciel, auquel elle prouvait sa fidélité par une longue patience. Tels étaient les chrétiens de ces premiers temps : les voilà dans leur pureté, tels que les engendrait le sang des martyrs, tels que les formaient les persécutions.

Maintenant une longue paix a corrompu ces courages mâles, et on les a vus ramollis depuis qu'ils n'ont plus été exercés. Le monde est entré dans l'Église. On a voulu joindre Jésus-Christ avec Bélial; et de cet indigne mélange quelle race enfin nous est née? Une race mêlée et corrompue, des demi-chrétiens, des chrétiens mondains et séculiers ; une piété bâtarde et falsifiée , qui est toute dans les discours et dans un extérieur contrefait. O piété à la mode, que je me ris de tes vanteries et des discours étudiés que tu débites à ton aise pendant que le monde te rit ! viens, que je te mette à l'épreuve. Voici une tempête qui s'élève ; voici une perte de biens, une insulte, une disgrâce, une maladie. Quoi ! tu te laisses aller au murmure, ô vertu contrefaite et déconcertée ! tu ne peux plus te soutenir, piété sans force et sans fondement ! Va, tu n'étais qu'un vain simulacre de la piété chrétienne ; tu n'étais qu'un faux or qui brille au soleil, mais qui ne dure pas dans le feu, mais qui s'évanouit dans le creuset. La piété chrétienne n'est pas faite de la sorte : le feu l'épure et l'affermit. Ah ! s'il est ainsi, chrétiens , si les souffrances sont nécessaires pour soutenir l'esprit du christianisme, Seigneur, rendez-nous les tyrans ; rendez-nous les Domitien et les Néron.

Mais modérons notre zèle, et ne faisons point de vœux indiscrets : n'envions pas à nos princes le bonheur d'être chrétiens, et ne demandons pas des persécutions que notre lâcheté ne pourrait souffrir. Sans ramener les roues et les chevalets sur lesquels on étendait nos ancêtres, la matière ne manquera pas à la patience. La nature a assez d'infirmités, les affaires assez d'épines, les hommes assez d'injustice, leurs jugements assez de bizarreries, leurs humeurs assez d'importunes inégalités, le monde assez d'embarras, ses faveurs assez d'inconstance, ses engagements les plus doux assez de captivités. Que si tout nous prospère, si tout nous rit, c'est à nous à nous rendre nous-mêmes nos persécuteurs, à nous contrarier nous-mêmes.

Pour mener une vie chrétienne, il faut sans cesse combattre son cœur, craindre ce qui nous attire, pardonner ce qui nous irrite, rejeter souvent ce qui nous

avance, et nous opposer nous-mêmes aux accroissements de notre fortune. O qu'il est difficile, pendant
que le monde nous accorde tout, de se refuser quelque
chose! Qui, ayant en sa possession une personne très-
accomplie, qu'il aurait aimée, vivrait avec elle comme
avec sa sœur, s'élèverait au-dessus de tous les sentiments de l'humanité? C'est une aussi forte résolution,
dit saint Chrysostome[1], de ne pas laisser corrompre
son cœur par les grandeurs et les biens qu'on possède.
Ah! qu'il faut alors de courage pour renoncer à ses inclinations, et s'empêcher de goûter et d'aimer ce que la
nature trouve si doux et si aimable! Sans cesse obligé
d'être aux prises avec soi-même, pour s'arracher de vive
force à des objets auxquels tout le poids du cœur nous
entraîne, combien ne s'y sent-on pas plus fortement
incliné, lorsque tout ce qui nous environne nous invite
et nous presse de satisfaire à nos désirs? C'est dans une
si critique situation qu'il faut vraiment, pour se conserver pur, se rendre en quelque sorte cruel à soi-
même, en se privant d'autant plus des vains plaisirs
que la chair recherche, qu'on a plus de moyen de se
les procurer. Si l'esprit veut alors acquérir une noble
liberté, qu'il tienne les sens dans une sage contrainte,
de peur d'en être bientôt maîtrisé, et que, saintement
sévère à lui-même, sévère à son corps, il tende, par
une bienheureuse mortification de tous les retours
de l'amour-propre et de toutes les affections char-
nelles, à se dégager de plus en plus de tout ce qui
l'empêche de retourner à son principe. Peu à peu il
trouvera dans les austérités de la pénitence, dans les
humiliations de la croix, plus de délices et de consolations, que les amateurs du monde ne sauraient en goû-

---

[1] *In Matth.*, *Hom.*, XI, n° 4.

ter dans toutes les folles joies qu'il leur procure, et dans tous les contentements de leur orgueil. C'est ainsi que, par les différents progrès du détachement et de la pénitence, nous parvenons à être réellement martyrs de nous-mêmes, nous devenons des victimes d'autant plus propres à être consommées en Jésus-Christ, qu'elles sont plus volontaires. Nouveau genre de martyre, où le persécuteur et le patient sont également agréables, où Dieu, d'une même main, anime celui qui souffre et couronne celui qui persécute.

Saintes filles, vous connaissez ce genre de martyre, et depuis longtemps vous l'exercez sur vous-mêmes avec un zèle digne de la foi qui vous anime. Peu contentes de vous être dépouillées, par un généreux renoncement que la grâce vous a inspiré, de tous les objets capables de vous affadir, vous avez encore voulu déclarer une guerre continuelle à toutes les affections, à tous les sentiments d'une nature toujours ingénieuse à rechercher ce qui peut la satisfaire; et dans la crainte de céder à ses empressements, vous avez mieux aimé lui refuser sans danger ce qui pourrait lui être permis, que de vous exposer à vous laisser entraîner au delà des bornes, en lui donnant tout ce que vous pouviez absolument lui accorder. Persévérez, mes sœurs, dans cette glorieuse milice, qui vous apprendra à mourir chaque jour à ce que vous avez de plus intime, et qui, vous détachant de plus en plus de la chair, vous élèvera, par une sainte mortification de l'esprit, jusqu'à Dieu, pour trouver en lui cette paix que le monde ne connaît pas, ces délices que les sens ne sauraient goûter, et ce parfait bonheur réservé aux âmes vraiment chrétiennes, que je vous souhaite.

PANÉGYRIQUE

DE

SAINT THOMAS DE CANTORBÉRY,

PRONONCÉ DANS L'ÉGLISE DE SAINT-THOMAS DU LOUVRE EN 1668.

Motifs de la résistance de saint Thomas à l'égard de son prince. Sa conduite
toujours sage, toujours respectueuse au milieu des violentes persécutions qu'il
a à souffrir. Succès de ses combats pour la discipline. Admirable changement
que produit sa mort dans ses ennemis; zèle qu'elle inspire à ses frères. Usage
que les ecclésiastiques doivent faire de leurs priviléges, de leurs biens et
de leur autorité, pour ne pas exposer l'Église aux blasphèmes des libertins.

> *In morte mirabilia operatus est.*
> Il a fait des choses merveilleuses dans sa mort.
> *Eccl.*, XLVIII, 15.

Les mystères de Jésus-Christ sont une chute continuelle; et tant qu'il a vu devant soi quelque nouvelle
bassesse, il n'a jamais cessé de descendre. Il se compare
lui-même dans son Évangile à un grain de froment qui
tombe[1]; et en effet, il est allé toujours tombant, premièrement du ciel en la terre, de son trône dans une
crèche : de là par plusieurs degrés il est tombé jusqu'à
l'ignominie du supplice, jusqu'à l'obscurité du tombeau,
jusqu'à la profondeur de l'enfer. Mais comme il ne pouvait tomber plus bas, c'était là aussi le terme fatal de
ses chutes mystérieuses ; et ce cours d'abaissements étant
rempli, c'est de là qu'il a commencé de se relever couronné d'honneur et de gloire.

Ce que notre chef a fait une fois en sa personne sacrée,
tous les jours il l'accomplit dans ses membres ; et le mar-

---

[1] *Joann.*, XII, 24.

tyr que nous honorons, nous en est un illustre exemple. Saint Thomas, archevêque de Cantorbéry, s'étant trouvé engagé, pour les intérêts de l'Église, dans de longs et fâcheux démêlés avec un grand roi, avec Henri II, roi d'Angleterre, on l'a vu tomber peu à peu de la faveur à la disgrâce, de la disgrâce au bannissement, du bannissement à une espèce de proscription, et enfin à une mort violente. Mais la Providence divine, ayant lâché la main jusqu'à ce terme, a fait commencer de là son élévation. Elle a honoré de miracles le tombeau de cet illustre martyr ; elle a mené à ses cendres un roi pénitent ; elle a conservé les droits de l'Église par le sang de ce saint évêque, persécuté injustement pour sa cause, et tirant sa gloire de ses souffrances. Elle m'a donné lieu de dire de lui ce que l'Ecclésiastique a dit d'Élisée, que « sa mort a opéré des miracles : » *In morte mirabilia operatus est.* Mais afin de vous découvrir toutes ces merveilles, demandons l'assistance du Saint-Esprit par l'entremise de Marie. *Ave.*

C'est une loi établie, que l'Église ne peut jouir d'aucun avantage qui ne lui coûte la mort de ses enfants ; et que, pour affermir ses droits, il faut qu'elle répande du sang. Son Époux l'a rachetée par le sang qu'il a versé pour elle, et il veut qu'elle achète par un prix semblable les grâces qu'il lui accorde. C'est par le sang des martyrs qu'elle a étendu ses conquêtes bien loin au delà de l'empire romain ; son sang lui a procuré et la paix dont elle a joui sous les empereurs chrétiens, et la victoire qu'elle a remportée sur les empereurs infidèles. Il paraît donc qu'elle devait du sang à l'affermissement de son autorité, comme elle en avait donné à l'établissement de sa doctrine ; et ainsi la discipline, aussi bien que la foi de l'Église, a dû avoir des martyrs.

C'est pour cette cause, messieurs, que votre glorieux patron a donné sa vie. Nous avons honoré ces derniers jours le premier martyr de la foi ; aujourd'hui nous célébrons le triomphe du premier martyr de la discipline : et afin que tout le monde comprenne combien ce martyre a été semblable à ceux que nous ont fait voir les anciennes persécutions, je m'attacherai à vous montrer que la mort de notre saint archevêque a opéré les mêmes merveilles dans la cause de la discipline, que celle des autres martyrs a autrefois opérées lorsqu'il s'agissait de la croyance.

En effet, pour ne pas vous laisser longtemps en suspens, comme les martyrs qui ont combattu pour la foi ont affermi, par le témoignage de leur sang, cette foi que les tyrans voulaient abolir ; calmé par leur patience la haine publique, qu'on voulait exciter contre eux en les traitant comme des scélérats ; confirmé par leur constance invincible les fidèles, qu'on avait dessein d'effrayer par le terrible spectacle de tant de supplices ; en sorte que, profitant des persécutions, ils les ont fait servir, contre leur nature, à l'établissement de leur foi, à la conversion de leurs ennemis, à l'instruction et à l'affermissement de leurs frères : ainsi vous verrez bientôt, chrétiens, que des effets tout semblables ont suivi la mort du grand archevêque de Cantorbéry ; et la suite de cet entretien vous fera paraître que le sang de ce nouveau martyr de la discipline a affermi l'autorité ecclésiastique, qui était violemment opprimée ; que sa mort a converti les cœurs indociles des ennemis de la discipline de l'Église ; enfin, qu'elle a échauffé le zèle de ceux qui sont préposés pour en être les défenseurs. Voilà ce que j'ai dessein de vous faire entendre dans les trois parties de ce discours.

PREMIER POINT.

Pour bien entendre le sujet des fameux combats du grand saint Thomas de Cantorbéry pour l'honneur de l'Église et du sacerdoce, il faut considérer avant toutes choses quelques vérités importantes, qui regardent l'état de l'Église : ce qu'elle est, ce qui lui est dû, et ce qu'elle doit; quels droits elle a sur la terre, et quels moyens lui sont donnés pour s'y maintenir. Je sais que cette matière est fort étendue, et pleines de questions épineuses : mais comme la décision de ces doutes dépend d'un ou deux principes, j'espère qu'en laissant un grand embarras de difficultés fort enveloppées je pourrai vous dire en peu de paroles ce qui est essentiel et fondamental, et absolument nécessaire pour connaître l'état de la cause pour laquelle saint Thomas a donné sa vie. J'avance donc deux vérités qui expliquent parfaitement, si je ne me trompe, l'état de l'Église sur la terre. Je dis qu'elle y est comme une étrangère, et qu'elle y est toutefois revêtue d'un caractère royal, par la souveraineté toute divine et toute spirituelle qu'elle y exerce. Ces deux vérités éclaircies nous donneront par ordre la résolution des difficultés que j'ai proposées.

Et premièrement, l'Église est dans le monde comme une étrangère : cette qualité fait sa gloire. Elle montre sa dignité et son origine céleste, lorsqu'elle dédaigne d'habiter la terre : elle ne s'y arrête donc pas, mais elle y passe; elle ne s'y habitue pas, mais elle y voyage. Ce qu'elle appréhende le plus, c'est que ses enfants s'y naturalisent, et qu'ils ne fassent leur principal établissement où ils ne doivent avoir qu'un lieu de passage. Mais nous comprenons plus facilement cette qualité d'étrangère, si nous faisons en un mot la comparaison de l'Église de Jésus-Christ avec la Synagogue ancienne.

Il n'y a personne qui n'ait remarqué que les livres sacrés de Moïse, outre les préceptes de religion, sont pleins de lois politiques, et qui regardent le gouvernement d'un État. Ce sage législateur ordonne du commerce et de la police, des successions et des héritages, de la justice et de la guerre, et enfin de toutes les choses qui peuvent maintenir un empire. Mais le prince du nouveau peuple, le législateur de l'Église, a pris une conduite opposée. Il laisse faire aux princes du monde l'établissement des lois politiques; et toutes celles qu'il nous donne, et qui sont écrites dans son Évangile, ne regardent que la vie future. D'où vient cette différence entre l'ancien et le nouveau peuple, si ce n'est que la Synagogue devant avoir sa demeure et faire son séjour sur la terre, il fallait lui donner des lois pour y établir son gouvernement; au lieu que l'Église de Jésus-Christ voyageant comme une étrangère parmi tous les peuples du monde, elle n'a point de lois particulières touchant la société politique; et il suffit de lui dire généralement ce qu'on dit aux étrangers et aux voyageurs, qu'en ce qui regarde le gouvernement, elle suive les lois du pays où elle fera son pèlerinage, et qu'elle en révère les princes et les magistrats : *Omnis anima potestatibus sublimioribus subdita sit*[1]. C'est le seul commandement politique que le Nouveau Testament nous donne.

Cette vérité étant supposée, si vous me demandez, chrétiens, quels sont les droits de l'Église, qu'attendez-vous que je vous réponde, sinon qu'elle a sans doute de grands avantages et des prétentions glorieuses; mais que celui dont elle attend tout, ayant dit que son royaume n'est pas de ce monde[2], tout le droit qu'elle

---

[1] *Rom.*, XIII, 1. — [2] *Joann.*, XVIII, 36.

peut avoir d'elle-même sur la terre, c'est qu'on lui laisse, pour ainsi dire, passer son chemin et achever son voyage en paix? Tellement que rien ne lui convient mieux, à elle et à ses enfants, que ces mots de Tertullien : « Toute notre affaire en ce monde, c'est d'en sortir au « plus tôt : » *Nihil nostra refert in hoc œvo, nisi de eo quam celeriter excedere*[1].

Mais peut-être que vous penserez que je représente l'Église comme une étrangère trop faible, et que je la laisse sans autorité et sans fonction sur la terre, enfin trop nue et trop désarmée au milieu de tant de puissances ennemies de sa doctrine, ou jalouses de sa grandeur. Non, mes frères, il n'en est pas ainsi. Elle ne voyage pas sans sujet dans ce monde : elle y est envoyée par un ordre suprême, pour y recueillir les enfants de Dieu, et rassembler ses élus dispersés aux quatre vents. Elle a charge de les tirer du monde; mais il faut qu'elle les vienne chercher dans le monde : et en attendant, chrétiens, qu'elle les présente à Dieu, maintenant qu'elle voyage avec eux et qu'elle les tient sous son aile, n'est-il pas juste qu'elle les gouverne, qu'elle dirige leurs pas incertains, et qu'elle conduise leur pèlerinage? C'est pourquoi elle a sa puissance, elle a ses lois et sa police spirituelle, elle a ses ministres et ses magistrats, par lesquels elle exerce, dit Tertullien, « une divine cen- « sure contre tous les crimes : » *Exhortationes, casti- gationes, et censura divina*[2]. Malheur à ceux qui la trou- blent, ou qui se mêlent dans cette céleste administration, ou qui osent en usurper la moindre partie! C'est une injustice inouïe de vouloir profiter des dépouilles de cette épouse du Roi des rois, à cause seulement qu'elle est étrangère, et qu'elle n'est pas armée. Son Dieu prendra

---

[1] *Apolog.*, no 41. — [2] *Apolog.*, 39.

en main sa querelle, et sera un rude vengeur contre ceux qui oseront porter leurs mains sacriléges sur l'arche de son alliance. Mais laissons ces réflexions, et avançons dans notre sujet.

Jusqu'ici l'Église n'a aucun droit qui relève de la puissance des hommes, elle ne tient rien que de son Époux. Mais les rois du monde ont fait leur devoir; et pendant que cette illustre étrangère voyageait dans leurs États, ils lui ont accordé de grands priviléges, ils ont signalé leur zèle envers elle par des présents magnifiques. Elle n'est pas ingrate de leurs bienfaits, elle s'en glorifie par toute la terre. Mais elle ne craint point de leur dire que, parmi leurs plus grandes libéralités, ils reçoivent plus qu'ils ne donnent; et enfin, pour nous expliquer nettement, qu'il y a plus de justice que de grâce dans les priviléges qu'ils lui accordent. Car, pour ne pas raconter ici les avantages spirituels que l'Église leur communique, pouvaient-ils refuser de lui faire part de quelques honneurs de leur royaume, qu'elle prend tant de soin de leur conserver? Ils règnent sur les corps par la force, et peut-être sur les cœurs par l'inclination ou par les bienfaits. L'Église leur a ouvert une place plus sûre et plus vénérable : elle leur a fait un trône dans les consciences, en présence et sous les yeux de Dieu même : elle a fait un des articles de sa foi de la sûreté de leurs personnes sacrées, et une partie de sa religion de l'obéissance qui leur est due. Elle va étouffer dans le fond des cœurs, non-seulement les premières pensées de rébellion, mais encore les moindres murmures; et pour ôter tout prétexte de soulèvement contre les puissances légitimes, elle a enseigné constamment, et par sa doctrine et par ses exemples, qu'il en faut tout souffrir, jusqu'à l'injustice, par laquelle s'exerce secrètement la justice même de Dieu. Après des services si importants, si on lui accorde des priviléges, n'est-ce pas une récompense qui lui est bien due? et les possédant à ce titre, peut-on concevoir le dessein de les lui ravir sans une extrême injustice?

Cependant Henri II, roi d'Angleterre, se déclare l'ennemi de l'Église. Il l'attaque au spirituel et au temporel; en ce qu'elle tient de Dieu, et en ce qu'elle tient des hommes; il usurpe ouvertement sa puissance. Il met la main dans son trésor, qui enferme la subsistance des pauvres. Il flétrit l'honneur de ses ministres par l'abrogation de leurs priviléges, et opprime leur liberté par des lois qui lui sont contraires. Prince téméraire et malavisé, que ne peut-il découvrir de loin les renversements étranges que fera un jour dans son État le mépris de l'autorité ecclésiastique, et les excès inouïs où les peuples seront emportés, quand ils auront secoué ce joug nécessaire! Mais rien ne peut arrêter ses emportements. Les mauvais conseils ont prévalu, et c'est en vain que l'on s'y oppose : il a tout fait fléchir à sa volonté, et il n'y a plus que le saint archevêque de Cantorbéry qu'il n'a pu encore ni corrompre par ses caresses, ni abattre par ses menaces.

A la vérité, il met sa constance à des épreuves bien dures. Qu'on le dépouille, qu'on le déshonore, qu'on le bannisse, il s'en réjouit : mais pourquoi ruiner les siens? C'est ce qui lui perce le cœur. Il n'y a rien de plus insensible ni de plus sensible tout à la fois que la charité véritable. Insensible à ses propres maux, et en cela directement contraire à l'amour-propre, elle a une extrême sensibilité pour les maux des autres. Ainsi le grand apôtre, très-peu touché de tout ce qui le regardait, disait aux fidèles : « J'ai appris à me contenter de l'état « où je me trouve; je sais vivre pauvrement, je sais « vivre dans l'abondance; j'ai été instruit, en toutes

« choses et en toutes rencontres, à être bien traité et à
« souffrir la faim, à être dans l'abondance et à être
« dans l'indigence : » *Scio et humiliari, scio et abundare; ubique et in omnibus institutus sum, et satiari et
esurire, et abundare et penuriam pati* [1]. Et cependant cet
homme tout céleste, si indifférent, si dur pour lui-même,
ressent le contre-coup de tous les maux, de toutes les
peines que peut souffrir le moindre des fidèles. « Qui
« est faible, s'écrie-t-il, sans que je le sois avec lui? qui
« est scandalisé sans que je brûle? » *Quis infirmatur, et
ego non infirmor? quis scandalizatur, et ego non uror* [2]?
Sa tendresse pour ses frères est si grande qu'il ne peut
les voir dans les larmes et dans l'affliction, qu'il n'en
soit pénétré d'une vive douleur : « Que faites-vous de
« pleurer ainsi, et de me briser le cœur? » *Quid facitis
flentes, et affligentes cor meum* [3]? C'est en vain que vous
me fendez le cœur par vos larmes : « car pour moi je
« suis tout prêt de souffrir non-seulement les chaînes,
« mais la mort même, pour le nom du Seigneur Jésus : »
Ego enim non solum alligari, sed et mori paratus sum [4].
Ce cœur de diamant, qui semble défier le ciel, et la
terre, et l'enfer de l'émouvoir, peut souffrir la mort et
les plus dures extrémités; il ne peut souffrir les larmes
de ses frères. Combien a dû être touché saint Thomas
de voir les siens affligés et persécutés à son occasion! Il
se souvient de Jésus, qui n'est pas plutôt né, qu'il attire
des persécutions à ses parents, qui sont contraints de
quitter leur maison pour l'amour de lui. Il a reçu sa
loi d'en haut, et ne peut rien faire pour les siens, sinon
de leur souhaiter qu'ayant part aux persécutions, ils
aient part à la grâce.

[1] *Phil.*, iv, 12. — [2] II. *Cor.*, xi, 29. — [3] Grec, *comminuentes, con-
terentes.* — [4] *Act.*, xxi 13.

Le prophète Zacharie semble avoir voulu nous représenter l'immuable et éternelle concorde qui doit être entre l'empire et le sacerdoce : « Celui-là, dit-il, parlant « du prince, sera revêtu de gloire, il sera assis et do- « minera sur son trône ; et le pontife sera aussi sur son « trône, et il y aura un conseil de paix entre ces deux : » *Ipse portabit gloriam, et sedebit, et dominabitur super solio suo ; et erit sacerdos super solio suo, et consilium pacis erit inter illos duos*[1]. Vous voyez que la gloire, et l'éclat, et l'autorité dominante, sont dans le trône royal. Mais quoique le Fils de Dieu ait enseigné à ses ministres qu'ils ne doivent pas dominer à la manière du monde, le sacerdoce néanmoins ne laisse pas d'avoir son trône : car le prophète en établit deux ; il reconnaît deux puissances, qui sont, comme vous voyez, plutôt unies que subordonnées : *consilium pacis inter illos*[2] ; et le genre humain se repose à l'ombre de cette concorde.

Saint Thomas a souvent représenté au roi d'Angleterre, par des lettres pleines d'une force, d'une douceur et d'une modestie apostolique, que ces puissances doivent concourir et se prêter la main mutuellement, et non se regarder avec jalousie, puisqu'elles ont des fins si diverses, qu'elles ne peuvent se choquer sans quitter leur route et sortir de leurs limites. Il soutient ces charitables avertissements avec toute l'autorité que pouvait donner non-seulement la sainteté de son caractère, mais la sainteté de sa vie, qui était l'exemple et l'admiration de tout l'univers.

Notre France l'avait connue, puisque, lorsqu'il fut exilé, elle lui avait ouvert les bras ; et le roi Louis VII, témoin oculaire des vertus apostoliques de ce grand homme, a toujours constamment favorisé et sa personne,

[1] *Zachar.*, VI, 13. — [2] *Matth.*, XX, 25, 26.

et la cause qu'il défendait, par toutes sortes de bons
offices. Rendons ici témoignage à l'incomparable piété
de nos monarques très-chrétiens. Comme ils ont vu que
Jésus-Christ ne règne pas, si son Église n'est autorisée,
leur propre autorité ne leur a pas été plus chère que
l'autorité de l'Église. Cette puissance royale, qui doit
donner le branle dans les autres choses, n'a jamais jugé
indigne d'elle de ne faire que seconder dans les affaires
spirituelles; et un roi de France, empereur, n'a pas cru
se rabaisser, lorsque, écrivant aux évêques, il les assure
de sa protection dans les fonctions de leur ministère;
afin, dit ce grand roi, que notre puissance royale
servant, comme il est convenable, à ce que demande
votre autorité, vous puissiez exécuter vos décrets : *Ut
nostro auxilio suffulti, quod vestra auctoritas exposcit,
famulante, ut decet, potestate nostra, perficere valeatis*[1].

Telles sont les maximes saintes et durables de la monarchie très-chrétienne; et plût à Dieu que le roi d'Angleterre eût suivi les sentiments et imité les exemples
de ses augustes voisins! Saint Thomas ne se verrait pas
réduit à la dure nécessité de s'opposer à son prince.
Mais comme ce monarque se rend inflexible, l'Église opprimée est contrainte de recourir aux derniers efforts.
Vous attendez peut-être des foudres et des anathèmes.
Mais, quoique Henri les eût mérités, Thomas, aussi
modéré que vigoureux, ne fulmine pas aisément contre
une tête royale. Voici ces derniers efforts dont je veux
parler : le saint archevêque offre à Dieu sa vie; et sachant que l'Église n'est jamais plus forte que lorsqu'elle
parle par la voix du sang, il revient d'un long exil
avec un esprit de martyr, préparé aux violences d'un
roi implacable et de toute sa cour irritée.

---

[1] *Ludovic. Pius. Cap.. ann. 823, cap. iv.*

Saint Ambroise a remarqué[1], dès son temps, que les hommes apostoliques, qui entreprennent d'un grand courage les œuvres de piété et la censure des vices, sont assez souvent traversés par des raisons politiques. Car comme les pécheurs ne peuvent souffrir ceux qui viennent les troubler dans leur faux repos ; et comme le monde n'a rien tant à cœur que de voir l'Église sans force, et la piété sans défense, il se plaît de lui opposer ce qu'il a de plus redoutable, c'est-à-dire le nom de César et les intérêts de l'Etat. Ainsi quand Néhémias relevait les tours abattues et les murailles désolées de Jérusalem, les ministres du roi de Perse publiaient partout qu'il méditait un dessein de rébellion[2] ; et comme le moindre soupçon d'infidélité attire des difficultés infinies, ils tâchaient de ralentir l'ardeur de son zèle par cette vaine terreur. Quoique le saint archevêque n'élevât ni des tours ni des forteresses, et qu'il songeât seulement à réparer les ruines d'une Jérusalem spirituelle, toutefois il fut exposé aux mêmes reproches. Henri, déjà prévenu et irrité par les faux rapports, témoigna, avec une aigreur extrême, que la vie de ce prélat lui était à charge. Que de mains furent armées contre lui par cette parole !

Chrétiens, soyez attentifs : s'il y eût jamais un martyre qui ressembla parfaitement à un sacrifice, c'est celui que je dois vous représenter. Voyez les préparatifs : l'évêque est à l'église avec son clergé, et ils sont déjà revêtus. Il ne faut pas chercher bien loin la victime : le saint pontife est préparé, et c'est la victime que Dieu a choisie. Ainsi tout est prêt pour le sacrifice, et je vois entrer dans l'église ceux qui doivent donner le coup. Le saint homme va au-devant d'eux, à l'imitation de Jésus-Christ ; et, pour imiter en tout ce divin modèle, il

---

[1] *Serm. contra Auxent.*, n° 30. — [2] *II. Esdr.*, VI, 6, 7.

défend à son clergé toute résistance, et se contente de demander sûreté pour les siens. « Si c'est moi que vous « cherchez, laissez, dit Jésus[1], retirer ceux-ci. » Ces choses étant accomplies, et l'heure du sacrifice étant arrivée, voyez comme saint Thomas en commence la cérémonie. Victime et pontife tout ensemble, il présente sa tête, et fait sa prière. Voici les vœux solennels et les paroles mystiques de ce sacrifice : *Et ego pro Deo mori paratus sum, et pro assertione justitiæ, et pro Ecclesiæ libertate; dummodo effusione sanguinis mei pacem et libertatem consequatur :* « Je suis prêt à mourir, dit-« il, pour la cause de Dieu et de son Église; et toute « la grâce que je demande, c'est que mon sang lui « rende la paix et la liberté qu'on lui veut ravir. » Il se prosterne devant Dieu; et comme dans le sacrifice solennel nous appelons les saints pour être nos intercesseurs, il n'omet pas une partie si considérable de cette cérémonie sacrée : il appelle les saints martyrs et la sainte Vierge au secours de l'Église opprimée; il ne parle que de l'Église; il n'a que l'Église dans le cœur et dans la bouche; et abattu par le coup, sa langue froide et inanimée semble encore nommer l'Église.

Mais voici un nouveau spectacle. Après qu'on a dépouillé le saint martyr, on découvre un autre martyre non moins admirable, qui est le martyre de sa pénitence, un cilice affreux tout plein de vermine... Ah! ne méprisons point cette peinture, et ne craignons point de remuer ces ordures si précieuses. Ce cilice lui perce la peau, et il est si attaché à sa peau, qu'il semble qu'il soit une autre peau autour de son corps. On voit que ce saint a été martyr durant tout le cours de sa vie; et on ne s'étonne plus de ce qu'il est mort avec tant de force,

[1] *Joann.*, XVIII, 8.

mais de ce qu'il a pu vivre au milieu de telles souffrances. O digne défenseur de l'Église! voilà les hommes qui méritent de parler pour elle, et de combattre
pour ses intérêts : aussi sa victoire est-elle assurée. Les
lois qui l'oppriment vont être abolies; et ce que le saint
archevêque n'a pas obtenu vivant, il l'accomplira par
sa mort.

Le ciel se déclare manifestement. Pendant que les
politiques raffinent et raisonnent à leur mode, Dieu
parle par des miracles si visibles et si fréquents, que
les rois mêmes, et les plus grands rois, oui, mes frères,
nos rois très-chrétiens passent les mers pour aller honorer ses saintes reliques. Louis le Jeune va en personne lui
demander la guérison de son fils aîné, attaqué d'une maladie mortelle. Nous devons Philippe-Auguste au grand
saint Thomas, nous lui devons saint Louis, nous lui devons tous nos rois et toute la famille royale, qu'il a sauvée
dans sa tige. Voyez, mes frères, quels défenseurs trouve
l'Église dans sa faiblesse, et combien elle a raison de dire
avec l'Apôtre : *Cum infirmor, tunc potens sum*[1]. Ce sont
ces bienheureuses faiblesses qui lui donnent cet invincible secours, et qui arment en sa faveur les plus valeureux soldats et les plus puissants conquérants du monde,
je veux dire les saints martyrs. Quiconque ne ménage
pas l'autorité de l'Église, qu'il craigne ce sang précieux
des martyrs, qui la consacre et qui la protége. Pour avoir
violé ses droits, Henri est mal assuré dans son trône; sa
couronne est ébranlée sur sa tête, son sceptre ne tient
pas dans ses mains. Dieu permet que tous ses voisins se
liguent, que tous ses sujets se révoltent et oublient leur
devoir; que son propre fils oublie sa naissance, et se
mette à la tête de ses ennemis. Déjà la vengeance du

[1] II. *Cor.*, XII, 10.

ciel commence à le presser de toutes parts, mais c'est une vengeance miséricordieuse, qui ne l'abat que pour le rendre humble, et pour faire d'un roi pécheur un roi pénitent : c'est la seconde merveille qu'a opérée la mort du saint archevêque : *In morte mirabilia operatus est.*

SECOND POINT.

Dans ce démêlé célèbre où les intérêts de l'Église ont engagé saint Thomas contre un grand monarque, je me sens obligé de vous avertir qu'il ne lui a pas résisté en rebelle et dans un esprit de faction : il a joint la fermeté avec le respect. S'il a toujours songé qu'il était évêque, il n'a jamais oublié qu'il était sujet; et la charité pastorale animait de telle sorte toute sa conduite, qu'il ne s'est opposé au pécheur que dans le dessein de sauver le roi.

Il ne doit pas être nouveau aux chrétiens d'avoir à se défendre des grands de la terre; et c'est une des premières leçons que Jésus-Christ a données à ses saints apôtres. Mais encore que cette instruction nous prépare principalement contre les rois infidèles, plusieurs exemples illustres, et entre autres celui du grand saint Thomas, nous font voir assez clairement que l'Église a souvent besoin de rappeler toute sa vigueur au milieu de sa paix et de son triomphe. Combien ces occasions sont fortes et dangereuses, vous le comprendrez aisément, si vous me permettez, chrétiens, de vous représenter comme en deux tableaux les deux temps et les deux états du christianisme : l'empire ennemi de l'Église, et l'empire réconcilié avec l'Église.

Durant le temps de l'inimitié, il y avait entre l'un et l'autre une entière séparation. L'Église n'avait que le ciel, et l'empire n'avait que la terre : les charges, les

dignités, les magistratures, c'est ce qui, selon le langage
de l'Église, s'appelait le siècle auquel elle obligeait ses
enfants de renoncer. C'était une espèce de désertion que
d'aspirer aux honneurs du monde; et les sages ne pensaient pas qu'un chrétien de la bonne marque pût devenir magistrat. Quand cela fut permis, à certaines
conditions, au premier concile d'Arles, dans les premières années du grand Constantin, les termes mêmes de
la permission marquaient toujours quelque répugnance :
Ad præsidatum prosilire[1]; par un mot qui voulait dire
qu'on s'égarait hors des bornes, qu'on s'échappait, qu'on
sortait des lignes. Ce n'est pas que les fidèles ne sussent
que les puissances de l'État étaient légitimes, puisque
même saint Paul leur avait appris qu'elles étaient ordon-
nées de Dieu[2]. Mais, dans cette première faveur, l'Église
respirait tellement le ciel, qu'elle ne voulait rien voir
dans les siens qui ne fût céleste; et elle était encore tellement remplie de la simplicité presque rustique de ses
saints et divins pêcheurs, qu'elle ne pouvait accoutumer
ses yeux à la pompe et aux grandeurs de la terre.

Il faut vous dire, messieurs, l'opinion qu'on avait en
ce temps-là des empereurs, sur le sujet de la religion.
On ne considérait pas seulement qu'ils étaient ennemis de
l'Église; mais Tertullien a bien osé dire qu'ils n'étaient
pas capables d'y être reçus. Vous allez être étonnés de
la liberté de cette parole : « Les Césars, dit-il, seraient
« chrétiens, si le siècle qui nous persécute se pouvait
« passer des Césars, ou s'ils pouvaient être Césars et
« chrétiens tout ensemble : *Cæsares credidissent super
Christo, si aut Cæsares non essent sæculo necessarii; aut
si et christiani potuissent esse et Cæsares*[3]. Voilà, direz-
vous, de ces excès de Tertullien. Et quoi donc! n'avons-

---

[1] *Concil. Arelat.*, I, can. VII. — [2] *Rom.*, XIII, 1. — [3] *Apolog.*, n° 21.

nous pas vu les Césars obéir enfin à l'Évangile, et abaisser leur majesté au pied de la croix? Il est vrai; mais il faut savoir distinguer les temps. Durant les temps des combats qui devaient engendrer les martyrs, lès Césars étaient nécessaires au siècle, le parti contraire à l'Église les devait avoir à sa tête; et Tertullien a raison de dire que le nom d'empereur et de César, qui, selon les occultes dispositions de la Providence, était un nom de majesté, était incompatible avec le nom de chrétien, qui devait être alors un nom d'opprobre. Les fidèles de ce temps-là, regardant les empereurs de la sorte, n'avaient garde de corrompre leur simplicité à la cour : il ne fallait pas craindre que les faveurs des empereurs fussent capables de les tenter; et leurs mains, qu'ils voyaient trempées et encore toutes dégouttantes du sang des martyrs, leur rendaient leurs offres et leurs présents non-seulement suspects, mais odieux. Pour ce qui regardait leurs menaces, il fallait à la vérité beaucoup de vigueur pour n'en être pas ému; mais ils avaient du moins cet avantage, qu'une guerre si déclarée les déterminait à la résistance, et qu'il n'y avait pas à délibérer si on s'opposerait à une puissance qu'on voyait si ouvertement armée contre l'Évangile.

Mais après la paix de l'Eglise, après que l'empire s'est uni avec elle, les choses peu à peu ont été changées. Comme le monde a paru ami, les fidèles n'ont plus refusé ses présents. Ces chrétiens sauvages et durs, qui ne pouvaient s'apprivoiser avec la cour, ont commencé à la trouver belle; et la voyant devenue chrétienne, ils ont appris à en briguer les faveurs. Ainsi les douceurs de la paix ont amolli ces courages mâles, que l'exercice de la guerre rendait invincibles; l'ambition, la flatterie, l'amour des grandeurs, se coulant insensiblement dans l'Église, ont énervé peu à peu cette vigueur ancienne, même dans l'ordre ecclésiastique, qui en était le plus ferme appui ; et, comme dit saint Grégoire [1], on a cherché l'honneur du siècle dans une puissance que Dieu avait établie pour l'anéantir.

Dans cet état du christianisme, s'il arrive qu'un roi chrétien, comme Henri d'Angleterre, entreprenne contre l'Église, ne faudra-t-il pas, pour lui résister, une résolution extraordinaire? Combien a désiré notre saint prélat, puisqu'il plaisait à Dieu qu'il souffrît persécution pour la justice, que Dieu lui envoyât un Néron ou quelque monstre semblable pour persécuteur! Il n'eût pas eu à combattre tant de fortes considérations qui le retenaient contre un roi, enfant de l'Église, son maître, son bienfaiteur, dont il avait été le premier ministre. De plus, un ennemi déclaré, à qui le prétexte du nom chrétien n'aurait pas donné le moyen de tromper les évêques par de belles apparences, aurait-il pu détacher tous ses frères les évêques, pour le laisser seul et abandonné dans la défense de la bonne cause? Voici donc une nouvelle espèce de persécution qui s'élève contre saint Thomas ; persécution formidable, à qui la puissance royale donne de la force, à qui la profession du christianisme donne le moyen d'employer la ruse. N'est-ce pas en de pareilles rencontres que la justice a besoin d'être soutenue avec toute la vigueur ecclésiastique : d'autant plus qu'il ne suffit pas de résister seulement à ce roi superbe ; mais il faut encore tâcher de l'abattre, mais de l'abattre pour son salut, par l'humilité de la pénitence?

Notre saint évêque n'ignore pas qu'il n'est rien de plus utile aux pécheurs que de trouver des obstacles à leurs desseins criminels. Il ne cède donc pas à l'iniquité, sous prétexte qu'elle est armée et soutenue d'une main

____

[1] *Pastor.*, part. I, cap. VIII.

royale : au contraire, lui voyant prendre son cours d'un lieu éminent, d'où elle peut se répandre avec plus de force, il se croit plus obligé de s'élever contre, comme une digue que l'on élève à mesure que l'on voit les ondes enflées. Ainsi le désir de sauver le roi l'oblige à lui résister de toute sa force. Mais que dis-je, de toute sa force? Est-il donc permis à un sujet d'avoir de la force contre son prince; et pensant en faire un généreux, n'en ferons-nous point un rebelle? Non, mes frères, ne craignez rien, ni de la conduite de saint Thomas, ni de la simplicité de mes expressions. Selon le langage ecclésiastique, la force a une autre signification que dans le langage du monde. La force, selon le monde, s'étend jusqu'à entreprendre; la force, selon l'Église, ne va pas plus loin que de tout souffrir : voilà les bornes qui lui sont prescrites. Écoutez l'apôtre saint Paul : *Nondum usque ad sanguinem restitistis*[1]; comme s'il disait : Vous n'avez pas tenu jusqu'au bout, parce que vous ne vous êtes pas défendus jusqu'au sang. Il ne dit pas, jusqu'à attaquer, jusqu'à verser le sang de vos ennemis; mais jusqu'à répandre le vôtre.

Au reste, saint Thomas n'abuse pas de ces maximes vigoureuses. Il ne prend pas par fierté ces armes apostoliques, pour se faire valoir dans le monde : il s'en sert comme d'un bouclier nécessaire dans l'extrême besoin de l'Église. La force du saint évêque ne dépend donc pas du concours de ses amis, ni d'une intrigue finement menée. Il ne sait point étaler au monde sa patience pour rendre son persécuteur plus odieux, ni faire jouer de secrets ressorts pour soulever les esprits. Il n'a pour lui que les prières des pauvres, les gémissements des veuves et des orphelins. Voilà, disait saint Ambroise[2], les défenseurs

<hr>

[1] *Heb.*, XII, 4. — [2] *Serm. contra Auxent.*, n° 4.

des évêques; voilà leurs gardes, voilà leur armée. Il est fort, parce qu'il a un esprit également incapable et de crainte et de murmure. Il peut dire véritablement à Henri, roi d'Angleterre, ce que disait Tertullien, au nom de toute l'Église, à un magistrat de l'empire, grand persécuteur de l'Église : *Non te terremus, qui nec timemus*[1]. Apprends à connaître quels nous sommes, et vois quel homme c'est qu'un chrétien : « Nous ne pensons pas à te « faire peur, et nous sommes incapables de te craindre. » Nous ne sommes ni redoutables ni lâches : nous ne sommes pas redoutables, parce que nous ne savons pas cabaler; et nous ne sommes pas lâches, parce que nous savons mourir.

C'est ce que semble dire le grand saint Thomas, et c'est par ce sentiment qu'il unit ensemble les devoirs de l'épiscopat avec ceux de la sujétion. *Non te terremus;* voilà le sujet toujours soumis et respectueux : *qui nec timemus;* voilà l'évêque toujours ferme et inébranlable. *Non te terremus;* je ne médite rien contre l'État : *qui nec timemus;* je suis prêt à tout souffrir pour l'Église. J'ai donc eu raison de vous dire qu'il résiste de toute sa force; mais cette force n'est point rebelle, parce que cette force, c'est sa patience. Encore n'étale-t-il pas au monde cette patience avec une contenance fière et un air de dédain, pour rendre son persécuteur odieux : au contraire, sa modestie est connue de tous, selon le précepte de l'Apôtre[2]. C'est par là qu'il espère convertir le roi : il se propose de l'apaiser, du moins en lassant sa fureur. Il ne désire que de souffrir, afin que sa vengeance épuisée se tourne à de meilleurs sentiments. Quoiqu'il voie que ses biens ravis, sa réputation déchirée, les fatigues d'un long exil, l'injuste persécution de tous les siens,

---

[1] *Ad Scapul.*, n° 4. — [2] *Philip.*, IV, 5.

n'aient pu assouvir sa colère, il sait ce que peut le sang
d'un martyr; et le sien est tout prêt à couler pour amol- .
lir le cœur de son prince. Il n'a pas été trompé dans son
espérance : le sang de ce martyr, le sacrifice, sanglant
de Thomas, a produit un autre sacrifice d'humilité et de
pénitence; il a amené à Dieu une autre victime, victime
royale et couronnée. .

Je vous ai représenté l'appareil du premier sacrifice :
que celui-ci est digne encore de vos attentions ! Là, un
évêque à la tête de son clergé; et ici, un roi environné
de toute sa cour : là, un évêque nous a paru revêtu de
ses ornements; ici, nous voyons un roi humblement
dépouillé des siens : là, vous avez vu des épées tirées,
qui sont les armes de la cruauté; ici, une discipline et
une haire, qui sont les instruments de la pénitence. Dans
le premier sacrifice; si vous avez eu de l'admiration pour
le courage, vous avez eu de l'horreur pour le sacrilége :
ici, tout est plein de consolation. La victime est frappée ;
mais c'est la contrition qui perce son cœur : la victime
est abattue; mais c'est l'humilité qui la renverse. Le
sang qui est répandu, ce sont les larmes de la pénitence :
Quidam sanguis animœ[1]; l'autel du sacrifice, c'est le
tombeau même du saint martyr. Le roi se prosterne
devant ce tombeau, il fait une humble réparation aux
cendres du grand saint Thomas, il honore ces cendres,
il baise ces cendres, il arrose ces cendres de larmes, il
mêle ses larmes au sang du martyr, il sanctifie ces larmes par la société de ce sang; et ce sang qui criait vengeance, apaisé par ces larmes d'un roi pénitent, demande protection pour sa couronne. Il affermit son trône
ébranlé, il relève le courage de ses serviteurs; il met
le roi d'Écosse, son plus grand ennemi, entre ses mains;

____

[1] *S. Aug.*, *Serm.* CCCLI, n° 7.

il fait rentrer son fils dans son devoir, qu'il avait oublié ; enfin, en un même jour, il rend la concorde à sa maison, la tranquillité à son État, et le repos à sa conscience. Voilà ce qu'a fait la mort de Thomas, voilà la seconde merveille qu'elle a opérée, la conversion des persécuteurs : la dernière dépend en partie de nous ; c'est, mes frères, que notre zèle pour la sainte Église soit autant échauffé, comme il est instruit par l'exemple de ce grand homme.

TROISIÈME POINT.

A la mort de Thomas, le clergé d'Angleterre commença à reprendre cœur : le sang de ce martyr ranima et réunit tous les esprits, pour soutenir, par un saint concours, les intérêts de l'Église. Apprenons aussi à l'aimer, et à être jaloux de sa gloire. Mais, messieurs, ce n'est pas assez que nous apprenions du grand saint Thomas à conserver soigneusement son autorité et ses droits : il faut qu'il nous montre à en bien user, chacun selon le degré où Dieu l'a établi dans le ministère ; et vous ne pouvez ignorer quel doit être ce bon usage que je vous demande, si vous écoutez un peu la voix de ce sang. Car considérons seulement pour quelle cause il est répandu, et d'où vient que toute l'Église célèbre avec tant de dévotion le martyre de saint Thomas. C'est qu'on voulait lui ravir ses priviléges, usurper sa puissance, envahir ses biens ; et ce grand archevêque y a résisté.

Mais si l'on ne se sert de ces priviléges que pour s'élever orgueilleusement au-dessus des autres ; si l'on n'use de cette puissance que pour faire les grands dans le siècle ; si l'on n'emploie ces richesses que pour contenter de mauvais désirs, ou pour se faire considérer par une

pompe mondaine : est-ce là de quoi faire un martyr ?
Était-ce là un digne sujet pour donner du sang, et pour
troubler tout un grand royaume? N'est-ce pas pour faire
dire aux politiques impies, que saint Thomas a été le
martyr de l'avarice ou de l'ambition du clergé, et que
nous consacrons sa mémoire, parce qu'il nous a soutenus
dans des intérêts temporels?

Voilà, direz-vous, un discours d'impie; voilà un raisonnement digne d'un hérétique ou d'un libertin. Je le
confesse, messieurs; mais répondons à cet hérétique,
fermons la bouche à ce libertin, justifions le martyre du
grand saint Thomas de Cantorbéry : il ne sera pas difficile. Nous dirons que si le clergé a des priviléges, c'est
afin que la religion soit honorée; que s'il possède des
biens, c'est pour l'exercice des saints ministères, pour
la décoration des autels, et pour la subsistance des pauvres; que s'il a de l'autorité, c'est afin qu'elle serve
de frein à la licence, de barrière à l'iniquité, d'appui à
la discipline. Nous ajouterons qu'il est peut-être à propos
que le clergé ait quelque force même dans le siècle,
quelque éclat même temporel quoique modéré, afin de
combattre le monde par ses propres armes, pour attirer
et réprimer les âmes infirmes par les choses qui ont
coutume de les frapper. Cet éclat, ces secours, ces soutiens externes de l'Église, empêchent peut-être le monde
de l'attaquer, pour ainsi dire, dans ses propres biens,
dans cette divine puissance, dans le cœur même de la
religion; et ce sont, si vous voulez, comme les dehors
de cette sainte Sion, de cette belle forteresse de David,
qu'il ne faut point laisser prendre ni abandonner, et
moins encore livrer à ses ennemis. D'ailleurs, comme
le monde gagne insensiblement, quand saint Thomas
n'aurait fait qu'arrêter un peu son progrès, le dessein
en est toujours glorieux. Voilà une défense invincible, et

sans doute on ne pouvait pas répandre son sang pour une cause plus juste.

Mais si le monde nous presse encore, s'il convainc un si grand nombre d'ecclésiastiques de faire servir ces droits à l'orgueil, cette puissance à la tyrannie, ces richesses à la vanité ou à l'avarice; si cette apologie et notre défense n'est que dans notre bouche et dans nos discours, et non dans nos mœurs et dans notre vie : ne dira-t-on pas qu'à la vérité notre origine était sainte, mais que nous nous sommes démentis nous-mêmes, que nous avons tourné en mondanité la simplicité de nos pères, et que nous couvrons du prétexte de la religion nos passions particulières? N'est-ce pas déshonorer le sang du grand saint Thomas, faire servir son martyre à nos intérêts, et exposer aux dérisions injustes de nos ennemis la cause si juste et si glorieuse pour laquelle il a immolé sa vie?

Fasse donc ce divin Sauveur, qui a établi le clergé pour être la lumière du monde, que tous ceux qui sont appelés aux honneurs ecclésiastiques, en quelque degré du saint ministère qu'ils aient été établis, emploient si utilement leur autorité, qu'on loue à jamais le grand saint Thomas de l'avoir si bien défendue; qu'ils dispensent si saintement, si chastement les biens de l'Église, que l'on voie par expérience la raison qu'il y avait de les conserver par un sang si pur et si précieux. Qu'ils maintiennent la dignité de l'ordre sacré par le mépris des grandeurs du monde, et non pour la recherche de ses honneurs; par l'exemple de leur modestie, plutôt que par les marques de la vanité; par la mortification et la pénitence, plutôt que par l'abondance et la délicatesse des enfants du siècle : que leur vie soit l'édification des peuples; leur parole, l'instruction des simples : leur doctrine, la lumière des dévoyés; leur

vigueur et leur fermeté, la confusion des pécheurs;
leur charité, l'asile des pauvres; leur puissance, le soutien des faibles; leur maison, la retraite des affligés;
leur vigilance, le salut de tous. Ainsi nous réveillerons
dans l'esprit de tous les fidèles cette ancienne vénération pour le sacerdoce; nous irons tous ensemble, nous
et les peuples que nous enseignons, recevoir avec saint
Thomas la couronne d'immortalité qui nous est promise, au nom du Père, et du Fils, et du Saint-Esprit.
Amen.

FIN DES PANÉGYRIQUES.

TABLE DES MATIÈRES.

Pages.

Avis de l'Éditeur.   1

Notice sur Bossuet.   3

Jugements sur les Oraisons funèbres de Bossuet :

    Lettre du P. de Neuville. 19

    Par M. de Chateaubriand. 20

    Par M. Dussault. 23

    Par M. Villemain. 26

Oraison funèbre de Henriette-Marie de France, reine de la Grande-
Bretagne, prononcée le 16 novembre 1669, en présence de
Monsieur, frère unique du roi, et de Madame, en l'église des re-
ligieuses de Sainte-Marie de Chaillot, où repose le cœur de Sa
Majesté. 29

Oraison funèbre de Henriette-Anne d'Angleterre, duchesse d'Orléans, prononcée à Saint-Denis le 21 août 1670. 75

Oraison funèbre de Marie-Thérèse d'Autriche, infante d'Espagne,
reine de France et de Navarre, prononcée à Saint-Denis, le
1er septembre 1683, en présence de monseigneur le Dauphin... 121

Oraison funèbre d'Anne de Gonzague de Clèves, princesse Palatine, prononcée en présence de monseigneur le Duc, de madame la Duchesse, et de monseigneur le duc de Bourbon, dans
l'église des Carmélites du faubourg Saint-Jacques, le 9 août
1685. 169

Oraison funèbre de messire Michel Le Tellier, chevalier, chancelier
de France, prononcée dans l'église paroissiale de Saint-Gervais,
où il fut inhumé, le 25 janvier 1686. 213

Oraison funèbre de Louis de Bourbon, prince de Condé, premier
prince du sang, prononcée en l'église de Notre-Dame de Paris,
le 10 mars 1687. 262

PANÉGYRIQUES.

Panégyrique de saint Pierre Nolasque. — Avec quel zele saint
Pierre Nolasque, pour imiter et honorer la charité du divin
Sauveur, a consacré, au soulagement et à la délivrance de ses
frères captifs, ses soins, sa personne et ses disciples. 317

Panégyrique de saint Victor, prononcé à Paris, dans l'abbaye de
ce nom, en 1657. — Mépris des idoles, conversion de ses
propres gardes, effusion de son sang ; trois manières dont saint

Pages.

Victor fait triompher Jésus-Christ. Comment nous devons l'imiter. 341

Panégyrique de l'apôtre saint Paul. — Comment le grand apôtre, dans ses prédications, dans ses combats, dans le gouvernement ecclésiastique, est-il toujours faible, et triomphe-t-il de tous les obstacles par ses faiblesses mêmes ? 369

Panégyrique de sainte Catherine. — Abus que les hommes font de la science. La bonne vie, l'édification des âmes, le triomphe de la vérité, fin à laquelle doit être rapportée toute la science du christianisme. 397

Panégyrique de saint André, apôtre, prêché aux Carmélites du faubourg Saint-Jacques. — Conduite étonnante de Jésus-Christ dans la formation de son Église; combien inconcevable et divine l'entreprise des apôtres. Triste état de la religion parmi nous; misérables dispositions des chrétiens de nos temps. 423

Panégyrique de saint Thomas de Cantorbéry, prononcé dans l'église de Saint-Thomas du Louvre en 1668. — Motifs de la résistance de saint Thomas à l'égard de son prince. Sa conduite toujours sage, toujours respectueuse au milieu des violentes persécutions qu'il a à souffrir. Succès de ses combats dans la discipline. Admirable changement que produit sa mort dans ses ennemis; zèle qu'elle inspire à ses frères. Usage que les ecclésiastiques doivent faire de leurs priviléges, de leurs biens et de leur autorité, pour ne pas exposer l'Église aux blasphèmes des libertins. . . 445

FIN DE LA TABLE DU TOME PREMIER.

Bossuet saw in Bourdaloue a worthy suc
-cessor, 6.
Effects of prosperity & adversity, 70
The *Imitatio Christi*, 73.
Vanity and greatness of man, 85-6, 330.
Study of History, 90   [their own death, 94
Politicians who foresee every thing but
It is in the first grace and in the last,
that grace shows itself most truly grace
Death the deliverer from temptation, 114. [105
God's grace can work in very narrow
limits of time, 117.
The few names in Sardis, 127-8.
Under Louis XIV France learned to
know herself, 137-140.
The Prodigal's elder brother, 149.
Religious feuds in France, 159.
Scripture 174.   Nature of Courts, 182.
Scepticism 191-2, 194 [of body, 192
Intemperance of mind, as well as
The Incarnation & the Eucharist, 207.
Christ and his nation, 237-8.
De Retz, 239 f.   The Psalms 258.
Natural kindness in man, a reflex
-ion of the Divine, 287
God-given talents, 297.
Belief in the _love_ of God, 320-2.
Progress of Mahammedanism, 325-7.
Since the cessation of persecution the
Church has become assimilated to
the world, 364-6, 441-2, 461.

The word of the Gospel is a sort of second
body which Xt has taken, in which He
suffers weakness persecution &c. 378-9
St. Paul at Athens, 380.
Faith is not to satisfy curiosity, but to
support conduct, 401.
Influence of the good layman, 422.
Christ's choice of simple men as the first
preachers, 424-7, 429.
When God is about to work some great
work, He lets things sink to despair,
sperabamus, 428-9.
The strange success of these simple men
a proof of the truth of their message, 430-2.
Troubles of the World, 432-3.
We toil in vain without Christ, 'in Thy
name will I let down the net' 433-4
Heresies are the breaking of the net, 435-
'Estote tales, ut inveniatis tales' 437
God's call brooks no delay, 439.
Moses a legislator, Christ not, 449.

255/19

Prodigal Son 143

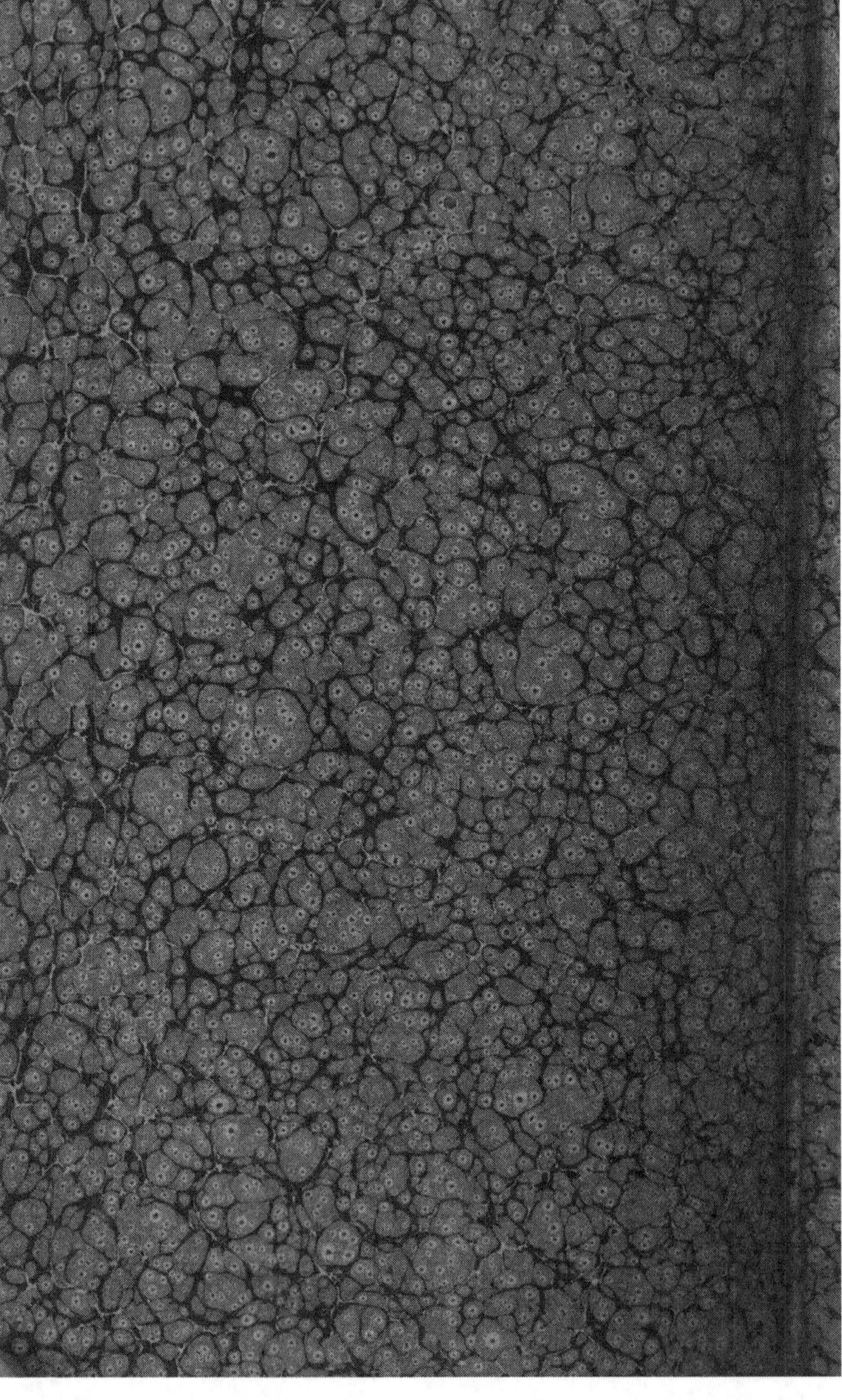